Kayserling, M.; Seph

Romanische Poesien der Juden in Spanien

Kayserling, M.; Sephardim

Romanische Poesien der Juden in Spanien

Inktank publishing, 2018

www.inktank-publishing.com

ISBN/EAN: 9783747793923

We learnt

SEPHARDIM.

ROMANISCHE POESIEN DER JUDEN

IN SPANIEN.

EIN BEITRAG ZUR LITERATUR UND GESCHICHTE DER

SPANISCH–PORTUGIESISCHEN JUDEN.

VON

DR. M. KAYSERLING.

LEIPZIG:

HERMANN MENDELSSOHN.

1859.

DEN HERREN

EMIL UND ISAAC PEREIRA

IN PARIS.

Vorwort.

Von allen Forschungen, welche in unserer Zeit mit aufopfernder Mühe und seltenem Fleisse gepflegt werden, liegt keine unbebauter als die spanisch–jüdische Literatur. Das Verlangen, einmal, wenn auch nur versuchsweise, zu zeigen, was die Juden auch auf dem Gebiete dieser Literatur geleistet und geboten, gedichtet und empfunden haben, wie auch sie haben bauen, errichten und stützen helfen das grosse Gebäude dieser Sprachelemente, wie auch sie trotz alles Druckes dem allgemeinen Bildungsgange gefolgt sind, wie sie, selbst heimathslos und umherirrend, der Heimathssprache treu ergeben blieben, mit einem Worte, zu zeigen, welche Stellung die Juden in dem poetischen Theile der spanischen Literatur einnehmen — dieses Verlangen beseelte mich bei der Ausarbeitung dieser Schrift, welche ich hiermit als das Ergebniss mehrjähriger Forschung allen Freunden der romanischen und jüdischen Literatur, insbesondere aber den Nachkommen meiner spanisch–portugiesischen Glaubensgenossen überreiche.

Nach guter alter Sitte benutze ich diese Stelle, um noch Manches vorzubringen, was weniger den grossen Leserkreis, welchen ich meinem Buche wünsche, als die Kritiker, die gelehrten Forscher, die Männer vom Fach angeht. Ich halte es für meine Pflicht, sowohl über den Plan, welchen ich in dieser Schrift verfolgte, als auch besonders über das Material, aus welchem sie entstanden, Rechenschaft abzulegen und gleichzeitig von dem Vielen, was mir sonst noch auf dem Herzen liegt, wenigstens Etwas hervorzuheben.

Dem freundlichen Leser sollen hier Poesien, romanische Poesien, eine Geschichte der poetischen Literatur der spanisch-

portugiesischen Juden geboten werden. Der erste Tadel,
der mich vielleicht treffen könnte, wäre, dass ich das mir gesteckte
Ziel aus den Augen verloren und statt der versprochenen Poesien,
deren Füsse und Silben man nicht zu zählen beliebe, und welche
oft ja nicht einmal für solche gelten können, nicht selten meine
Leser mit Geschichte und Geschichten unterhalte. Etwas Anderes,
höre ich sagen, ist Geschichte, etwas Anderes Literatur. Dieses
wurde reiflich von mir überlegt. Meiner Ansicht nach ist der von
mir in dieser Schrift eingeschlagene Weg, wenn auch nicht der
einzig richtige, so doch schlechterdings der einzig mögliche. Geschichte lässt sich eben so wenig von Literatur trennen, wie Literatur von Geschichte: ein Grundsatz, welcher besonders von allen
Historikern jüdischer Geschichte und Literatur beherzigt werden
sollte. Hängt schon jede geistige Thätigkeit des Menschen mit
seinen äusseren Verhältnissen und Lebensumständen aufs innigste
zusammen, so treten diese bei dem Dichter um so merklicher hervor. Der Dichter wird so sehr von der ihn umgebenden Lage
bestimmt und geleitet, angeregt und gehoben, dass es vielmehr
als ein Mangel erscheinen müsste, die einzelnen Männer der
Muse ausser allem Zusammenhang mit dem grossen Getriebe der
Geschichte und Zeiten behandelt und vorgeführt zu haben. Ich
wollte in dieser Schrift, und wie weit es mir gelungen, überlasse
ich der Beurtheilung der geneigten Leser, ein Gemälde liefern, auf
welchem Geschichte die Grundfarbe und die Dichter gleichsam die
Schattirungen bilden sollten. Meine Musensöhne sollten gruppen-
weise aus dem historischen Hintergrunde hervortreten und mit
der Geschichte der Zeiten und Länder, in welchen sie lebten,
ein Ganzes bilden.

Was das zu der Schrift benutzte Material betrifft, so musste
ich mir Alles aus Bibliotheken und Büchern mühsam zusam-
menholen, denn der Vorarbeiten fand ich so wenig vor, dass ich,
ohne der Bescheidenheit zu nahe treten zu wollen, wohl behaupten darf, mir selbst den Weg gebahnt zu haben. Erst vor
10 Jahren eröffnete sich durch einen gelehrten Spanier diesen
Forschungen ein neues Feld. D. José Amador de los Rios,
der Verfasser der Estudios historicos, politicos y literarios sobre
los Judios de España (Madrid 1848), machte in dem zweiten
Theile dieser häufig von uns benutzten Schrift den immerhin
schätzbaren und verdienstvollen Anfang, einige hervorragende

Dichter jüdischen Geschlechts zusammenzustellen. Bei allen Vor-
zügen, welche dieses seiner Art bis jetzt einzige Werk hat, bot
es mir in den meisten Fällen dennoch weiter nichts als Producte
und Proben aus Manuscripten und Büchern, welche hier zu Lande
gar nicht oder nur sehr selten angetroffen werden. Viele der Personen, welche de los Rios nur nennt, sind von mir in möglichster
Ausführlichkeit behandelt, und eine nicht unbeträchtliche Anzahl
ist neu hinzugekommen, von denen sich bei ihm keine Spur findet.

Alle anderen dieses Gebiet berührenden Werke mussten —
etwa Adolph de Castro und Ticknor ausgenommen — nicht
ohne Bedauern bei Seite gelegt werden. Lindo's History of the
Jews of Spain and Portugal (London 1848), ein Werk, über dessen
geschichtlichen Werth oder Unwerth ich mich hier nicht auslassen
will, ist hinsichtlich der Literatur ganz unbrauchbar. Jost, dessen
Verdienst Niemand in Abrede stellen wird, konnte sich zur Zeit,
als er eine Geschichte der Juden schrieb, den Männern der eigentlich spanischen Literatur nicht zuwenden, und was er über sie
vorbringt, ist, wie er selbst gesteht, dem unkritischen Compilator
Rodr. de Castro entnommen. Noch eines Tummlers auf dem
Gebiete der historischen Wissenschaft habe ich hier zu gedenken:
James Finn schrieb vor 17 Jahren eine Geschichte der spanischen
Juden unter dem Titel »Sephardim, History of the Jews in Spain
and Portugal« (London 1841) zusammen, eine Missionsschrift, ein
elendes Machwerk, welches den Namen Geschichte in einer ab-
scheulichen Weise entehrt.

Sind auch die von mir benutzten Quellen und Bücher in den
Noten genau und mit möglichster Sorgfalt angegeben worden, so
will ich doch die mannigfache Freundlichkeit, Zuvorkommenheit
und Hilfe nicht unerwähnt lassen, welche mir bei meinem Vorhaben zu Theil wurden. Meine Dankbarkeit würde aber fast
ruhmredig herauskommen und einer Arbeit, die alle Ursache hat
bescheiden aufzutreten, einen Anstrich geben, den sie und ihr
seiner Schwäche sich bewusster Autor nicht ertragen möchten,
wollte ich mich hier in Einzelheiten auslassen.

Zu nicht wenigem Dank bin ich sowohl dem grossen Kenner
der romanischen Literatur, dem trefflichen Ferdinand Wolf in
Wien, durch seine mich wahrhaft beschämende Zuvorkommenheit
und durch einzelne Mittheilungen verpflichtet geworden, als auch
dem gelehrten Bearbeiter der Bodlejana, unserem Steinschnei-

d e r , welcher mir Manuscripte und diesen an Seltenheit gleich-
stehende Druckwerke mit vieler Freundlichkeit zur Benutzung
überliess und zu jeder gewünschten Auskunft sich stets bereit
fand.

Auch der humanen Verwaltung der hiesigen königlichen Bibliothek schulde ich meinen Dank. Es wurden mir nicht allein ihre
eigenen Schätze zur freien Benutzung gestellt, sondern auch auf
Verwenden des Herrn Ober-Bibliothekars Geheimrath Dr. P e r t z
seltene Werke anderer Bibliotheken verschafft, und es mögen
namentlich die Herren DD. G o s c h e , K o n e r , K u n s t m a n n ,
P f u n d , S y b e l für die Güte, womit sie meinen häufigen Bitten
und Wünschen nachzukommen bemüht waren, in wenigen Worten
des Dankes ein Zeichen meiner Erkenntlichkeit finden.

Somit sei mein Buch allen Freunden und Pflegern der Literatur
bestens empfohlen. Möge es bei Allen Beachtung finden, denen
der Entwicklungsgang und Culturzustand der jüdischen Nation
nicht gleichgültig ist; möge das Ganze so beifällig aufgenommen
werden, wie die einzelnen Theile, welche ich in den letztver-
flossenen Jahren in verschiedenen Zeitschriften veröffentlichte und
die sich wohl weniger über Tadel als über allzu grosses Lob zu
beklagen haben.

Dem Heimathslande der Dichter und Märtyrer, welche in dieser
Schrift vorgeführt und ins Leben zurückgerufen werden, dem lieb-
lichen Spanien und dem gesegneten Portugal mit ihren reichen
Bibliotheken und zum Theil unbenutzten Schätzen, den emsigen
Pflegern der Literatur und Geschichte de los Rios, Gayangos, Pidal,
Herculano u. A., so wie allen meinen Brüdern und Glaubensgenossen
des spanisch-portugiesischen Geschlechts sende ich zum Schlusse
meinen Gruss!

B e r l i n , den 10. August 1858.

M. Kayserling.

Inhalt.

11

Sechstes Capitel.

Erstes Capitel.

Uebersichtliche Geschichte der Juden in Spanien bis zum
Tode Alphons XI.

Wunderbar und unerforschlich sind die Bahnen, welche dem
jüdischen Volke von der Vorsehung selbst vorgezeichnet sind. Auf
dem ganzen Erdenrund zerstreut, gibt's keine Gegend, wohin dieses seit Urzeit her zum Wandern bestimmte Nomadenvolk nicht
gedrungen wäre.

Nächst den beiden sich in der Weltherrschaft ablösenden
Städten, Sparta und Rom, welche in den allerfrühesten Zeiten Abkömmlinge dieser orientalischen Familien in ihren Mauern als Gesandte oder vor den Triumphwagen der stürmischen Welterobe-
rer erblickten, war es in Europa besonders die hesperische Halbinsel, welche wohl zuerst Juden zu Einwohnern hatte. Ob Salomo dorthin seinen Schatzmeister schickte, um Steuern zu erheben, wie ein mit jüdischer Inschrift versehener Denkstein es glauben machen will; ob zur Makkabäerzeit die Juden dort schon
weilten, wie die erst jüngst in dem alten Tarracona aufgefundenen
Münzen vermuthen lassen und ob unter Herodes in Toledo schon
eine jüdische Gemeinde sich gebildet hatte, welche in einem Briefe
an den Hohenpriester Eleazar und den hohen Senat zu Jerusalem
von der Kreuzigung des Stifters der christlichen Religion abgera-
then haben soll, — diese Fragen lassen wir hier unbeantwortet
und begnügen uns mit der Annahme, dass Titus, dass Hadrian die
aus dem Vaterlande verjagten Juden dorthin verpflanzten. Genug,
als asiatische Flüchtlinge oder als von den römischen Verwüstern
der heiligen Zionsstadt verbannte Colonisten fanden sie früh un-

Kayserling, Sephardim.   1

ter dem sich selten wölkenden Himmel Spaniens, in diesem, ihrer einstigen geliebten Heimath so ähnlichen Klima Ruhe und Erholung von ihrem Leiden.

Erst als der Katholicismus auch in diesem Lande sein Panier erhob und mit ihm die den Juden stets furchtbare Geistlichkeit auch hier zu Macht und Ansehn gelangte, hörte diese im undurchdringlichen Dunkel verhüllte Ruhe den Juden auf.

Sobald der Gothenkönig Reccared ad fidem catholicam sich wandte und mit der Bekämpfung des Toleranz und Duldsamkeit predigenden und übenden Arianismus seine ihm willig folgenden Gothen der allein seligmachenden Kirche zuführte, sobald dieser selbst vom heiligen Vater beneidete Fürst durch die Religion auch die damals schon fehlende Einheit im Staate wie im Bekenntnisse einzuführen bestrebt war, wurden auch die Juden aus ihrer Ruhe aufgescheucht, fing auch ihr Leiden vom Neuen wieder an. In dieser barbarischen Zeit, in welcher die fanatischen, von Glaubenseifer und Geldgier entbrannten Könige der eben nicht ungebildeten Gothen den Juden ihres Landes ein besonderes Augenmerk schenkten, wo Reccared sie von den Gläubigen trennte, Sisebut sie gar aus dem Lande jagte, Receswinth, Chindaswinth und der von dem grossen, jüdischen Erzbischof [1]) und Staatsmann ganz geleitete Egica die sich wieder eingeschlichenen Juden mit den härtesten aller Beschlüsse bedrückte, in jener Zeit war es nicht allein die verworfene und gehetzte Menschenrace, welche nicht dichtete und nicht sang, auch die Verfolger selbst hatten weder Harmonie, noch Poesie, ja die Sprache, das eigentliche Element des staatlichen Selbstbewusstseins, war ihnen als solche abhanden gekommen, und statt des schönen, kunst- und kraftvollen Latein, dieses alten Bindemittels der occidentalischen Völkerschaften, hatten sich einzelne barbarische Dialekte in den verschiedenen Gegenden der Halbinsel eingebürgert.

Und die Juden? Sie, die bei allen Verfolgungen und Leiden ihre Geistesfrische sich bewahrt und wie auch das Damoklesschwert immer über ihren Nacken schwebte, doch gedichtet und gesungen haben, sie, die für die von den grausamen Mitmenschen ihnen bereiteten Wehen in ihrem Geiste und mit ihrer Geistesthätigkeit sich zu entschädigen verstanden, in dieser Epoche des politischen und religiösen Druckes befand sich auch ihr Culturleben in einem sehr argen, nie geahnten Zustande.

Fern von aller nähern Verbindung mit den beiden Länder-
strichen, wohin die jüdische Gelehrsamkeit nach der Zerstörung
der heiligen Stadt und nach der Einäscherung des gemeinschaftlichen Heiligthums sich geflüchtet hatte, ohne alle Beziehung zu
Palästina und Babylon, in deren Schulen und Akademien zu jener
Zeit die von der ganzen Welt angestaunte Sammlung lebendiger
Discussionen als Gesetz und Norm sanctionirt worden, hatten die
Juden der durch ihre natürliche Lage auf Abgeschlossenheit wirkenden hesperischen Halbinsel selbst die ihnen geheiligte Sprache
des Stammlandes verlernt, ihr eigenes Gesetz nicht zu befolgen
gewusst und nur noch den blossen Rahmen ihrer Religion, die mit
der Muttermilch eingesogene Liebe zum Judenthume, jene Liebe
bewahrt, die noch gern jedes Opfer willig bringt. Auch ihr Culturleben war gleich dem der übrigen Völkerschaften gesunken und
durch die Strenge der gegen sie decretirten Beschlüsse, die Grund-
pfeiler der feuerschnaubenden Inquisition, in Verfall gerathen [2]).

Eine stammverwandte Nation war berufen diesen jämmerli-
chen Zuständen ein Ende zu machen.

Das einst mächtige Gothenreich lag im Todeskampf, innere
Revolten, Unzufriedenheit des Adels und der Fürsten mit den
Königen und der Geistlichkeit, die letzten Concilien mit ihren, aller
Menschlichkeit hohnsprechenden Beschlüssen gegen die Juden be-
schleunigten die Scheidestunde und die Araber waren durch den
bedrücktesten Theil der Bevölkerung herbeigerufen, dem kraftlo-
sen Reiche den letzten Stoss zu versetzen.

Die Schlacht bei Xerez de la Frontera entschied über das Geschick des nunmehr aus der Völkergeschichte schwindenden Go-
thenreiches.

Die Siege der Tarek und Mouza brachten den Juden und ihrer Geschichte eine neue Epoche, ihrem Cultur- und Geistesleben
eine neue Blüthezeit.

Schon wenige Jahre nach dem ersten Erscheinen der beschnittenen Christenfeinde war die ganze Halbinsel in ihrem Besitze.
Ecija, Malaga, Elbira wurden genommen, Cordova wurde er-
stürmt und den Juden zur Bewachung übergeben, Granada öffnete seine Thore und Toledo's jüdische Bevölkerung jubelte dem
sehnsuchtsvoll erwarteten Retter entgegen. Von einem christlichen Spanien war kaum noch die Rede, alle Provinzen huldigten
den asiatischen Eroberern.

1 *

Nur ein winziges Häuflein mit dem sagenhaften, tapfern Pelayo an der Spitze suchte hinter den vor Ueberfall sichernden
Bergen Asturiens Schutz — um einst mit den in sich verwahr-
ten Schätzen, der Freiheit und ihrem Glauben, hervorbrechen zu
können.

So waren die Araber die Herren der Halbinsel, die Väter der
Unterdrückten, die Befreier ihrer geknechteten Stammsgenossen;
sie wurden aber auch die Lehrmeister der unterworfenen Völkerschaften und sie die ersten, welche den in der Knechtschaft einge-
schlafenen Geist der geistesthätigen Juden wieder weckten.

Die neuen Herren Spaniens, welche in jener Zeit alle Vortheile der von ihnen eroberten Länder sich zu Nutze machten,
verflanzten auch, sobald sie diesem neu gewonnenen Erdstriche
das Siegel ihrer Herrschaft aufgedrückt hatten, dorthin zugleich
mit ihrer Religion ihre Cultur, ihre Sprache, ihre Wissenschaft,
ihre Poesie. Sie waren ja die Inhaber der ältesten Schatzkammer
menschlichen Wissens: das lächelnde Klein-Asien, die Wiege aller
Poesie und aller Künste, gehorchte ihrem Scepter und die Mee-
resküste des durch den Gürtel der Glutzone von aller Verbindung
abgeschlossenen Erdtheils, die Heimath des feinsten Geistes und
der ungestümsten Beredsamkeit war ihnen unterthänig. Dieses
Nomadenvolk, hundert Jahre vor dem Erscheinen auf spanischem
Boden noch so grausam und geistesblind, dass es kein Bedenken
trug, die grösste und schönste Bibliothek der damaligen Weltstadt
den Flammen zu übergeben, war nun von der leidenschaftlichsten
Liebe zu Künsten und Wissenschaften ergriffen und hatte sich mit
aller Kraft auf die Veredlung und Verpflanzung der Geistesproducte geworfen.

In den Hauptstädten entstanden Akademien, allenthalben
wurde gelehrt, allenthalben geforscht; mehr als 70 Bibliotheken
waren in den verschiedenen Städten Spaniens dem öffentlichen
Gebrauche übergeben und das in einer Zeit, wo das übrige Europa in Finsterniss, ohne Cultur, ohne Bildung, in der grössten
Unwissenheit lebte.

Was wäre wohl aus Europa, was aus Italien, was aus Deutschland geworden, wenn nicht damals die Wissenschaft in Spanien
eine neue Heimath gefunden hätte?

Willig nahmen die Juden, welche als Lohn für die den Ara-
bern bei der Eroberung des Landes geleistete Hilfe ihrem sie ganz

beglückenden und beseligenden Glauben leben konnten, die ihnen
aus geliebten Gegenden neu zugeführten Elemente in sich auf, mit
neuer jugendlicher Kraft stürzten sie sich auf die ihnen gereich-
ten, geistigen Schätze, verarbeiteten sie selbstständig und machten sie zu ihrem Eigenthume.

Auch in dieser Zeit des neuen Lebens trat die Religion und
das religiöse Bedürfniss in den Vordergrund.

Das Studium des Talmuds brach zuerst an allen Orten wieder durch, und ehe noch der maurische Pirat den gelehrten R.
Moses und dessen Söhnchen Chanoch-nach Cordova brachte, hatte
sich dort schon eine jüdische Akademie, eine Pflanzstätte des jüdischen Lebens und Wissens gebildet. Aengstlich schaarte sich
das jüdische Häuflein um das sie durch alle Zeiten und Stürme ge-
führte Kleinod, ihr Gesetz, sorgsam waren sie bemüht, ihre Gebete zu ordnen und Gesänge und Dichtungen in dieser, ihnen
Ruhe und Musse zum Singen und Dichten gewährenden Zeit zum
Lobe des Herrn zu verfassen. Da finden wir die vom göttlichen
Geist getragenen Poëtannim, einen Gabirol, Moses und Abraham
ben Esra, Jehudah Hallewi, Isaac ibn Giat u. A. Alle waren
Dichter, hohe Sänger heiliger Lieder, deren Productionen und die
mit ihnen verwebten Melodien noch heute in Israels Tempeln zur
Andacht stimmen.

Sie dichteten in der hebräischen Sprache, in dem ihrem Gemüthe wohlthuenden Idiom, in der Sprache, deren einzelne Laute
sie an ihre Heimath zurückerinnerten und mit dem Heimathslande
aufs engste verbanden.

Mit gleichem Eifer pflegten sie die Wissenschaften, besonders
die Philosophie.

Der arabische Philosoph, bei dem gewaltigen Almansor in Un-
gnade gefallen, flüchtete nach Lucena und suchte Schutz bei den
dort nur noch in geringer Anzahl wohnenden Juden. Averroës,
der 400 Jahre lang in den grossen Schlachten des menschlichen
Geistes das Losungswort gewesen, fand nur unter den Juden seine
Schüler und Anhänger, und dieser grosse Commentator des Sta-
giriten wurde neben Maimonides ihre einzige philosophische Autorität. Die Philosophie wurde die Geliebte, die Schöne, die Gattin
und eine grosse Anzahl der Juden jener Zeit sprach mit Joseph
ben Jehudah [2]: das junge Mädchen hat mir gefallen und ich habe
mich mit ihr nach dem auf Sinai gegebenen Gesetze öffentlich ver-

lobt, ich habe sie geheirathet, sie umfasst, wie der Jüngling seine
Holde umfasst. Diese brennende Liebe zu einer dem Judenthume
fremden Pflanze hat der Wissenschaft herrliche Früchte gebracht
und eine Zeit erzeugt, die einzig ihrer Art in der Geschichte der
Juden dasteht.

Auch die mathematischen Wissenschaften, Astronomie und
Astrologie, wurden von den Juden meisterhaft angebauet, und
nur ein Blick in das so reiche Gebiet dieser Literatur genügt zu
zeigen, was sie hierin geleistet.

So gelangten Philosophie und Astronomie, Sprachkunde und
Exegese, Naturwissenschaften und vor Allem die Medicin in der
pyrenäischen Halbinsel zu neuer Blüthe. Die Juden waren es in
Verbindung mit den Mauren, welche diese Halbinsel mit dem reinen Himmel, mit dem fruchtbaren Boden, mit dem freien Geiste,
diesen Erdstrich, welcher seiner natürlichen Lage nach bestimmt
zu sein schien, die Künste des Friedens zu pflegen, dieses jetzt
von einer ganzen Kette innerer Kämpfe zerrissene Land zu einem
Sitze ernster Forschung und hellen Denkens umgestalteten.

Es war eine schöne Zeit, die Zeit der Ommajadenherrschaft;
nur zu schnell ging sie zu Ende.

Wie in Rom der Zeit der Grösse, welche zugleich die des Auf-
blühens der Wissenschaften war, die Epoche des innern Verfalls
folgte, wie Alles fiel, die Institutionen, die Sitten und die allgemeine Ruhe schwanden, so war auch hier der Tapferkeit die Wissenschaft und der Glanz, diesem die Uneinigkeit im Innern, Schwel-
gerei, Luxus und Erschlaffung gefolgt und schwache Chalifen liessen sich von den christlichen, für Kirche und Ländergewinn mit
Löwenmuth kämpfenden Königen die schönsten Besitzungen entreissen.

Schon um Mitte des 11. Jahrhunderts führte ein Nachfolger
des Pelayo, ein devoter Fürst, von den Chronisten der Grosse genannt, Ferdinand, der, um mit seinem Biographen zu sprechen,
nichts sparte, um die Ruhe und das Wohlleben der Priester und
Mönche zu befördern, die Pilger liebte und nicht zugab, dass die
Juden ferner mit den Christen vereint wohnten *), den ersten
siegreichen Zug gegen die Mauren. Dieser heilige Ferdinand übertrug seinen Hass gegen die fremden Besitzer christlichen Landes
auch auf die mit ihnen verbündeten und durch die Wissenschaft
eng vereinten Juden. Die Hirten von Castroxerez tödteten 60 Ju-

den — das war eine gottgefällige That und Ferdinand bestätigte
dafür ihre Privilegien [4]).

Alphons VI., der trotz seiner 6 Frauen und 2 Concubinen
dennoch keinen männlichen Erben hatte, eroberte den alten Con-
ciliensitz Toledo; mit ihm kämpfte der alte Cid, der Campeador
de Bivar, der Held mit seinem Furcht erregenden Blicke, der
Schrecken der Mauren, der Typus aller Rittertugenden, dieser sa-
genhafte Cid, dessen Leben ein maurischer Jude, Aben-Alfange,
zuerst beschrieben hat [5a]).

Die Alphonse und Ferdinande setzten die Eroberungen fort,
bald war der grösste Theil der Halbinsel wieder christlich und die
Juden wieder unter christlichen Herrschern. —

Doch auch unter den christlichen Herrschern war jetzt die Lage
der Juden, ihre Stellung zum Staate eine andere geworden. Freilich
betrachteten Volk und Regenten dieselben noch als die alten Feinde,
als die Mörder ihres vor Tausenden von Jahren gekreuzigten Messias, als die hartnäckigen, unbeugsamen Juden, die sich um keinen Preis mit ihnen in dem Himmel vereinigen wollten und dafür
auch von dem Genusse der Rechte auf Erden ausgeschlossen wurden, aber sie waren allmälig doch zu der Einsicht gelangt, dass
man ihrer als ein nothwendiges Uebel nicht wohl entbehren
konnte. In den Jahrhunderten, welche sie unter den maurischen
Regenten in Ruhe und im Glauben verlebten, hatten sie ihrem
Geiste eine Waffe zugeführt, womit sie dem sie hassenden, ihnen
immerhin übelgesinnten Spanier kühn und ohne Zagen entgegen-
treten konnten — die Wissenschaft, ihre Kenntniss in der medicinischen Kunst, ihre Klugheit oder wie von anderer Seite man
dieses nennt, ihre Verschlagenheit 'und List, machten sie den
Königen, wie dem ganzen Lande unentbehrlich. Sie waren jetzt
die einzigen Bewohner der Halbinsel, welche sich auf dem Labyrinthe der Sprachen und Dialekte verstanden, und sie die einzigen, welche sich eine gründliche Kenntniss der arabischen Sprache, in der sie auch zum Theil ihre wissenschaftlichen Werke ab-
fassten, angeeignet hatten. Wohl kann man von ihnen sagen,
dass sie sich verständlich zu machen wussten von der Strasse
Gibraltars bis zu den Pyrenäen, und von ihnen gilt, was in einem
deutschen Volksliede von dem Juden Abryon von Trier behauptet
wird:

»He vorsteit alle Tungen und Sprachen dorch
Von Pötrow an wente to Luneborch« [6]).

Der obengenannte Eroberer der alten, auf einem hohen Felsen gelegenen Hauptstadt des Gothenreichs und mosarabischen
Residenz Toledo war der erste christliche Monarch Spaniens, welcher die in arabischen und maurischen Schulen gebildeten Juden
in seine Dienste nahm und sich ihre Kenntnisse zu Nutze machte.
Sein Schatzmeister und Günstling war ein Jude, der mächtige und
angesehene Ibn–Ghabib — er opferte sich in treuer Pflichterfüllung für König und Vaterland. R. Moses Sephardi [7]), der Verfasser der Disciplina clericalis, war sein Leibarzt, er legte sich später auch den Namen seines Königs bei, wofür er freilich einen
weit ehrendern, von grösserm Adel entsprossenen aufzugeben
leichtsinnig genug war, und noch der sterbende Alphons erfuhr
die Vertraulichkeit seines jüdischen Freundes Cerillus [8]), welcher,
als Niemand aus dem versammelten Adel es wagte, den König um
seinen letzten Willen betreff des Thronerben zu befragen, als Sprecher gewählt wurde, weil, wie Roderich von Toledo erzählt [9]), er
mit dem Könige vertraut genug war, »wegen seiner Kenntniss und
medicinischen Kunst«.

An keinem Hofe der spanischen Könige fehlten nunmehr die
Juden und ihre Gelehrte.

Es kann und darf unsere Absicht nicht sein, uns hier mit der
Geschichte der Juden zu befassen, da wir mit diesem allgemeinen
Ueberblicke uns nur den Weg zu unserm eigentlichen Ziele bahnen wollen. Das Eine darf jedoch nicht unerwähnt bleiben, dass
bei aller Thätigkeit, welche die Juden Spaniens in den verschiedensten Wissenschaften entfalteten, noch Niemand gefunden wird, der
die Resultate seiner Forschungen in der eigentlichen Landessprache, der castilianischen, geschrieben hätte, aus dem einfachen
Grunde, weil dieselbe noch nicht zur Literatur–Sprache ausgebildet worden war. So lange die Kriegstrompete im Lande erschallte und die Kriegsfahne als Heereszeichen flatterte, so lange
des Landes edelste Kräfte von Kämpfen und Erobern in Anspruch genommen waren, ist von einer Literatur, einer spanischen Literatur nicht die Rede, denn selbst die wenigen Gedichte,
Gebete und Legenden, welche von den frommen Klosterbrüdern
in ihren müssigen, dem Beten und Kartenspiel abgewonnenen

Stunden fabricirt worden sind, haben keinen Anspruch, der spanischen Literatur einverleibt zu werden.

Erst mit dem Augenblicke, wo der tapfere Ferdinand III., dem bei der Eroberung des prächtigen Sevilla von den dortigen Juden goldene mit hebräischen Inschriften verzierte Schlüssel entgegengebracht worden sind, die ungläubigen Moslemen aufs Haupt schlug, Leon und Castilien unter seinem Scepter vereinte und so der eigentliche Gründer des christlichen Reiches in der Halbinsel wurde, erst da beginnt eine spanische Literatur, erst mit diesem, Reiche, Völkerschaften und Sprachen vereinigenden Monarchen, wie denn auch sein Grab mit dreien verschiedenen Sprachelementen entlehnten Inschriften, hebräisch, arabisch, castilianisch, bedeckt ist [10]), dämmert das Licht der Wissenschaften auch im christlichen Reiche.

Ferdinand nannte sich im Selbstgefühl seiner Macht Imperator, die Kirche nannte ihn den Heiligen, wie sie seinem, von Juden unterrichteten und gebildeten, weisen Sohne den Ehrennamen Ketzer beilegte.

Dieser Ketzer Alphons gehört zu den interessantesten Persönlichkeiten des dreizehnten Jahrhunderts. Mag er immerhin von den die Wissenschaften und die Juden hassenden Chronisten der Ketzer genannt werden, warum sollte er es auch nicht? Trat er doch schon damals mit Zweifel auf, um derentwillen noch 400 Jahre später Galilei von der die Dunkelheit liebenden Geistlichkeit öffentlich verketzert und ins Gefängniss geworfen wurde! Mag ihn auch der Tadel treffen, dass er wie Juan II., wie Carl VII., wie Wallenstein seinen Astronomen hatte, dass ob seines Studiums der Himmelskörper und der Bewegung der Sterne er die Erde vergass, Mönche und Regierungsgeschäfte vernáchlässigte — für Spanien hat er die schönsten Lorbeern errungen, er trat triumphirend in das grosse Lager der Wissenschaften ein und hat sich einen Kranz von Immergrün gewunden, den kein Hass ihm je wird entreissen können.

Dieser weise und den Gelehrtentitel mit Recht beanspruchende Monarch blieb nicht dabei stehen, den Wissenschaften im Lande einen Sitz zu bereiten und seine Granden zu nöthigen sie zu erfassen, sondern legte, nachdem er schon bei Lebzeiten seines, Wissenschaft und Kenntnisse begünstigenden Vaters Beredsamkeit, Geschichte und Naturwissenschaften eifrig studirt hatte,

selbst Hand ans Werk, er selbst vervollkommnete die Sprache in
Poesie und Prosa und gehört zu den frühesten Autoren in der von
ihm gleichsam geschaffenen Literatur. Sie hat den Vorzug, einen
König an ihrer Spitze zu haben.

Zu den grossen reformatorischen Werken, welche auszuführ-
ren er unermüdlich bemüht war, bedurfte er der Hilfe. Nicht in
den Räumen seiner Kirche fand der unglückliche, von all den
Seinigen verlassene Monarch die Männer, die solche zu leisten im
Stande gewesen wären, aus den grossen maurischen Akademien
musste er sie herbeiholen, die gelehrten Juden musste er zu sich
einladen und er trug kein Bedenken jüdische Astronomen und
Mathematiker*) an seinen Hof zu ziehen und mit ihnen gemein-
sam die Wissenschaften zu pflegen.

Jetzt sollte auch nicht mehr das alte Cordova, diese reizend
gelegene Stadt mit ihren Orangenwäldern, deren Parfüm schon in
einer Entfernung von mehreren Stunden die Luft füllt, sich des
Sitzes der Wissenschaften rühmen, diese alte Heimath der Literatur, die zwei Seneca und einen Lucan aus sich hervorgehen sah [11])
und lange Zeit die jüdische Akademie mit ihren grossen Meistern
in sich beherbergte, verlor auch diesen Glanz, und nächst Sevilla,
dem Lieblingssitze des weisen Königs, der einzig treuen Stadt, wie
er sie in einem Klagebriefe an seinen Vetter nennt, war jetzt Toledo der Sammelplatz jüdischer Grossen, jüdischer Gelehrten. Alphons wollte so der alten Hauptstadt einen neuen Schmuck zu-
führen und Toledo war nunmehr das Prächtige, die Metropole des
Landes, der Wissenschaft und der Kunst. Jeder kennt das Bild,
das Victor Hugo von dieser Stadt entworfen hat, mit ihren zahlreichen Gebäuden, alle verschieden, alle bunt unter einander lie-
gend: hier das Theater, dort im Mittelpunkt die grosse gothische
Kathedrale, ein Gebäude wunderbarer Art und noch wunderba-
rerer Geschichte, dort die von 1200 Jüngern besuchte jüdische
Akademie, der Alphons, der Spanien so unendlich Vieles zu danken hatte.

*) Wie haben die Zeiten sich doch geändert! In der Residenz des deut-
schen Kaiserstaats musste erst in diesem Jahre ein tüchtiger Mathematiker
seiner Professur entsagen, weil sich herausgestellt hatte, dass der junge Gelehrte — ein Jude sei. Die jüdische Messungs- und Rechenkunst steht noch
im argen Misscredit.

Dass dieser erleuchtete, gelehrte Juden achtende und benutzende Monarch sich auch der Gesammtheit dankbar bezeigte, brauchen wir nicht erst zu versichern. Nicht allein dass die Juden besonders geschützt, ihnen besondere Privilegien eingeräumt wurden, er zog sie in nicht wenigen Fällen den Christen vor und wurde bei dem Papste verklagt, dem Rathe seiner vertrauten Juden gefolgt zu sein. Diese Begünstigung der Juden verschaffte ihm nicht allein den Hass der Kirche, den Beinamen Ketzer, sondern stachelte seinen eigenen Sohn gegen ihn auf und entriss ihm, dem deutschen Interimskaiser, die Krone seines eigenen Landes.

Er scheute es ja nicht, in Mitten seiner jüdischen und maurischen Astronomen Platz zu nehmen; da finden wir einen Jehudah Ha-Cohen, Isaac ibn Sid, den Chasan der Synagoge zu Toledo, Joseph Aben Ali und Jakob Abvena aus Cordova, Aben Rajel und Alquibicio; — regelmässig versammelten sie sich in dem Alcacer-Galiana, der König führte selbst das Präsidium und leitete die Disputationen, denen die noch heute in der Kathedrale von Sevilla aufbewahrten alphonsinischen Tabellen ihr Entstehen verdankten [12]).

Sein Almorajif, Don Zag de Melea, war ein Jude, der seinem Könige treu diente, freilich in drückenden Geldverhältnissen von ihm auch einmal zum Tode verurtheilt worden war [13]).

Zu seinen Leibärzten gebrauchte er Juden, Don Mair war der eine, ihm schenkte er an einem schönen Decembertage ein Haus [14]); R. Jehudah Mosca der andere. R. Jehudah Mosca, welcher von dem die Juden taufenden Castro und dem ihm hierin folgenden de los Rios zu einem Neophyten gemacht wird, war der Erste, der ein chaldäisches Werk im Auftrag seines Königs ins Castilianische übersetzte; ihm werden auch noch andere Uebersetzungen zugeschrieben.

In einer überraschenden Weise nahmen die Juden an der Ausbildung der castilianischen Sprache und der Begründung der spanischen Literatur in der Regierungszeit Alphons X., des astronomischen Königs, Theil und es ist nicht unwahrscheinlich, dass mehrere der dem Könige selbst zugeschriebenen Werke — wir nennen nur beispielshalber den Abriss der jüdischen Geschichte, die flores de Filosofia — von seinen gelehrten Juden verfasst worden sind.

Wer weiss ob nicht auch sie wie ihr König schon damals der

Poesie in der Landessprache ihren Tribut zollten? Doch d i e Zeit war noch nicht da.

Werfen wir zuvor noch einen kurzen Blick auf die politischen und innern Verhältnisse der Juden dieses Landes, bis zu dem Momente, wo uns der erste grosse Troubadour mit Rathschlägen an seinen König entgegentritt.

Alphons X. hatte sein kummervolles, segensreiches Leben beendet, sein eigener Sohn Sancho der Tapfere war, wie ein Exjesuit sich ausdrückt, als Werkzeug vom Himmel berufen, ihn bei Lebzeiten zu strafen. Dieser Sohn wurde sein Nachfolger.

Ihm war es ein Leichtes, sich auf dem castilianischen Thron festzusetzen, hatte er ja die Kirche für sich und zeigte sich auch der, den weisen Vater verachtenden und hassenden Geistlichkeit nicht abgeneigt. Gleich im Anfange seiner Regierung bestätigte er ein altes Gesetz, das unter dem Vater wohl nicht mit aller Strenge mag gehandhabt worden sein. Es sollten nämlich die Juden, welche einige in dem Erzbisthum Sevilla belegene Erbgüter von den Christen erworben hatten, auch ferner den auf dieselben lastenden Zehnten der Kirche abführen [15]).

Der Hass der christlichen Bevölkerung gegen die Juden hatte sich schon unter dem Vater Sancho's in vollem Maasse und durch die diesem von demselben gewordenen Begünstigungen und Auszeichnungen immer mehr gezeigt. Schon Alphons musste, um dem mürrischen Volke und den unzufriedenen Prälaten in Etwas nachzugeben, die gehasste Bevölkerung von dem nähern Umgang mit den Verfolgern und Angebern durch besondere Gesetze trennen. Auf nichts anders zielt das von ihm erlassene Edict hin, dass die Christenkinder nicht ferner von jüdischen Müttern genährt werden und auch Judenkinder nicht die Milch von der Christinnen Brust empfangen sollten [16]).

Dennoch blieben auch von Sancho's Hofe die Juden nicht fern: auch er hatte einen jüdischen Leibarzt, welcher seinen jungen Sohn Ferdinand von einem hitzigen mit Delirium begleiteten Fieber durch eine sehr einfache Cur rettete [17]).

Zum Unglück für Spanien regierte dieser König nur wenige Jahre. Da sein Sohn Ferdinand bei seinem Tode die Regierung seiner Jugend wegen nicht übernehmen konnte, verwaltete die ob ihrer Schönheit, Klugheit und Tugend vielgepriesene Donna Maria de Molina das Reich [18]). Die Königin Mutter zeigte sich wäh-

rend ihrer Reichsverwesung den Juden in keinerlei Weise gehässig; ihre Abneigung gegen sie fasste sie erst durch die Undankbarkeit ihres Sohnes, welcher darin dem Rathe seines jüdischen
Freundes Samuel gefolgt sein soll.

Wie des jungen Ferdinand IV. Rathgeber und Freund ein Jude
gewesen, so bediente er sich auch während seiner Regierungszeit
der Juden, aus ihnen nahm er seinen Finanzminister und ihnen
vertraute er die wichtigsten Posten an. Er war so nachlässig mit
der Eintreibung der ihnen von der Geistlichkeit auferlegten
Steuern, dass die Bischöfe ihm neue Gesetze betreff der Einzah-
lung abnöthigen mussten.

Ferdinand starb plötzlich in der Blüthe seines Alters im Jahre
1312; sein Sohn Alphons war bei seinem Tode erst wenige Monate alt. —

Wenn ein Staat von der Vorsehung zum Verderben bestimmt,
wenn über ein Volk Unheil verhängt ist, so bringt nichts mehr das
Verderben, führt nichts leichter das Unglück herbei, als schwache
Regenten, als die Herrschaft einzelner Parteiführer, als Bürgerkriege. Der schnelle Regentenwechsel auf dem castilianischen
Thron bahnte den Verfall des Landes an und bereitete den Juden
unmerklich und allmälig das Verderben.

Mit dem Tode ihres Sohnes hatte Maria de Molina die Einsamkeit verlassen und die Oeffentlichkeit wieder betreten. Sie übernahm die Vormundschaft für ihren einjährigen, zum König bereits
proclamirten Enkel und liess jetzt ihren langgenährten Hass gegen
die Juden entbrennen. Sie hatte die Zügel der Regierung in einer
sturmbewegten Zeit übernommen; jeder Infant wollte Vormund,
wollte Herrscher sein, Niemand war zum Weichen zu bringen und
auch nachdem schon die beiden Hauptführer an einem Tage gefallen waren, konnte die Ruhe im Lande nicht hergestellt werden [19]).

Auch die alte Grossmutter starb und das Schiff des Staates, welches, wie ihr sie lobhudelnder Biograph bemerkt, durch
eine Frau vom Bruche gerettet war, ging jetzt in die unsichere Hand
eines jungen, von einem Erzbischof erzogenen, von Maria de Molina geleiteten Prinzen über. Spanien war trotz seiner erfochtenen
Siege nicht glücklich, seine jüdische Bevölkerung nicht frei von
Druck.

Der Juden Glück und dennoch ihr grösstes Unglück bildete

ihr Reichthum, ihre Schätze machten sie zu den wichtigsten Personen.

Ihr Reichthum war ihr Glück, weil sie sich dadurch und namentlich in dieser Zeit der innern Unruhen unentbehrlich zu machen verstanden. Jedermann kennt die Geschichte und den Einfluss eines Yusaf de Ecija, eines Samuel Abenhuacar, Jedermann kennt das unglückliche Ende, welches ihnen ihrer mit neidischen Augen bewunderten Schätze wegen bereitet worden war.

Der Juden Reichthum führte ihren Sturz, führte theilweise ihre Verbannung herbei.

Nichts erregte zu allen Zeiten mehr den Neid und die Eifersucht der Menschen als das elende Metall, mit dem die verachtete asiatische Race so gesegnet war, über welches sie so willkürlich zu verfügen hatte. Spaniens schönste Besitzungen waren gegen Anfang des 11. Jahrhunderts den Juden verpfändet; die Edelleute waren ihnen verschuldet, die Cortes-Versammlungen bestanden damals, wo die Städte noch nicht zu solcher Geltung gekommen, dass ihre Deputirten hätten an den Berathungen lebhaften Antheil nehmen können, aus den Edelleuten und der aus religiöser Opposition die Juden hassenden Geistlichkeit. Auf einer solchen in Valladolid 1315 abgehaltenen Versammlung kam man überein, die Schulden der Juden auf zwei Drittel zu reduciren und wurde zugleich der Antrag gestellt, ihren übergrossen Zinsen Einhalt zu thun. Den christlichen Schuldnern standen ausserdem allerhand Mittel zu Gebote, sich von ihren Verbindlichkeiten frei zu machen. Wer nicht bezahlen und auch sein Gewissen beruhigen wollte, kannte den Weg nach Rom, wandte sich an den Papst oder an die Geistlichen seines Landes — nichts leichter als einen Freiheitsbrief oder Ablass von den Schulden der Juden zu erhalten.

Gegen solche Umtriebe trat Alphons XI. auf Veranlassung einer von den Juden ihm überreichten Vorstellung und ohne Zweifel der dringenden Bitten seines jüdischen Finanzministers in der Cortes-Versammlung zu Valladolid 1325 auf und erliess den ausdrücklichen Befehl, alle Diejenigen, sowohl Geistliche als Laien in Haft zu nehmen, welche nicht freiwillig diese Bullen und päpstlichen Erlassbriefe zurückgeben und vernichten würden.

Ein solcher königlicher Machtspruch genügte wohl für den Augenblick, aber die Klagen gegen die Juden hörten nicht auf, die Schulden wurden ihnen nur theilweise bezahlt, — hiess es ja eine

fromme That, gar nicht zu zahlen! — und doch blieb der Juden
Reichthum unermesslich.

Ihr Reichthum beförderte ihren Sturz, ihren Ruin.

Nur zu bald vergassen sie, obwohl sie täglich und stündlich
daran erinnert wurden, dass sie trotz ihrer sie anlächelnden Ki-
sten und Kasten nur Geduldete, Knechte, Leibeigene der Könige
wären. Ihr Luxus und, was gewöhnlich in seinem Gefolge ist,
der Hochmuth kannten keine Grenzen. Sie kleideten sich in Sam-
met und Seide gegen den hohen Befehl, »ihre Frauen gingen wie
die Maulesel der Päpste« [20]) und durch den Glanz der goldnen
Ketten, durch das Funkeln der ihren Busen bedeckenden Dia-
manten machten sie sich schon von fern bemerkbar; ihre Kinder wurden gleich Fürstenkindern im Fechten und Ringen unterrichtet, wiewohl vom Militairdienst sie als Juden ausgeschlossen blieben. Nicht dachten sie mehr, dass an den Strömen
Babels ihre Harfen sie gelassen hatten; Musik und Tanz hörten in
ihren von Luxus und Pracht strotzenden Häusern und fürstlichen
Wohnungen nicht auf. Dass auch jüdische Sänger und Sängerin-
nen sich vernehmen liessen, erzählt uns der grösste Dichter seiner Zeit, der Erzpriester von Hita, welcher Tanzlieder und Gas-
senbauer für sie verfasste [21]).

Nirgends fehlte der Jude, allenthalben war er der erste, am
Hofe der erste, in der Handelswelt und auf dem Markte der erste,
an den öffentlichen Plätzen der erste, wo Vergnügen und Lust sich
fand, war sicher auch der Jude zu finden.

Diese Zustände, über welche wir uns hier nicht weiter aussprechen wollen, erzeugten auch noch ein anderes Uebel als den Neid
und die Missgunst ihrer christlichen Mitmenschen. Durch sie
wurden sie ihrem sie immer erhaltenden Glauben entfremdet und
von ihrer Religion entfernt. Man muss sie nur lesen die Klagen,
welche über die Zeiten des Unglaubens von den glaubensstarken
Männern angestimmt worden sind! Dem jüdischen Gesetze, das
Leiter und Führer und des Volkes einziger Trost aller Zeiten gewesen war, hatten die Juden dieser Zeit zum grössten Theil den
Rücken gewandt — nur wenige Männer, die grossen Talmudisten
ihres Jahrhunderts fanden in dem Studium und der Ausübung des
Gesetzes ihre Beruhigung; Philosophie und Humaniora waren an
der Tagesordnung, füllten den Geist, bildeten ihre alleinige und
ausschliessliche Beschäftigung. Nicht mehr galt das auf Sinai gege-

bene Gesetz für die auf Sinai geoffenbarte Lehre — es galt für
das Werk menschlicher Erfindung, von Menschen gegebene Satzung.
Die abnormsten Zweifel wurden gegen Alles, was ihnen göttlich
sein sollte, vorgebracht, Alles war Allegorie, Alles Symbolik,
nichts blieb Gesetz, nichts trug noch den Stempel der Göttlichkeit
an sich. Wie konnte es auch anders sein? Hatte ja die wahre
Philosophie Spaniens Boden längst verlassen und sich jenseits der
Pyrenäen, in Marseille und Lunel festgesetzt? Einzelne missver-
standene und übel gedeutete Principien Aristotelischer Philosophie, einzelne Sätze des Averroës hatten bei dem Volke Eingang
gefunden und auf dem Grundsatz des arabischen Commentators,
»die Wissenschaft ist die Religion«, hatte es sein Luftgebäude,
seinen Unglauben aufgeführt. Nur wahre Wissenschaft, wahres
philosophisches Denken lässt sich mit dem Glauben und der Religion vereinen; nicht aber jenes schale Verntünfteln, welches das
Gefühl, die Pflegerin und Wahrerin der Religion mit Leere erfüllt und jenen flachen Rationalismus erzeugt, der dem Judenthume mehr als einmal Gefahr, aber dennoch nie Sturz brachte.

In dieser dem altehrwürdigen Judenthume drohenden Gefahr
erliessen zwei Männer, die Edeln ihres Volkes in dem Schmerze
um den Verfall, das Edict, dass Niemand vor Ablauf des fünfund-
zwanzigsten Jahres zu den Wissenschaften und dem Studium
der Philosophie schreiten sollte und auch dann nur, wenn er sich
zuvor mit den Satzungen der jüdischen Religion genau bekannt
gemacht hätte. Wer wollte es den für ihr Judenthum und ihren
Glauben Alles aufbietenden Männern wohl verargen, zu einem
solchen freilich gefährlichen Schritte ihre Zuflucht genommen zu
haben? Und doch fällt dieses Verbot schwer in die Geschichte der
jüdischen Nation als solche. Sie haben der Vernunft gebieten und
dem Alles niederstürzenden Geiste eine Schranke setzen wollen —
Alles kennt eine Grenze; der menschliche Geist allein kennt kein
Ziel. Mussten die Zweifel der kühnen Zweifelsüchtler nicht eben
durch ein solches Verbot bestärkt werden? War ihnen dieses
Verbot nicht ein neuer Beweis, dass Judenthum mit Vernunft im
Widerspruch stehe? Die Pforten der Erkenntniss sollten ihnen
geschlossen, die Frucht des Lebensbaumes ihnen verboten bleiben!
Was schmeckt süsser als die verbotene Frucht? Wohin sehnt sich das
Auge des Menschen mehr als nach dem ihm verhüllten Gemach?
Viele jener Zeit griffen nach jener verbotenen Frucht und drangen

in das ihnen versperrte Gehege, die Zweifel häuften sich, sie alle-
gorisirten, deuteten und symbolisirten; es gab einen Kampf um
die beiden Elemente, um Bildung und Judenthum; die Vernunft,
oder vielmehr der unter ihrem Deckmantel geborgene Leichtsinn,
die Ehrsucht und Wollust siegten [22]) — die Geringschätzung und
Verachtung ihrer Religion war nur ein leichter Schritt; Viele haben ihn gewagt, haben sich von ihrem eigenen Blut, ihrem Mark
und Bein entfernt und losgesagt.

Jenes Edict der edeln Rabbinen hat nicht wenig zu der
schauervollen Epoche beigetragen, in welcher die Scheiterhaufen
die Verfolgung und Verbannung der Juden uns beschäftigen werden.

Zweites Capitel.

Die spanische Literatur im 14. Jahrhundert. Rabbi Santob de Carrion.

Nachdem Alphons X. sich als königlicher Dichter der Welt
bekannt gemacht und die spanische Literatur und Poesie einmal
Pflege am königlichen Hofe gefunden hatte, blieb sie auch ferner
ein Erbtheil der königlichen Familie. Alphons Sohn und Nachfolger verfasste Rathschläge für seinen Enkel, und sein Neffe, der
gefährlichste und unruhigste Baron seiner Zeit, Don Juan Manuel,
vermachte seine zwölf sauber geschriebenen Werke dem von ihm
gestifteten Kloster. Sonderbar ist, dass auch seine Berühmtheit,
wie der Ruhm seines schriftstellerischen Oheims, sich auf die Arbeit eines Juden gründet, denn sein durch den trefflichen Adolph
de Puibusque den dicken Klostermauern entrissener Conde Luca-
nor ist grösstentheils eine Nachahmung der Schrift des obengenannten Moses Sephardi [28]).

Zu den frühesten Autoren, welche sich in dieser Zeit der spanischen Literatur zuwandten, gehört auch ein Mann, den wir im
Vorübergehen nicht unerwähnt lassen wollen. Er hatte überwun-
den, sein besseres Selbst verleugnet, er war gegen seine eigene Mutter als Verräther und Spötter aufgetreten und suchte seine eigene
Religion bei seinen neuen — nicht Glaubensbrüdern, denn der

abgefallene Jude glaubt nicht, weil, wie ein um Deutschland, um die Welt wohl verdienter Mönch, der die päpstliche Hierarchie mit einem Schlage zu Boden schmetterte, in seiner derben Weise so treffend und wahr bemerkt: »ein jüdisch Herz ist so stock-, stein-, eisern-, teufel-hart, dass es sich mit keiner Weise bewegen lässt«, — nicht Glaubensbrüdern, bei seinen ihm Rechte und Genüsse einräumenden Mitmenschen herabzusetzen, gegen seine eigene Brüder zu kämpfen.

Es war dieses R. Abner aus Burgos. Ein tüchtiger Talmudist, Schüler des R. Moses ben Nachman und ausgezeichneter Arzt, sagte er sich, nachdem er bereits einen Commentar über Ibn Esra's Erläuterung des Decalogs geschrieben hatte, im reiferen Alter von der jüdischen Religion los und trat unter dem in der Taufe empfangenen Namen Alphons [24]) gegen das Judenthum und seine Träger auf. Ausser seinen in hebräischer Sprache abgefassten anti-jüdischen Schriften floss auch ein spanisches, in der Nationalbibliothek zu Madrid [25]) aufbewahrtes Werk aus seiner Spott und Galle ausspritzenden Feder. Er starb als Sacristan der Kirche zu Valladolid.

Noch andere Männer traten in dieser Zeit mit dem Bestreben auf, die spanische Literatur zu Ansehen zu bringen. Zu diesen gehören der viel gefeierte, sein Zeitalter geisselnde Erzpriester von Hita, welcher auf Befehl des auch in der Geschichte der Juden [26]) genannten Erzbischofs Gil von Toledo dreizehn Jahre lang im Gefängnisse schmachtete und dort einen nicht geringen Theil seiner Gedichte verfasste. Auch Lope de Ayala, der Grosskanzler von Castilien, welcher sich freilich durch seine Chronik, die erste zusammenhängende der castilianischen Könige, unsterblicher gemacht, als durch seine handschriftlich vorhandenen Gedichte, gehört dieser Zeit an.

Gleichzeitig mit diesen genannten Grössen, zu denen noch hauptsächlich Pero Gonzalez de Mendoza, der Grossvater des in der spanischen Literatur berühmten und von uns mehrfach genannten Marquis de Santillana zu rechnen ist, erhob sich unter den castilianischen Sängern ein armer Jude in Carrion de los Condes [27]), einer kleinen Stadt Alt-Castiliens, deren Juden besondere Privilegien eingeräumt waren, um an dem Wettlauf in der Poesie Theil zu nehmen. Im Vertrauen auf sein Dichtergenie liess er sich nicht abschrecken, um die Sängerpalme mit ihnen zu streiten. Es war dieses der Rabbi Don Santo [28]), wie er in dem einen Manuscript genannt wird, oder Santob wie der Titel des andern angibt, aus einer Zusammenziehung seines eigentlichen Namens Schem tob gebildet. Er widmete sich den castilianischen Musen und wird als einer der vorzüglichsten Dichter, als der Troubadour im eigentlichen Sinne des Wortes nicht ohne Grund genannt [29]).

Die älteste Notiz über den Juden von Carrion gibt uns einer der grössten Männer seiner Zeit, Iñigo Lope de Mendoza, bekannter unter dem Namen Marquis de Santillana [30]). Dass der Marquis R. Santob persönlich gekannt habe, ist höchst unwahrscheinlich, da dieser schon im Greisenalter stand, als er seine Consejos schrieb und wohl früher verschied, als der Marquis geboren worden war. Jedenfalls war er von dem Ruhme des Juden genau unterrichtet, da auch er in Carrion de los Condes, der Stadt, die zu den Erbgütern seiner Mutter gehörte — villa del patrimonio de su madre — das Licht der Welt erblickte und dort einen Theil seiner Jugend verlebte [31]), bis er an den Hof Juan II. als Erzieher des jungen Prinzen berufen wurde.

Dieser Marquis erwähnt des Juden Santob in seinem an den Connetable von Portugal, den spätern Sanchez I. gerichteten lehrreichen Briefe, welchen man füglich eine Abhandlung über den Ursprung der spanischen Poesie nennen könnte. Er geht auf den Ursprung aller Poesie und somit auch auf das erste Liederbuch los cinco libros del Psalterio, den Psalter Davids zurück und deutet darin auf den Umgang, welchen er mit den jüdischen Gelehrten pflog, hin, wenn er sagt: »Nicht mit Unrecht behaupten die Juden, dass die Unserigen nicht so gut wie sie fühlen können el gusto de la su dulceza« [32]). Schön sind die Worte, welche der gelehrte Sanchez dieser Behauptung des Marquis als Erklärung und Rechtfertigung hinzufügt [33]). »Es lässt sich nicht in Abrede stellen, dass man das Wasser mit mehr Vergnügen und mit ungleich mehr Nutzen an der Quelle trinkt, wo es entspringt, als an den Bächen, durch welche es fliesst, und dass man die Frucht mit mehr Ergötzen von dem Baume nimmt, auf welchem sie wächst, als aus den Händen dessen, der sie verkauft. Deshalb glauben wir«, fährt der gelehrte Bibliothekar fort, »dass auch Diejenigen irren, welche behaupten, dass das Studium der hebräischen Sprache jetzt unnütz sei, weil sich Alles übersetzt

2 *

vorfindet«. Zu derselben Ansicht ist auch jetzt — aber auch erst
jetzt — die Königin von Spanien gekommen. Ueberzeugt von dem
Nutzen, welchen das Studium der hebräischen Sprache und Literatur den sich dem geistlichen Stande Widmenden so wie allen
Denjenigen gewährt, welche die Wissenschaft überhaupt pflegen,
hat die Majestät laut Decret vom 2. October 1855 in der philosophischen Facultät der Hauptuniversität zwei Lehrstühle der heiligen sowohl als der profanen hebräischen Literatur errichtet [34]).

In dem erwähnten Briefe spendet der Marquis auch unserm Santob ein Lob und spricht sich in folgender Weise
über ihn aus: »In jener Zeit (seines Grossvaters) fand sich ein ·
Jude, welcher sich Rabbi Santob nannte und viele gute Dinge
schrieb und unter Andern Proverbios morales, in Wahrheit em-
pfehlenswerthe Sentenzen. Unter der Zahl der berühmten Dichter gilt er für einen grossen Troubadour« [35]). Sodann fügt er,
sich gleichsam entschuldigend, dass er neben Männer von so hoher Geburt einen Juden setze, folgenden, seine eigene Gesinnung
nur zu sehr verrathenden Vers des Rabbi hinzu:

> Ist der Habicht minder werth
> Weil im schlechten Nest die Brut?
> Sind die Beispiel' minder gut,
> Weil der Jude Dich sie lehrt? [*])

Das Lob Santillana's ist um so höher anzuschlagen, als seine
Zeit gerade eine an Dichtern und grossen Gelehrten sehr reiche
war [36]) und sein Urtheil erscheint desto glaubwürdiger, da dieser
Marquis, dessen Ruhm so gross gewesen, dass Männer aus den
entferntesten Gegenden zu ihm kamen, nur um ihn zu sehen, ausser durch seine votrefflichen Dichtungen und seine für Enrique IV.,
den Sohn des Königs Juan II., angelegte Spruchsammlung noch
besonders dadurch sich auszeichnete, dass auch er die Vorurtheile
des gemeinen Volkes theilte und einen ans Unglaubliche grenzen-
den Hass nicht allein gegen die Juden hegte, welche ihrer Religion
treu, alle Schmach und Beschimpfungen ruhig erduldeten, sondern auch mit Hintenansetzung aller Menschlichkeit diejenigen zu

---

[*])
> Non val el açor menos
> Por nascer en vil nio,
> Non los enxemplos buenos
> Por los dezir judio.

verfolgen und zu verhöhnen nicht unterliess, welche der frommen Bekehrungssucht zum Opfer fielen und ihrem väterlichen Glauben öffentlich entsagten. Und doch war Santillana der erste, welcher dem J u d e n Santob den ihm gebührenden Platz auf dem spanischen Olymp einräumte, wie dieser auch immer als geschickter Versificator in der Geschichte der spanischen Poesie eine bedeutende Stellung einnimmt und seine Werke noch lange Zeit die Aufmerksamkeit spanischer und fremder Literatoren auf sich ziehen werden.

Ehe wir an die Betrachtung der Leistungen unseres Rabbi und der sich uns aus seinem Werke ergebenden Lebensumstände gehen, müssen wir zuvor die Frage aufwerfen, ob er bis zu seinem Tode im Judenthum verblieb, oder ebenfalls von der in seiner Zeit grassirenden Seuche, dem Scheine nach sich zum Christenthume zu bekennen, mit fortgerissen worden ist, mit einem Worte, ob R. Santob die Taufe angenommen hat?

Diese wichtige Frage fällt mit einer andern, die verschiedensten Resultate bereits hervorgerufenen Untersuchung zusammen, welche Werke dem Rabbi von den ihm zugeschriebenen eigentlich gehören, da aus der endlichen Feststellung dieses Problems sich einzig und allein ergibt, welchem Glauben und welchem Bekenntnisse der Rabbi sich zuneigte. Ueber beides herrscht trotz der vielfach vorgebrachten, sich einander widersprechenden Meinungen ein solches Dunkel, dass wir darauf näher einzugehen nicht unterlassen wollen.

In der Bibliothek San Lorenzo del Escurial [27]), Cas. IV. Lit. B. Nr. 21 befindet sich ein Manuscript, ein Quartband aus dem 14. oder 15. Jahrhundert. In diesem Manuscript, dessen — wir möchten nicht sagen — Abschrift [28]) auch in der Nationalbibliothek zu Madrid vorhanden ist, sind folgende Poesien enthalten:

1) Consejos y Documentos del Judio Rabi Don Santo al Rey Don Pedro (Rathschläge und Unterweisungen des Juden Rabbi Don Santo an den König Don Pedro).

2) La Doctrina Christiana.

3) Danza general en que entran todos los estados de gente (General- oder Todtentanz, an welchem alle Stände Theil nehmen).

Das ganze Buch, gewöhnlich Buch des Rabbi Santob genannt, wurde ausser einem vierten noch darin befindlichen Stücke, historia

del Conde Fernan Gonzalez, das bereits einen andern Verfasser
gefunden hat und insofern auch hier nicht in Betracht kommt,
von den verschiedenen spanischen Literarhistorikern bald ganz,
bald nur theilweise dem Rabbi zugeschrieben.

Wir übergehen vorläufig das erste und auch das zweite der
genannten Producte und betrachten zuvörderst den Danza general, den General – oder Todtentanz, in welchem alle Classen und
Stände vom Papst und Kaiser bis zum Alfaqui und Rabbi auftreten und tanzen müssen.

Die Todtentänze gehören zu der Classe von Gedichten, welche
vorzüglich seit der Mitte des 14. Jahrhunderts einen Theil der Literatur ausmachen. Durch eine äussere Veranlassung, eine Naturerscheinung seltener Art, wurden diese Tänze ins Leben gerufen. Wir wollen bei diesem auch die Geschichte der Juden berührenden Phänomen einen Augenblick verweilen.

Zur Zeit nämlich, als die Stütze der Hierarchie in Avignon
ihren Sitz genommen und in Rom ein junger Gelehrter, einer Wä-
scherin Sohn, bei dem Studium des Livius und Cicero den kühnen Gedanken gefasst hatte, die alte republikanische Freiheit
durch Beredsamkeit und Pomp aus der Gruft des Alterthums heraufzubeschwören, zog sich von China her ein Ungewitter über die
Welt zusammen, das sich an allen Orten entlud — keine Stadt,
kein Flecken, kein Dorf wurde von dieser unter dem Namen »der
schwarze Tod« bekannten Seuche unberührt gelassen; alle Stände,
alle Geschlechter, alle Lebensalter, die Jungfrau und der Jüngling
in der höchsten Blüthe erlagen ihrer Gewalt; ganze Paläste wurden menschenleer; über 124,000 Franziskaner raffte der Tod hin-
weg; ganze Klöster starben aus [39]. Die Juden starben nicht, sie
wurden statt dessen ermordet, von Thüringen und Friesland bis
Catalonien und Constantinopel gefoltert, massacrirt und verbrannt, denn die Gelegenheit, dem Judenhass und der Raubsucht
zugleich zu fröhnen, war zu lockend, namentlich für die schwel-
genden Junker und Reichsstädter, für verschuldete Mönche und
liederliches Gesindel aller Art [40]. Eben weil die Juden wegen
ihrer »nationalen Beschaffenheit« mehr von den Verheerungen
der Krankheit verschont blieben [41], regte der Pöbel und Alles
was zu diesem gerechnet wird, die Menge gegen sie auf und be-
schuldigte sie, nicht allein die Brunnen, sondern auch die Flüsse

vergiftet zu haben, weil auch die Fische abstanden und schwarze Flecken bekamen.

> Gift, sie schreien, ist im Wasser
> Das habt ihr Ungläubige, Hasser,
> Hineingeworfen uns zu verderben;
> Bleibt ihr Juden, müsst ihr sterben [42]),

klagt ein jüdischer Dichter aus jener für die Juden schauervollen Zeit —: und sie rief die Todtentänze hervor.

Die Hinfälligkeit des menschlichen Lebens, die sich damals mehr als je zuvor in der Welt zeigte, poetisch darzustellen, und bei den Theater und Schauspiel vertretenden Kirchenaufzügen den Papst und den Kaiser sein Sprüchlein sagen zu lassen, war damals unter dem Namen »Todtentanz« eingeführt worden. In Deutschland und besonders in Frankreich wurden die Todtentänze im folgenden Jahrhundert durch Holbein und Macaber berühmt [43]), aber in dem Lande, in dessen Sprache unser Danza geschrieben ist, weiss man nichts von einer so frühen Einführung dieser Kunstproducte, obwohl die äussere, eben besprochene Veranlassung zu denselben auch hier nicht fehlte. Denn schon 1348 wurde Almeria von der Epidemie heimgesucht; in Valencia starben täglich 300 Menschen, in Barcelona wurden beinah Alle aus dem Rathe der Hundert vom Tode ergriffen, dafür aber auch an einem Sabbat 20 Juden erschlagen, selbst König Alphons XI., der Held von Rio Salado, konnte der Seuche nicht Widerstand leisten und wurde von ihr bei der Belagerung Gibraltars im Jahre 1350 mit fortgerissen.

Wie dem auch immerhin sei, jedenfalls gehört der uns vorliegende Danza [44]) zu den merkwürdigsten und vielleicht auch ältesten Producten in der überaus reichen Literatur der Todtentänze, wie schon vor 25 Jahren der gründlichste Kenner der spanischen Literatur in Deutschland behauptet hat. Fassen wir alles darüber Gesagte kurz zusammen, so ergibt sich uns als Resultat, dass der Danza general nicht Uebersetzung eines lateinischen oder französischen Gedichtes ist, wie man lange Zeit annahm, sondern gegen Ende des 14. Jahrhunderts von einem Spanier, — die Versicherungen eines Sanchez und Castro, dass die Schriftzüge dieses Manuscripts nur aus dem 14. Jahrhunderte stammen können, sind gewichtig genug, als dass man an deren Echtheit zweifeln sollte — nicht aber von Rabbi Santob verfasst worden sind.

Die Selbstständigkeit der Bearbeitung dieses Gedichtes ergibt
sich aus der eigenthümlichen Art und Weise, worin es sich sowohl dem Inhalte als auch der Form nach von allen andern sogenannten Todtentänzen der frühesten Zeit unterscheidet. Während
die meisten Todtentänze nur kurze, den Holzschnitten und Bildern
beigegebene Sentenzen und Sprüche enthalten, finden wir hier
ein aus 79 Stanzen bestehendes Ganze, das auch wohl nie von
Holzschnitten und Bildern begleitet gewesen sein mag. Besonders
aber ist es die in dem Gedicht herrschende freie, wahrhaft überraschende Sprache, welche uns in der Vermuthung bestärkt, dass
es in Spanien und zwar in der angegebenen Zeit verfasst worden
ist, da es sich hiermit eng an die Decires des bereits erwähnten
Lope de Ayala, so wie an die früheren Gedichte des Erzpriesters
von Hita anschliesst, und, um des trefflichen Wolf's Worte zu
gebrauchen, denselben Ideenkreis verfolgt, der in den Producten
dieser spanischen Dichter vorgezeichnet ist. Voller Entrüstung
zieht der Erzpriester, so wie der die Frauen mehr als gebührlich
liebende Grosskanzler über die Sittenlosigkeit der damaligen Zeit
her und besonders letzterer bedauert, dass das »Schiff des heiligen Petrus« durch die Laster und Verbrechen der Priester seiner
Zeit dem Untergange nahe sei.

Wahrlich, gerecht waren ihre Klagen! Die Sittenlosigkeit war
unter allen Ständen trotz der Grösse der damals von allen Seiten
drohenden Gefahr allgemein und ebenso verbreitet wie die Seuche
selbst. Leichtsinnig, wie einst zu Athen und in den verschütte-
ten Herculanum und Pompeji, beschäftigten sich selbst die Gebildetsten mit lockern Vergnügungen. Statt ernstlich an eine Vor-
bereitung auf den Tod zu denken, wozu ihnen oft nicht einmal
Zeit gelassen wurde, galt es »Wonne und Freude, Rinderwürgen
und Schafeschlachten, Fleischfressen und Weintrinken«. »Lasst
uns essen und trinken«, war ihr Wahlspruch, »denn morgen
müssen wir sterben«. Scherzend und jubelnd erwarteten sie ihren letzten Tag und mit Ausgelassenheit und wilden Bachanalien
erwiesen sie den eben verschiedenen Verwandten die letzten Lie-
bespflichten. Alle Disciplin war gewichen, selbst in den Klöstern
hatte alle Zucht aufgehört, auch die Geistlichen und Würdenträger
der Kirche hatten sich einmal den weltlichen Genüssen ergeben.
Sollte da das ihnen blindlings folgende, sie allein als Heilige
verehrende Volk nicht getrost nachahmen? In so traurigen Zu-

ständen befand sich damals Deutschland und Frankreich. Nun
gar in dem zu Genuss und Wohlleben einladenden Lande, in Spanien! Die schwachen Regenten, die Kriege mit den Mauren hatten das ihrige zur Entartung beigetragen. In jener Zeit der Anarchie war der Culturzustand in den tiefsten Abgrund gesunken.
Die Geistlichkeit ging auch hier mit dem Beispiele voran. Die
Klöster, und deren gab es schon damals eine ziemlich bedeutende
Anzahl, waren nicht mehr, wie zur Zeit ihrer Gründung, die Sitze
der unschuldigen Mönche, deren Lebensaufgabe es sein sollte,
durch Gebet, Singen, Messelesen und andere fromme Handlungen
sich das Himmelreich zu erwerben, auch diese Priester-Classe
stürzte sich in den Strudel der Wollust; Mönchsklöster wurden
die Lagerstätten der Baraganas, deren Luxus und Aufgeblasenheit
die von den Cortes erlassenen Edicte nicht zu unterdrücken vermochten. »Dem Schiffe des heiligen Petrus drohte der Untergang«.

Dem diese Zustände geisselnden Lope de Ayala und dem Erzpriester von Hita schliesst sich der unbekannte Verfasser des Danza
general mit seinen Moralpredigten an.

Liegt es auch unserer eigentlichen Aufgabe fern, dieses für
die Cultur und Geschichte der damaligen Zeit höchst wichtige
Product im Einzelnen zu betrachten, so wollen wir es uns doch
nicht versagen, mit unseren Lesern etwas näher darauf einzugehen.

Nach einem kurzen, in Prosa geschriebenen Prolog lässt der
Dichter den Tod mit folgenden Worten auftreten:

> Ich heisse der Tod und bleibe nicht aus
> Bei Allen, die wohnen im Erdenhaus;
> Ich schau' in die Welt und finde allein
> Ein Leben, das kurz nur und stirbt und wird mein.
> Wo findet sich so ein gewaltiger Held
> Der meinen Gewalten entgegen sich stellt? *)

---

*) Yo so la muerte cierta á todas criaturas
Que son é seran en el mundo durante;
Demando y digo, o orbe, porque curas
De vida tan breve en punto passante;
Pues non ay tan fuerte nin rescio gigante
Que deste mi arco se puede amparar.

Gleich an Versmaass und ähnlich an Inhalt ist der erste Vers eines aus den
letzten Jahren des 15. Jahrhunderts stammenden Todtentanzes:

Sodann lässt er durch einen Prediger — Predicador — Jeden
zum Tanz auffordern und an jeden Einzelnen die Weisung ergehen, sich von Sünden und Vergehen zu reinigen.

Die Person, welche den Tanz eröffnet, ist der die Schlüssel
zum Himmel verwahrende heilige Vater; ihn redet der Tod in folgender Weise an:

> Und weil man für heiligen Vater ihn hält,
> Und nicht seines Gleichen es gibt in der Welt,
> So soll er den Reigen mir führen auch ganz.
> Leg' ab den Mantel und spring' in den Tanz!
> Jetzt ist nicht Zeit mehr zu Ablass und Mess'
> Und Feste zu feiern, das bitt' ich, vergess'.
> Der Schmerz nur dauert einen Augenblick,
> Tanz, heiliger Vater, und bleib' nicht zurück! *)

Mit Zetergeschrei folgt der heilige Vater dem Aufruf.

> . . . . . . Ich Elender!
> Die Spitzen des Glanzes habe ich erstiegen,
> Kaiser und Könige konnt' durch mein Wort ich besiegen,
> Wer rettet mich nun aus Todesangst? —

Ihm folgen der Kaiser, der Cardinal, diesem wankt der König nach, welchen der Tod mit folgenden Worten begrüsst:

> Tyrann, der Du grausam hast verarmt
> Dein Reich und Deiner nur hast Dich erbarmt,
> Gerechtigkeit galt wie der Wurm Dir im Sand,
> Wie's zeigt sich ersichtlich im elenden Land,
> Jetzt komme zu mir, denn nur ich bin Monarch,
> Der Andre und Viele in Erde schon barg.

> Je suis la mort de nature ennemye
> Qui tous vivans finablement consomme
> Annichilant en tous humains la vie;
> Reduis en terre et en cendre un homme.
> Je suis la mort qui dure me surnomme
> Pour ce qu'il faut que maine tout à fin
> Je n'ai ami, parent, frère ou affin
> Que me fasse tost rediger en pouldre. —
>
> Peignot, Danses des morts (Paris 1826) 123.

*) In einem in der Wiener k. k. Hofbibliothek befindlichen Todtentanz
aus dem 15. Jahrhundert (Massmann, Literatur der Todtentänze [Leipzig 1840]
24) wird der Papst angeredet:

> Ob Du gleich trägst dreyfache Cron
> Ich Deiner darumb nicht verschon,
> Weil ausgeloffen ist Dein Stund,
> So musst Du auch in Tedes Bund.

So treten denn nach einander der Patriarch, der Herzog, der Erzbischof, der Connetable, der Bischof, der Cavalier, der Abt und der Decan auf. Letzterer wird mit folgenden Worten empfangen:

> Sehr reicher und filziger Herr und Decan,
> Der Silber Du wechseltest um Dir zu Gold,
> Im Schlechten nur hast Du den Reichthum verthan,
> Den Waisen und Armen nie warest Du hold.

Nachdem sich nun auch der Advocat, der Canonicus, der Arzt, der Pfarrer, der Mönch, der Wucherer, der Einsiedler und der Sacristan dem Tanze angeschlossen, und alle Classen und Stände vertreten waren, drängt sich auch als zu den letzten Personen gehörig ein alter, bärtiger Rabbi durch die mit Geheul schon tanzende Menge und richtet sich zu seinem Elohim und flehet zu ihm und weint und betet:

> O Elohim, o Abrahams Gott,
> Gnade hast Du verheissen,
> O treib' mich nicht mit so heissem Gebot,
> Ich sollte im Tanze noch kreisen!
> Nicht gibt's wohl ein Geschöpf in der Welt,
> Das lebet wenn's dem Tod nicht gefällt [*]).

Worauf ihm vom Tode die Erwiderung wird:

> Don Rabbi mit Deinem gewaltigen Bart,
> Der Talmud und seine Ausleger studiret
> Und Wahrheit zu suchen sich nimmer gerühret,
> Geh' hin und tanz' mit den Sängern entlang,
> Stimm Deine Berachah [45]) mir an zum Gesang
> Und ruh gesellig mit Assa [45a]) gepaart [**]).

---

[*])   Heloim e Dios de Habrahan
              Que prometiste la redepçion!
              Non sé que me faga con tan grant afan;
              Mandadme que dançe, non entiendo el son.
              Non ha ome en el mundo de quantos y sson
              Que pueda fuyr de su mandamiento.

[**])   Don Rrabi, Rrabi barbudo, qui siempre estudiastes
              En el talmud é en sus doctores,
              E de la verdad jamas non curastes

              . . . .
              Llegad vos acá con los dançadores,
              E diredes por canto vuestra beraha,
              Dar vos han possada con Rrabi Aça.

Aus diesen wenigen Proben, welche wir aus diesem interessanten Producte mitzutheilen nicht für überflüssig hielten,
lässt sich der durch das Ganze sich ziehende Ton leicht erkennen;
— eine überraschende Freimüthigkeit und eine bittere Satyre charakterisiren diesen auch schon dadurch merkwürdigen Danza,
und Kirche und Geistlichkeit werden eben so schonungslos behandelt, wie König und Kaiser und alle übrigen Stände. Es ist
dieses um so auffallender, wenn man erwägt, dass dieses Product
an den Feiertagen, ehe man noch Theater und Schauspiel kannte,
zur Belustigung des Volkes öffentlich aufgeführt wurde, wobei
auch Instrumental-Musik sich vernehmen liess, wie Schack [46])
vermuthet und de los Rios aus einzelnen Verstheilen hinlänglich .
bewiesen hat [47]).

Abgesehen davon, dass die im Gedichte angewandte Versart
von der in den Consejos gebrauchten weit verschieden ist, wie
sich dieses im Verlaufe unserer Betrachtung noch zeigen wird,
und schon diese die Form betreffende Verschiedenheit Grund genug bietet, dieses Product nicht dem Rabbi Santob zuzuschreiben,
so liefert die Annahme, dass der Danza bei den mimischen Kirchenaufzügen gebraucht worden, einen Grund mehr, einen andern Verfasser als Santob anzunehmen, da die Kirchenaufzüge
erst mit dem Ende des 14. Jahrhunderts in Spanien ihren Anfang
nahmen.

Sehen wir uns nun nach den Gründen um, welche diejenigen aufstellen, die R. Santob als Verfasser des Danza annehmen,
so sind sie im Wesentlichen sehr schwach.

Der Hauptgrund mag wohl die bei Castro, der zuerst sich
über das Manuscript ausgelassen hat, schon früher von anderer
Seite gerügte Sucht sein, wie alle Juden der spanischen Literatur
so auch R. Santob dem Christenthume zu vindiciren. Dass Santob Christ werden musste war eine conditio sine qua non, eine
Nothwendigkeit, ohne welche sich nichts anfangen liess, denn es
ist klar, dass ein im Judenthume verharrender Jude nicht wohl
Verfasser einer Doctrina christiana, eines christlichen Glaubens-
bekenntnisses sein konnte, folglich musste der Verfasser der jüdischen Geist aushauchenden und den jüdischen Lehren entnom-
menen Consejos getauft werden. Hiermit war aber auch Alles
gewonnen: Santob war Jude, liess sich taufen, lieferte auch Be-

weise, dass er ein guter Christ geworden, schrieb die Consejos, die Doctrina christiana und folglich auch den Danza general, der ja mit den genannten Werken in einem und demselben Manuscript sich findet.

Die Ungereimtheit dieser Behauptung fühlte schon de los Rios. De los Rios kommt, um sich aus dieser Verlegenheit zu ziehen, auf den geistreichen Einfall, die Sache zu theilen. Die Consejos schrieb Santob als Jude, vor der Taufe, die Doctrina christiana und den Danza general, nachdem er das Wasser der Taufe empfangen hatte [48]. Der geistreiche Spanier scheint aber bei dieser Ausgleichung auf gütlichem Wege vergessen zu haben, dass Santob, als er die Consejos dichtete, schon Greis gewesen, wie der Rabbi selbst in einem Verse andeutet und wie sich auch aus der muthmaasslichen Angabe Rodr. de Castro's über das Geburtsjahr Santob's — das Ende des 13. Jahrhunderts — leicht berechnen lässt. In einem Alter von über 60 Jahren mit so durch und durch jüdischen Ansichten sich noch der Taufe zu unterziehen, verlohnt sich wohl nicht der Mühe und dass dieser Neuling der Kirche alsdann noch die jugendliche Frische besessen, Beweise seiner aufrichtigen Liebe zum Christenthume in einem poetisch geschriebenen Glaubensbekenntnisse abzulegen, auch noch den die Träger seines eben angenommenen Heiligthums geisselnden Danza zu verfassen — begreife dieses Wunder, wer da will, wir und gewiss Viele mit uns können an die Wirklichkeit nicht denken! Welches ungeheure Alter müsste der Rabbi erreicht haben? Sollte das Wasser der Taufe ihm vielleicht eine Lebensessenz gewesen sein?

Ausser den genannten Männern Castro und de los Rios, welchen von den Spaniern der in diesem Punkte unkritische Adolf de Castro sich anschliesst [49], ist es auch keinem Einzigen von allen Denjenigen, welche diese Frage berührten, eingefallen, dem Juden von Carrion die ihm nicht gehörenden Schriften unterzuschieben und ihn dieserhalb der Kirche zuzuführen. Der mehrfach erwähnte Sanchez war der erste, welcher selbstständig und ohne Vorurtheil die Untersuchung aufnahm; als Resultat stellte sich ihm heraus, dass R. Santob Jude geblieben, nur die Consejos, nicht aber alles Uebrige des Manuscripts von ihm herrühre [50]. Derselben Meinung sind Sarmiento [51], Moratin, Wolf, Ticknor [52], Douce [53] und auch der neueste Untersucher [54] spricht es mit Gewissheit aus, dass der Danza general und die Doctrina christiana unmöglich von R. Santob herrühren können.

Wer der Verfasser dieser beiden Werke sei, ist eine Frage, die wohl noch lange einer gewissen Beantwortung harren wird. Wir wüssten nicht, dass von einem der Forscher, welche sie R. Santob mit Recht absprechen, auch nur Vermuthungen darüber aufgestellt wären [55]) und wollen daher unsere Meinung darüber zu äussern nicht unterlassen. Freuen würden wir uns, Andere dadurch angeregt zu haben, dieser Untersuchung ein ferneres Augenmerk zu schenken.

Sowohl der Danza general als auch die Doctrina scheinen ein und dieselbe Person zum Verfasser zu haben und zwar einen getauften Juden aus dem letzten Decennium des 14. Jahrhunderts, zu welcher Zeit von den Juden mit dem Artikel des Uebertritts recht gute Geschäfte gemacht worden sind. Wir kommen im Verlauf unserer Betrachtung bei der Regierungszeit Juan II. auch hierauf zurück. Solche Neophyten hielten es für ihre erste Pflicht, ihr neues Glaubensbekenntniss in Gedichten oder Dialogen dem Publicum zu übergeben, wie Beispiele dieser Art sich in nicht geringer Anzahl liefern liessen. Ein Theil dieser Täuflinge gaben solchen Credo den ihren Inhalt genugsam verrathenden Titel Doctrina christiana, während Andere, wir nennen nur beispielsweise den Erzbischof Paul de Santa Maria, Johannés Baptista de Este, in Gesprächen zwischen Lehrling und Meisterlein, zwischen Paulus und Saulus ihren Hass gegen das Judenthum und seine Satzungen, wie ihre Liebe zu der Kirche und ihren Heiligen ausschütteten. Der hier vermuthete Apostat zog es, vielleicht seiner poetischen Begabung wegen, denn Dichtertalent lässt sich ihm durchaus nicht absprechen, vor, in einem »Doctrina christiana« genannten Gedichte die Aufrichtigkeit seiner Bekehrung zu versichern.

Unsere Vermuthung, dass von demselben getauften Juden auch der in Form und Reim von dem eben genannten Product freilich verschiedene Danza geschrieben sei, gründet sich sowohl auf die in demselben eingeführte Person des Rabbi selbst, als auch auf die Worte, welche der Dichter dem ihn anredenden Tode und dem diesem erwidernden Rabbi in den Mund legt.

Einen Juden, ja einen Rabbi in irgend einem Todtentanze der frühesten Zeit zu treffen, ist eine überraschende Erscheinung, denn wie sie von allen Rechten und Begünstigungen in den Ländern, in welchen die Todtentänze zuerst eingeführt wurden, ausgeschlossen blieben, so auch von der Gunst mit den übrigen Ständen zu gleicher Zeit tanzen zu dürfen, und wäre es auch nur im Todtentanz. Erst auf späteren Bildern und Holzschnitten figuriren auch die schwarzen Juden und Jüdinnen. Nachdem es einmal ein Künstler des 15. Jahrhunderts gewagt hatte, eine solche Figur in seinem Werke anzubringen, erscheint der Jude erst wieder auf einem vom dem Maler Meyern in Zürich 1650 entworfenen Todtentanze zwischen dem Bettler und Wucherer; ein für die damalige Zeit charakteristischer Platz! So mag auch der vermuthliche Verfasser unseres Danza auf den ironischen Einfall gekommen sein, dem geistlichen Haupte seiner früheren Glaubensgenossen, einem »Rrabi barbudo,« die Ehre zu erweisen, ihn an dem Generaltanz Theil nehmen zu lassen. Das Vorführen einer solchen Person machte alles Andere wieder gut und trug nicht wenig zur Belustigung des spott- und schmähsüchtigen Publicums bei.

Um seine Juden zu verspotten brachte der Dichter auch die aus der Synagoge stammenden technischen Redensarten und Ausdrücke in der Unterredung des Todes mit dem Rabbi an. Es war immer ein Lieblingsschwank der jüdischen Täuflinge, nicht allein der deutsch-polnischen, sondern auch der spanischen, ihr jüdisches Wissen bei solchen Gelegenheiten zu zeigen; sie konnten ja des besten Erfolgs und des ungetheilten Beifalls gewärtig sein.

Wir wollen uns bei dem aus wohlmeinender Frömmigkeit erzeugten 137 Strophen langen Credo hier nicht aufhalten und nur noch, ehe wir zur Betrachtung des Kunstproductes, welches R. Santob's Namen rechtmässig an der Stirn trägt, übergehen, bei einem ihm ebenfalls zugeschriebenen Werke, der »Revelacion« oder dem »Traumgesichte eines Einsiedlers«, einige Augenblicke verweilen.

Der Inhalt dieses in gleichem Versmaass mit dem Danza verfassten Gedichtes ist in aller Kürze folgender.

Der Dichter führt uns in die armselige Hütte eines Einsiedlers. In einer langen Rede bereitet dieser sich zum Tode vor. Sobald die Mitternachtsstunde schlägt, gibt er den Geist auf. Sodann umflattert ein immer mehr und mehr die Höhe erstrebender, blendend weisser Vogel, womit die Alten [56]) häufig und in

sehr geeigneter Weise die Seele symbolisirten, den todten Körper.
Mit ihm eröffnet nach einer kurzen Pause die durch den Leib
verunreinigte Seele ein Zwiegespräch. Sie verflucht und ver-
wünscht die sterbliche Hülle, durch deren Schuld sie sich zu
den Strafen der Hölle verdammt fühlt und bereut es in ihrer Begleitung so nachgiebig gegen alle ihre Wünsche gewesen zu sein.
Auch der seiner Vergehen sich bewusste Körper bricht in nicht
weniger schreckliche Klagen aus darüber, dass er nicht Stärke
genug besessen, den lüsternen Empfindungen und lockenden Ver-
führungen Widerstand geleistet zu haben. Mitten in diesem von
Körper und Seele mit Bitterkeit geführten Dialoge führt der Dichter einen Engel ein, welcher ebenfalls die Gebrechen des menschlichen Körpers zum Gegenstand seiner Rede macht und der Welt
ihre Thorheiten und Vergehen vorwirft. Dann zieht dieser die
Seele mit sich zur Reinigung fort und lässt den elenden Körper
zur Verwesung auf Erden zurück.

Diese poetische Fiction, welche der Dichter geschickt in eine
dramatische Form kleidet, gehört eben so wenig wie die beiden
obengenannten Producte R. Santob an, wie Wolf und Ticknor [87])
sich hierüber mit Bestimmtheit ausgesprochen haben. Aus dem
die »Revelacion« einleitenden Verse ergibt sich, dass dieses Product wahrscheinlich im Jahre 1420 der spanischen oder 1382
der gewöhnlichen Zeitrechnung geschrieben sei. Uebrigens sind
solche Dichtungsarten, die auch den Namen »Moralitäten« führen,
in der spanischen Literatur sehr alt und fanden auch noch im 17.
Jahrhundert ihre Bearbeiter. Noch der grosse Lope de Vega verfasste eine solche unter dem Titel »die Heirath der Seele mit der
göttlichen Liebe«, welche bei Gelegenheit der Vermählung Philipp III. von Spanien mit Margaretha von Oesterreich in Valencia
aufgeführt worden ist. Ob auch dieses Gedicht mit den vorigen
beiden denselben Verfasser hat, müssen wir dahin gestellt sein
lassen.

Nachdem wir vielleicht etwas zu lange bei den unserm Rabbi
nicht gehörenden Kunstproducten verweilt haben, gehen wir zu
den merkwürdigen Consejos und ihrem Meister selbst über.

Dass dieser grosse Troubadour, welcher schon Greis war, als
er seine »Consejos« oder »Unterweisungen« schrieb, unter Alphons XI. im Staatsdienste verwandt worden, deutet er im letzten
Verse des Gedichtes selbst an:

Und den Dank, den einst gelobet
Dein Erzeuger hehr und gut,
Seh' erfüllet und erprobet
Santob der Carrioner Jud *).

Alphons XI., der ehebrecherische, Unheil stiftende, aber sieg-
reiche Monarch, der Held von Rio-Salado, der Eroberer von Al-
gesiras, hatte in der Kraft des Mannesalters den von seinen Vorfahren schon gehegten Plan mit neuer Gluth erfasst, die christliche Macht auch in d e m Theile der Halbinsel zu begründen, wo
noch Chalifen herrschten. In demselben Jahre, in welchem in
Toledo ein grauenhaftes Gemetzel verübt worden ist und der Sohn
des grossen, aus Deutschland nach Toledo übergesiedelten Meisters von ganz Spanien (principal maestre de toda España) sich
dem Märtyrthume weihte, sich mit Weib und Kindern den Tod
mit eigener Hand gab [58]), rückte Alphons mit seinen genuesischen
Söldlingen und ihrem tapfern Admiral vor das feste Gibraltar. Es
war ein trauriges Unternehmen, berichten die arabischen Quellen,
die christlichen Erzählungen sprechen nur von dem Tode des Königs. Er fiel als Opfer der allgemein verheerenden Pest. Auf den
Mauern der uneinnehmbaren Bergfestung standen die Jahre lang
eingeschlossenen Feinde und schauten beim Fackelscheine dem
langsam und still sich bewegenden Leichenzuge des Urhebers ihrer Leiden, des Islam und Muselmänner hassenden Königs nach —
Spanien trauerte, auch die Moslemen weinten; es war ein sieg-
reicher Held, ein glücklicher Kämpfer, ein frommer König, wie die
jüdische Historie ihn nennt, heimgegangen.

Ein unglücklicher Sohn war ihm gefolgt. Die Schuld des
Vaters rächte sich an dem »einzigen« Pedro.

Don Pedro's Regierungszeit bildet einen Glanzpunkt in der
Geschichte der Juden.[59]) Sie hatten sich unter diesem mit den be-
sten Anlagen versehenen, doch in der Erziehung vernachlässigten
Monarchen eines besondern Schutzes zu erfreuen, und nahmen
wichtige Posten im Staatsdienste ein. Ein jüdischer Arzt rettete
ihm das Leben, ehe er noch das Weltenlicht erblickte; Samuel
Lewi, der Freund seiner geliebten Maria de Padilla, diente ihm als
Finanzminister und Schatzmeister; eine prächtige, die Bewunde-

___

*)   E la mercet que el noble
       Su padre prometio
       La terrna como cumple
     - Al Santob el Judio.

rung der Künstler noch heute erregende Synagoge erhob sich mit seiner Erlaubniss in Toledo; sein Leibarzt Abraham Aben Zarzal tröstete ihn gegen Ende seines Lebens ob seines trüben Schicksals und gegen Anfang seiner Regierung näherte sich ein alter jüdischer Rabbi, der treue Diener seines Vaters, der grösste Troubadour seiner Zeit, seinem Throne mit einem Buche voller Rathschläge und Unterweisungen.

Wer auch nur einmal einen flüchtigen Blick in dieses merkwürdige »Buch des Rabbi Santob« geworfen hat, kann wohl nicht mehr den geringsten Zweifel hegen, dass Santob Jude gewesen und nie von seinem Judenthume gewichen sei. Wir wollen die einzelnen Gründe nicht noch einmal wiederholen. Wundern müssen wir uns, dass von allen Denjenigen, welche ihr Auge auf das Manuscript geworfen haben, kein Einziger wahrgenommen, wie seine sämmtlichen Reden und Sittensprüche den Schriften der Bibel und dem Talmud entnommen sind.

Um dieses darzuthun, wollen wir das Buch etwas näher betrachten, und damit unsere Leser selbst urtheilen können, einen Theil desselben in freier Uebersetzung mittheilen, ohne jedoch immer auf die betreffende Stelle, welche dem Rabbi als Grundlage diente, zu verweisen. Der Kundige wird den richtigen Beleg von selbst finden.

Den aus 628 Stanzen bestehenden »Unterweisungen und Rathschlägen an den König Don Pedro« geht eine in Prosa von anderer Hand geschriebene Erklärung der Absicht des »Rabi Don Santob el Judio de Carrion« voran, in welcher der Schreiber den Vers aus dem Prediger Salomonis »quien acrecienta ciencia, acrescienta dolor«, »wer an Wissen zunimmt, nimmt an Schmerz zu« (C. 1, Vers 18) in sinnreicher Weise deutet und auf die Nothwendigkeit des mündlichen Gesetzes verweist. Sodann nimmt das Gedicht selbst seinen Anfang.

Die ersten 52 Strophen [80]) bilden einen Prolog, welcher beginnt:

> Mächt'ger König und edler Mann
> Neige meiner Rede Dein Ohr,
> Es redet Dich Santob der Jude an,
> Der Jude von Carrion's Thor [*]).

---

[*])   Señor Rey, noble, alto,
Oy este sermon,
Que vyene desyr Santob,
Judio de Carrion.   (V. 1.)

Ich sprech' was ich denke in Versen aus,
Moralisch ist meine Tendenz,
Und Weisheit, die sucht' ich zu sammeln auf,
Wollt' nur, dass auch Du sie drin fänd'st.

Nach einer kurzen Erwähnung des königlichen Vaters

Als Alphons der König endete .
Jammerte kläglich das Volk u. s. w.

weist er in altjüdischer Weise den jungen Monarchen auf die Allmacht und Grösse Gottes hin, wie aus seiner Hand er Alles empfange, wie er, der mächtige König, im Vergleich zu dem allmächtigen Gotte ein ohnmächtiges Wesen sei, wie bei dem sündhaften Menschen Vergehen, bei Gott allein Verzeihung und Gnade walte.

Wie von der Erde der Himmel ist
Erhaben und ohne Vergleich,
So ist auch seine Verzeihung gross,
Nicht bist Du an Fehlern so reich *).

Wie seine Macht so gewaltig ist,
So ist auch gewaltig sein Werk,
Doch Deine Werke nur winzig sind,
Weil winzig nur ist Deine Stärk'.

Er theilt in der Folge selbst mit, was ihn zu dem Entschlusse geführt habe, Rathschläge und Unterweisungen an den König zu richten. Diese wenigen Verse gönnen uns einen Blick in seine Lebensverhältnisse.

Nichts vermag er dem Könige im Staatsdienste ferner zu leisten, das Alter und seine Gebrechen verhindern ihn daran, mit Kummer und Sorgen hat er zu kämpfen, denn er rechnet sich nicht zu den reichen Juden, welche vom Monarchen Güter und Schätze empfangen. Aermlich gekleidet schreitet er einher und war seinem Geschäfte nach im Alter vielleicht ein armer Händler, wie wir aus wenigen Versen vermuthen.

Den Weisen fragte eines Tags
Sein Schüler unerfahren,
Warum er sich befassen mag
Mit irgend welchen Waaren?

---

*)
Bien commo es mas alto
El cielo que la tierra,
El su perdon es tanto
Mayor que la tu yerra.   (V. 48.)

3 *

Warum er geh', warum er schrei'
Von einem Ort zum andern hin?
Ob dieses ihm wahres Glück verleih?
Ob dieses ihm brächte auch Gewinn?

Worauf der Weis' ihm gab die Lehr',
Dass, wenn man was erlangen will,
Die Schand' uns nie und nimmer stör',
Dass uns entging ein and'res Ziel.

Trotz dieser ärmlichen Stellung will er nicht, wie Viele seines
Volkes, knechtisch schweigen und Alles gutheissen — eines höhern Berufs ist er sich bewusst, er will von seinem Wissen seinem Monarchen mittheilen und mit seinen Kenntnissen ihm einen
Dienst erweisen.

Weil der Kummer mich verzehret
Und mein Sinn des Ernstes voll,
Möcht' ich, dass mein Vers Dich lehret,
Was aus Wissens Born mir quoll.

Wenn auch nicht ist, was ich will,
Will ich doch, was ist im Sein,
Wenn ich leide, leid' ich still,
Freude folgt des Leidens Pein.

Sollten And're grösser sein
Meines Volkes als ich bin,
Weil vom Könige sie allein
Zogen Gut und viel Gewinn?

Sollte gut sein meine Red'
Hör' sie nicht verächtlich an,
Weil der Autor niedr'ger steht,
Als wohl mancher Rittersmann.

Ist die Rose minder schön,
Weil ihr steht der Dorn zunächst?
Ist die Rebe zu verschmäh'n
Etwa weil aus Holz sie wächst?

Ist der Habicht minder werth
Weil im schlechten Nest die Brut?
Weil der Jude Dich es lehrt
Ist das Beispiel minder gut?

Nein, man acht' mich nicht für dumm,
Weil nach vieler Juden Lust
Ich nicht knechtisch schweige stumm,
Da ich Bess'res mir bewusst?

> Manchmal liegt ein tiefer Sinn
> In dem Vers, der winzig klein,
> Oft ist kein Atom Gewinn
> In Quartanten, schwer wie Stein.

> Mancher Mann mit Denkerfalten,
> Weil er schamhaft ehrlich fühlt,
> Wird für schlecht und dumm gehalten,
> Weil ihm Gram im Herzen wühlt.

Mit dem 53. Verse beginnt das eigentliche Gedicht:

> Jetzt will ich aber von der Welt
> Dir reden und von ihrer Art,
> Wie der Zweifel ist bestellt,
> Der dem Glauben stets sich paart.

Einen eigentlichen Plan hat R. Santob in diesem Gedichte eben so wenig verfolgt, wie eine Verbindung der einzelnen Verse zu erzielen gesucht. Der Dichter greift einzelne Ideen, wie sie ihm gerade einfallen, auf, und man sieht recht deutlich, wie die Fülle der Gedanken ihn von einem Rathschlusse und einer Unterweisung zur andern treibt. Dabei lässt sich nicht in Abrede stellen, dass manche Partien wie über Freundschaft und Einsamkeit, Reden und Schweigen u. a. m. ausführlich und zusammenhängend behandelt worden sind.

Aus doppelten Gründen lassen wir den bereits mitgetheilten Versen noch eine grössere Anzahl folgen. Halten wir es einerseits für wichtig genug, dieses durch Ticknor's Bemühung erst seit wenigen Jahren zugänglich gewordene Product in weiteren Kreisen bekannt zu machen, so beabsichtigen wir andererseits damit, auch durch die in dem Werke niedergelegte religiöse Anschauung der irrigen Meinung entgegenzutreten, als wäre R. Santob nicht im Judenthume verblieben. Unsere Leser werden in der Folge nicht selten an des weisen Königs und der Propheten Sprüche, an Talmud und Midrasch erinnert werden.

Dem eben vernommenen Verse lässt der Dichter einige andere über die Verschiedenheit des Geschmacks und der menschlichen Ansichten folgen, wie er auch bald nachher über die Wandelbarkeit des Schicksals und die Unbeständigkeit des Glücks seinem jungen Monarchen Vortrag hält.

> Was der Eine achtet grob,
> Scheint dem Andern werth ein Lob,
> Was der Eine rühmet sehr,
> Scheint dem Andern krumm und quer.

> Die Stoffe, die der Kunde
> Verächtlich nennet schlecht,
> Die preist mit lautem Munde
> Der·Kaufmann ihm zurecht.

Sodann ruft er dem Monarchen zu, auf sein eignes Selbst bedacht zu sein und besonders die Gier im Zaume zu halten. Der
Dichter berührt hiermit die empfindlichste Seite des Königs. Es
ist nicht die Grausamkeit, die man diesem jungen, von Kirche
und Geistlichkeit gehassten, unglücklichen Don Pedro vorwer-
fen kann; nicht die Tyrannei hat ihn zu Thaten veranlasst,
die seinen Namen verdunkeln und alle seine Handlungen in ein
schlechtes Licht setzen, sondern der Argwohn, der ihn in Jedem einen Feind und Verfolger erblicken lässt, und mehr noch
als Alles die unersättliche Habgier, welche durch den immer
wiederkehrenden Mangel stets neue Nahrung erhält, sind die
Beweggründe zu den übereilten, seinen Charakter verdächti-
genden Handlungen. Brachte doch die Habgier und sie allein
seinen treuen Gefährten, seinen klugen Schatzmeister auf die Fol-
terbank! Rabbi Santob scheute es nicht, dieses grösste aller Laster
in seinen Unterweisungen zu berühren und zeigt damit, wie genau er den jungen Pedro durchschaut hatte.

> Mit Habgier kommet immer schwer
> Der Mensch zum festen Stand,
> Sie ist so tief wie tief das Meer,
> Ohn' Hafen, ohne Strand.

> Der Mangel, wenn er quälet,
> Erreget Sucht und Gier,
> Und auch wenn nichts mehr fehlet,
> Die Gier bleibt im Quartier.

Interessant wäre es, den Dichter auf seinen einzelnen Gängen
zu begleiten, wir würden ihn nicht selten in des Talmuds duften-
den Gärten lustwandeln sehen und finden, wie oft er dort Blumen
für seinen Kranz gebrochen hat. So werden wir, wenn der Rabbi
einmal sagt:

> Du täuschest in der Welt
> Wohl zwei und auch nicht mehr,
> Beim Dritten schwer es fällt —
> Den täuschst Du nimmermehr.

unwillkürlich an den bekannten Spruch der Rabbinen erinnert: Sagt Dir Einer, Du hast Eselsohren, kümmere Dich nicht darum, sagen's Dir Zwei, leg' Dir einen Halfter um (Jalkut Genesis Nr. 79, Genesis Rabba 43ᵇ).

Ebenso ist auch der Satz:

> Arm ist, wenn selbst reich,
> Der gierig immer strebt,
> Nur Der ist wahrhaft reich,
> Der freudig dabei lebt, *)

den Sentenzen der Rabbinen, wie: Reich ist Derjenige, der Vergnügen von seinem Reichthum hat (Talmud babli, Sabbat 25ᵇ), oder: Derjenige ist reich, welcher mit dem ihm beschiedenen Theile zufrieden ist (Abot IV, 1), entnommen.

Dass der Gedanke:

> So lang der Mensch zu leben hat,
> Macht er es Jedem schlecht,
> Doch liegt er erst im Sarge platt,
> So war er sehr gerecht **),

eine blosse Umschreibung des bekannten, von Immanuel aus Rom in dem Mechabberot (1328) angewandten Sprüchworts אחרי מות קדושים:

> Liegt der Mensch nur erst im Sarg,
> Ist mit Lob man nicht mehr karg,

ist, wird Jedermann leicht einsehen.

In einem Verse führt der Dichter sogar die Quelle selbst an:

> . . . .
> . . . .
> Der Weise spricht: Mir sei gegeben
> Gesellschaft oder sonst der Tod ***),

---

*)	Que non ya omen pobre Synon el cobdiçioso, Nin rrico synon ome Con lo que tiene gozoso.	(V. 78.)
**)	Del omen uyuo dizen Las gentes sus maldades, E desque muerte fazen Cuenta de sus bondades.	(V. 388.)
***)	. . . . Por ende el sabio dize, Compañia o muerte.	(V. 489.)

womit er auf Raba, der diesen Gedanken als Sprüchwort an—
wendet: היינו דאמרי אינשי או חברותא או מיתותא (Wie die Leute
sagen : Freundschaft oder der Tod) [Talmud babli, Ta'anit 23*]
hindeutet.

In folgenden künstlich gebauten Versen stellt der Dichter Betrachtungen über die Wandelbarkeit des Schicksals an :

> Heute wild, morgen mild,
> Heut' in Noth, morgen Brod,
> Heute Graf, morgen Sclav,
> Heut' in Freud', morgen Leid. *)

> Heut' ertragend Demuth,
> Morgen machend Wehmuth,
> Heut' in Rache lebend,
> Morgen Nachsicht gebend.

> Den ziert Nachsicht herrlich,
> Der sich rächen kann,
> Kränkung fällt beschwerlich
> Nicht dem biedern Mann.

> Ohne Schatten keine Sonne,
> Ohne Saat nicht Erndtewonne,
> Ohne Luft gibt's keinen Rauch,
> Wer da lacht, der weinet auch. **)

Zum Lobe der Weisheit schrieb er folgende Verse nieder:

> Es kann des Wissens wenig geben,
> Das nicht mit Gottesfurcht beginnt.
> Der Reichthum lässt nicht reich Den leben,
> Der nicht auf Beistand Andrer sinnt.

> Es gibt kein Gut in dieser Welt,
> Das besser ist, als Wissen,
> Möcht' Mancher nicht ererbtes Geld
> Um dies Besitzthum missen?

---

*)
> Oy bravo, cras manso;
> Oy simple, cras lozano;
> Oy largo, cras escaso;
> Oy en cerro, cras en llano. (V. 123.)

**)
> Non syn noche dia
> Nin segar nyn sembrar,
> Ni ha fumo syn fuego,
> Ni reyr syn llorar. (V. 149.)

Das Wissen ist eine Gab' von Gott,
Von himmlisch hehrem Glanze,
Es gibt kein schöneres Kleinod,
Kein Ruhm mit besserm Kranze.

Als blosser Interpret und Uebersetzer rabbinischer Sprüche erscheint R. Santob in seiner Betrachtung über die Gerechtigkeit und das Gesetz:

Die Welt, so wie sie ist hienieden,
Beruhet auf der Dinge drei,
Auf Recht, Wahrhaftigkeit und Frieden —
Das letzte folgt den andern zwei. *)

Das Erste, die Gerechtigkeit,
Hat einen Fuss von Eisen stark,
Sie hat die grösste Wichtigkeit
Und ist des Weltlaufs Lebensmark.

Verehr' und üb' Gesetz und Recht,
Mit ihm der Wahrheit Quell,
Denn suchst Du Wahrheit schlicht und echt,
So lohnt auch Freundschaft Dir zur Stell'.

Und weil die Welt Recht und Gericht
Gesund zusammen hält,
Darf auch des Rechtes Stütze nicht
Je werden umgefällt.

Umgeh' nicht um den höchsten Preis
Gesetz und Billigkeit,
Denn Gott und König boten weis',
Dass herrsch' Gerechtigkeit.

Zu den am weitesten ausgeführten und sowohl in Form als Gedankenfülle herrlichsten Partien der »Unterweisungen« gehören die Betrachtungen, welche der Dichter über Schrift und Wort, Schweigen und Reden anstellt.

Wenn vor Gefahr und Armuth Du
In Sicherheit willst leben,
So halte Deine Zung' in Ruh',
Beschränk' des Geistes Streben.

---

*)
El mundo, en verdat,
De tres cosas se mantyen,
De juyzio, e de verdat,
E paz, que dellos vyen. (V. 329.)

Durch eine Rede gut und wahr
Kann schon der Tod entstehen,
Aus einem Blicke hell und klar
Hervor die Liebe gehen.

Der Worte Laute werden bald
Im Zeitenraum vergessen,
Die Schrift hat ewige Gestalt
Und lässt sich fort nicht pressen.

Es gibt nicht Lanz', es gibt nicht Speer,
Der seinen Schild nicht findet,
Doch Nichts ist abgesperrt so sehr,
Das nicht die Schrift ergründet.

Der Pfeil vermag nur zu erreichen,
Der in des Schützen Nähe weilt,
Die Schrift ist ein bekanntes Zeichen,
Die selbst zum fernsten Osten eilt.

Der Mensch vermag sich vor den Pfeilen
Die Brust zu schützen mit dem Schild,
Doch schützen keine tausend Meilen
Ihn vor des Buchstabs kleinem Bild.

— — — — —

Ist es auch übel viel zu sprechen,
So ist's noch schlechter stumm zu sein,
Denn nicht zur Mehrung unsrer Schwächen
Sollt' dienen Sprechen nur zur Pein.

So wie zur rechten Zeit Nichtschweigen
Gleich Silber ist, das wohl geziert,
So ist zur Zeit sich stumm verneigen,
Gleich Gold, dem feinster Preis gebührt.

Wie Schweigen gibt von allen Gütern
Den Frieden Dir auf jeden Fall,
So ist das Bitterste des Bittern
Der Zank, erzeugt durch Worte-Schwall.

Der heute schweigt aus klug Bedenken,
Kann morgen reden wohlbedacht,
Doch wird auch morgen uns beschenken
Mit Worten, der sie heute macht.

Was 'mal gesagt, ist nicht mehr eigen,
Und das was heut' nicht ist gesagt,
Kahn ja für später gut sich zeigen,
Wenn auch nicht heut', den nächsten Tag.*)

Und weil bisher nur bloss wir haben
Vom Schweigen Gutes vorgebracht
Und von des Redens übeln Gaben;
Werd' auch dem Reden Lob gebracht.

Wenn schweigen stets der Weise wollte,
So müsste Wissen untergehn,
Wenn nicht der Weise reden wollte,
Wer würde dann noch was verstehn?

Reden ist sonnenklar,
Schweigen so blind wie Staar,
Reden ist freies Recht,
Schweigen gebührt dem Knecht. ·

Ist Reden unbesonnen?
Ist Schweigen Weisheit nicht?
Wer redet hat gewonnen,
Wer schweiget — armer Wicht!

Das Schweigen ist dumm,
Das Reden erfreut,
Blind jenes darum
Und dieses gescheut.

Der Körper ist das stumme Schweigen,
Für's Wissen nur die Seel' ich hab',
Man kann sich nur im Reden zeigen,
Das Schweigen ist lebendig Grab.

Es kommt das Reden schnell,
Das Schweigen spät zur Stell';
Das Reden ist das Schwert,
Das Schweigen — Feige ehrt.

---

*) Könnte man hier nicht vermuthen, dass dem Dichter die Spruch-
sammlung des Samuel Hannagid aus Cordova (gest. 1055) [vgl. Dukes, Blu-
menlese. Hannover 1844. 55 ff.] vorgelegen habe? In dieser Sammlung findet
sich folgende der unserigen ähnliche Sentenz:

Hast Du geschwiegen, kannst Du ja noch reden nach dem Schweigen;
hast Du gesprochen, so kannst Du nicht rückgängig machen, was Du hast gesprochen.

Schön und ganz das orientalische Gepräge an sich tragend sind die Verse über die Freundschaft:

> Kein grössrer Schatz kann sein beschieden,
> Als wem ein Freund zur Seite steht,
> Doch gibt's nichts Aermeres hienieden,
> Als wenn für sich man einsam geht.

> Denn es erweckt das einsam' Leben
> Die traurigste Gedankennoth,
> Der Weise spricht: »Mir sei gegeben,
> Gesellschaft oder sonst der Tod.«

> Doch wenn die Einsamkeit auch trübe,
> Ist Nachbarschaft weit trüber noch,
> Von Einem, der von Wahrheitsliebe
> Abweichet und auf Lügen geht.

Das Ganze schliesst mit einem kurzen Gebet für den König:

> Gott erhalte unsern Herrn,
> Wie er gnädig uns erhält,
> Dass das Unrecht bleibe fern
> Und das Recht in Schutz bestellt.

> Deines Reiches Völker Alle
> Gott zu seinem Dienste leiht,
> Hüt' es, dass es nie verfalle
> In Verderben, Pest und Streit.

> Und der Dank, den einst gelobet
> Dein Erzeuger hehr und gut,
> Seh' erfüllet und erprobet
> Santob der Carrioner Jud'.

. . . .

> Hier endigte der Rab Don Santob
> Gott sei gelobt. *)

bilden die Schlussworte des Buches, welche, nach der Schreibweise zu urtheilen, wohl spätrer Zusatz sind.

Aus diesen hier mitgetheilten Proben, welche wir noch um ein Bedeutendes vermehren könnten, ergibt sich zur Genüge, dass Rabbi Santob seine Unterweisungen aus jüdischen Quellen ge-

---

*) 　　　　　Aqui acaba el Rab Don Santob
　　　　　　　Dios sea loado.

schöpft und seinem Könige im Grunde genommen nur orientalische
Früchte und Blüthen in einen zierlichen Kranz geflochten hat.
Ist ja das Wesen und der Begriff der Spruchsammlungen an sich
schon orientalisch, jüdisch! Die sogenannten Sprüche Salomons,
diese Weisheit Salomonis und der ganzen orientalischen Weltan-
schauung sind vorzugsweise sententiöse, sprüchwörtliche Wen-
dungen. Das Sprüchwort ersetzt die Kathederweisheit, es ist
gleichsam eine figürliche und anschauliche Logik des praktischen
Lebens; der Sinn des Sprüchworts deutet schlechthin auf ein Allgemeines, wenn wir so sagen dürfen, Metaphysisches, obwohl die
Form dem Realen, Seienden entnommen ist. Jedes Sprüchwort,
selbst die prosaische Lebensregel hat einen gewissen dichterischen
Beigeschmack, und wie die Unterweisungen Santob's Poesie und
Reim.

Ob der Rabbi Don Santob de Carrion einer allgemeinen Achtung sich zu erfreuen hatte, wie man aus den doppelten Titeln
Rabbi und Don zu schliessen sich für berechtigt hielt; ob er ausser den Unterweisungen noch andre jetzt verloren gegangene Werke
verfasste, zu welcher Annahme uns die oben (S. 20) mitgetheilten
Worte des Marquis von Santillana wohl verleiten könnten; ja ob
dieser unser Dichter zu den Poëtannim gerechnet werden kann,
wie Dukes[61]) aus einer Stelle vermuthet; ob ihm der Lohn für
seine Mühe ward und sein König ihm sein Alter versüsste; ob
schliesslich der würdige Rabbi noch viele Jahre nach Abfassung
dieses Werkes lebte — alle diese Fragen sind mit einem undurchdringlichen Schleier, den vielleicht die Zeiten noch lüften werden,
verhüllt. Wir wissen nichts Sicheres darüber zu sagen. Aber so
viel wissen wir, dass des alten Juden Gebet für seinen König,
seine Wünsche für des Vaterlandes Ruhe und Sicherheit nicht er-
hört worden sind — Gott erhielt nicht den unglücklichen Herrn,
und das Unrecht blieb nicht fern; Spanien glich unter Pedro einem
aufgewühlten Meer, und Bruder- und Bürgerkriege tobten gleich
des Sturmes wüthendem Brausen.

Der Juden Ruh und Glück war auf castilianischem Boden für
immer dahin.

Drittes Capitel.

Die politische Lage der Juden in Spanien von der Mitte des
14. bis in die Mitte des 15. Jahrhunderts. Ihre innern
Verhältnisse. Die Familie Santa Maria. Das Dichterleben
am Hofe Juan II.

Auch die Geschichte verfolgt ihren natürlichen Gang. Die Geschichte der Juden, so wunderbar sie auch scheint, nimmt allenthalben einen natürlichen Verlauf.

Der kurzen Zeit des äussern Glücks, welches die Juden unter Pedro genossen, waren Plagen gefolgt und Jahre, die ihres
Gleichen auf der Halbinsel nicht aufzuweisen haben.

Das unglückliche Concubinenverhältniss, in welchem der Vater
Pedro's zu der schönen Wittwe Leonore de Guzman stand, rächte
sich fürchterlich an den Kindern und entlud sich gleich einem
mächtigen Wolkenbruche über Spaniens Bevölkerung.

Neun Kinder hatte der ehebrecherische König mit der tugendhaft
genannten Leonore gezeugt, Pedro war der einzige, aus geweihter
Ehe entsprossene Sohn, der Erbe des Thrones. Sein Bastardbruder
Heinrich von Trastamare, der Liebling seines Vaters, glaubte wegen seiner persönlichen Tapferkeit, von der er an Alphons Seite
schon als Jüngling Beweise abgelegt hatte, und wegen der Erst-
geburt mehr Rechte an die alte castilianische Krone zu haben,
als der echte Sprössling der Königsfamilie. Mit neidischem Auge
schielte er beständig nach der Krone; bald trat er in heimliche
Verbindung mit den Gegnern des Königs, bald suchte er die un-
zufriedene Adelspartei für sich zu gewinnen, bis er endlich, von
der, Pedro verketzernden Geistlichkeit dazu bewogen, den offenen
Kampf wählte, um mit fremder Hilfe das Ziel seiner Wünsche zu
erreichen.

Schrecken und Entsetzen verbreitete sich im ganzen Lande
bei der Nachricht, dass eine wilde, in Frankreich und Italien ge-
fürchtete Horde das Gebirge überschreiten wollte. Die grosse Compagnie war im Anzuge. Wie in der Wüste Afrikas das Geschrei
der um eine Beute sich zerrenden Thiere beim fernen Gebrüll des

Löwen plötzlich aufhört und das noch vor wenigen Augenblicken
sich streitende Wild von Furcht getrieben die Schlupfwinkel sucht
und so dem seine Mähne schüttelnden Könige die schuldige Ehrfurcht zollt, so folgte jetzt in Spanien eine heilige Stille den schon
Jahre lang dauernden Feindseligkeiten, die Brüder und ihr An-
hang traten voll banger Hoffnungen vom Tummelplatz und fast
konnte man glauben in das Land des Friedens versetzt zu sein. —
Dem Tiger hatte man die Pforten des Kerkers geöffnet, damit er
nach Herzenslust die zitternde Menge verschlingen könne. Bertrand
du Guesclin, ein von der Sonne geschwärztes Gesicht mit grossen,
dunkeln, beständig rollenden Augen, »eine gute Lanze, ein alter er-
fahrener Krieger, Löwe und Fuchs zugleich«, war mit seiner grossen Compagnie als Schiedsrichter von Trastamare herbeigerufen.

Dieser Schrecken des Mittelalters stürzte sich nach einem
kurzen Besuche am päpstlichen Hofe zu Avignon, wo er statt des
verlangten Soldes Ablass für sich und seine Soldaten erhalten
hatte, auf das durch Fruchtbarkeit gesegnete Spanien. Folget mir
rasch! rief er seiner ihn vergötternden Schaar zu. Auf nach Spanien! Dort findet ihr einen reichen, ketzerischen, geizigen König.
Unserem alten Gefährten Trastamare wollen wir ein Land, einen
Thron erobern helfen! Juden und Ketzer könnt ihr plündern und
»faisons à Dieu l'honneur et laissons le diable«, wie es in einer
Reimchronik heisst.

Der kühne Führer hat seiner Armee seine Pläne offen genug
dargelegt und wir wissen, was wir zu erwarten haben. Juden
und Ketzer plündern und tödten! Was bedurfte es mehr für eine
von Raubsucht und religiösem Fanatismus getriebene Horde? Wohin immer ihr Ruf: Castilien! Castilien! Für den König Don Heinrich! drang, wurde auch das Wehgeschrei und das Röcheln der
Juden vernommen.

Trastamare hatte die Compagnie an der Grenze begrüsst und
sich mit seiner Armee ihr angeschlossen. Die Wiege des Cid,
Burgos mit seinen schon in der Ferne sich zeigenden gothischen
Thürmchen, war ihr Zielpunkt, denn dorthin hatte sich Pedro begeben. Briviesca [61a), nur wenige Meilen von Burgos gelegen, erfuhr
zuerst den Besuch des Feindes »und auch nicht Einer blieb daselbst von den 200 jüdischen Familienvätern übrig, welche dort
wohnten, und ihre Leichname dienten den Vögeln des Himmels
und dem Gewilde der Erde zum Frasse« [62). Am 31. März 1366

hielt Heinrich seinen feierlichen Einzug in Burgos — er liess sich zum König und seinen jungen Sohn Juan zum Nachfolger procla-miren. Jetzt war er grossmüthig, freigebig bis zum Excess, ganz wie es die Politik eines Usurpators erfordert. Um seinen Genossen schenken zu können, plünderte er allenthalben die Juden, denen von Burgos allein nahm er eine Million Maravedis ab.

Mit Blitzesschnelle richtete sich nun der neue König gegen Toledo. Nach kurzem Bedenken öffnete die Stadt die vom Gothen-könig Wamba erbauten Thore, nur die ihrem legitimen Könige treu gebliebenen Juden versperrten ihm die Aljama. Sie hatten ihre Anhänglichkeit schwer zu büssen, zum Lohne wurde ihnen die Versorgung der Truppen und die Zahlung einer Million Maravedis Contributionsgelder auferlegt.

Monate lang irrte der unglückliche Pedro gleich einem aufge-scheuchten Reh in den Gebirgen Galiciens. Endlich wandte er sich an England um Hilfe und der schwarze Prinz [83]), der Sieger von Crecy und Poitiers, benutzte freudig eine Gelegenheit, seiner Klinge und seinem Waffenruhm neue Bewunderung zu verschaffen.

Es kam zur Schlacht — Nayera an der kleinen Nayerilla, de-ren Gewässer kurz zuvor mit Judenblut gefärbt worden, ward der Wahlplatz. Pedro siegte, »die Lanze der Compagnie« wurde gefangen fortgeführt, Heinrich floh, um bald· wieder vor den Thoren Toledos als Belagerer zu erscheinen.

Ein Jahr später sah diese viel geprüfte Stadt den starken Trastamare mit entfalteten Fahnen heranziehen. 10½ Monate·hielt er sie eingeschlossen, der Hunger und die Noth waren aufs Aeus-serste gestiegen, Brod war um keinen Preis zu erlangen, Pferde und Maulesel dienten den armen Bewohnern als Nahrung. R. Sa-muel Zarza schildert in einem zur selben Zeit verfassten, hand-schriftlich vorhandenen Werke, Michlal Jophi, den traurigen Zu-stand Toledos in folgender Weise:

Die Majestät Gottes waltet nicht unter Trauer und Trägheit, sondern unter Freuden, um so weniger aber in unserer Zeit d. i. im Jahre 5129 (1369 christlicher Zeitrechnung) in der Provinz Valencia, wo ich dieses Werk verfasste, während alle Gemeinden in den Reichen Castilien und Leon in grossem Drangsale sich be-finden und alle im dritten und fünften Buche Moses enthaltenen Flüche leider an uns in Erfüllung gegangen sind. In der heiligen und reinen Gemeinde Toledo, welche die Krone Israels war, starben innerhalb zwei Monaten mehr als 10,000 Menschen, während König Heinrich die Stadt belagerte; mitleidige Frauen kochten ihre Kinder, um sie zu verspeisen, vor Hunger wurden sämmtliche Gesetzrollen, alle übrigen Bücher und lederne Geräthschaften verzehrt, man sengte die Wolle an und ass sie. Viele zogen es vor, in das königliche Lager hinauszugehen, denn sie dachten, besser durch das Schwert umkommen, als sich dem Hungertode preisgeben. — — Viele heilige Gemeinden wurden niedergemetzelt, so dass wegen der Menge der Leiden viele Israeliten die Gemeinschaft verliessen; wahrlich Noth und Armseligkeit haben den höchsten Grad erreicht, alle Seelen der Körper sind dahin, aber der Sohn Davids ist nicht gekommen [64].

Der in der Schlacht bei Montiel am 14. März 1369 erfolgte Tod Pedro's hatte eine bedeutende Umgestaltung der Verhältnisse des Landes zur Folge, setzte eine neue, eine Bastarddynastie auf den Thron der Ferdinande und Alphonse und führte ein neues Regiment, das der Geistlichkeit, in Spanien wieder ein.

Die Juden traten einer schwarzen Zukunft entgegen!

Mit Pedro hatten sie ihren letzten Haltepunkt verloren, und wie sie von ihm bei Lebzeiten beschützt worden, so haben sie seinetwegen nach seinem Tode die schwersten Leiden zu ertragen gehabt. Der neue König konnte es ihnen nie vergessen, dass sie einst gegen ihn die Waffen erhoben hatten, und wenn er auch ihr treues Festhalten an den legitimen Monarchen geachtet und ausgerufen haben soll [65], dass auf solche Unterthanen die Könige wohl bauen könnten, so ist er doch nicht grossmüthig genug gewesen, als dass er ihnen die dem Pedro bewiesene Treue und Anhänglichkeit nicht hätte vergelten sollen.

Heinrich war ein frommer Monarch, sein Testament trägt deutliche Spuren seiner frommen Denk- und Handlungsweise an sich. Jedem Orden der Stadt Toledo, welcher für sein Seelenheil betete, vermachte er tausend Maravedis, eine neue Capelle wurde in der Residenz nach seinem Wunsche erbaut, deren Wächter, Sacristane und übrige Diener ihren Sold aus der den Juden in Toledo auferlegten Steuer zogen. Die Geistlichkeit, das Werkzeug seiner Thronbesteigung, musste er natürlich lieben, und, wollte er es mit ihr nicht verderben, ihr auch, ob gern oder ungern, in der Bedrückung der Juden zu Willen sein.

So gelangten die von Pedro Vernachlässigten, die Kirche und

ihre Träger, mit Trastamare wieder auf den Thron und es war ihnen ein Leichtes, sich auch unter den schwachen Nachfolgern in der Herrschaft zu behaupten.

Mit Heinrich, mit dem Priesterregiment, beginnt für die Juden der pyrenäischen Halbinsel eine neue Epoche, in welcher sie dieselben Phasen durchlaufen, die ihre Vorfahren unter den Gothen durchgemacht haben. Wie damals mit dem Sturze des Arianismus der Unduldsamkeit predigende Katholicismus zur Herrschaft erhoben wurde, so hatte jetzt, nachdem der Ketzer Pedro aus dem Wege geschafft war, sein Bruder Heinrich der Geistlichkeit ein neues Feld eingeräumt. Heinrich von Trastamare ist in der Geschichte der Juden gleichsam ein zweiter Reccared. Dieser unternahm nichts anders, als die Juden erst einmal aus dem Staatsdienste, von der Oeffentlichkeit zu entfernen; darauf deuten alle Gesetze, welche von ihm betreff der Sclaven, der Ehe mit Christinnen u. s. w. erlassen worden sind. Denselben Plan verfolgte auch Heinrich. Er wollte sie kenntlich machen, von der Gesammtheit absperren, und befahl, dass sie auf ihren Kleidern ein signum distinctionis, diesen auch Deutschland nicht unbekannten gelben Fleck, tragen sollten [66]). Für alles Weitere liess er die Geistlichkeit, welche Sisebut in dem ganzen Jahrhundert personificirt, sorgen.

Alle Kränkungen und Verfolgungen, welche den Juden in den letzten hundert Jahren ihres Verweilens auf spanischem Boden zugefügt worden sind, gingen, und wer könnte es in Abrede stellen! grösstentheils von der fanatischen Geistlichkeit aus. Es war ein langer Todeskampf — die eigenen Kinder drückten endlich dem ohnmächtigen und entstellten Körper die Augen zu. Juda's eigene, abtrünnige Kinder vollführten den letzten Schlag und wie 700 Jahre früher die beschnittenen Araber berufen waren, den Juden Heil und Licht zu bringen, so geleiteten die beschnittenen Judensöhne ihre eigenen Brüder aus dem Lande.

Wir wollen jedoch der Geschichte nicht vorgreifen und die Phasen mit unseren Lesern selbst durchlaufen.

Am Pfingstsonntage des Jahres 1374 schloss Heinrich von Trastamare die Augen; sein Sohn Juan, ein schwächlicher Jüngling, mit weissem, geistlich würdigem Gesichte und engelhaftem Charakter war zu seinem Nachfolger bestimmt.

Obgleich Juan, der erste König dieses Namens auf dem castilianischen Thron, einen jüdischen, nachmals von seinen neidischen Glaubensgenossen zum Tode geführten Schatzmeister in der Person des Yucuph Picho hatte, so arbeitete er, ein Spielball der Prälaten, dennoch an dem vom Vater begonnenen Werke mit gleichem Eifer fort. Nicht allein, dass ihnen die die Entfernung vom Staatsdienst betreffenden Gesetze noch einmal eingeschärft wurden; auch die Jahrhunderte lang von ihnen gehandhabte eigene Gerichtsbarkeit wurde aufgehoben und harte Strafen über diejenigen verhängt, welche es sich einfallen liessen, ihre Religion um eine Christenseele zu bereichern[67]).

Damals erregten fanatische Reden der Geistlichkeit die Wuth des Volkes, persönlicher Hass Einzelner wurde zu Nationalhass gestempelt, Missgunst gegen die übrigens durch die verheerenden Bürgerkriege, durch die drückenden Steuern und Contributionsgelder bedeutend zusammengeschmolzenen Reichthümer der Juden Eifer für die Religion genannt.

Das erste Gemetzel, welches unter Juan I. durch einen frommen Priester, einen würdigen Erzdiacon hervorgerufen wurde, fand in Sevilla statt. Hernando Martinez war der Name des von dem Erzbischof zu Sevilla freilich zu spät zur Ruh verwiesenen, beredten Volksaufwieglers: er war fromm und gut und ganze Ströme Blut flossen durch seine, christlichen Eifer verbreitenden Reden in den Strassen Sevilla's; die fromme Königin Leonore stellte ihn als ihren Beichtvater an. Der König schwieg zu Allem und liess Alles geschehen, er war schwach und starb bald in der Blüthe des Alters, in seinem 32sten Jahre.

Ein eilfjähriger Prinz, der dritte Heinrich wurde als sein Nachfolger König genannt.

Ein Kind auf dem Thron, eine immer predigende und aufregende Geistlichkeit, ein aufgeregtes, gereiztes, wüthendes Volk und geduldige, an Leiden gewöhnte, dem Tode geweihte Juden! Die Unruhen und Metzeleien, die unter Juan glücklich und ungestraft durchgeführt worden waren, wurden unter Heinrich im verstärkten Maasse fortgesetzt.

Dem Bischofe von Ecija waren die Räume der Kirche schon zu eng, er stand auf dem grossen Markte zu Sevilla im Priestertalare, um mit gen Himmel gehobenen Händen Fluch und Verwünschung auf das Volk herabzurufen, das einst vom Herrn war gesegnet worden. Der Geistliche selbst führte die losgelassenen

4*

wilden Thieren gleichende Menge an, Mord war ihre Lust und »sie plagten die Juden mit grossen und schrecklichen Plagen, wie solche nicht gehört wurden, seitdem die Israeliten sich in den Städten anderer Länder niedergelassen hatten.« Nicht der Graf von Niebla, nicht der Präsident der Stadt, Don Alvar Perez de Guzman vermochten dem Blutstrome einen Damm entgegenzusetzen; durch eine an den jungen König abgesandte Deputation erlangten die Juden Schutz und Beistand — doch es war zu spät; Tausende von ihnen waren bereits niedergemacht und noch tausend Andere demselben Loose bestimmt. Von den drei ihnen einst geschenkten Synagogen wurden zwei in Kirchen verwandelt, man liess ihnen nur noch eine; Bartholomäus-Kirche wurde sie nach der Vertreibung genannt.

Mehrere Städte folgten dem Beispiele Sevilla's: Cordova, Burgos, Toledo, Logroño, Barcelona, Valencia u. a. griffen die jüdische Bevölkerung an, plünderten und zerstörten die zahlreichen Judenhäuser; wer nur den mindesten Widerstand zeigte, wurde schonungslos, wess Alters und Geschlechts es auch sein mochte, in der grausamsten Weise massacrirt [68]). Der Trauermonat — Anfang August 1391 — hatte so das trauernde Volk wieder erreicht.

Die gläubige Volksmenge war von der sie ermunternden, Muth einflössenden Stimme der Prediger, ohne Gewissenspein zu rauben und zu plündern, so sehr eingenommen, dass sie ohne Achtung vor Gesetz, ohne Furcht vor Strafe plünderte, raubte, mordete. Es war ein schrecklicher Anblick. Jede Stadt war an jenem Tage ein zweites Troja. Die Klagetöne, das Jammern und die Seufzer Derjenigen, welche ohne irgend ein Verbrechen dem Tode geweiht wurden, vermehrten die Wuth und die Grausamkeit Nur wer Christ werden wollte und bittend das Wasser der Taufe verlangte, wurde verschont; um diesen billigen Preis retteten damals Tausende ihr dem Henker und der Volkswuth schon verfallenes Leben [69]).

Trotz aller Schätze, welche bei diesen Aufständen in den Judenstädten den rechtmässigen Besitzern abgenommen wurden, war das Land verarmt. Was wär geworden aus den zahlreichen Werkstätten Toledo's und Sevilla's? Wo waren nun die vollen und reichen Marktplätze, auf welchen die Juden die kostbaren Erzeugnisse des Ostens und Westens aufspeicherten; wo Seide von Persien und Damaskus, Pelze von Tafelete und Edelsteine von Ara-

—— 53 ——

bien bunt unter einander lagen? Sie verbrannten die Kaufläden
der Alcana von Valencia, Toledo, Burgos, Cordova, Sevilla und
Barcelona. Ihre Strassen waren verödet, die Einkünfte der Könige
und der Kirche litten [70]), und wenn die spanischen Historiker berichten, dass Heinrich III. eines Abends, vom Jagen ermüdet, seinen Palast betrat und keine Mahlzeit vorfand, weil sein Rent-
meister sich weder Geld noch Credit hat verschaffen können, so
zeigt diese sagenhaft klingende Geschichte doch deutlich die jäm-
merliche Lage des Staatshaushaltes.

So energisch der junge kränkliche König auch immerhin gewesen sein mag, in dem Beschlusse, die Juden von allen Staatsämtern auszuschliessen, zeigte er seine Energie nicht. Juden waren wieder königliche Pächter; einen Juden schickte der König
mit Heirathsanträgen zu dem König Davis von Portugal [71]) und es
lag gewiss nicht in dem Mangel an Beredsamkeit des Gesandten,
dass Davis seinem Nachbar die Tochter nicht geben wollte. Die
Aerzte, deren der König so sehr bedurfte, waren Juden: R. Don
Mair Alguades, der grosse Lehrer Castiliens, der fleissige Bearbeiter des Aristoteles [72]); und noch ein anderer R. Mair werden als
solche genannt. Obwohl der Tod, welcher den kranken König im
28sten Jahre seines Alters fortraffte, ihm schon lange auf dem Gesicht lag, so soll ihn doch sein jüdischer Arzt durch Gift aus dem
Wege geschafft haben, der Jude, sein Arzt, wurde unschuldig [73])
gemartert, zum Bekenntniss gebracht, getödtet und ein neuer Auf-
stand gegen die Juden angezettelt.

Unter den Leibärzten Heinrichs wird auch des Don Moses
Zarzal Erwähnung gethan [74]). Er war der Sohn des mit Pedro
von Castilien vertrauten Leibarztes Don Abraham Aben Zarzal und
derselbe Don Moses, welcher sich auch als castilianischer Dichter
versucht hat. In dem Cancionero de Baena [75]), von welchem wir
später reden werden, befindet sich nämlich ein Gedicht, verfasst
zur Geburt Juan II., in der Stadt Toro am 6. März 1405. Die
Ueberschrift lautet:

»Dieses Gedicht verfertigte Don Mosse, Leibarzt des Königs Don Heinrich, als der König unser Herr in der Stadt
Toro geboren wurde*).«

*) Este decir fiso Don Mossé, çurgiano del Rey Don Enrrique, quando
nasçió el Rrey nostro sseñor en la çibdat de Toro.

65

Obwohl nun der gelehrte Herausgeber dieses seltenen Schatzes behauptet[76]), dass die Person dieses Don Mosse sich nicht bestimmen lasse, so nehmen wir doch keinen Anstand, Don Moses Aben Zarzal als Verfasser dieses Gedichtes zu bezeichnen. Neben den Dichtern Mices Francisco Imperial, Diego de Valencia, Bartolomé Garcia de Córdova und anderen Männern seiner Zeit besingt auch Rabbi Don Moses dieses freudige Ereigniss in nachstehenden Versen:

> Aufgegangen ist ein Stern
> In Castilla glanzvoll schön,
> Jubel ruft von nah und fern :
> Lang noch werde er gesehn.

> Sicher ward durch Gott zu Theile
> Jenem Tage hohe Ehr',
> Wo er schenkte uns zum Heile
> Jenen König stark und hehr.

> Durch des Himmels grosse Güte
> Ward Dir, was Du wünschtest gern,
> Hast aus fürstlichem Geblüte,
> Hast jetzt einen edeln Herrn. *)

> Kaum wohl lebt von Herrschern Einer
> Jenem ähnlich von Natur,
> Solche Majestät hat Keiner;
> Wer auch lebt auf Erden nur.

> Wann ward solcher Schönheit Pracht
> Je gesehn in unserm Lande?
> Wann hat so das Glück gelacht?
> Hüt' nur Gott, dass es nicht strande!

> Aragon und Catalona
> Seien Diener Deinem Thron,
> Gib den Kriegern von Gascona
> Und Navarra Sold und Lohn.

---

*)
> Una estrella es nasçida
> En Castilla rreluçiente,
> Con plaser toda la gente
> Rroguemos por la su vida.

> De Dios fué muy vertuoso
> Aquel dia syn dubdança
> En cobrar tal alegrança
> Deste Rrey tan poderoso.

. . . .

Portugal zu grosser Schande
Zittere, Granada's Gau
Werd' gezählt zu Deinem Lande,
Und Cerdenna's ferne Au. *)

Juan II. war noch nicht zwei Jahre alt, als sein Vater am Weihnachtstage 1406 sein schwaches Leben beendete und mit seinem Tode das Land in die grössten Unruhen stürzte.

Es hat wohl kaum in Europa eine Regierung gegeben, die mehr einem beständig schwankenden Schiffe glich, als die Juan II. Eine fast 14jährige Minderjährigkeit rief tausend Streitigkeiten, tausend sich gegenseitig bedrohende Factionen hervor. Donna Catharina, die Mutter des königlichen Kindes, eine arge Feindin jüdischen Volks, und sein Oheim, Don Ferdinand, hatten freilich die Zügel der Regierung in die Hände genommen, wurden aber selbst von dem mächtigen Clerus dermaassen gegängelt, dass die sogenannte Königsmacht gleichsam nur die Ausführung kirchlicher Verfügungen übernahm. Der Hof war mit Priestern und Mönchen gefüllt, Catharina fromm und der Kirche ergeben und Juan von Erzbischöfen erzogen. Zum Glück für die Juden, deren Zahl sich in dieser Zeit auf über 100,000 Familien belaufen haben soll, war die Politik einige Jahre in den Vordergrund getreten. Streitigkeiten zwischen den vier noch nicht vereinten Königreichen der Halbinsel, die inneren Kämpfe zwischen Castilien, Aragonien, Navarra und Portugal, die Kriege mit den Mauren, die Aufstände der Granden, andere Zwistigkeiten und Rebellionen, deren es ja in einem Staate, dem der Steuermann fehlt, so viele gibt, hatten die Juden einige Jahre sich selbst überlassen. Die ihnen beigebrachten Wunden konnten inzwischen vernarben, ihr inneres getrübtes Gemüth den Strahl freudiger Hoffnung aufnehmen und Kraft und Stärkung sammeln. Ihr Reichthum mehrte sich trotz aller erlassenen und erneuerten Ausschliessungsgesetze, ja trotz der Cortes-Beschlüsse,

---

*)

En Aragon é en Cataluéña,
Tenderá la su espada,
Con la su rreal mesnada;
Navarra con la Gascueña
Tremerá con grant verguena;
El rreyno de Portogal
E Granada otro que tal
Fasta allende la Çerdeña.

die ihnen alle Erwerbszweige nahmen, und auch Luxus und Prunksucht entfalteten sich wieder. Einige Jahre der Ruhe waren ihnen vergönnt, bis sie durch ihre unversöhnlichen Feinde, die Dominicaner und Franciscaner wieder aufgeschreckt worden sind.

Es war im Jahre 1411. Der Hof befand sich in Ayllon. Da kam auf einem Esel geritten ein Mönchlein, das ein sehr heiliges Leben führte und die Würde eines päpstlichen Caplans bekleidete, ein 70jähriger Franciscaner. Immer reiste er auf seinem Esel und predigte und las auch tagtäglich selbst Messe. Als der König, die Königin und der ganze Hofstaat diesen Heiligen von fern erblickten, fielen sie auf die Knie und auch die nie knieenden Juden sanken zusammen, denn Fray Vincente Ferrer, so hiess der Mönch, aus Valencia, war das Muster seiner Genossen, ein zungenfertiger Gesell, und der Schrecken der Juden. Ehrfurchtsvoll nahte er dem königlichen Hofe und erbat sich vom Könige und der Königin die Erlaubniss, in allen Staaten und Städten ihrer Herrschaft den Juden predigen zu dürfen. Gleichzeitig machte er seinen königlichen Gebietern den Vorschlag, das alte Gesetz zu erneuern, dass das Judenvolk Zeichen trage und abgeschlossen von den Christen lebe, weil diesen durch den beständigen Umgang und die allzu nahe Berührung mit den Verhassten grosser Nachtheil erwachse. Alles wurde in Gnaden bewilligt — das Mönchlein trat seine missionsschwere Reise nach Rom an[77]).

Fray Vincente Ferrer ist nicht ohne Bedeutung in der Geschichte, und es ist auch nicht zufällig, dass auf dem Bilde, welches die Königsfamilie gruppirt und der Chronik Juan II. beigegeben ist, auch der kleine Bruder mit einer Krone auf dem Haupte und einem recht muntern Gesichtchen seinen Platz gefunden hat. Seine Meinung war entscheidend in den geheimen Cabinetssitzungen, wie ja auch er mit seinem Bruder Bonifacius zu den 24 gehörte, welche berufen waren, die innern Streitigkeiten Aragoniens beizulegen und einen neuen Regenten zu wählen[78]); seiner Wahl schlossen sich alle Uebrigen an und der von ihm Gewählte, Don Ferdinand, verehrte Ferrer wie einen Heiligen.

Wie furchtbar wurde nicht Fray Vincente's Name in der Geschichte der Juden!

Die in dem heut' zerfallenen Toledo noch bestehende alte Synagoge, welche unter dem Namen S. Maria la Blanca-Kirche wegen ihrer Pracht die allgemeine Bewunderung auf sich zieht, weiss Zeugniss abzulegen von seinen in ihr verübten wüthenden Tauf-operationen [79]). In Aragonien, wo er unter dem Schutze des von ihm erhobenen Königs ganz nach Willkür schalten und walten konnte, ging er, das Crucifix in der einen, die Bibel in der an-dern Hand, von Stadt zu Stadt, von Dorf zu Dorf und bekehrte gewaltsam. Die ihn begleitende bewaffnete Mannschaft stand ihm hilfeleistend zur Seite. Tod oder Bekehrung! war sein Losungs-wort; welches von beiden Uebeln wählten die so bedrängten Juden?

Diese Frage führt uns in ihre innern Angelegenheiten, ja ich möchte sagen in die innersten Kammern ihres Herzens, den eigent-lichen Sitz der Religion.

Das Judenthum hatte auch damals, und besonders damals, seine glaubensstarken, nur für ihr Judenthum lebenden und deshalb auch gern dafür sterbenden Männer in nicht geringer Anzahl. Je grösser die Noth, je drohender die Verhängnisse, desto fester drückten sie ihr geliebtes Kind, den Glauben, an und in ihr Herz. Krampfhaft umfingen sie ihr Judenthum, wie ein Vater das letzte ihm von vielen Kindern gebliebene umfasst, dass keine Gewalt es ihm entreisse. Sie liessen Alles über sich ergehen und fanden die grösste Seligkeit in einem Tode für ihr göttlich Gesetz. R. Isaac Campanton, der grosse Rabbiner von ganz Spanien, R. Joseph Albo, der gründliche Moralphilosoph, der gefeierte Redner R. Vidal Ben-veniste, die Familie Duran mit ihren gelehrten Schösslingen wa-ren die glanzvollen Sterne an ihrem Firmamente. Sie traten als Eiferer gegen die Mängel ihrer Zeit in Wort und Schrift auf, sie ermahnten und ermuthigten, lieber den Tod durch Frevlerhand zu erleiden, mit dem letzten Einheitsrufe den Märtyrern früherer Jahrhunderte eher zu folgen, als sich vor Menschenwerk zu beu-gen, Erdenkinder Götter zu nennen. Viele folgten ihren Worten, dem eignen Beispiele der Ermahner, und mehrere Tausende er-warben sich in dieser verhängnissvollen Zeit den immerhin ehren-haften Namen Märtyrer für das göttliche Gesetz.

Diesen selig Entschlafenen gegenüber stand eine andre Partei, wir würden sie, um auch ein Wort unserer Tage zu gebrauchen, die Indifferenten nennen. Besonders Diese und eigentlich nur Diese traf die Frage, — denn die von der Göttlichkeit ihrer Lehre durch-drungenen Männer hatten sich immer entschieden, — Tod oder Be-

kehrung! Aus Liebe zum Leben, aus Liebe zu den Ihrigen, aus
Liebe zu ihren Schätzen und aus vielen andern Gründen wählten
sie das letztere —; es war ja, so fanden sie sich mit ihrem Innern
ab, nur ein äusseres Bekenntniss; dem Glauben lässt sich ja nicht
gebieten; Niemand kann mich zwingen zu glauben und für wahr
anzunehmen, was nun einmal nicht wahr sein kann. Dieses in der
Geschichte der Juden Spaniens so sehr wichtige Thema können wir
hier nicht weiter behandeln und verschieben es auf eine passendere
Gelegenheit. Genug, die grosse Schaar jener Juden, welche öffentlich das Bekenntniss ablegten, Christen zu sein, waren, wir bedienen uns eines gelinden Ausdrucks, schwach und charakterlos genug, sich selbst und Andre zu betrügen; sie gaben jenem Lug und
Trug nach, der schmählicher für den Betrogenen als für den Betrüger war. Sie wollten durch dieses leichte Mittel ihr Leben und
Alles retten, was sonst wohl ihr Leben hiess. O bittre Täuschung!
Statt unter des Pöbels Fäusten zu enden, erlitten sie den Tod
durch Feuersgewalt. Wurde nicht die Inquisition für sie errichtet?

Den schwachen, lebenssüchtigen Juden erschien Fray Vincente als ein vom Himmel gesandter Engel, als Retter ihres kostbaren Lebens.

Und diese Taufen, diese gewaltsamen Bekehrungen, dieses
Uebergreifen der niederern Geistlichen, welche die Aussprüche
ihrer Väter und Meister, eines Isidor, Leander u. A. vergessen
hatten, ereigneten sich in einer Zeit, wo Rom nicht mehr Rom, der
Glanz der Hierarchie gewichen, und das Papstthum selbst in
Schwäche und Verirrung gerathen war.

Es war die Zeit des Schisma. Damals gab es, wie ein französischer Historiker sich ausdrückt, drei Häupter für eins, und
jedes seinerseits behauptete das einzige Haupt, das unfehlbare
Haupt zu sein. Das eine dieser Häupter war ein aragonisches
Kind, Pedro de Luna, als Papst Benedict XIII. genannt, der Sohn
einer gewissen Maria de Cañete, — muger muy comun nennt sie
die Chronik[80]). Als ihn einst die Lust anwandelte, sein Ge-
burtsland wieder zu sehen, um von seinem damals nicht paradies-
ähnlichen Sitze Avignon einige Jahre fern zu sein, verstand es
sein Leibarzt, ein gelehrter Täufling aus Lorca, ihn auch fern vom
Stuhle kirchlich zu beschäftigen und ihn zu bewegen, die gelehrtesten Juden Spaniens nach Tortosa zu einer Disputation zu berufen — er wollte, er allein allen gelehrten Rabbinern gegenüber,

in seiner Gegenwart das am meisten bestrittene und bezweifelte Grunddogma aus dem Talmud selbst beweisen.· So wollte man Gewalt rechtskräftig machen und den ferneren Bemühungen, Judenseelen zu gewinnen, eine scheinbar rechtmässige Unterlage geben. Maestro Geronimo de Santa Fe, das war der Name des Eck's zu Tortosa, hatte, wie konnte es auch anders sein! gesiegt und diese nicht vereinzelt in der Geschichte dastehende Theologen-Versammlung hatte Verfolgungen und Bekehrungen in Masse zur Folge. Viele Juden von Calatayud, Daroca, Fraga, Barbastro, Alcañiz, Caspe, Maella, Lerida, Tamarit, Segovia, Toledo, Burgos u. A. nahmen die Taufe an und so könnte man füglich die Regierungszeit Juan II. die Zeit der gewaltsamen Judenbekehrung nennen.

Das wäre der zweite Act im grossen Drama mit seinem tragischen Ende.

Die spanische Geistlichkeit stand im Zenith, die Königsgewalt lag darnieder.

König Juan selbst war eben so wenig wie sein allmächtiger Minister Freund dieses Pfaffentreibens; er bot den Juden Schutz, als er sich ermannte, aber die Hilfe kam wieder zu spät; der Hass gegen das gläubige und ungläubige Volk hatte durch die Bemühungen der Kirchendiener bereits zu tiefe Wurzeln geschlagen.

Hass und Neid, die Eifersucht eines schwangern Weibes bereiteten dem mächtigen Luna, ein zweiter Wolsey, das Ende. Ein getaufter Beichtvater, Alphons de Espina, begleitete ihn auf dem letzten Gange und leistete ihm den geistlichen Beistand.

Nur dreizehn Monate überlebte der König seinen Freund und Günstling.

Juan II. war schwach, wie ein Kind gegängelt, wie ein Weib beherrscht, sein Leben lang König und nie Regent. Er führte durch seine Unthätigkeit Spanien bis zum Verfall und Spaniens Juden an die Stufen des Scheiterhaufens, an die Grenzen des Landes. Isabella war seine grosse Tochter.

Während so die Politik Spaniens unter Juan das traurigste Bild liefert, beginnt mit ihm das goldne Zeitalter der spanischen Literatur, die Glanzperiode der Poesie. Man vergleicht seinen Hof nicht selten mit dem des Musagetes und wahrlich, es war ein Musensitz, bei welchem der König selbst das Präsidium führte.

Ist es überhaupt den Königen des Mittelalters eigen gewesen, Minnesänger und Troubadoure um sich zu sammeln, so gebührt in diesem Streben den Höfen der iberischen Halbinsel ein ganz besondrer Vorzug. Wir haben bereits Alphons X. als den eifrigsten Pfleger der Wissenschaften, als den Dichter kennen lernen; alle kleineren Höfe Spaniens ahmten seinem Beispiele mit gleich grosser Rührigkeit nach. Alphons II., Pedro III. und Pedro IV. von Aragonien waren Dichter, Ramon Berenguel und seine geistreiche Gemahlin versuchten sich nicht ohne Glück im Versemachen und die Könige Portugals Dionis, Pedro I. und Don Duarte standen ihren Genossen vom fürstlichen Geblüte in dieser Kunst nicht nach. Theobald von Navarra ist durch seine Gesänge nicht minder berühmt als durch seine Kriege und Abenteuer. War doch Ferdinand I. von Aragonien auf seinem Feldzuge gegen Saragossa von einem ganzen Heere Troubadoure und Jongleurs umgeben, wie denn auch sein gefeierter Sohn Alphons sich auf einem Zuge gegen Neapel von einer Dichtertruppe begleiten liess.

Den Königen in poetischen Leistungen es gleich zu thun, waren die Aristokraten, der Adel und der höhere Clerus stets bemüht: die grossen Herren und die Ritter zeigten gleichen Geschmack; die Tapferkeit allein machte nicht den Ritter, wer Ritter heissen und die Gunst erlangen wollte, das zarte Händchen seiner Dame küssen zu dürfen, durfte in der Dichtkunst kein Neuling sein. Die Höfe waren die Tummel- und Sammelplätze des dichtenden Adels, und bei Gelagen und Hoffesten durfte die Würze der Poesie nie fehlen.

Einer der Poesie ergebenen Zeit, ähnlich der des 12. und 13. Jahrhunderts in Deutschland, begegnen wir am Hofe Juan II. Der König selbst war kein grosser König, aber ein grosser Musenfreund: er war ein trefflicher Beurtheiler poetischer Erzeugnisse, er liebte die Wissenschaft über Alles, spielte, sang und tanzte gut, sprach und schrieb mit einer gewissen Gewandtheit lateinisch, machte Verse und liess sich auch herab, an die seiner Untergebenen die letzte Feile anzulegen [*]. Jeder Dichter fand am Hofe freundliche Aufnahme und Jeder konnte auf Schutz und Be-

---

[*] Fue el Rey D. Juan dotado de muchas gracias unas naturales y otras adquiridas por su buena industria. Hermoso de rostro, y bien dispuesto y de una presencia verdaderamente Real. Tañia y cantava y hazia versos con muy buena gracia. Sabia muy bien la lengua latina y ordinariamente leya Poetas y Philosophos. Illescas, historia pontifical y catholica, (Barcelona 1606), Fol. 89ᵇ.

günstigung rechnen, der sich durch Verse und Cancionen zu empfehlen wusste.

Altadlige Familienhäupter wie die Villenas, Santillanas, Guzman, die Lunas, Manriques und Glieder anderer Häuser waren Versificatoren mit mehr oder weniger Erfolg. Auf ihren Bergschlössern, in ihren Villen und Palästen fand man sie beim Firnewein ihre poetischen Producte der Beifall klatschenden Menge vorlesen. Dort versammelten sich die grossen Genies, die berühmtesten Personen, die von der Natur bevorzugten Poeten, und den vagabundirenden Jongleurs mit ihren Gesängen und Romanzen öffneten sich leicht die sonst geschlossenen Thore.

Auch mancher Jude hatte sich unter der Maske bei dem Adel und an den Höfen Zutritt und Eingang zu verschaffen gewusst.

Unter den Juden, welche an dem Dichterhofe Juan II. Parade machten, nehmen die Glieder der Familie Santa Maria den ersten Rang ein.

Der Aelteste und auch Bekannteste aus dieser Apostatenfamilie ist Schelomo Halewi. Seine Eltern, vielleicht mit dem Schatzmeister und Finanzminister Pedro's von Castilien, aus dem gleichen Stamme, verwandt, waren gegen Anfang des vierzehnten Jahrhunderts aus Aragonien, n. A. aus Navarra, ausgewandert, und hatten sich in Burgos niedergelassen. Hier wurde Schelomo 1350 — sein Geburtsjahr steht nicht ganz fest — geboren. Er hatte sich durch eminente talmudische Kenntnisse einen guten Namen bei den Seinigen verschafft. In seinem 26. Jahre ging er mit einer Verwandten, Namens Johanna, ein Ehebündniss ein, aus welchem eine Tochter, Maria, und drei Söhne hervorgingen. Diese werden wir im Verlaufe unserer Betrachtung näher kennen lernen. Schelomo war Rabbiner und bekleidete auch als solcher ein nicht unbedeutendes Staatsamt; wie wir aus einzelnen Andeutungen vermuthen, war er Steuerpächter. In einer solchen Lage traf den die Seinen zum frommen Wandel anhaltenden Schelomo das Jahr 1390, dessen Charakter und Ereignisse wir zu zeichnen versuchten.

Leben, Staatsamt und Reichthum standen auf dem Spiele — was war zu thun? Schelomo Halewi hielt es in dieser Zeitkrisis für das Beste, dem geistlichen Wunsche nachzugeben und so liess er sich in seinem 40. Jahre am 21. Juli 1390 in seiner Vaterstadt

Burgos taufen. Paul de Santa Maria wurde er genannt. Man hat viel gefabelt, was ihn, den eifrigen Pharisäer, zu diesem seinen frühern Ansichten diametral widersprechenden Schritt mochte geführt haben und Einige waren nicht abgeneigt, seinen Uebertritt einem Wunder zuzuschreiben. Sie erzählen, die Jungfrau sei ihm in einer schlaflosen Nacht im Traume erschienen und habe ihm den Rath ertheilt, Christ, Erzbischof zu werden. Wir wollen hier keineswegs Wunder rationalistisch erklären und deuten; dass er aber vielleicht schon am Taufbecken sich eine Zukunft ausmalte, die ganze bunte Reihe wirklich erstiegener Würden, seine ganze Carriere an sich vorüberziehen liess, ist eben nicht sehr unwahrscheinlich. Hat doch ein würdiger Kirchenlehrer unserer Zeit im traulichen Gespräche einmal allen Ernstes behauptet, Paul de Santa Maria sei nur deshalb Christ, ja wir möchten beinah sagen, nur deshalb Erzbischof geworden, um den damals mächtigen Katholicismus zu stürzen. So grossartig dieser Gedanke auch immerhin ist, so können wir uns doch noch nicht bereden, dass auch Wahrheit in ihm liege. Diejenigen Männer, welche nichts mehr den Wundern zuschreiben wollen, sind der Meinung, dass die Schriften des Scholastikers Thomas von Aquino die Augen und den Geist Pauls erleuchtet haben. Es lässt sich nicht in Abrede stellen, dass er in philosophischen Systemen sich schon als Rabbiner umgesehen hatte und vielleicht von dem System des »doctor angelicus« besonders angezogen sein mag, denn Thomas' Ruf drang, wie Jellinek in seiner kleinen Schrift »Thomas von Aquino« erörtert, insoweit zu den jüdischen Gelehrten, dass einzelne seiner Schriften hebräisch übersetzt wurden und sein Streben, gewisse Dogmen und Anschauungen der Religion auf philosophischer Basis zu erörtern, auch bei den von den Dominicanern bedrängten Juden Anklang fand. Ob Paul aber durch die in seiner Zeit schon in Misscredit gefallene Lehre des Scholastikers sich zur Taufe anschickte, ist eben so unwahrscheinlich wie die Wirkung des Wunders. Was hindert uns denn, den uns zunächst liegenden, natürlichen als einzig stichhaltigen Grund anzunehmen? Er wollte Amt und Leben nicht lassen, wollte als Jude eine Rolle in der Welt spielen und kümmerte sich sehr wenig um Erkenntniss dessen, was fernerhin sein Glauben war. Machte er ja, als Erzbischof am Ziele seiner Wünsche angelangt, sein Zeitalter selbst darauf aufmerksam, dass die übergetretenen Juden gewöhnlich nicht fest im

Glauben seien, weil das Judenthum überhaupt das Glauben nicht kenne und lehre.

Ob Paul glaubte oder nicht glaubte, kann uns an diesem Orte gleichgültig sein. Er verliess mit seinem Bruder Alvar Garcia de Santa Maria, dem Geheimschreiber und Chronisten Juan II.[81]), seiner alten Mutter und seinen drei Söhnen das Judenthum. Nur seine Frau Johanna weigerte sich standhaft, gleiches Bekenntniss mit ihm abzulegen, so dass er sie endlich, da alle Bitten und Ermahnungen vergeblich waren, ihrer Hartnäckigkeit überliess. Johanna blieb ihrem Judenthum treu, obwohl berichtet wird, dass sie, die immer geliebte Gefährtin, ihren Gemahl im erzbischöflichen Palaste begrüsste, als er seinen feierlichen Einzug in Burgos hielt. Erst nach dem Tode wurde Johanna mit ihrem Gatten wieder vereint, sie wurde nach ihrem 1420 erfolgten Tode in die von Paul errichtete Klosterkirche S. Pablo auf Veranstaltung ihrer Söhne beigesetzt und auf dem ihr errichteten Epitaphium wird noch gelesen: »Hier ruht die Señora Donna Johanna, die Mutter der Herren D. Gonzalo, u. s. w.« Die Beharrlichkeit Johanna's wird Niemanden überraschen; die Eindrücke, welche das weibliche Gemüth einmal aufgenommen hat, sind weit dauernder, als bei dem mehr vom Verstande geleiteten Manne, welcher von den gewinn- und ehrsüchtigen Einflüsterungen nur zu oft ganz geleitet wird.

Doch wir kehren zu dem zurück, der sich jetzt mit dem Namen des griechischen Juden Paulus schmückte, wie er auch bei der Taufe ausgerufen haben soll: »Paulus me ad fidem convertit, Pauli mihi indelibile nomen.« Er trat mit seinen feindseligen Gesinnungen gegen die Mutterreligion ganz in die Fusstapfen des ersten Stifters christlicher Gemeinden und bildet in der grossen Kette jüdischer Erzbischöfe, welche mit dem grossen Diplomaten und Staatsmann Julian, einem zweiten Richelieu und Mazarin, beginnt und mit dem Staatskanzler Ximenes noch nicht endet, ein wichtiges Glied.

Nachdem sich Paul de Santa Maria von der Gemeinde Jakobs äusserlich getrennt hatte, ging er als 40jähriger junger Priester, die Kinder der Grossmutter zur Erziehung überlassend, nach Paris, wo er sich neben dem ihn beständig quälenden Gedanken, dass sein geliebtes Weib nicht die Seligkeit mit ihm theilen wollte, vornehmlich mit dem Studium der Bibel und ihrer Commentatoren, so wie mit dem der Kirchenväter eifrig beschäftigte. Dort zum Magister und Theologen promovirt, begab er sich nach dem päpstlichen Sitze zu Avignon und zog durch Beredsamkeit, Freigebigkeit, Kenntnisse und Liebenswürdigkeit die Aufmerksamkeit des Papstes so sehr auf sich, dass dieser ihn mit dem Archidiaconat von Treviño belehnte. Nur kurze Zeit verblieb er in diesem Amte, bald wurde er Decan von Segovia und einige Jahre später Bischof von Carthagena. Der Mann verstand es, die Höhen zu erklimmen. Es wird Vieles an ihm gerühmt, er war Doctor, Arzt, Vater der Armen und Dürftigen und eifriger Verfolger seiner frühern Glaubensgenossen. Es ist charakteristisch für alle Neophyten, welche einem geistlichen Orden angehören oder in Kirchenangelegenheiten Sitz und Stimme haben, dass sie Niemanden mehr hassen als den, mit welchem sie früher durch das religiöse Bekenntniss verbunden waren. Gehen wir sie durch, die Schriften aller Derjenigen, welche aus Juden Christen geworden, fragen wir in den Kammern und Häusern die Herren, welche das Judenthum verlassen haben, wir finden immer wieder den alten Hass, die Verböhnung ihrer Brüder aus der Synagoge. Wir glauben in den Worten eines grossen Kirchenlichtes unseres Jahrhunderts eine Erklärung dieser Erscheinung gefunden zu haben. Neander, dessen Leben wohl Jedem bekannt genug ist, sagt einmal: »die Kirche und namentlich das Christenthum ist eine Macht, welche auch das Gemüth dessen, der sich ihrer zuerst nur als Mittel bedienen will, ergreifen und überwältigen kann, wovon es in dieser Zeit an Beispielen wohl nicht fehlt.«

Paul legt in einer betrübenden Weise Zeugniss ab, wie sehr er von dem Gemüthe ergriffen und überwältigt worden war, oder anders verstanden, mit welcher Kraft er sein Gefühl bestürmte und niederdrückte. Man sieht es seinen Schriften an, mit welcher Gewalt er das zu beweisen versucht, was das Amt, was die Kirche von ihm fordert, und wir möchten nicht seinen Geist befragen, ob er in seinen theologischen Kämpfen gegen die immer genannten R. Levi ben Gerson, R. Moses Aegyptus und Nachmanides seiner innern Ueberzeugung, der in ihm tönenden Stimme der Wahrheit gefolgt sei. Es war ein gewaltsames Heraufbeschwören, ein durch die Würde bedingter, erkünstelter Eifer, seine Juden zu verläumden und Decrete gehässigster Art gegen sie zu bewirken. An Gelegenheit hierzu fehlte es ihm nicht. Beim Könige Heinrich III.

stand er in grossem Ansehen und wurde von ihm zum Testaments-
vollstrecker, zum Erzieher und Vormund des jungen Juan ernannt.
Durch diesen wurde er auch 1414 zum Erzbischof von Burgos
befördert. Paul weigerte sich standhaft, diese Würde anzunehmen
und gab nur den wiederholten Bitten des Hofes nach, sich seiner
Geburtsstadt als Erzbischof, als Primas von Spanien zu zeigen. Der
Tag seines Einzuges war ein Feiertag für die ganze Stadt, die
ganze Bevölkerung ging ihm entgegen, seine betagte Mutter und
sein geliebtes Weib begrüssten ihn zuerst im erzbischöflichen
Palast.

Paul war als Erzbischof gross und berühmt, grösser aber noch
als Staatsmann. Er, der Grosskanzler von Castilien, übte auf die
Person des Königs einen so mächtigen Einfluss, dass dieser, obwohl von Alvaro de Luna ganz beherrscht, doch keine wichtige
Angelegenheit ausführte, ohne zuvor seinen Paul um Rath gefragt
zu haben.

Seiner theologischen Schriften können wir hier nur vorüber-
gehend gedenken, wie auch die hier gelieferte Biographie nur als
Skizze betrachtet werden soll. Vielleicht wird eine kundigere
Hand über » Leben und Werke der Familie Santa Maria « in nächster
Zeit ausführlicher sein. Dass Paul's Werk » Scrutinium Scriptura-
rum.«, welches in der Mitte des 16. Jahrhunderts so selten und
so geschätzt war, dass es auf päpstlichen Erlass 1591 zu Burgos neu
aufgelegt worden ist, die jüdische Religion bekämpft und in Form
.eines Dialogs zwischen Saulus und Paulus einen Convertiten in die
Geheimnisse der Religion einführt, haben wir bereits oben erwähnt.
Grosses Ansehen genossen lange Zeit seine Addiciones ad Lyram,
Bemerkungen zu dem Werke jenes Franciscaners aus der Norman-
die, welcher, nachdem er in jüdischen Schulen rabbinische Kenntnisse gesammelt hatte, sich dem Christenthume zuwandte und
durch seine Erläuterungen der Bibel ein Vorläufer Luther's geworden ist, nach dem bekannten Sprichworte: Si Lyra non lirasset,
Lutherus non saltasset [82]). Ausserdem verfasste er noch ein Werk
unter dem Titel Coena Domini u. a., welche wohl nie dem
Drucke übergeben, vielleicht noch als Manuscripte im Staube irgend
eines Klosterarchivs modern.

Mehr Interesse hat für uns an diesem Orte sein poetisches
Werk. Der Erzbischof, von dem handschriftlich noch hebräische
Gedichte vorhanden sind [83]), zollte auch der castilianischen Muse

seinen Tribut und schrieb eine » historia universal « in Versen, welche
den übrigen poetischen Producten seiner Zeit an Schönheit nicht
nachstehen. Auffallend ist, dass er diese aus 322 Octaven bestehende
Geschichte aller Begebenheiten von Adam bis zu Juan II., welche
Kenntniss der hebräischen Sprache und der jüdischen Commentatoren verräth, kurz vor seinem Tode geschrieben hat. Nach den
wenigen Proben, welche uns von de los Rios mitgetheilt sind, zu urtheilen, war Paul de Santa Maria ein nichteben unbedeutender Dichter seiner Zeit und wir wollen nur noch als charakteristisch hervorheben, dass er das in der hebräischen Poesie so oft gebrauchte
achtsilbige Versmaass stets in seiner Reim-Geschichte zur Anwendung bringt. *) Er konnte sich von dieser Eigenthümlichkeit eben
so wenig wie von dem Gedanken frei machen, dass er von hoher
Abkunft und einer edeln Familie entsprossen sei.

Paul de Santa Maria, oder wie nach seinem Erzbisthum er
gewöhnlich genannt wird, Paul de Burgos, starb am 29. August
1435, nach Einigen 83 [84]), nach Andern 85 Jahr alt. Er wurde
in der von ihm erbauten Kirche mit grossem Pomp beigesetzt, und
ruht dort neben seiner von den Söhnen später dorthin geschleppten
Gemahlin.

---

*) Als Probe mögen folgende Verse dienen, in welchen er die Erzählung
von Genesis 3, 9 ff. wiedergibt:

> Despues que peccara de Dios fué llamado
> E dixol: ¿dó estás?¿ por qué te escondiste? . . .
> Respondió: Sennior, mugier que me diste
> Me fizo que fuera contra tu mandado:
> E como del todo me vi despojado
> É oí la tu voz, la qual me espantara,
> Por esto, Sennior, me escondi de tu cara
> Desnudo, con miedo, muy avergonzado.
>
> ¿Qué fué, dixo Dios, porque tu temiesses
> De estar en logar que yo te mandé? .
> ¿Que despues, al tiempo que yo te llamé
> Buscaste corriendo donde te scondiesses? . . .
> ¿Quien te dixo que desnudo stuviesses
> O quien te mostro estar despojado
> Sinon que comistes del fruto vedado,
> Del cual yo mandé que nunca comiesses? . . .

Man vergleiche mit dieser Versart Verse wie:

> Adah w'zillah schmaan kòli
> N'schè lemech, haäsenäh imrati u. a.

Sein Sohn A l o n s o folgte ihm auf dem erzbischöflichen Stuhle.
Ehe Alonso noch verstand was Sünde heisst und wie Paul, der
Vater, selbst sich ausdrückt, priusquam literas nominare novisset,
wurde er als fünfjähriges Kind der Kirche und ihrem Dienste geweiht. In Burgos von der Grossmutter erzogen, widmete er sich
dem Studium der Philosophie, der Geschichte und des canonischen
Rechtes ; er war, wie Pulgar sagt, in allen Zweigen ausgezeichnet[85]).
Seine Kenntnisse, die Tugenden, deren Ausübung sein Ergötzen
bildeten, seine von ihm gerühmte Charakterstärke und auch wohl
die Fürsprache seines Vaters verschafften ihm bald die Würde eines
Decans von Segovia, der später der Titel als Decan von Santiago
beigegeben wurde. Alonso gereichte dem königlichen Hofe zum besondern Schmuck. Galt es einen Frieden zu vermitteln, so bediente man sich am liebsten des feinen Alonso. In einer solchen
Friedensangelegenheit wurde er von Juan in den Jahren 1421, 22
und 23 nach Portugal gesandt[86]) und durch seine Bemühungen
wurde das freundschaftliche Verhältniss zwischen den beiden Nach-
barstaaten auf einige Zeit wieder hergestellt. Auf dem denkwür-
digen Baseler Concilium vertrat Alonso die Rechte Castiliens und
bewährte sich als einer der gewandtesten Sprecher und als eifriger
Vertheidiger der Würde seines Vaterlandes gegen Englands Gesandte, so dass der Papst ihn die Perle Spaniens und den Spiegel
wahrer Weisheit nannte. Während Alonso, schon damals Bischof
von Carthagena — mit welchem Beinamen er auch meistens genannt wird, Alonso de Carthagena — sich in Basel aufhielt,
starb sein Vater; Paul hatte diesen hoffnungsvollen Sohn vor seinem
Tode nicht mehr gesehen. Kein Andrer als Alonso wurde von Juan
zum Erzbischof von Burgos bestimmt. Bevor er jedoch in sein Vaterland zurückkehrte und sein hohes Amt übernahm, reiste er zum
Kaiser Albert, um Misshelligkeiten zwischen dem deutschen Reiche
und Polen auszugleichen, so dass er erst 1440 sein Vaterland und
seine Vaterstadt Burgos wiedersah. Alonso war der grösste und
angesehenste aller spanischen Erzbischöfe. Rief doch Papst Eugen IV. einmal freudig aus: »Ganz gewiss, wenn Burgos' Bischof
an unsern Hof käme, wir würden mit Schande zurücktreten und
ihm den Stuhl Peters überlassen«[87]). Er galt aber auch als geschickter Diplomat und seine Staatsklugheit hat dem Lande manchen Dienst erwiesen.

Als Erzbischof zeigte sich Alonso de Carthagena eben so eifrig

5 *

in frommen Handlungen wie sein Vater. Das von diesem gegründete Kloster S. Paul beschenkte er reichlich und seiner Freigebigkeit verdanken nicht allein viele Kirchen ihre Reichthümer, sondern auch das Augustinerkloster S. Ildefonso sein Bestehen. Ebenso soll nach einem im Archiv zu Burgos vorhandenen Memorium das Convent de la Merced zu Burgos von ihm erbaut worden sein [68].

Alonso hat trotz aller diplomatischen und kirchlichen Angelegenheiten die Literatur und Wissenschaft nicht vernachlässigt.

Mehr als 15 Werke werden von Rodr. de Castro aufgezählt, als deren Verfasser D. Alonso angegeben wird. Auf Wunsch seiner Königin schrieb er ein Buch über die berühmten Frauen (libro de mugieres ilustres); er übersetzte einzelne Schriften Cicero's, schrieb mehrere geschichtliche Werke und andre Tractate theologischen und philosophischen Inhalts, mit deren Aufzählung wir hier nicht beginnen und deren Charakteristik wir hier nicht liefern können. Sie bekunden seine tiefe Gelehrsamkeit.

Auch unter den Dichtern des castilianischen Hofes war Alonso eine nicht unbedeutende Person. Er ist in seinen Poesien nicht der fromme Theologe, man vernimmt darin nichts von der Gluth für die Kirche, welche den Vater entzündete, sie hatte beim Sohn schon bedeutend nachgelassen. Nicht ungern erwähnen wir, dass er nicht allein nichts unternahm, die Juden zu verfolgen, sondern auch die schon in seiner Zeit gequälten Scheinchristen in einer handschriftlich vorhandenen Juan II. gewidmeten Denkschrift vertheidigte.

Alonso, der Theologe und Primas von Spanien, schrieb so gut wie der Marquis von Santillana, sein Freund Hernan Perez de Guzman u. A. Dialoge und Lieder, welche die Liebe zum Gegenstand hatten: Alonso war ein Liebesdichter.

Als Probe seiner Poesien diene folgendes Compliment an eine Dame, deren Liebhaber sich wegen der von seiner Geliebten ihm gezeigten Kälte den Tod gewünscht hat. Wir theilen dieses Gedicht in der schönen englischen Uebersetzung Ticknor's mit [69]:

> I know not why first I drew breath,
>   Since living is only a strife,
> Where I am rejected of Death,
>   And would gladly reject my own life.

For all the days I may live
Can only be filled with grief;
With Death I must ever strive
And never from Death find relief,
So that Hope must desert me at last,
Since Death has not failed to see,
The life will revive in me
The moment his arrow is cast. *)

Alonso de Carthagena starb am 22. Juli 1456 im 71. Jahre seines Lebens. Sein genannter Freund Guzman hat seinen Tod in einer Ode besungen.

Gleich den genannten Gliedern der Familie S. Maria, denen wir noch zwei gelehrte Brüder Alonso's hinzuzufügen haben, glänzten unter den Dichtern des Hofes Juan II. neben dem Marquis de Santillana, den Guzmans, dem Marquis de Villena und dem überaus fruchtbaren Alvarez de Villa Sandino, diesen bedeutenden Trägern der spanischen Literatur des 15. Jahrhunderts, auch noch einige andere Poeten aus jüdischem Geschlechte, welche nicht mit Stillschweigen übergangen werden dürfen.

Juan Alfonso de Baena, ein Mann jüdischer Abkunft, ein königlicher Geheimschreiber, unternahm in der Mitte des 15. Jahrhunderts das verdienstvolle Werk, mit vieler Mühe und Arbeit und mit grossem Fleisse die Producte der gefeiertsten Dichter seiner Zeit, der »Brüder und Mönche, der Meister in der Theologie, der Ritter und Knappen und verschiedener Andrer, welche sich in der damals eifrig gepflegten fröhlichen Kunst, der gaya sciença versucht hatten«, zu sammeln, um wie es in dem Prolog zum »Cancionero« — so nannte er die Sammlung — heisst, dem Könige seinem Herrn zu gefallen und auch der Königin, so wie dem gan-

---

*)
No se para que nasci,
Ques en tal estremo esto
Que el morir no quiere a mi,
Y el vivir no quiero yo.
Todo el tiempo que viviere
Terne muy justa querella
De la muerte, pues no quiere
A mi, queriendo yo a ella.
Que fin espero daqui,
Pues la muerte me negó
Pues que claramente vió
Quera vida para mi.

zen Hofe damit einen nicht unangenehmen Dienst zu erweisen. Die
ganze Sammlung besteht aus 576 grösseren und kleineren Gedieh-
ten und führt den Titel: »Cancionero del Judino Juan Alfonso de
Baena.« Sie gehört zu den merkwürdigsten und ältesten aller diesen Namen führenden Liederbücher. Die grossen Kenner ihrer
Literatur, Gayangos und Pidal, haben vor wenigen Jahren von der
früher im Escurial, jetzt in der kaiserlichen Bibliothek zu Paris
befindlichen Handschrift einen herrlichen Abdruck veranstaltet und
sich durch Veröffentlichung dieses ältesten, in einem fremden Lande
weilenden Monuments spanischer Dichtkunst, so wie durch die
vorausgeschickte treffliche Einleitung den Dank aller Literatur-
freunde erworben.

Juan Alfonso, dieser Jude aus Baena, nimmt eine nicht unbedeutende Stellung in der Literatur ein und gehört zu den hervorragendsten Dichtern des Hofes. Von seinem Leben wissen wir nicht
mehr, als was er uns selbst theils im Prolog, theils in einzelnen
seiner im Liederbuche vorhandenen Gedichte mittheilt. Sein Geburtsort lässt sich nicht genau bestimmen, da er selbst verschiedene Städte als solchen nennt. Bald sagt er, dass er in der Nähe
von Marchena, bald, dass er in der Nähe von Osuna das Licht der
Welt erblickt habe. Am allerwahrscheinlichsten wurde er in Baena,
in der Provinz Cordova geboren und lebte vor seiner Berufung an
den Hof Heinrich III. in Andalusien oder nach seiner eigenen Angabe in der Stadt Baeza. Als Scheinchrist hatte er wie Andre seines Stammes, welche wir später noch vorführen werden, von den
»alten« christlichen Dichtern — wurde er ja als »neuer« Christ
betrachtet — vielerlei Kränkungen zu erfahren und sich gegen
manchen Angriff zu vertheidigen. Wie er, war auch sein im Cancionero (105) genannter Bruder Francisco Dichter und Secretär
im Dienste des Gouverneurs Diego de Ribera.

Weder über den Cancionero, noch über die einzelnen Poesien
unseres Compilators wollen wir uns hier aussprechen. Wie der
grösste Theil der in diesem Liederbuche enthaltenen Gedichte
eigentlich poetischen Werths entbehrt, so sind auch die Producte
Baena's selbst, welche sich auf über 80 theils Gelegenheitsgedichte,
theils sogenannte Erwiderungen belaufen, nicht so vorzüglicher
Art, dass wir unseren Lesern mehrere derselben mitzutheilen für
angemessen hielten. Es fehlt den meisten an poetischem Schwung
und oft können seine Poesien für nichts weiter als Reimversuche

gelten. Den Ton der Elegie weiss 'er nicht zu treffen und statt Rührung und sentimentale Stimmung hervorzurufen, verfällt er nicht selten ins Komische und Lächerliche. In einer Elegie auf den Tod Heinrich III. findet sich folgender Vers, welchem wir beispielshalber hier einen Platz gönnen :

> Fagan grant llanto los sus contadores,
> Con ellos consistan los sus tesoreros,
> Porteros é guardas é sus despenseros ;
> Maestres de sala, aposentadores,
> Con estos reclamen sus recabdadores,
> É otrosi lloren los sus camareros,
> Tambien eso mesmo los sus reposteros
> D' estrados é plata é sus tañedores.

Meisterhaftes leistete er in der Satyre oder was gewöhnlich mit derselben zusammenhängt, in den poetischen Briefen und durch seine beissenden und originellen Einfälle, durch seine gewählte Sprache und durch die verschiedensten zur Anwendung gebrachten kunstvollen Metra hat er nicht selten den Sieg über die gefeiertsten Dichter seiner Zeit davongetragen. Folgendes Gedicht war gegen den Sevillaner Poeten Manuel de Lando und gegen den schon genannten Alvarez de Villa Sandino, welche in grosser Gunst bei Hofe standen und unserm Baena die Ehrenbezeugungen, womit sein Herr ihn überhäufte, nicht gönnten, an den König gerichtet :

> Mein Herr und hoher Fürst von Ebro's Auen,
> Um zu zerstreuen Euch und zu erbauen,
> Um einen Liebesdienst Euch zu erweisen,
> Will ich des schweren Amts mich unterziehn,
> Im Streit mit jenen Sängern mich bemühn,
> Die Beide sind als liebenswerth,
> Als weise Troubadour verehrt,
> In ganz Castilien auch die Besten heissen.
> Sei Du mein Hort, o heil'ge Susanna,
> Vor Beiden und ihrer würd'gen Cumpanna.

> Mein Herr und hoher Fürst von Ebro's Auen,
> Da Illescas, der schon sich neigt dem Grauen,
> Und Manuel, der Sevillaner,
> Beide wollen am Zeuge mir flicken,
> Ob meiner Sichelzung' auf mich blicken,
> Obgleich ich hab' vollgültig Beweis,

Ich doch nimmermehr Chroniste heiss —
So schwör' ich bei Gott, dass ich's ihnen will zeigen,
Eingehüllt in hochroth Gewand;
Dann will ich doch sehen, wess ist nun die Schand'.

Mein Herr und hoher Fürst von Ebro's Auen,
Weil solche Richter auf uns schauen,
Bewundernd unsre Dichtung loben,
Als kämen wir von Allemaña,
Von Cypern her oder Cuçana,
So sei Eure grosse Hoheit gebeten,
Melancholie aus Eurem Herzen auszujäten
Und finden geistig Wohlgefallen.
Verdruss und Langweil schwind' aus dem Gesicht,
Der frohe Scherz erfreut und beisset nicht. *)

_____

*) Peticion que fizó é ordenó el dicho Juan Alfonso de Baena para el rey
nostro señor.

Señor, alto rey de España,
Por vos dar plaser é viçio
E faser vos grant serviçio,
Yo tomé carga tamaña
De entrar en tal montaña
Contra dos tan sabidores
E muy lindos trobadores,
De Castilla los mejores,
Libre me santa Ssusana
Destos dos é su conpaña

Señor, alto rey de España,
Pues Illescas, viejo cano,
E Manuel el sevillano
Amos tienen de mi ssaña,
Con mi lengua de guadaña,
Maguer tengo fea vista
E non so grant coronista,
Juro á Dios que yo los vista
Del paño de tyrytaña,
E viamos quien regaña.

Señor, alto rey de España,
Pues tenemos tales jueses
Que miren nostros jabeses,
Sy venimos de Alimaña,
O de Chipre ó de Cuçana,
Mande vuestra grant Señoria
Que pierdan malenconia
E tomen plasenteria
Syn enojo é ssyn sisaña
Ca la burla non rascaña.   Canc. de Baena, 357.

Producte eigenthümlicher Art treten unseren Lesern in folgenden Gedichten entgegen.

Ein gewisser getaufter Jude, Pero Ferrus, — schon der Name lässt erkennen, dass er ein Täufling gewesen ist: Ferrus gleich dem hebräischen פרוש, der von der Gemeinde Getrennte — dessen Lebensumstände gänzlich unbekannt sind, hatte nach seinem Scheiden aus der Synagoge ein besondres Vergnügen darin gefunden, die Juden zu verspotten. Vier Gedichte sind von ihm im »Cancionero de Baena« enthalten. Das eine ist an eine Freundin gerichtet, das andre an den König Heinrich III., das dritte, in welchem er eine gute Kenntniss der spanischen Geschichte und Literatur entfaltet, an den Grosskanzler und Chronisten Ayala, und das vierte an die Rabbiner von Alcala. In diesem erzählt er, wie er eines Tages nach Alcala gekommen sei und sich das neben der Synagoge befindliche Lehrhaus, in welcher vermuthlich auch der Frühgottesdienst verrichtet wurde, zur Schlafstelle ausgesucht habe. Als aber am anderen Morgen die Rabbiner kamen, nöthigten sie den ungeladenen Gast, das Haus zu verlassen. Voller Zorn über diese Beleidigung richtete er an die Alcaler Rabbiner folgendes sarkastische Gedicht:

> Trübsein und Verdriesslichkeit
> Liess mich ob mein Missgeschick
> Finden keinen Augenblick
> Ruhe während langer Zeit.
> Bis ich hinkam nach Alcal',
> Wo ich Ruhe endlich 'mal
> Fand von meiner grossen Qual,
>
> Dort ist eine Synagoge
> Schön und prächtig situirt,
> Dorten lebt' ich, wie ein Doge
> Kaum ein besseres Leben führt.
> Morgens kam ein Rabbi, pflückte
> Seinen langen Bart und blickte
> Auf mich schielend hin und nickte.
>
> Früher noch als alle Andern
> Kam einäugig an zu wandern
> Schmutzbedeckt ein langer Jud',
> Für den Teufel noch zu gut.
> Schreit mich an mit Hundsgebell,
> Dass ich unverzüglich schnell
> An die andre Seit' mich stell'.

Rab Jehud' als Nummer Drei
Macht mit meinem Tello Geschrei,
Seiner Epiglottis Bänder
Haben starke, stramme Ränder.
Dieser drei vereintes Singen
Wird, mich graut vor dem Gelingen,
Manch' Gebäud' zum Sturze bringen. *)

Die **Rabbiner von Alcala** [59*]) liessen nicht lange auf Antwort warten. Ihr an Pero Ferrus gerichtetes Gedicht lässt auf eine hohe Stufe von Bildung schliessen und gibt deutlich zu erkennen, dass auch sie in der castilianischen Sprache, ja in der Poësie es zu derselben Vollkommenheit gebracht hatten, wie die professionirten Hofdichter selbst.

In würdiger Weise antworteten sie dem Spötter :

Wir Rabbis wollen im Verein
Bescheid Don Ferrus geben,
Nur mög' er so verständig sein
Und zu verstehn sie streben.
Bewiesen ist's für alle Zeit :
Es währt nicht alle Ewigkeit
Das Erdenglück, das Dich erfreut.

Ob heiter auch Dein Aug' jetzt blickt,
Da Trübsal Dich verlassen,
So ist doch gar zu ungeschickt
Dein närrisch gottlos Spassen,
Mach' über Gott nur Deinen Witz!
Wozu ist auch er sonst wohl nütz,
Wenn man in Amt und Reichthum sitzt ?

---

*)   Con tristesa é con enojos
Que tengo de mi fortuna,
Non pueden dormir mis ojos
De veynte noches la una ;
Mas desque Alcalá llegué,
Luego dormi é ffolgué
Commo los niños en cuna.

. Entre las sygnogas amas
Estó bien aposentado,
Do me dan muy buenas camas
E plaser é gasajado ;
Mas quando vyene el alva
Un rraby de una grant barva
Oygolo al mi diestro lado.
. . . .
, ... Cancion. de Baena, 301.

Gemeinde und Chasanim stehen
. ˙ Vereinigt hier im Gotteshaus,
So schlecht es auch uns mag ergeben,
Es geht das Gottvertrau'n nicht aus.
Wir sind ihm ganz ergeben,
Um Gnade zu erstreben,
Und jenseits besseres Leben.

Wir pflegen früh am Tag zu sammeln
Uns Klein und Gross in frommer Eil',
Um Gott Gebete herzustammeln,
Der war und ist Israels Heil. *)

. . . .
. . . .

Zu den Genossen des erwähnten Pero Ferrus ist auch noch
der Dichter F r a y D i e g o d e V a l e n c i a d e L e o n zu rechnen.

Das Einzige, was wir von diesem Manne wissen, ist, dass er
Franciscaner Mönch und Doctor der Theologie gewesen und auch

———————————

*)

Los rrabyes nos juntamos
Don Pero Ferrus á rresponder,
E la rrepuesta que damos
Quered la bien entender,
E dezimos que es provado
- Que non dura en un estado
La rriquesa nin menester.

Pues alegrad vuestra cara
E partid de vos tristeza,
A vuestra lengua juglara
Non le dedes tal provesa:
E aun cred en Adonay
Que 'l vos sanará de ay
E vos dará grant rriquesa.

El pueblo é los hasanes
Que nos aqui ayuntamos,
Con todos nostros afanes
En el Dio sienpre esperamos
Con muy buena devoçion,
Que nos lleve á rremission
Por que seguros bivamos.

Venimos de madrugada
Ayuntados en grant tropel,
A faser la matynada
Al Dios Santo de Israel.

. . . .

Cancion. de Baena, 303.

durch andre Künste und Wissenschaften sich ausgezeichnet hat.
Als Geburts- und Wohnort bezeichnet er selbst Valencia de D.
Juan, das alte Coyanza. 1406 hat er den Tod Heinrich III. beklagt und im Jahre vorher die Geburt Juan II. besungen. Wie der
Mönch es nun überhaupt liebte, jüdische Ausdrücke in seinen Gedichten, von denen über 40 in unserm Cancionero enthalten sind,
zu gebrauchen, so findet er auch ein ganz besonderes Vergnügen
daran, mit den dem Talmud und den späteren rabbinischen
Schriften entlehnten Wörtern zu spielen und so der Juden und
seiner selbst zu spotten.

Zur Zielscheibe seines Witzes wählte er einen seiner Unglau-
bensgenossen Juan de España.

Dieser Juan de España, ein und dieselbe Person mit dem
auch zuweilen el Viejo genannten Juan, wurde in der Mitte des
14. Jahrhunderts zu Villa-Martin geboren und verliess seine Religion, der er als eifriger Rabbinist zugethan war, als Vincente
Ferrer, der oben besprochene Mönch auf dem Esel, das Evange-
lium predigte. Später wohnte er in Toledo, wo er, schon im
Alter vorgerückt, 1416 ein Memorial über seinen Austritt veröffentlichte und auch ein Tractätlein über den 72. Psalm schrieb. Da
Juan für einen ausgezeichneten Talmudisten galt, so kramte auch
Diejo de Valencia sein Wissen auf diesem Gebiete aus und die beiden geistlichen Herren amüsirten sich mit den Witzen, die ihnen
doch nur ein gezwungenes Lächeln abgewannen. Obwohl wir unseren Lesern dieses seiner Art einzige Product nicht vorenthalten
wollen, so gebieten uns doch innere Gründe den grössten Theil
desselben nicht zu übersetzen. Der Anfang lautet:

> Johann de España, ein wichtiges Glied
> Von Adonai wurde bestürmet,
> Weil sehr die Aljama in Schrecken gerieth
> Da Barselai Sünden aufthürmet.
>
> Es waren wir Alle vor Staunen voll
> So Kohanim, wie Rabbis und Herren
> Sie wurden ja Alle vor Sünden toll,
> Es ergriff sogar auch die Sopherim. *)

---

*)
> Johan de España, muy grant saña
> Fué aquesta de Adonay,
> Pues la aljama se derrama
> Por culpa de Barçelay.

Anständiger verfuhr unser Doctor der Theologie mit einem andern Juden aus Astorga, Don Samuel Dios-Ayuda (Gotthilf),
welcher als einer der freigebigsten und wohlthätigsten Männer bekannt, von Fray Diego oft um Hilfe und Almosen angegangen worden war. In dem an ihn gerichteten Gedichte nennt er ihn »die
Lust und den Schmuck der Judenstadt« und vergleicht ihn mit
Joseph, dem Retter vieler Leidenden.

Aber nicht allein die geborenen Juden verspotteten ihre mit
ihnen gleiches Schicksal theilenden Genossen, sondern auch Ritter

Todos fuemos espantados,
Maestros, Rrabies, Coenim,
Ca les ffueron sus pecados
Desto sofarahenim;
Pues que non tenien baçin
Quiso inflata faser,
Hora fynque por mansel
Pues tan mal pertrecho tray.

E los sabios del Talmud
A que llaman Cedaquin
Disen que non ha salud
El que non tiene beçim;
Antes tienen por rroyn
El que no trae mila,
Quien no puede bahela,
Non le cumple matanay.

Fallamos en el pellim
Por Pecu quen é por glosa,
El que non tiene beçim
Non tome muger fermosa:
E pues vos en esta cosa
Non quisystes caham,
Yredes con el guehynam
Con la yra de Saday.

Barselay en este fecho
Contra vos fué el magual,
E non corria por derecho
La rueda de guygal;
Sofar fino natural
Vos diran é coadat,
Pues se fiso misomat
Vuestra muger por tanay.

Cancion de Baena, 504

Die in den Uebersetzungen beibehaltenen fremden Ausdrücke sind in
Note 90 erklärt.

und Dichter christlichen Glaubens machten sie zum Gegenstande
ihres Witzes und richteten an sie Satyren, in welchen ihr Scheinchristenthum nicht leer ausging.

So unterliess es der seine zweite Heirath bitter bereuende Alfonso Alvarez de Villa Sandino, welchen wir als den fruchtbarsten
und vorzüglichsten Dichter des Hofes Juan II. bezeichnet haben, nicht,
sich an einem in seinem 40. Jahre übergetretenen Juden Alfonso
Samuel Fernandes in einer lustigen Weise zu rächen. Villa Sandino war trotz seines Verweilens am Hofe beständig ein armer Teufel
und schickte, von der Noth getrieben, sowohl dem Könige als anderen ihm bekannten Personen Reim-Gesuche und Bettelgedichte um
Geld und selbst um Kleider. Mit einem solchen »Decir« hatte er sich
auch einmal an den Juden Samuel, »den galantesten und filzigsten
Narren, welcher in der Welt zu finden war«, gewandt, war aber von
ihm abschläglich beschieden worden, da dieser sein Geld nicht den
bettelnden Dichtern aufhängen wollte. Aus Dankbarkeit übernahm
es Villa Sandino für Samuel ein Testament zu machen und mit
noch einem andern Gedichte ihn zu beehren.

Folgende Verse genügen uns ein Bild der so verspotteten Juden
zu entwerfen:

> Da man zu den grossen Räthen
> Leider Gottes mich nicht zählet,
> Kann, ohne Dir zu nah zu treten,
> Ich erzählen, was Dich quälet.
> Alle Menschen wollen meinen,
> Dass solch Meschumad hätte nie
> Gelebet, könnt' auch nie erscheinen,
> Vom Neuen irgend wo und wie. *)

> Du hast jetzt sechszig bitt're Jahre
> In diesem Leben hingebracht,
> Der Habgier folgten graue Haare,
> Mit ihr hast Reichthum Du erjagt.

---

*)
> Todos deven bien creer,
> Que quanto en aquesta hedat
> Non nació tal mesumad
> Nin creo que ha de nascer.

Gewiss hast wieder Du empfangen,
Was man Maulschellen tropisch nennt,
Mich dauern Deine blauen Wangen
Und wie die Nase schmerzlich brennt. *)

Das für Alfonso Samuel verfertigte Testament lesen wir in
folgenden Versen:

Ihr Freunde, die Ihr an Alfonso Euch habet
Belustigt, so lang er am Leben,
Zieht krause die Stirne, er liegt bald im Grab,
Er will sich des Blödsinns begeben.
Doch eins noch zum Lachen vergönnet er Euch,
Er schrieb als Vermächtniss sich folgendes Zeug,
Doch hört es und lachet noch einmal.

Sein Tod mag sein ob heut' oder morgen,
Gleichviel, er lässt für die Nachtmütze sorgen,
Sie soll ein Schammess zu Salamanc'
Dann erben für ihn zum Nutzen und Dank,
Doch müsse im Humasch er lesen dafür
Und singen dabei, wie's wäre Gebühr,
Von Pysmon und T'chinnot beträchtlich viel
Und wohl geordnet im heiligen Stil. **)

. . . . . . : . . . . . .

Ein Jud', der Jakob Cidaryo hiess,
Ein Jud', der gut es meinte, liess
Um nichts zu versäumen vor seinem End',
Sich machen dies folgende Testament.

---

*)
. . . .
Resçibiendo çiertamente
De palos ó bofetadas
Sy padesçen tus quixadas
Tu naryz lo representa.

Cancion. de Baena, 140.

**)
Sy moriere oy ó cras
Manda su opa la blanca
Que la den en Salamanca
O aqui algunt ssa m a s,
Por quel reze en el h o m a s
E le canten con buen son
Una h u y n n a, un p y s m o n,
Bien plaŝidos por compas.

Sein Schweisstuch vermacht' er als herrlich Geschenk
Dem Schrank der Zedakah wohl eingedenk,
Damit sie Tefillah andächtig ihm thun,
Sobald er gebettet im Grabe zu ruhn. *)

Solche Gedichte sind wichtige Zeichen der Zeit, die für den
Historiker von grosser Bedeutung sind, denn auch die poetischen
Erzeugnisse aller Völkerschaften tragen ebenfalls nicht wenig dazu
bei, die Lage des jüdischen Volkes in der Zerstreuung richtig beurtheilen zu können. Die ungläubigen Juden oder Scheinchristen
wurden verspottet, und wie die Gläubigen der Menge, so dienten
die Ungläubigen einzelnen bevorzugten Geistern zur Belustigung
und zum Ergötzen.

Die Zeit, wo der Jude auf dem Theater figurirte, war nicht
mehr fern.

Wir verlassen jedoch einstweilen Theater und Schauspiel und
wenden uns wieder zu unserer dramatischen Historie oder wenn
man will, dem historischen Drama, in welchem die heldenmüthigen
Juden und ihre Märtyrerheroen, in welchem Isabella und Torquemada die Hauptrollen übernommen haben.

Viertes Capitel.

Heinrich IV. Ferdinand und Isabella. Die Neuen Christen
und ihre Leiden. Anton de Montoro, Juan Poeta u. A. Die
Inquisition; ein ungenannter Dichter über dieselbe.
Vertreibung der Juden.

An gewissen Stellen der Weltgeschichte fühlt man sich besonders versucht den Planen der Vorsehung nachzuforschen und

---

*)
Flase su testamentario
Para complir todo aquesto
Un judio de buen gesto,
Que llaman Jacob Çidaryo
Al qual manda ssu sudario
En señal de cedaquá
Porque rreze Tefylá
Desque ffuere en su fonsario.

Cancion. de Baena, 141.

namentlich bei der Geschichte des von einer göttlichen Macht geleiteten und von ihr zur Strafe gezogenen Volkes drängt sich unwillkürlich die Frage auf: Was ergeht nicht Alles über die Gotteskinder?

Die zahlreichen Juden der Halbinsel haben wir in zwei Lager getheilt in unserem vorigen Capitel verlassen. Ein nicht eben kleiner Haufen war den eifrigen, wunderthätigen Predigten der zelotischen Geistlichkeit unterlegen; sie hatten ihr Leben retten wollen und sich dem ihnen aufgedrungenen Glauben dem Scheine nach unterworfen. Der andre Theil, bei weitem der zahlreichere, war der Verhöhnung, dem äussern Drucke und der Zudringlichkeit der Prälaten preisgegeben; sie hatten Alles lieber ertragen als ihr Inneres von Gewissensbissen und von dem Schmerze des Glaubenszwangs durchwühlen zu lassen.

Diesen war auch noch eine Zeit lang die traurigste Lage beschieden. Der Pöbel raubte, mordete und massacrirte, so oft sich Gelegenheit dazu bot, die Gesetze leisteten den Bedrückten keinerlei Schutz, die Richter der Tribunalien waren ihre ausgemachten Feinde, die sich von ihnen entfernten vom Eifer getriebenen Brüder grollten ihnen und traten als ihre Ankläger auf. Kinderraub, Kindermord, Hostienschändung wurden ihnen vorgeworfen — häufte doch Alphons de Espina in seinem »Fortalitium Fidei« eine ganze Anzahl der abscheulichsten Beschuldigungen! und ein junger, unerfahrener, ausschweifender und ohnmächtiger König, Heinrich IV., sass auf einem unsichern, wankenden Thron.

In Nebel verhüllt war die Zukunft des Reiches und unabsehbar der Abgrund, in welchen es fallen sollte.

Der von Juan II. geschlossene und von dem Sohne erneuerte Freundschaftsbund mit dem benachbarten Aragonien war gebrochen, ein fremder Monarch, der tolle Ludwig XI. von Frankreich, dessen Charakter Delavigne so treffend gezeichnet hat, zum Schiedsrichter herbeigerufen; allenthalben bildeten sich Parteien des mit dem Könige und der Regierung unzufriedenen Adels und der hohen Geistlichkeit, im Königshause selbst Streit und Zwist, eine lebenslustige Königin, eine zweite Marie Antoinette, gab zu verschiedenen Gerüchten Anlass, Beltran de la Cueva war ihr Günstling, ja nach Einigen noch mehr: ihre Tochter wurde Beltraneja vom Volke genannt; der König wurde öffentlich verspottet, von seinen Unterthanen verlassen, des Thrones entsetzt.

Seine Schwester Isabella zog alle Blicke auf sich. Von diesem sechszehnjährigen Mädchen erwartete man die Sonne einer bessern Zeit: die ihr angebotene Krone schlug sie grossmüthig aus und ein Bürgerkrieg war die nächste Folge. Jede Stadt, jede Familie war in sich zertheilt, die Bewohner der einen Strasse lagen mit denen der andern im offenen Kampfe, der Handel stockte, der Ackerbau lag darnieder, das Volk war dem Aberglauben ergeben wie nie zuvor, jede Naturerscheinung wurde als ein Omen gedeutet und nur der Tod Heinrich's endete Trübsal, von welchem das Land seit dem Einfall der Mauren nicht heimgesucht worden war.

Nun wurde Isabella als Königin proclamirt, dem bigotten aragonischen Ferdinand hatte sie bereits ihre Hand gereicht. Aragonien wurde mit Castilien zu dem spanischen Königreiche vereinigt und die glänzende Regierungszeit des katholischen Königspaars beginnt.

Wohl wahr! Isabella's und Ferdinand's Regierung bildet einen Glanzpunkt in Spaniens Geschichte, eine Zeit, glanzvoll erleuchtet durch ein furchtbares, Schrecken und Besorgniss verbreitendes Tribunal, dessen Scheiterhaufen länger unterhalten wurden, als der Glanz des gepriesenen Zeitalters selbst dauerte.

Durch die Einführung der Inquisition und die Vertreibung der Juden hat sich Isabella, hat sich Ferdinand unsterblich gemacht.

Ehe wir beide eng mit einander verbundene denkwürdige Thaten näher betrachten, müssen wir uns nach denjenigen unserer Brüder umsehen, welche immerhin noch unsere Brüder heissen, obgleich sie unter die Säulen der Kirchenkuppeln sich gebeugt haben, nach den Juden, welche im Drange der Zeiten aufgehört hatten, für die Welt Juden zu sein, welche für die Welt als Christen gelten wollten.

Ueber 90 Jahre hatten die gewaltsamen Bekehrungen schon in Spanien gewüthet; Hunderttausende waren dem Valencianer Mönch und dem zelotischen Seelenarzt aus Lorca zum Opfer gefallen. Ihre Zahl hatte eine solche Höhe erreicht, dass sie in der That ein Volk im Volke bildeten und auch den Versuch gemacht haben sollen, Gibraltar, den Schlüssel Spaniens, in ihre Hände zu bringen [91].

Diese Unglücklichen, welche das christliche Bekenntniss auf der Zunge und den jüdichen Glauben im Herzen trugen, wurden nicht schlechthin Christen genannt: »Nuovos-Christianos, Neue-

Christen« nannté man sie, nicht allein deshalb, weil sie erst kurze Zeit der Gesammtheit sich angeschlossen hatten, sondern auch, weil sie eine neue Secte im Christenthum bildeten. Wusste man ja allgemein, dass die Furcht vor dem Tode das eigentliche Motiv ihrer Bekehrung war und dass nur die allerwenigsten aus innerer Ueberzeugung, aus wahrer Liebe zum Glauben die Taufe empfangen hatten; war es ja augenscheinlich, dass nur durch die Aussicht, jetzt Staats- und Kirchenämter bekleiden zu können, sie zu diesem Schritt bewogen worden waren. Im Innern und in ihren geheimsten Gemächern, wo der Spähenden Blicke sie nicht treffen konnten, waren sie Juden, lebten zum Theil in den Judenvierteln und übten, wir reden natürlich von der grossen Menge, die jüdischen Gebräuche mit der grössten Pünktlichkeit. Nach dem sie vom Gebete und ihren religiösen Handlungen schreckenden Rufe »der Herr kommt (Maran atha)«, wurden sie von den öffentlichen, sich nicht verleugnenden Juden »Maraños« genannt.

Diese Maraños, welche ein intoleranter Caplan aus Sevilla in seiner nur handschriftlich vorhandenen Chronik schildert, »brachten entweder die Kinder nicht zur Taufe, oder, wenn sie es thaten, so wuschen sie den Makel ab, sobald sie nach Hause kamen. Sie bereiteten ihr Schmorfleisch und andre Gerichte mit Oel anstatt mit Speck; sie assen kein Schweinefleisch; sie feierten das Passahfest; sie assen Fleisch in der Fastenzeit und sandten Oel, die Lampen ihrer Synagogen zu füllen. Auch an vielen verabscheuungswürdigen Ceremonien ihrer Religion hielten sie fest. Sie hatten keine Achtung vor dem Mönchsleben und entweihten häufig die Heiligkeit frommer Häuser durch Verführung ihrer Einwohner. Sie waren ein ausserordentlich kluges und ehrgeiziges Volk, welches die gewinnbringendsten Staats-Aemter an sich zog; sie erwarben sich ihren Lebensunterhalt lieber durch Handel als durch Handwerk oder Künste. Durch ihre nichtswürdigen Betrügereien häuften sie grosse Reichthümer auf und dadurch gelang es ihnen, Heirathsverbindungen mit edeln christlichen Familien zu schliessen«[92].

In neuerer Zeit, wo man diese Schein- oder gezwungenen Christen häufig besprochen hat, wollte man gefunden haben, dass sie die spanische Nationalität wie den christlichen Glauben bedroht und ihre Reichthümer, ihre wichtigen Aemter, welche sie im Staat und in der Kirche bekleideten, dazu benutzt hätten, dem

6 *

Judenthum den Sieg über die spanische Nationalität und den Katholicismus zu verschaffen. So absurd und geistlich gehässig eine solche Behauptung auch immerhin klingt, so lässt sich doch nicht in Abrede stellen, dass etwas Wahres darin liegt. Hat auch wohl kein Einziger in jener Zeit der Gefahr daran gedacht, das Judenthum in die spanische Nationalität zu verpflanzen, geschweige denn mit ihm den mächtigen Katholicismus zu verdrängen, so ist erstere von dem Einflusse der Juden doch nicht verschont geblieben. Der verarmte Adel vermählte sich mit reichen Jüdinnen, um seine Vermögensumstände zu verbessern, die Arias Davila, die Grafen von Pugnonrostro, fast alle Granden des Königreichs, der grösste Theil der hohen Geistlichkeit, Erzbischöfe und Bischöfe, ja selbst Grossinquisitoren stammten von den Juden ab[98]. »Es war kaum eine bedeutende Familie im Lande, deren Blut nicht durch Vermischung mit dem mala sangre des Hauses Juda besudelt worden wäre«, sagt der fanatische Bernaldez[94]. Aehnlich wie in Spanien gestalteten sich diese Verhältnisse in dem benachbarten Portugal.

Charakteristisch für diese Familien–Verbindungen ist die bekannte Erzählung aus der neueren Geschichte. Als noch in den siebziger Jahren des vergangenen Jahrhunderts der König Joseph von Portugal den Befehl hat ergehen lassen, dass alle seine Unterthanen, welche von Juden abstammten, gelbe Hüte tragen sollten, erschien sein mächtiger Minister, der Marquis von Pombal, dem es gar nicht recht ernst um die Kirche gewesen, mit drei gelben Hüten unter dem Arm bei seinem Könige. Lächelnd fragte ihn der Monarch, was er denn mit diesen machen wolle? Worauf ihm der die Jesuiten hassende Minister allen Ernstes erwiderte: den einen Hut habe ich für mich, den andern für den Gross–Inquisitor und den dritten für den Fall, dass Ew. Majestät selbst sich bedecken wollen«. Es würde nicht allzu schwer fallen, aus dem geheim gehaltenen »spanischen Brand« den Nachweis zu führen, dass auch die spanisch–portugiesische Königsfamilie von dem mala sangre des Hauses Juda nicht frei sei.

Nicht mit ruhigem Blicke konnten die im Glauben alt und grau gewordenen Christen es mit ansehen, dass diese Scheinchristen, diese Parvenüs der Kirche, die wichtigsten staatlichen Aemter bekleideten, die Lehrstühle der Universitäten besetzten, zu den höchsten geistlichen Würden stiegen, während sie selbst ihrer Unwissenheit wegen denen nachstehen mussten, welche sich noch immer durch Halsstarrigkeit und Festhalten an das jüdische Gesetz so sehr auszeichneten, dass der eifrige Bischof von Sevilla einen eigenen Katechismus für sie verfasste und seinen untergebenen Hirten die Weisung ertheilte, sie in dem katholischen Glauben zu unterrichten und zu frommen Werken anzuhalten.

So hatten diese Unglücklichen bei all der Seelenmarter und Gewissensfolter auch noch die schauderhaftesten Verfolgungen zu erdulden. Unter Heinrich IV. hatten sie begonnen, unter Isabella waren sie allgemein geworden, erst die Inquisition bildete den Schlussstein.

An demselben Orte, wo die fanatischen Bekehrungsreden zuerst vernommen wurden, brachen auch die Verfolgungen der gewonnenen Neuen-Christen zuerst aus. Sevilla machte mit der Hetzjagd den Anfang, Cordova ahmte seinem Beispiele nach und in Jaen erdolchte das wüthende Volk den Connetable von Castilien, Don Miguel Lucas, in den geweihten Räumen der Kirche, weil er die Juden vor Mord geschützt hatte. Andujar, Montoro, Bujalance, Ramla und andere Städte thaten das ihrige und blieben mit den Verfolgungen nicht zurück.

Dass auch die Literatur und besonders die Poesie bei diesen Excessen nicht theilnahmlos blieb und mehr als blosse Notiz davon nahm, haben wir bereits im vorigen Capitel zu bemerken Gelegenheit gehabt. Diego de Valencia, Villa Sandino, Pero Ferrus suchten die übergetretenen Juden zu verspotten, Andere bemühten sich durch ihre Gedichte das schon wüthende, unbändige Volk noch mehr aufzuwiegeln.

Unter den Dichtern, welche aus dieser Zeit unsere besondre Aufmerksamkeit verdienen, nimmt der bis jetzt nur zu sehr vernachlässigte Anton de Montoro den ersten Platz ein. Er ist der letzte grosse Troubadour, und mit ihm verschwinden die Dichter der »fröhlichen Lust« von den Höfen der Könige der Halbinsel.

Anton war ein Jude aus Montoro und seines Handwerks Schneider, oder genau genommen Kleiderhändler, eine Beschäftigung, die ihm auch den Beinamen »el Ropero« verschaffte. Neuere spanische Literatoren wollten, mit seinem Handwerke unzufrieden, Anton der alt-adligen Familie der Guzman unterschieben und auch ihn, den Cordover Trödeljuden — in Cordova hatte er sich häuslich niedergelassen — zum nobeln Ritter machen. Man hat nämlich Zweifel gehegt, ob ein armer jüdischer Schneider, als

welchen er sich in seinen Gedichten oft genug präsentirt, ob ein Kleiderhändler sich in seinem Geiste so hat erheben und mit so eleganten
Gedichten hat auftreten können! Liegt der Grund dieses Zweifels in
seinem Handwerk, so erinnern wir nur, dass in allen Literaturen sich
wohl Poeten und Dichter finden, welche nicht eben Ritter und studirte Männer gewesen sind. Wer kennt nicht den ehrsamen Nürnberger Schuhmachermeister? Wer nicht den holperigen Vers:

> Hans Sachs war ein Schuh-
> Macher und Poet dazu —?

Versorgt doch Jean Reboul seine Vaterstadt Nîmes mit Brod
und die Franzosen mit seinen lyrischen Dichtungen! Wurde nicht
der originellste und volksthümlichste Dichter Frankreichs, dessen
sterbliche Hülle halb Paris vor wenigen Monaten zur Ruhe begleitete, von einem Grossvater erzogen, der gleich Anton Schneider
gewesen ist? War er doch selbst ein armer Buchdruckerlehrling,
der von der Literatur nichts weiter wusste, als was er vor dem
Schriftkasten und der Druckerpresse von literarischen Dingen gelernt hatte! Jaquou Jausemin's Vater war ein ehrlicher Schneider,
sein Grossvater ein vagabundirender Bettler, er selbst ein höflicher
Friseur und ist dennoch der berühmteste Patois-Dichter unserer Zeit.
Wir wollen diese Beispiele hier nicht mehren und nur noch an den
Görlitzer Schuhmachermeister und Theosophen, an den Amsterdamer jüdischen Gläserschleifer und Vater unseres neuern Idealis-
mus, sowie an den Meister deutscher Prosa, den Buchhalter und
philosophischen Seidenfabrikanten in Berlin erinnern.

Das Schneiderhandwerk würde demnach Anton de Montoro
und seinen Dichtungen in keiner Hinsicht Abbruch thun. Und
doch steht er allen anderen dichtenden Genossen seiner Zunft noch
nach: er war ja ein jüdischer Schneider, wie Santob de Carrion
ein Händler jüdischer Nation. So sehr man auch lange Zeit geneigt
gewesen ist, den Juden Abneigung gegen Handwerk vorzuwerfen
und sie ganz der Schachergilde zu überweisen, so ist es doch Thatsache, dass sich unter ihnen zu allen Zeiten die geistesthätigsten
Menschen befanden, die nicht in otio literario, im literarischen
Müssiggang leben wollten, sondern von ihrer Hände Arbeit Weib und
Kind ernährten. Nur sehr wenige der grossen Geister, welche das
grossartigste, seit Tausenden von Jahren angestaunte Werk, desgleichen sich in keiner Literatur findet, compilirt haben, waren

reiche Herren; die Meisten von ihnen legten Nadel und Pfriem, Hacke und Spaten ab, um sich zweimal jährlich nach den grossen Akademien in Judäa und Babylon zu begeben.

Was hindert uns noch Anton de Montoro, den Juden, auf seinem Schneidertisch zu lassen? Mit welchen Producten er die spanische Literatur bereicherte, sollen unsere Leser bald erfahren.

Obwohl Anton bis in die Zeit Juan II. zurückreicht, so fällt seine Glanzperiode dennoch erst unter Isabella. Er war durch die Feinheit und Eleganz seines Stils, sowie durch die Kenntniss und Gelehrsamkeit, welche einige seiner Poesien verrathen, früh eine Berühmtheit geworden und hatte sich der Lobeserhebungen mancher Zeitgenossen zu erfreuen.

Suero de Ribera, ein Dichterling am Hofe Juan II., von welchem sich auch in dem mehrfach genannten Cancionero de Baena (575) ein Product findet, erwähnt seiner mit folgenden Worten:

> Da ist ein sehr berühmter Mann,
> Der äusserst fruchtbar dichten kann,
> Anton de Montoro ist sein Nam'. *)

Alvarez Gato, Staatsmann und vertrauter Freund Juan II., ein fruchtbarer Versificator, rühmt Anton und meint, dass trotz seiner Armuth einzig und allein seiner Kunst wegen er sehr reich genannt werden könne.

Ein andrer Zeitgenosse, Gonzalo Moron, weist auf seine poetische Begabung und seinen Ruhm hin. Ihm sei, meint Moron, eine Gottesgabe zu Theil geworden, womit er alle Troubadoure überflügele.

Andrerseits hatte auch Anton, wie viele Andere seines Stammes, welche ihren Glauben wechselten und wie Anton sich zum Scheinchristenthume bekannten, viele Sarkasmen anderer Troubadoure und dichtenden Herren zu erfahren. Solche Angriffe wurden mit nicht wenig Bitterkeit und Freimüthigkeit von ihm erwidert. Einer solchen Entgegnung verdanken wir die Mittheilung einiger Lebensumstände unseres Dichters.

In einem Dialoge zwischen ihm und einem Ritter deutet An-

---

*)
        Ese hombre muy famoso
        Poeta muy copioso
        Llamado Anton de Montoro. (Canc. de Burlas, 100.)

ton selbst auf seine Armuth, seine jüdische Herkunft und niedrige Beschäftigung hin. Der grossmüthige Cavallero hielt ihm nämlich einmal sein Judenthum vor und redet ihn an:

> Du schuftiger Cohen,
> Du elender Judensohn,
> Du Wucherer! *)

Worauf Montoro ihm erwidert:

> Meine Ehre wollt Ihr schmähen,
> Rede muss darum ich Euch stehen,
> Ich habe Söhne und Enkel,
> Einen armen, sehr alten Vater,
> Meine Mutter, Donna Jamila,
> Eine noch ledige Tochter, eine Schwester. **)

Ein' Theil seiner Gedichte besteht aus solchen »Respuestas, Reim-Erwiderungen«, von denen die alten Cancioneros voll sind; andere seiner Producte sind freudiger und scherzhafter Art. auch erhebt er sich nicht selten zu Satiren und Epigrammen. In seiner alle Bewunderung verdienenden Freimüthigkeit wagt er es sogar, die Verschwendungssucht Heinrich IV., so wie die Schwäche seiner Regierung öffentlich zu tadeln:

> Der edle und leidende König
> Liebt Frieden und zeiget sich gütig;
> Doch kümmert den Diener das wenig,
> Der stolz ist und rauh und hochmüthig.
> Erst später bemerkt er den Fehler,
> Will setzen die Sippschaft in Zucht,
> Er glaubet, nur er sei Befehler,
> Doch krümmt ihn der Listigen Wucht.
> So raubt dem Herrn man die Waffen,
> Und er, der an Tugend so gross,
> Um Ruhe der Menge zu schaffen,
> Muss stellen mit Trübsal sich bloss.

---

*)   Y vos malvado Cohen,
Judio, zofio, logrero.

**)   Tengo hijos y nietos,
Y padre pobre y muy viejo,
Y madre Doña Jamila
Y hija moza y hermana

. . . .

(Canc. de Burl., 94.)

Die folgten, erhebt er zu Lenkern,
Macht grösser, die gross so schon sind,
Sie gleichen nun vornehmen Schenkern,
Und er einem bettelnden Kind. *)

Die Hauptthätigkeit Anton's de Montoro fällt, wie bereits erwähnt, in die Regierungszeit des katholischen Herrscherpaars. Alles, was dem schon im Alter vorgerückten Troubadour zu Gebote stand, bot er auf, in jener schrecklichen Zeit der Verfolgungen seine Stamms- und Glaubensgenossen zu schützen. Er raffte alle seine Kraft und alles Ansehen, welches er bei den Adligen genoss, zusammen, um die getauften und ungetauften Juden vor der Volkswuth zu bergen und es verdient dieses, seinen Charakter in das reinste Licht setzende Betragen alle Anerkennung. Nicht trat er zu den übergetretenen dichtenden Juden, um mit ihnen die Marannen zu verfolgen; er richtet sich an die Grossen des Reiches, nähert sich seinem Könige Ferdinand selbst und berichtet, freilich nicht ohne eine gewisse Bitterkeit, über die Excesse, welche zu Carmona gegen die Neuen-Christen stattgefunden hatten. Inständigst und wiederholentlich bittet er den frommen Monarchen die Rädelsführer zur Strafe zu ziehen [95]). Seine Bitten haben zuversichtlich kein williges Ohr gefunden.

In seinem Eifer wirft er dem Don Alonso de Aguilar, einer Magistratsperson von Cordova, vor, dass er in seiner Stadt wenig

*)
El amo noble sufriente
Pacifico, dadivoso
Cria mozo inobediente,
Soberbio, rudo, pomposo,
Y a tiempo luego pasado
Cuando le siente el error,
Quierelo haver castigado
Piensa fallarle mandado
Fallalo ser mandador.
Asy fio el virtuoso
Señor, nuestro rey muy alto.
Por dar á muchos reposo
Dió asi gran sobresalto.
Fiso de siervos señores
Con leda cara de amor,
Fiso de grandes majores,
Fisoles ricos dadores
Y á si mismo pedidor.

(Obr. Ms.)

zu Gunsten der Verfolgten gethan habe und schildert in dem an
ihn gerichteten Gedichte zugleich die traurige Lage, in welchem
die Convertirten sich befänden:

> Der Ritter, treu und gut
> Von königlichem Blut
> Auf schlechtem Wege wandelt.
> Das Volk, obgleich bekehret
> Und besser nun belehret,
> Wird doch von ihm misshandelt. *)

Auch an die katholische Königin wandte er sich mit seinen
Gedichten und Bitten. Er beklagt sich bei ihr, dass trotz der fast
unglaublich scheinenden Zeit von sechszig Jahren, welche er im
Glauben verharre, er »el reato de su origen« nicht habe abwischen
und die den Convertirten beigelegten Nichtswürdigkeiten nicht
habe verlieren können:

> Ropero, so trüb' und traurig
> Fühlst Du Deinen Schmerz so schaurig?
> Bis sechszig Du wurdest an Jahren
> Sagtest Du immer den Schaaren:
> Mir ist nichts Schlimmes widerfahren.
> Doch jetzo zum Christen bekehret,
> Ein Credo man rufen ihn höret;
> Will nun auch verehren den Geber
> Von Klauen gemästeter Eber,
> Will nun mit den Augen hinblinken
> Nach halb nur gesalzenen Schinken,
> Will Messe ja hören,
> Die Kirche verehren
> Und Kreuze viel machen
> Nebst ähnlichen Sachen,
> Darf nun auch ja tödten
> Jenen Haufen — voll Nöthen!

> Zur Erde geworfen, gebeuget das Knie,
> So alt er ist, war er devoter wohl nie,
> Erzählend von Tagen, die festlich er nennet,
> Sehr fromm von Maria und höchstihrem Sohn,
> Erfreut er sich, dass zu erzählen vergönnet,
> Ihm ward die Geschichte der Kreuzespassion,

---

*)
> Buen caballero leal,
> Que los defectos olvida,
> De sangre pura real,
> Os ha parecido mal
> Desta gente convertida. (Montoro, Poes. varias. Ms.)

Verehret in Gott den Menschen zugleich
Als seinen erhabenen Herrn,
Doch kann er nicht sühnen den sünd'gen Streich,
Er heisset noch jetzt und heisset noch fern
Der alte verwerfliche Jud'.

Es bringt unsre Königin voll Majestät
Zu Ansehn den heiligen Glauben,
Doch will unser Herrgott nicht bloss Gebet,
Nicht gleich des Rosses wüthend Schnauben,
Den Tod des elenden Sünders hienieden;
Leben sei ihm mit der Reue beschieden. *)

Dieses-Gedicht, welches trotz seines ernsten religiösen Inhalts
mehr Aehnlichkeit mit einer Satire als mit einem Glaubensbe--

---

*)   A la reyna D. Isabel:

> O Ropero, amargo, triste
> Que no sientes tu dolor;
> Setenta años que naciste
> Y en todos siempre dixiste
> Inviolata permansiste;
> Nunca juré al criador,
> Hice el credo, y adorar
> Ollas de tocino grueso,
> Torreznos a medio asar,
> Oir misas y rezar,
> Santiguar y persinar,
> Y nunca pude matar
> Este rastro de confeso.
>
> Los inojos encorbados,
> Y con muy gran debocion
> En los dias señalados
> Con gran devocion contados,
> Y rezados
> Los nudos de la Pasion,
> Adorando a Dios y Hombre
> Por muy alto señor mio,
> Por do mi culpa se escombre,
> No pude perder el nombre
> De viejo, puto, judio . . . .
>
> Pues Reyna de gran valor,
> Que la santa fe acrecienta,
> No quiero Nuestro Señor
> Con furor
> La muerte del pecador,
> Mas que viva y se arripienta.
>
> (Montoro Poes. varias. Ms.)

kenntnisse und einer Bitte an die streng-katholische Isabella hat, liefert den Beweis, wie wenig Ernst es dem Dichter mit seinem Glauben gewesen ist. Kaum findet sich noch ein zweiter Troubadour aus der Zeit, in welcher unser Anton lebte, welcher mit einer solchen Kühnheit und Rücksichtslosigkeit den Regenten und fürstlichen Personen entgegenzutreten den Muth hatte. Machte er doch sogar auf Heinrich IV. eine Satire, in welcher er ziemlich direct auf das Liebesverhältniss des ohnmächtigen Königs zu der Portugiesin Castro, dem schönen Kammermädchen seiner, Beltran de la Cueva zugethanen Gemahlin anspielt.

Eine Satire voller Gift und Galle schleuderte Anton gegen Rodrigo Cota. Cota, der wie Anton de Montoro jüdischer Abkunft ist, führt uns zuerst auf die Bretter des spanischen Theaters: ihn begrüssen wir als den ersten Theaterdichter in der spanischen Literatur.

Obwohl die dramatische Poesie diejenige ist, deren Anbau, wie Delitsch richtig bemerkt, durch den Geist des Isrealitismus und den Hass des Orientalismus von den Juden sehr wenig begünstigt wurde, so zeigt sich dennoch das Eigenthümliche, dass die Literaturen älterer und neuerer Sprachen, zu deren Hebung und Pflege die Juden beigetragen haben, auch einzelne dramatische Producte besitzen, welche von Juden verfasst worden sind. Wie der jüdische Tragiker Ezekielos [96]), die merkwürdigste Erscheinung ihrer Art, welcher 100 Jahre vor Christi Geburt den Auszug aus Egypten in einer griechischen Tragödie darstellte, die Reihe aller jüdischen Theaterdichter bis auf den Verfasser der »Deborah« und den der »Makkabäer« eröffnet, so legt der genannte Cota den Grund zu der spanischen Bühne. Das Theater, der Widerhall des Hasses und der Liebe einzelner Stände und Ränge, dieses Thermometer der Sitten, verwahrt ein bedeutendes Stück Geschichte; auch das Theater zeigt uns das Steigen und Fallen, die Achtung und Verhöhnung des jüdischen Volkes. Von diesem Gesichtspunkte aus verweilen wir einige Augenblicke auf der spanischen Bühne, auch sie bildet eine Quelle zur Geschichte der Juden dieses Landes.

Wie bereits oben bemerkt, vertraten das ganze Mittelalter hindurch die Todtentänze die Stelle der Theatervorstellungen; sie dienten an Fest- und Feiertagen der Bevölkerung zur Belustigung

und zum Ergötzen. Dieses waren aber auch die einzigen öffentlichen Vorstellungen, die Processionen und Kirchenaufzüge abge-
rechnet, welche von der Geistlichkeit zugelassen worden sind.
Von einem eigentlichen Theater in unserm Sinne war bis auf
Isabella keine Rede. Freilich soll des Marquis von Santillana
Grossvater, der Zeitgenosse des R. Santob de Carrion schon Theaterstücke nach Art des Plautus und Terenz, und der Marquis selbst
die »Comoediete de Ponze« verfasst haben — alle diese noch unsichern und unbegründeten Versuche sind als blosse Gedichte di-
daktischer Art, keineswegs aber als Theaterstücke zu betrachten.
Den ersten Anlauf zu einem dem Drama ähnlichen Geistesproducte
nahm ein armer Jude von niedrer Herkunft, Rodrigo Cota, aus Sevilla oder wie Andere meinen aus Toledo [97]), in der von ihm begonnenen und von Rojas vollendeten, aus 21 Acten oder Theilen bestehenden »Celestina«, auch wohl »Calisto und Meliboea« genannt.

Dieser erste Theaterdichter der spanischen Nation hatte sehr
bald seine Stammreligion vergessen und sich als offner Gegner
herausgestellt. Nicht in der Celestina finden sich die Spuren seiner judenfeindlichen Absichten, wohl aber in Satiren und Gedichten, in welchen er die Neuen-Christen verspottet und sich so
den Verfolgern des unschuldigen Volkes beigesellt. Dafür ward er
von Montoro gezüchtigt [98]).

Obgleich der biedre Anton de Montoro mit den grössten und
angesehensten Herren und Rittern seiner Zeit in Verbindung gestanden und sich auch eines nicht unbedeutenden Ruhmes zu erfreuen hatte, so strebte er dennoch nie, seine niedre Beschäftigung
mit einem höhern Stande zu vertauschen. Er hatte die Nadel nur
aus den Händen gelegt, um die Feder zu ergreifen und blieb bis
an sein Ende ein dichtender Schneider und Händler [99]).

Ein noch weniger bekannter Zeitgenosse Anton's de Montoro
war der Dichter Juan de Valladolid. Die poetische Kunst war
seine Profession, sein Dichtertalent schaffte ihm Brod und den Beinamen »Poeta«. Schenken wir dem Zeugniss seiner der Poesie
lebenden Zeitgenossen Glauben, so war Juan von der Königin und
den Grossen beschützt, und auch im Staatsdienst verwandt. Auch
er war armer Eltern Sohn und von niederm Stande. Anton de
Montoro scheint von seinem Ursprunge genau unterrichtet gewesen
zu sein [100]):

Wisst Ihr, wer sein Vater ist gewesen?
Ausrufer auf der Strass' und Henker.
Und seine Mutter? Lacht nicht! ein Wesen
Bei irgend einem Weinausschenker. *)

Als letzten Genossen der genannten Dichter nennen wir Garci
Fernandez de Jerena. Ein sonderbarer Mensch! Aus Liebe
zu einer hausirenden maurischen Gauklerin verliess er das Judenthum und wandte sich dem Islam zu. Mit der Liebe zu ihr schwand
auch sein Glaube und er vertauschte diesen nach einem abenteuer-
lichen Leben mit dem Christenthume. Als Christ zog er sich in
ein Kloster zu Jerena zurück. Es dauerte jedoch nicht lange, so
verliebte er sich wieder in eine Schwester seiner ersten Frau und
es ist nicht unwahrscheinlich, dass, nachdem er aus dem Kloster
geworfen wurde, er es nochmals mit dem Mosaismus versucht hat.

Seine Gedichte bestehen aus Oden und Hymnen und befinden
sich im Cancionero de Baena.

————

Die von Dichtern und Gebildeten, Staatsmännern und Kir-
chendienern gespielte Rolle der Verstellung legte den Grund zu dem
Tribunal, welches das herrliche Spanien zur Hölle machte: das
Scheinchristenthum bot Veranlassung, den Ehrgeiz und die Geldgier des aragonischen Königs rege zu machen.

Der Albingenserkrieg war der erste Vorwand, dessen die
Päpste sich bedienten, die alte Inquisition einzuführen; es war
eine kirchliche Institution.

Die Nothwendigkeit, die zahlreichen, in ganz Spanien verbreiteten Scheinchristen zu bestrafen, veranlasste das spanische
Königspaar, die neue Inquisition ins Leben zu rufen. Die Inquisition der neuern Zeit war königlich und kirchlich zugleich.

Was war natürlicher, als dass Ferdinand ein Gericht begünstigte, welches seinem Ehrgeiz unter dem Deckmantel der Religion
und Frömmigkeit neue Nahrung verschaffte? Er, aus einem klei-

————

*)   Pues sabeis quien es su padre?
            Un verdugo y pregonero
            Y quereis reir? su madre
            Criada de un mesonero.

                        (Montoro [a Juan Poeta] Ms.)

nen Fürsten der Regent eines grossen Reiches geworden, war
fromm und bigott; als Werkzeug der Kirche erscheint er der
Geistlichkeit, welche er zu seinem Werkzeuge machte. Er war
der Begründer, der Wiederhersteller der Glaubenseinheit, weil er
Juden und maurisch Volk aus dem Lande jagte. Er war, wie man
auch immerhin über ihn urtheilen mag, dermassen von Ehrgeiz
und Geldgier gefoltert, dass alle Thaten, welche zum Heil und Verderben des Landes von ihm unternommen worden sind, auf diese
beiden Laster zurückgeführt werden können. Der Ehrgeiz stachelte
ihn auf, die letzten Reste maurischer Macht zu vernichten, Granada
mit seinem Reiche zu vereinen; Geldgier und die Lust nach fremdem Besitz waren die Motive, die Scheinchristen zu bestrafen, die
Juden zu verjagen und die Scheiterhaufen für sie anzuzünden.

Seine Schatzkammern waren geleert, mit ungeheuren Lasten
bedrückte er das Volk; um Geld zu schaffen, verkaufte er das
Eigenthum der Kirche, schickte Kirchengut in die Münzen, und
was nie zuvor der Fall gewesen, selbst die Geistlichkeit wurde
besteuert.

Da brachte ein kluger und verschmitzter Bruder, Alphons
de Hojeda, der Prior eines Dominicanerklosters zu Sevilla, den
schrecklichen Gedanken in Anregung, — die Juden zu plündern?
Keineswegs! Seit Hunderten von Jahren hatte man in der spanischen Politik dieses Mittel angewandt, um die zerrütteten Finan-
zen zu heben. Alphons de Hojeda erschien als geistlicher Rath: er
ersuchte die Majestät, die Abtrünnigkeit und den Rückfall der Ju-
denchristen zu bestrafen, und liess die Absicht, ihr Vermögen für
den Fiscus, zum Wohle des Staatshaushaltes einzuziehen, auf nicht
unfruchtbaren Boden fallen.

Der König war für seinen Plan gewonnen, er lag ganz im Interesse seiner Politik. Nur die Königin Isabella, welche ihrem
Beichtvater, dem toleranten Mendoza folgte, wollte ihre Zustim-
mung nicht zu einem Beschlusse geben, der mit ihrem bessern Ich
im Widerstreit stand. Es bedurfte aber auch bei ihr nur der Ver-
sicherung, dass die That fromm und gottgefällig wäre, dass sie
engelrein und unschuldig wie die Jungfrau in den Himmel ein-
ziehen würde, und auch sie hatte ihr Gewissen beruhigt; sie gab
freudig die Erlaubniss zur Einführung jenes martervollen, Gedanken und Meinungen erforschenden und züchtigenden Tribunals.

Die Bestätigung des Papstes musste noch eingeholt werden.

Mit der Nachricht, dass das spanische Köngspaar zur Verherrlichung des Glaubens das maurische Troja in Angriff nehmen wolle, gelangte auch zum heiligen Vater das Gesuch, die Inquisition in Spanien zu bestätigen und über die neue Anstalt die Weihe zu sprechen.

Sixtus IV., der mehr weltlicher Fürst als geistlicher Vater gewesen, der den Verdacht auf sich lud, um einen vor dem Altar einer Cathedrale ausgeführten Mordanfall gewusst zu haben, schrieb der Königin Isabella, er gebe sich der Hoffnung hin, dass nicht der Ehrgeiz und das Streben nach weltlichen Gütern sie mehr veranlasse, die Errichtung des Tribunals zu wünschen, als der Eifer für den katholischen Glauben. Niemand hatte wie der Papst die Absicht der katholischen Königin durchschaut! Die Bulle gelangte nach Spanien und am 17. September 1480 wurden die ersten Inquisitoren ernannt.

Sevilla zündete zuerst die Scheiterhaufen an, Sevilla verbrannte jetzt die ersten Juden.

Das fast dreihundert Jahre Schrecken und Entsetzen verbreitende Tribunal, dieses wüthende Ungeheuer von so seltsam fürchterlicher Gestalt, dass bei seinem blossen Namen ganz Europa erzitterte, schildert der Trostredner seines Volkes, Samuel Usque, der geschickte Maler jüdischen Leids, im folgenden Bilde:

»Sein Körper, bedeckt mit Schuppen härter als Stahl, besteht aus rohem Eisen und giftigen Stoffen. Tausend Flügel von schwarzen Federn erheben es vom Boden und tausend missgestaltete Füsse bringen es weiter. Seine Gestalt gleicht der Wildheit des Löwen und ähnelt der Schlange in der Wüste Afrika's. Die Grösse seiner Zähne ist die des stärksten Elephanten. Sein Athem tödtet schneller als der des Basilisken. Sein Mund speit wie sein Auge unaufhörlich verzehrende Flammen; es nährt sich von nichts als menschlichen Körpern. Die Schnelligkeit seines Fluges übertrifft die des Adlers. Wie hell und glanzvoll die Sonne auch scheinen mag, wo es hinkommt, verursacht es eine Furcht einflössende Dunkelheit und lässt auf seinem Wege eine Finsterniss zurück, welche der Egyptischen nicht nachsteht. Wohin auch immer seinen Flug es nimmt, jedes Grün tritt es nieder und jeder belaubte Baum wird entblättert. Gleich einem krebsartigen Wurm zerstört es durch sein Gift die Wurzeln und vernichtet Alles ähnlich wie der trockne Sand Syrien's« [101]).

Die grauenhafteste Epoche der jüdischen Geschichte bildet die der Inquisition. Tausende von Juden gaben in den Auto da Fes ihren Geist auf. Was Wunder, dass Diejenigen, welche dem Feuergericht glücklich entwischt waren, das Bild der Gewalt nicht los werden konnten! Ein ungenannter Dichter, welcher mit dem von uns später vorgeführten Antonio Enriquez Gomez im Gefängnisse schmachtete, entwirft in einem poetischen Briefe [102]) an seinen Freund und Leidensgefährten eine meisterhafte Schilderung des heiligen Officiums und seiner Diener.

Solche poetische Briefe haben sich in der spanischen Literatur nie eines grossen Erfolges zu erfreuen gehabt und treten auch erst in der Mitte des sechszehnten Jahrhunderts mit Mendoza und Boscan in horazischer Weise auf. Dass sie auch alsdann nur wenig angebaut wurden, dafür einen Grund zu suchen, dürfte nicht allzu schwer fallen. Die poetischen Briefe haben gemeinhin mehr oder weniger Satire oder Klage zum Gegenstande ihres Inhalts und für beide war 'der spanische Boden der scharfen, geräuschlosen Wachsamkeit der Inquisition wegen wenig geeignet. Die ängstliche Natur der spanischen Tyrannen liess solche Herzensergüsse selten passiren.

Von desto grösserm Werth ist daher dieser Brief, welcher einen ungenannten, in Spanien gefangen gehaltenen Juden zum Verfasser hat. Lange und oft staunte man die Freimüthigkeit des philosophischen, skeptischen Franzosen an, der es einmal wagte, die Inquisition in wenigen Zeilen zu charakterisiren:

Ce sanglant tribunal,
Ce monument affreux du pouvoir monacal,
Que l'Espagne a reçu, mais qu'elle même abhorre :
' Qui venge les autels mais qui les déshonore,
Qui tout couvert du sang, de flammes entouré
Egorge les mortels avec un fer sacré.

Welche Bewunderung verdient erst der Bewohner eines finstern Inquisitions – Gewölbes, der Verfasser des Briefes, welchen wir hier in Uebersetzung mittheilen :

Brief Danteo's an seinen Freund Albano.

Mit Freude schreibt, Albano, meine Feder nieder
Was ein ihr gibt ein Herz das klar und bieder ;
In mir ist Hilfe noch, denn Hoffnung lebet wieder.

Kayserling, Sephardim. 7

Der Tag wird mir gewaltig lang zum Jahr,
Wenn ich mir sag' dass Du mir nicht mehr nah,
Und wie Du lebhaft denkst an Deines Freund's Gefahr.

Fern ist die Zeit, wo ich zum Leben ward erkoren,
Entfernt von Dir und Deinen heitern Horen
Ist meine Ruhe hin, ist meine Seel' verloren.

Zur Mehrung meines Leid's kommt heut' zurück die Stunde,
Wo Du, Albano, einst vom Abschied gabst mir Kunde,
Zu schaffen Heilung Deiner eig'nen Wunde.

Den strengen Norden *), den zum Ruhpunkt Du gewählet,
Wie lieb ich ihn! Dem Meeresschlund **), bei Dir verfehlet,
Hat man auf ewig, ewig mich vermählet.

Du hast der Qual zu flieh'n Gelegenheit genommen,
Was könnt' mein Lob der grossen That noch frommen?
Es ist die Wahrheit wieder Dir, Gefahr bist Du entkommen.

Seitdem zum Glück für Dich Du mir bist fortgezogen,
Hat sich das Meer zu solchem Sturme vollgesogen,
Dass ich, Elender, nicht ertrag' sein grimmig Wogen.

Nicht ist's die Heimath mehr, nicht mehr des Friedens Glanz,
Es ist ein brausend Meer, im wilden Wellen-Tanz;
Die Ruh' ist hin, verscheucht, dem Sturm gebührt der Kranz.

Gefahrvoll, fast unendlich ist des Leidens Abgrund,
Der Freunde sind nicht mehr, stumm ist der Freundschaft Mund,
Zerrissen wird selbst auch der Besten, Treusten Bund.

Ein jedes Wort gelangt zu unsrer Feinde Ohren,
Verräth'risch lässt man keine Ursach' unverloren,
Kein trautes Wort gibt's ohne Delatoren. ***)

Tyrannisch streben sie nach Herrschsucht und nach Ruhm,
Und sind so sehr der Falschheit Eigenthum,
Dass sie sich brüsten noch mit ihrem Heiligthum.

Sie sind Tyrannen, die vom Schmerze nicht gerühret,
Im Labyrinthe von unsättlicher Begier geführet,
Worin die Seele gänzlich sich verirrt, verlieret. †)

---

*) Sein Freund hatte sich nach Amsterdam begeben.
**) Mit Ausdrücken wie Meeresschlund, Meer u. dgl. bezeichnet der
Dichter, wie dieses auch von Anderen geschehen, die Inquisition.
***) Cada palabra alcanza un enemigo,
Todos buscan aleves ocasiones,
Y no hay conversacion sin un testigo.

†) Andan tiranizadas ambiciones,

Es zeugen die Versprechen stets von bosheitsvollen Saaten,
Was man verheisst, wird nie gebracht zu Thaten,
Ohn' mit dem Rechte stets in Feindschaft zu gerathen.

Der stirbt, der Wahrheit spricht, hofft auf Gesetz vergebens,
Wer nicht sie spricht, ist Ritter ehrenwerthen Strebens,
Beweist zugleich dabei den Adel seines Lebens.

Betrüger nennt man weis' und brav mit Freuden,
Und wird's geschätzt für richtig, klug, bescheiden,
Das Falsche mit der Wahrheit-Larve zu bekleiden.

Jetzt suchst nicht Du vergebens redliche Cumpane!
Ihr Wappen ist auf feine Art die Spielerfahne
Und Heuchelei, sich drehend gleich dem Wetterhahne.

Stets treiben sie mit Pomp ein Spiel gar fein und listig, *)
Dem Obern spiegeln sie das Falsche vor als richtig
Und schmücken's aus mehr als mit Frühlingspracht gewichtig.

Es sind die eingefleischten Teufel und Verräther,
Der Mutter Vericinta gläubige Anbeter,
Nein, fern von dem Vergleich! Das sind nicht Roma's Väter! **)

Denn bloss mit zwei geheimen Federzügen fachen
Sie Unheil an mehr als des Tigers gier'ger Rachen
Als selbst die Hydra wild im Stande ist zu machen. ***)

Der höhern Ordnung Priester sie sich nennen
Und dennoch suchen sie mit aller Macht zu trennen
Der Friedens-Bande — Vernunft sie gar nicht kennen.

Y son de tal manera conquistadas
Que se alcanzan con ellas bendiciones.
Todas son Troyas, pero no abrasadas:
Todos son laberintos de codicia,
Donde se pierden almas depravadas.

*) Der Dichter spielt hiermit auf das von der Geistlichkeit und den Dienern der Inquisition emsig getriebene Kartenspiel hin. Ihre Leidenschaft für dasselbe war so gross, dass, als sie in St. Domingo keine Karten hatten, sie sich der Baumblätter zum Spiele bedienten.
(Peignot, sur l'origine des cartes à jouer [Paris 1826] 223.)

**) Son diablos encarnados y traidores,
Devotos de la madre Vericinta,
No siendo, no, romanos senadores.

***) Con dos renglones de secreta tinta
Hacen mas mal que la langosta fiera:
Hidra que tala cuanto el Mayo pinta.

7*

Im schlaffen, trägen Gange schreiten sie einher,
Dennoch um allen Preis versuchen sie Verkehr
Mit dem geheimnissvollen Thron der Gottesehr'!

Die Freundin schmachtete nach Deines Schmerzes Thräne,
Doch lehrte Dich zum Glück Medea jene Töne,
Wie sie am Tajo singt die listige Sirene.

Das ist kein Wunder, Freund, dass sie die auf Dich gab,
Dafür nach Anderen ausstreckt den milden Richterstab
Und gierig haschte einzuziehen der Treusten beste Hab'.

Was Dir denn noch die Streng'? Was Dir noch die Erkaltung?
Versprach ich nicht dem wichtigsten Kleinod Erhaltung?
Nicht soll in ihre Hand es fallen zur Verwaltung!

Wenn es behutsam ist und eine That des Weisen,
Der Venus zu erwähnen heut' und sie zu preisen
So wirst verzeih'n Du mein Gefühl, es edel heissen.

Mit Rachesinn, doch sehr geschickt und mit Routine,
Weiss sie zu nähren sich wie von der Blum' die Biene,
Verschenkt die fettsten Pfründen mit der frömmsten Miene.

Beschieden war seit jener Zeit dem theuern Vaterlande
Von jener edlen Dame grausam schwere Bande.
O, schleunig führt sie es zu des Verderbens Rande! *)

Auf Fittichen des Ruhms — Fortuna wollt' Dich schonen —
Enteiltest Du, Albano, nach anderen Regionen
Und kannst vor Jener Grausamkeit dort ruhig wohnen.

O, lehre Klugheit mich, zu folgen Deinem Schritte,
Dann fliehe rasch ich fort aus der Verräther Mitte
Und geb' mit Freuden auf des Occidentes Sitte.

Dein Sinn, der klug sich sehnte nach dem fernen Lande,
Zog sich aus jenes Teufels Zauberbande
Der seine Gottheit rühmt zu aller Gottheit Schande.

Mir wünsch' ich Deinen Frieden und Dein stilles Leben,
Gar selten hat in dem Exile es gegeben
Ein Herz, das nach der Heimath suchte nicht zu streben.

Die Welt erstaunt, erstarrt und naht sich ihrem Ende —
Nicht bin ich mehr der Erste, der freudig ab sich wende,
Für seinen Freund von Haus und Vaterland, behende.

---

*).   Alimentada fué desde la cuna
De tiranias esta noble dama,
Y no hay seguridad en ella alguna.

Gleich dem Freunde des Dramatikers Gomez schildern andere Dichter, mit denen wir uns in den folgenden Capiteln beschäftigen werden, dieses Glaubensgericht, welches Freiheit und Leben eines Jeden in Händen hatte.

Die Inquisition und alle ihre Gräuel an diesem Orte näher zu betrachten, alle die Opfer aufzuführen, welche von ihr während ihres dreihundertjährigen Bestehens verschlungen worden, kann nicht in unserer Absicht liegen. Ueberhaupt kann nach unserm Dafürhalten eine vollständige Geschichte der Inquisition erst dann geliefert werden, wenn die achtzig Centner Acten, welche erst vor einigen Jahren von Barcelona nach dem auf Rath des Cardinal Ximenez erbauten Staatsarchiv Simancas gebracht wurden, gelichtet und gesichtet worden sind. So lange dieses nicht geschehen, bleibt die Geschichte, welche der wackre, vorurtheilsfreie, heute von Unwürdigen angefeindete Llorente von dem Glaubensgericht entworfen hat, die einzige glaubwürdige Quelle.

Sevilla war dazu ausersehen worden, das grauenhafte Heiligthum zuerst in seinen Mauern zu erblicken. Aber auch dort, wo seit geraumer Zeit die fanatischen Priester für Nahrung der Feuerschlünde gesorgt hatten, ging die Einführung nicht so leicht von Statten, wie man vielleicht anzunehmen geneigt wäre. War auch der Hass gegen die Juden eben in dieser Stadt allgemein, wünschte auch wohl der von der Geistlichkeit aufgewiegelte und von ihr durch fromme Reden gewonnene grosse Haufe die Vernichtung der »jüdischen Treulosigkeit«, so war doch andrerseits die Zahl der Judaisirenden zu gross, hatten sich die Familien der Neuen-Christen zu sehr mit dem alten Adel verschwägert und vermischt, als dass nicht auch die gläubigen Christen selbst mit Schrecken an diese neue Marteranstalt hätten denken sollen. Als sich daher die Kunde in der Stadt verbreitete, dass die ersten Inquisitoren Miguel de Morillo und Juan de San Martin, beide Dominicaner, mit ihren Officialen im Anzuge seien, war ganz Sevilla in Aufruhr: die Parteien standen einander gegenüber, die mächtigsten und angesehensten Personen, die einflussreichsten Bürger hatten sich laut gegen das Gericht erklärt. Andere betrachteten es freilich als ein göttlich Geschenk, als eine heilige Glaubenssache, und zogen voller Begeisterung den königlichen Dienern der Kirche entgegen, bis nach Carmona hin, um sie zu begrüssen und feierlich einzuholen.

In der Stadt angekommen, es war am 2. Januar 1484, versammelten sich die Inquisitoren in der Cathedrale und verlasen die königlichen und päpstlichen Erlasse. Es wurde ihnen nicht schwer, sich die nöthige Hilfe zu verschaffen, um ihre Functionen beginnen zu können; in Procession durchzogen sie die Stadt und eine wilde Menge jauchzte ihnen zu.

Zur selben Zeit, so erzählt ein Anonymus in einer Hand-schrift [103], vereinigten sich Suson, der Vater der schönen Susanna, »la fermosa fembra«, Benadeva, der Vater des Canonicus gleichen Namens, Abalofia el perfumado, Hofwechsler der Majestäten, ein Aleman, die Adalfes de Triana, Cristobal Lopez Mondadura á San Salvador und viele andere reiche und mächtige Männer aus Utrera und Carmona.

Diese sprachen unter sich: Es scheint ja beinah, als ob Diese gegen uns kämen? Sind wir nicht die Häupter dieser Stadt und angesehen beim Volke? Lasst uns zusammentreten! Ihr haltet solche Personen für Euresgleichen? Lasst uns Waffen vertheilen, das Volk durch Gold gewinnen! Kommen sie dann, uns zu ergrei-fen, so werden wir ihnen Widerstand leisten; wir wollen sie nie-dermachen und uns so an unseren Feinden rächen.

Ein alter Jude, welcher sich unter ihnen befand, richtete an sie das Wort: »Kinder, das Volk scheint geneigt zu sein. Bei meinem Leben! »los corazones donde estan? Dadme corazones!« (Wo ist der Muth? Muth! Muth!)

Diese Verschwörung wurde im Keime erstickt. Sämmtliche Verschworenen wurden in die Gefängnisse abgeführt.

Während die Inquisitoren diesen, ihrer Haut sich wehrenden Neuen-Christen den Prozess machten, feierte die Natur den Jahres-tag des Officiums. Die ganze Natur erhob sich ob der Einführung eines so barbarischen, dem Menschengeschlechte so feindseligen Tribunals. Der Guadalquivir überschritt seine Ufer und bedrohte die an ihm gelegenen Städte und Oerter. Ganz Sevilla stand unter Wasser, über die Zinnen war es in die Stadt gedrungen und drei Tage war das prächtige Sevilla in grosser Furcht und Angst, von den Fluthen verheert zu werden.

Viele Opfer forderte diese Ueberschwemmung, mehr aber noch die schreckliche Pest, welche zu gleicher Zeit ausbrach und in ganz Andalusien bis zum Jahre 1488 wüthete. In Sevilla allein erlagen dem hohläugigen Tode über 15,000 Menschen, ebensoviel in Cordova; Ecija hatte gegen 9000 Todte [104].

Dergestalt feierte die Stimme des Weltgerichts die Einführung des ganz Spanien erhellenden Tribunals.

Die Gefängnisse füllten sich schnell. Obwohl viele Neue-Christen zur freiwilligen Verbannung ihre Zuflucht nahmen und in die Ländereien des Adels, des Herzogs von Medina-Sidonia, des Marquis von Cadiz, des Grafen von Arcos flüchteten, so war die Zahl der Eingekerkerten schon beim Beginn zu einer solchen Höhe herangewachsen, dass die ersten Inquisitoren darauf bedacht waren, ein permanentes Schaffot in einer der Vorstädte Sevilla's — Tablada — zu errichten. Dieses Denkmal menschlichen Wahnes reichte bis in unser Jahrhundert. Erst 1809, als der Alles niederstürzende Weltgeist, Napoleon, diese Weltseele zu Pferde, Spanien unterjochte, wurde das »Quemadero«, so nannten sie das Heiligthum, von den französischen Truppen zerstört und sein Material zur Befestigung der Stadt verwandt. Eine unschuldige Frau, eine Anhängerin des Molina, wurde diesem Feuerschlunde 1782 als letztes Opfer vorgeworfen; sechs Juden boten ihm die erste Nahrung. Alonso de Hojeda hielt die Weihrede.

Einige Tage später wurden drei der vornehmsten und reichsten Bewohner der Stadt zum Tode geführt: Diego de Suson, »ein grosser Rabbi que valia lo suyo diez cuentos«, wie Bernaldez sich ausdrückt, welcher die ihm umgeworfene Toga mit Verachtung von sich schleuderte, Manuel Sauli und Bartholomäus Torralba. Mit ihnen wanderten auch die übrigen Häupter der Verschwörung den letzten Gang: Pedro Fernandez Benadeva, der Sohn des Obengenannten, Mayordomus der Kirche de los Señores, welcher Waffen für hundert Mann in seinem Hause versteckt hielt, Juan Fernandez Abalasia, ein grosser Gelehrter und lange Zeit Alcalde der Justiz, wurden mit vielen Anderen verbrannt und ihre Reichthümer als Ketzergut für den Fiscus eingezogen.

Gegen Ende des Jahres 1481 hatten schon 418 Ungläubige die Todesstrafe erlitten; 79 sahen sich der Freiheit auf immer beraubt und dieses Alles in der Stadt Sevilla allein [105]).

Bald hatte jede Stadt in Andalusien ihr jährliches Fest: in Cadiz, Cordova, Jaen und anderen Orten wurden die Neuen-Christen mit einer tollen Wuth verbrannt.

Nach zwei Jahren des Bestehens und höllischen Wirkens wurde dem Gericht ein Gross-Inquisitor vorgesetzt, und Thomas Torquemada mit dieser Würde bekleidet. Einen willigern Diener

hätten Ferdinand und der Papst kaum finden können: er genügte
allen Anforderungen, welche man an ihn gestellt hatte, er war
unablässig bemüht, die Schätze seiner Herren und die Stufen des
Santo-Officiums mit Brandopfern zu füllen. Er war der Gross-
Inquisitor, er der Robespierre der Kirche, welcher statt der rothen
Mütze das Dominicanerkäppchen trug. Unterstützt von eisernen
Henkern, predigte er bei dem Scheine der hellen Flammen und
auf den Leichnamen der Juden allen Ketzern den Tod. Seine
Gründe waren die Richtplätze, seine Beredsamkeit die Confiscation,
seine Ueberredungskunst die ewigen Höllenstrafen, seine Kraft der
Ueberzeugung lag in den noch nicht beerdigten Leichnamen und
den lebendigen Körpern der unglücklichen, gedrückten und geknechteten Juden [106]).

Bald war es der Wunsch des mächtigen, blutdürstigen Torquemada, der Inquisition einen weitern Spielraum zu verschaffen. Dem
Königspaar und Rom konnte solches Begehren natürlich nur lieb
sein. Nächst Andalusien war Aragonien der Theil des Landes, wo
sich die meisten Neuen-Christen befanden. Auch dorthin wurde
die Höllenmaschine verpflanzt, aber auch dort stiess sie auf Widerstand. Das unglückliche Ende, welches die Verschworenen in
Sevilla genommen hatten, hielt die Aragonier, nachdem sie sahen,
dass alle Bemühungen, die Einführung der Inquisition zu verhindern, vergeblich waren, nicht ab, sich zu erheben, einen oder
zwei Inquisitoren zu opfern. Sie gaben sich der irrigen Meinung
hin, dass nach einer solchen That Niemand es mehr wage, das
Amt eines Henkers zu übernehmen und dass der König selbst
von seinem Plane abstehen würde.

Eine Verschwörung hatte sich gebildet, welche nichts anders
zu ihrem Zwecke hatte, als den Inquisitor Arbues d'Epila und
mehrere seines Gleichen zu ermorden. Alle Neuen-Christen Aragonien's schossen eine bedeutende Summe zusammen, um die
Mörder in ehrenhafter Weise zu belohnen. Juan de la Abadia, ein
aragonischer Adliger, dessen Mutter Jüdin gewesen, stellte sich an
die Spitze der Verschworenen. Juan d'Esperaindeo bewaffnete
sich mit dem Mordstahl, drang mit seinen Genossen in die Hauptkirche zu Saragossa und versetzte dem zur Zeit knieenden und betenden Arbues den ersten tödtlichen Stoss. Zwei Tage darauf gab
der Priester seinen Geist auf. Kaum war dieser Mord in der Stadt
ruchbar geworden, als auch schon die Christen, welche nicht von

jüdischer Abkunft waren, sich zusammenrotteten, um Arbues an
den Neuen-Christen und den alten Juden zu rächen. Das Gemetzel
war fürchterlich und nur die Dazwischenkunft des jungen Erzbischofs vermochte die Volkswuth zu stillen.

Bedarf es wohl der besonderen Erwähnung, dass sämmtliche
Glieder der Verschwörung in der grässlichsen Weise dem Tode
geweiht wurden? Ferdinand und Isabella zogen auch aus diesem
misslungenen Versuch ihren Vortheil, sie verfuhren mit verdoppel-
ter Strenge gegen Alle, die im Verdacht standen, dem Stamme der
Verworfenen anzugehören. Arbues wurde heilig gesprochen, vom
Könige wurde ihm ein Denkmal gesetzt und auf seinem prächtigen
Grabe las man lange den Vers: '

> Quis jacet hoc tumulo ? Alter fortissimus lapis,
> Qui arcet virtute cunctos a se Judaeos :
> Est enim Petrus sacer firmissima petra
> Supra quam Deus edificavit opus :
> Caesar augusta, gaude beata quae
> Martirum decus ibi sepultum habes.
> Fugite hinc retro, fugite cito Judaei.
> Nam fugat pretiosus pestem hyacinthus lapis [107]).

Alle die Unglücklichen, welche früher zu einer unausgesetz-
ten Seelenmarter verdammt waren, verfielen jetzt den Marterin-
strumenten der Inquisition. Ganz Aragonien war in die tiefste
Trauer versetzt; kaum gab es eine vornehme Familie, welche nicht
einen theuern Verwandten beweinte, ein Glied vermisste, das des
Glaubens oder Unglaubens wegen zum Tode oder zur ewigen Kerkerstrafe verurtheilt worden war.

Auch in Castiliens altehrwürdiger Stadt Toledo schlug der Areopag, wie der gelehrte Thomas de Pinedo das Tribunal spöttischer
Weise nennt, seinen Sitz auf. Von Ciudad-Real wurde die Inquisition
gegen Ende des Jahres 1486 dorthin verlegt. Wie unabsehbar der
Pfad menschlicher Verirrungen ist, wie der Fanatismus jedes natürliche Gefühl erstickt, zeigte sich recht deutlich bei der Einführung des Gerichts in Toledo. Seine Diener versammelten nämlich die Rabbiner der Stadt und drangen ihnen den Eid ab, alle
Juden, welche die Religion verlassen und sich ihr später wieder
zugewandt hätten, dem heiligen Officium zu überliefern und alle
Gläubigen mit dem Banne zu belegen, welche solche, die Kirche
nicht mehr verehrende Juden nicht zur Anzeige brächten. O die
Unmenschen! Der Bruder sollte für den Bruder das Dilatorenamt

übernehmen und der Sohn vom eigenen Vater zum Schaffot geführt werden! Auf Diener solchen Schlages beruhte das Heil Spaniens, in den Händen solcher Heiligen lag das Geschick der armen und elenden Juden.

Mit dem sich immer mehr steigernden Argwohn mehrten sich die Anstrengungen der Glaubenshelden und wurde andèrerseits die Liebe zum Judenthum bei den in ihm Geborenen zu neuer Gluth angefacht. Tausende wurden verbrannt, Tausende der öffentlichen Beschimpfung preisgegeben, das Vermögen aller Verdächtigen eingezogen und so die immer leeren Schatzkammern Ferdinand's von Zeit zu Zeit gefüllt. Letzteres allein lag dem bigotten König am Herzen. Er kümmerte sich wenig um die Zukunft, um den Verfall des Landes; ihm war es darum zu thun, eine grosse, ihm ewigen Ruhm sichernde That zur Ausführung zu bringen: er bedurfte der Juden Gelder, um den begonnenen Krieg zu beenden und den letzten Funken maurischer Macht zu erlöschen.

Während man an allen Enden der spanischen Herrschaft Scheiterhaufen für die Neuen-Christen errichtete, durchzog das Heer mit entfalteten Fahnen die gesegneten Gefilde des maurischen Königreichs.

Zu welchem Zustande der Erbärmlichkeit war das einst mächtige maurische Reich gesunken? Waren das noch die Abkömmlinge derselben Mauren, deren Führer die Tarek und Mouza gewesen? Waren ihre Regenten die Nachfolger des Al-Hakem, des Abd-el-Rahman, des Al-Mansur? Mit dem Tode dieses letzten grossen Omajaden hatte die eigentliche Herrschaft aufgehört und existirte wie ihre Geschichte nur noch dem Namen nach. Das maurische Spanien lag in einem 500 Jahre langen Todeskampfe; Isabella und Ferdinand feierten sein Leichenbegängniss.

Siegreich durchzogen die christlichen Banner die von den Moslemen bewohnten Länderstriche: Zahara, Ronda, seit undenklichen Zeiten »del Judios« genannt, Cambil und Alhabar fielen in die Gewalt der Spanier; Malaga wurde genommen und eine Zahl reuiger Marannen lebendig verbrannt. Bald stand die Armee unter dem tapfern Ponce de Leon, welchen seine Zeitgenossen als espejo de la caballeria rühmten, vor den Thoren des starken Granada. Ferdinand und Isabella hatten sich dorthin begeben und warfen sehnsuchtsvolle Liebesblicke auf den alten prächtigen Maurensitz. Gleich einem zweiten Troja vertheidigte sich die feste Stadt; mit Löwenmuth und dem Rufe für Alah und dem Propheten fochten die Ungläubigen den letzten Kampf. Granada fiel. Die Sonnenstrahlen des 2. Januar 1492 beschienen zum letzten Male den Halbmond auf spanischem Boden [108]).

Spanien hatte nun nur ein einziges Königspaar, ein einziges Princip, ein einziges Interesse. Ein Gedanke beseelte das Volk. König, Volk und Geistlichkeit bildeten die heilige Dreieinigkeit, sie wollten Einheit und Einigkeit im Glauben, eine einzige Kirche.

In den Gemächern der jetzt verfallenen Alhambra sass die fromme Isabella, trunken ob des zum Heil der Kirche erfochtenen Sieges. Das Königspaar dachte an die Grösse seines Reiches, sann auf Mittel, sann auf Quellen, die Herrschaft zu befestigen.

Die Mittel waren im Eifer für die Kirche und den Glauben gefunden.

In den Gemächern der Alhambra veröffentlichten die Majestäten ein denkwürdiges, unglückseliges Edict.

Mit derselben Feder, mit welcher die glorreiche Capitulation Granada's unterschrieben wurde, unterzeichneten sie am 31. März 1492 das grauenhafte Decret, dass alle Juden das spanische Reich verlassen sollten.

Wie ein Donnerschlag traf dieses Edict die Menge der elend Preisgegebenen. Hatte auch die Strenge, mit welcher das heillose, die Menschheit entehrende Ketzergericht gegen die Neuen-Christen wüthete, die standhaft beim Judenthume Verharrenden auf ein solches Verhängniss wohl vorbereitet, denn die Inquisition war nur die Vorläuferin der Vertreibung, so kam der Befehl doch zu plötzlich, zu unerwartet; genossen doch eben sie in den zehn Jahren vor der Vertreibung der ungestörten Ruhe, gleich dem letzten Aufflackern eines für immer schwindenden Geistes.

Sobald der Schreckenserlass bekannt geworden war, wurden Vorkehrungen getroffen, ihn zu hintertreiben. Die Juden, welche Ferdinand tief durchforscht und seine Absichten besser durchschaut hatten, als die mit der Rechtfertigung des Edictes sich abmühenden Historiker, schlugen denselben Weg ein, welchen ihre Vorfahren im westgotbischen Reiche genommen hatten. Wie sie es damals versuchten, die Gradheit des königlichen Sinnes durch Darbringung einer Summe Geldes zu beugen, so machten sie auch jetzt durch den am königlichen Hofe im hohen Ansehen stehenden

Finanzbeamten Don Isaac Abrabanel das Anerbieten die enorme Summe von 600,000 Dublonen aufzubringen, wenn das Gesetz würde zurückgenommen werden. Der gierige Ferdinand stutzte und war nicht abgeneigt, vor der Hand wenigstens, auf den Vorschlag einzugehen, als der Wüthrich Torquemada mit seinem wilden Blick und dem Crucifix in der Hand in das königliche Gemach stürzte und, das Heiligenbild auf den Tisch werfend, voller Wuth ausrief: »Da nehmt ihn, den Judas für 30 Silberstücke verkaufte. Verkauft ihn nun um einen höheren Preis«. Der lockere Sinn Ferdinand's war umgestimmt und das Edict blieb in Kraft.

Nur noch vier Monate waren den Juden vergönnt auf spanischem Boden zu weilen. Kaum hatten sie sich versehen und, wie der trauernde Prophet sich ausdrückt, der Monat hatte sie wieder erreicht.

Wer könnte die Qualen schildern, welche die Herzen der unglücklichen Juden drückten! Aengstlich schauten sie sich um nach den geliebten Gegenden, trauernd und klagend sandten sie ihre Blicke nach den Orten, wo die Heimgegangenen in seliger Ruhe lagen und gedachten mit Wehmuth und Seufzen der trüben, verschleierten Zukunft.

Doch für die Zukunft hatte der nie schlummernde Hüter Israels gesorgt, ehe noch der Schlag erfolgte.

»Am 3. August 1492, am 10. Ab, schiffte Columbus sich ein, um eine neue Welt und eine neue Freiheit zu entdecken« [109]).

Tages zuvor, am Unglückstage der Juden, war die ihnen bewilligte Frist abgelaufen, und es wurden verjagt »alle jene scheusslichen pestverbreitenden, wüthigen, mit Recht vogelfreien jüdischen Horden, die gänzlich auszurotten weise gewesen wäre; die Alles durch ihre Berührung beschmutzen, durch ihren Blick verderben, durch ihre Rede verwüsten; die Göttliches und Menschliches verwirren, anstecken, zertreten, — welche die unglücklichen Nachbarn ausplündern mit Lug und Hinterlist und Geld erpressen durch Meineid und Prozesse. Wen kann das Loos eines solchen verworfenen Geschlechtes kümmern?« [110])

Die Juden traten nun wieder ihre Wanderungen an, auf denen wir sie im folgenden Capitel begleiten werden.

Fünftes Capitel.

Wanderungen der spanischen Juden, Türkei, Berberei, Italien. Die Juden in Portugal. Sprache und Literatur der ausgewanderten Juden. Die spanische Bibel-Uebersetzung. Die Familie Usque. Hebräisch-spanische Gedichte.

Solche Leiden wie das jüdische Volk hat kein anderes ertragen! Solche Wanderungen waren über keine andere Nation verhängt!

Um den Juden den Auszug aus ihrem geliebten Heimathslande noch zu erschweren, hatte Torquemada, dieser Auswurf der Hölle, seine verpesteten Edicte gegen sie geschleudert. Niemandem sollte es gestattet sein, den abziehenden Juden irgend einen Dienst der Menschlichkeit zu erweisen, nach der Frist irgend einen Juden unter Dach zu nehmen, sie als Menschen zu behandeln. Stand es den Exulanten nach allerhöchstem Befehl auch frei, ihre liegenden Gründe zu veräussern, und, o welche Gnade! ihre schweren Möbel mit auf die Reise zu nehmen, so war es ihnen doch streng untersagt, ihr Gold und Silber, mit einem Worte ihre Schätze aus dem Lande zu führen [111].

So von aller Welt verlassen, mit Sclaverei und dem Tode bedroht, stand ihnen nur ein Weg offen, schleunigst das Land zu räumen. Exil war der einzige Anker der Rettung. Konnten sie denn nicht wieder wie oft zuvor die Maske der Verstellung anlegen? Nicht wieder einmal ihr Leben und ihr Bleiben mit der Heuchelei im Bekenntnisse erkaufen? Standen ja in den Wochen vor dem Auszuge aus dem neuen Egypten alle Kirchenthüren offen, um die Schwachen unter den Starken hereinzulocken! Nur sehr wenige Schwächlinge griffen leichtsinnig und unüberlegt zu dem Rettungsmittel, sich dem Schutze der Heiligen anzuvertrauen, nur sehr Wenige erkauften ein Leben, das nach einer langen Gewissensmarter den Flammen der Inquisition geopfert werden musste.

Vorbereitet; ihren Gott im Herzen, ihre Habe auf den Schultern, ihre grossen Lehrer an der Spitze, standen 600,000 [112] Menschen, Väter und Mütter mit ihren zarten Säuglingen an der Brust, reisefertig. Noch einmal betraten sie die heiligen Räume und beteten zum letzten Male in ihren alten Synagogen, diesen stummen Zeugen

ihrer erduldeten Drangsale, zu dem so oft und so schwer sie prü-
fenden Gott. Noch einmal erschallte aus ihrem gepressten Herzen
jener Scheideruf, womit der Jude sein theuerstes Erdenbesitz auf
immer entlässt, womit er selbst von hinnen scheidet. Noch einmal schaarten sich die Schüler um ihre geliebten scheidenden Lehrer, aus deren Munde sie das Wort des Herrn nicht mehr vernehmen
sollten. Tage lang, so erzählt ein Zeitgenosse, verweilten sie, den
Wanderstab in der Hand, auf den Gräbern ihrer Väter, rissen die
Leichensteine aus und nahmen unter Jammer und Geschrei Abschied von den in Frieden und Seligkeit dort Ruhenden.

O, weinet nicht um die Todten, weinet um die Wandernden,
die nicht wieder zurückkehren und das Land ihrer Geburt sehen!

Als der Tag der Wanderung herankam, es war der National-
trauertag seit uralten Zeiten, waren alle Hauptstrassen des Landes
mit den Exulanten bedeckt. Alt und jung, Arme und Reiche,
Kranke und Hilflose, Männer, Frauen und Kinder eilten bunt
unter einander, einige auf Pferden und Eseln, der grösste Theil zu
Fuss, Jeder mit dem theuersten Gute, und war es auch nur der
Leichenstein der geliebten Mutter bedeckt, Alle eilten den verschiedenen Häfen des Landes zu.

600,000 Menschen waren fortgezogen, der Kern der spanischen Industrie, die Basis des Handels, die gelehrteste und ge-
bildetste Classe der Bevölkerung.

Eine im Verhältniss zu den Ausgetriebenen freilich geringe,
immer aber noch bedeutende Anzahl Juden war zurückgeblieben.
Viele von ihnen erlagen der mit unübertroffener Meisterschaft von
den Spaniern getriebenen Kunst der Marter, Viele endeten auf den
Scheiterhaufen der Inquisition, Viele wanderten ihren vorangegangenen Brüdern nach, Einige von diesen, die emsigen Pfleger der
castilianischen Muse, werden wir in der Folge näher kennen lernen.

Zuvörderst bringen wir jedoch die abziehenden Juden an den
Ort ihrer Bestimmung.

———————

Indem wir nun die spanischen Exulanten auf ihren Zügen und
Wanderungen verfolgen, begleiten wir zuerst Diejenigen, welche
nicht allein Spanien, sondern ganz Europa verliessen und ihren
Weg nach den Ländern einschlugen, wo ihre Vorfahren, frei vom
Joch einer herrschenden Kirche und des Glaubenszwangs, vor
Jahrtausenden weilten, nämlich nach Asien, nach der Türkei.

Sie gedachten der Glanzperiode, welche ihnen unter maurischen Chalifen beschieden war; sie hatten sich in ihren Erwartungen und Hoffnungen nicht getäuscht. Daher bildete die Türkei auch einen Hauptsitz der spanischen Juden, und die Gründe, weshalb sich Viele gerade hierher zurückzogen, liegen nicht sehr fern. Sie waren überzeugt, dass ihnen freie Religionsübung würde gestattet werden, da sich ausserdem eine Anzahl Griechen und Anhänger anderer Religionen im Reiche befanden. Sie hatten keinen Neid und Zwang zu befürchten, da die Türken sich mit den verschiedensten Künsten und Handwerken beschäftigten.[113] Die türkische Politik erkannte auch den Nutzen, welchen die jüdische Bevölkerung der Industrie und dem Handel bringen würde. Soll doch Bajazet II., der tapfere Eroberer von Constantinopel, im Tone der Verwunderung ausgerufen haben : »Ich begreife nicht, wie die katholischen Majestäten so unklug handeln können! Sie hatten in ihren Ländern solche Diener, die Juden, und vertrieben sie«[114].

Spanische Geistliche, in der Fabrikation verdächtigender Manuscripte gar nicht ungeschickt, benutzten die günstige Aufnahme, welche ihre Juden bei dem Gross–Sultan fanden und verfertigten eine Anfrage[115] der spanischen Juden bei ihren Brüdern in Constantinopel, mit deren Inhalt wir unsere Leser bekannt machen wollen.

Brief der Juden Spaniens an die Constantinopels.

Geehrte Juden, Heil und Gnade! Wisset, dass uns der König von Spanien durch öffentlichen Befehl zu Christen machen, uns unser Vermögen und Leben nehmen will, unsere Synagogen zerstört und uns noch andere Plagen bereitet, welche uns verwirren, so dass wir nicht wissen, was wir thun sollen. Nach dem Gesetze Mosis (!) fragen wir Euch, was Ihr für recht haltet, und bitten, uns in aller Eile wissen zu lassen den Beschluss, welchen Ihr gefasst habt.

Chamorro,

Haupt der Juden in Spanien. *)

---

*) »Carta de los Judios de España á los Judios de Constantinopla.

»Judios honrados, salud ó gracia: Sepades que el rey de España por »pregon publico nos hace volver cristianos y nos quiere quitar las haciendas

· Hierauf mussten nun die Juden Constantinopels antworten:

Geliebte Brüder in Moses! Euren Brief, in welchem Ihr uns das Elend und die Unglücksfälle, welche Ihr leidet, anzeiget, haben wir erhalten und wir fühlen den Schmerz darüber, wie Ihr selbst. Die Meinung der grossen Satrapen und Rabbis ist: betreff Eurer Aussage, dass der König von Spanien Euch zu Christen machen will, willigt ein, da Ihr nichts andres thun könnet. Betreff Eurer Aussage, dass man Euch Euer Vermögen nimmt, lasset Eure Kinder Kaufleute werden, dass sie ihnen das ihrige nehmen. In dem was Ihr sagt, dass sie Euch das Leben rauben, lasset Eure Söhne Aerzte und Apotheker werden, dann können sie ihnen das Leben nehmen. Was Eure Rede betrifft, dass sie Eure Synagogen zerstören, machet Eure Söhne zu Geist- lichen, dass sie entweihen und zerstören ihre Religion und ihre Tempel. Sie quälen Euch noch in anderer Weise —, sorget dafür, dass Eure Söhne in den Staatsdienst eintreten, dann könnet Ihr sie unterjochen und Euch an ihnen rächen. Gehet nicht ab von dem Rath, welchen wir Euch geben und Ihr werdet aus Erfahrung wahrnehmen, dass aus Verachteten Ihr Hochgeschätzte werdet.

Usuff,
Haupt der Juden Constantinopels.

»y nos quita las vidas, y nos destruye nuestras sinagogas y nos hace otras »vejaciones, las cuales nos tienen confusos ó inciertos de lo que debemos »hacer. Por la ley de Moysen os rogamos y suplicamos tengais por bien de »hacer ayuntamiento ó inviarnos con toda brevedad la deliberacion que en »ello habeis hecho.

Chamorro,
principe de los Judios de España.«

Wir halten es nicht für überflüssig, einige Worte zur Erklärung dieses mysteriösen »principe de los Judios« hinzuzufügen. Dass es ein fingirter Name mit injuriöser Bedeutung ist, sieht Jeder leicht ein. Chamorro ist nach Pidal, (Cancionero de Baena, 652) ein epiteto injurioso, mit welchem die Castilianer das portugiesische Volk zu bezeichnen pflegten. So heisst es in dem Supple- ment zur Chronik Heinrich III. (Jahr 1397) in dem Berichte von einem Siege, welchen die castilianischen Truppen über die der Portugiesen erfochten: »Sie tödteten alle Chamorros (Portugiesen) und warfen sie in's Meer (e mataron a todos los Chamorros e echaron los en la mar). Nach Nuñes de Leao (Chr. del Rey D. Juan II de Portugal) scheinen sich die Portugiesen selbst

Solche unter das Volk verbreitete Actenstücke, welche sich dem berühmten Toledaner Judenbriefe und anderen so gern benutzten Juden–Eingaben an Werth und Aechtheit anreihen, waren ganz geeignet, den Hass der Menge gegen die Judaisirenden zu erregen.

Unstreitig hatten die nach der Türkei und Levante ausgewanderten Juden das beste Loos getroffen. In Ruhe und ohne Störung konnten die mit ihnen dorthin gelangten rabbinischen Grössen den talmudischen Studien nachhangen und Gemeinden wie Constan-

---

unter einander diesen Titel gegeben zu haben. Im Castilianischen wird ausserdem jeder Chamorro genannt, der das Haupt kahl und kurz geschoren hat, und da im Mittelalter, besonders im ritterlichen Spanien, das lange Haar Zeichen des Adels war, und nur der niedre Stand, die gente plebeya, dieses natürlichen Schmuckes entbehrte, so wurde Chamorro gleichbedeutend mit »niedrig, schlecht, gemein«. Dem gelehrten Pidal scheint bei dieser auf geschichtlicher Basis beruhenden Erklärung dennoch der eigentliche Ursprung des Wortes entgangen zu sein. Chamorro ist unserer Meinung nach nichts anderes als das chaldäische חמרא (vgl. die chaldäische Uebersetzung des Onkilos zu 2. B. Mos. 13, 13), »Esel«, ein Wort, welches seinem Begriffe nach mit dem castil. Chamorro vollkommen übereinstimmt. Dass die spanische Sprache in nicht unbedeutender Anzahl Wörter besitzt, welche erst mit der Invasion der Araber Eingang gefunden haben und semitischen Ursprungs sind, ist längst bekannt und auch Chamorro dürfte hierzu gerechnet werden.

»Respuesta de los Judios.

»Amados hermanos en Moysen: Vuestra carta recebimos, en la cual nos »significais los trabajos é infortunios que padeceis, de los cuales nos ha cabido »tanta parte como a vosotros. El parecer de los grandes satrapas y rabies es »el siguiente: A lo que decis que el rey de España os hace volver cristianos, »que lo hagais, pues no podeis hacer otro. A lo que decis que os manda quitar »vuestras haciendas, haced vuestros hijos mercaderes para que les quiten »las suyas; y a lo que decis que os quitan la vida, haced vuestros hijos médi-»cos ó apotecarios para que les quiten las suyas; y a lo que decis que os »destruyen vuestras sinagogas, haced vuestros hijos clérigos para que les »profanen y destruyan su religion y templo. A lo que decis que os hacen otras »vejaciones, procurad que vuestros hijos entren en oficios de republica para »que sugetandola os podais vengar de ellos. Y no salgais de esta orden que »os damos, porque por esperiencia vereis que de abatidos vendreis a ser »tenidos en algo.

Usuff,
principe de los Judios de Constantinopla. «

tinopel, Adrianopel, Saloniki, Damaskus u. A. wurden Sammelplätze jüdischer Gelehrten.

Von den türkischen Niederlassungen aus wanderten viele spanische Emigranten nach ihrem Ursitze und suchten im Stammlande eine neue Heimath. Viele zogen in das Land der »rührendsten Erinnerung«, in die »warme Zone religiöser Ueberzeugung«, um in heiliger Erde sich ein Grab zu bestellen.

Aus den Häfen von Carthagena, S. Maria und Cadiz schiffte sich eine nicht unbedeutende Menge nach dem gegenüberliegenden Afrika ein. Tanger und Tituan boten den Ankömmlingen freundliche Aufnahme, Algier und Constantine wiesen sie von ihren Thoren nicht ab. Noch lastete auf Oran nicht das spanische Joch und seine Juden bereiteten ihren aus Spanien verjagten Brüdern gastlichen Empfang. Der Arzt und Rabbiner R. Ephraim Aluncawi führte eine Gemeinde vertriebener Spanier nach Tlemesan. Anfangs verweigerten ihnen die Bewohner den Einlass, als aber die Tochter des Scheiks das Elend der Bittenden gewahrte, wurde das edle Frauenherz von Mitleid bewegt und ihrer Verwendung verdankten die Juden die Erlaubniss, sich dort niederlassen zu dürfen.

Diejenigen, welche nach Fez ausgewandert waren, wurden von dem Strafgerichte des Hochgelobten betroffen, besonders von der schweren Hungersnoth. Die Einwohner erlaubten ihnen nicht den Zutritt in die Städte, aus Furcht vor einer Theurung der Lebensmittel. Auf dem freien Felde schlugen sie ihre Hütten auf, sie sättigten sich vom Grase, froh genug, wenn sie solches nur fanden. Am Sabbath pflückten sie es mit dem Munde ab und trösteten sich damit, dass sie es nicht mit der Hand abgeflückt hätten. Viele starben auf dem Felde und Niemand begrub sie, den sie Ueberlebenden fehlte die Kraft, ihnen den letzten Liebesdienst zu erweisen. Nachdem die Hungersnoth vorüber war, räumte der damals regierende, menschenfreundliche König den Juden Wohnsitze ein [116]), und auch Fez wurde ein Sammelplatz spanischer Gelehrten. Dort lebte und wirkte Jacob Berab, dort fanden die gelehrten Usiel eine neue Heimath.

Die ganze Küste des mittelländischen Meeres, die Berberei bis nach Egypten hin, Egypten selbst wurden von den spanischen Exulanten bevölkert und noch heute trifft man in diesen Gegenden kaum eine grössere Stadt, ohne auch ihre durch Religiosität und strenges Festhalten an das Gesetz, so wie durch talmudische Gelehrsamkeit sich auszeichnende Nachkommen zu finden. Viele von ihnen erlangten Berühmtheit in der Geschichte und wurden als Staatsdiener, als Consuln und Gesandte von ihren Fürsten verwandt.

Auch China und Indien wurden auf dieser grossen Wanderung jüdischen Volks nicht unberührt gelassen.

Rühmen sich doch selbst die schwarzen Juden in Cochin spanischer Abkunft!

Ein Schiff voll jüdischer Auswanderer steuerte Griechenland zu. Von den im nördlichen Theile Spaniens wohnenden Juden begaben sich Viele nach Frankreich; auf einige der dort Eingewanderten werden wir später zurückkommen.

Selbst nach dem eigentlichen Hauptsitze des Katholicismus, nach dem Orte, von dessen Capitol aus Edicte und Bullen so oft gegen sie geschleudert wurden, nach Italien, nach Rom flohen die Unglücklichen.

Ihre Reise dorthin war eine schreckliche. Ein Gemälde des Unglücks dieser Auswanderer ist durch einen Genueser Historiker[717], einen Augenzeugen, geliefert worden. Eine grosse Menge, die zarten Kinder insbesondere, starben vor Hunger. Mütter, denen kaum die Kraft blieb, ihre Säuglinge an ihr Herz zu drücken, trugen sie in ihren Armen und starben mit ihnen. Viele erlagen der Kälte, Viele dem Durst. In Genua angekommen, wurden sie kaum in die Stadt gelassen und ihnen nur gewährt, von der beschwerlichen Reise auszuruhen. Man hätte sie für Gespenster gehalten: leichenblass war ihr Gesicht, tief gesunken ihr Auge; nur durch die Bewegung unterschieden sie sich von den Todten.

Von Hunger und Durst verzehrt, krank und schwach, kamen sie endlich am Neumondstage des Elul, am 23. August 1492, in dem Hafen von Neapel an. Dort regierte damals der weise Ferdinand I., »der fromme König«, wie ihn der jüdische Chronist bezeichnet. Er freute sich, die unglücklichen Vertriebenen in seinen Staaten aufnehmen zu können; ganze Schaaren von Juden betraten das neapolitanische Gebiet. Was haben sie aber nicht ertragen müssen, nachdem ihr Fuss schon einen Ruhepunkt gefunden hatte? Sie sanken hin, verdorrt wie das Gras des Feldes. Gross war das Sterben unter den eingewanderten Juden: 6 Monate nach ihrer Ankunft brach eine verheerende Pest in Neapel aus, welche nicht allein den grössten Theil der Bevölkerung fortraffte, sondern auch bewirkte, dass die von der Krankheit und dem Würgengel verschont Gebliebenen mit der Verbannung bedrohet wurden. Nur die Menschenfreundlichkeit des Königs hielt dieses neue Elend von ihnen ab.

Nach dem Tode Ferdinand's (1494) hatten die Juden Neapels, trotz der Milde, womit sie von seinem Nachfolger behandelt wurden, durch die Invasionen der Franzosen Entsetzliches zu leiden. Doch dieses gehört nicht in den Kreis unserer Betrachtung.

Ob Mailand, Venedig und andere italienische Städte schon von den aus Spanien wie später von den aus Portugal verjagten Juden zu Wohnsitzen ausersehen worden, soll hier nicht erörtert werden. Sicher ist, dass die venetianische Republik die geflüchteten Marannen 1497 verwiesen hat[118].

Die freundlichste Aufnahme fanden die spanischen Juden in Rom. Der Sitz der Hierarchie hatte damals weltliche Macht erstrebt. Durch eine wunderbare Fügung der Gottheit öffnete sich den heimathlos Herumirrenden ein neues Pförtchen, in einer Zeit, wo so viele Thore ihnen geschlossen blieben.

Sixtus IV. war gestorben, Alexander VI. hatte am 11. August die Statthalterschaft des Himmels auf Erden übernommen.

Alexander, der Vater des berüchtigten Cesar Borgia, dieses Virtuosen des Verbrechens, hatte sein ganzes Leben hindurch nur getrachtet, die Welt zu geniessen, vergnügt zu leben, seine Gelüste, seinen Ehrgeiz zu befriedigen. In dem glückseligen Gefühle, endlich die oberste geistliche Würde errungen zu haben, schien er täglich jünger zu werden, so alt er auch war. Sein ganzes Sinnen und Denken war darauf gerichtet, wie er seine Söhne zu Aemtern und Würden bringen, was ihm Nutzen verschaffen könne[119]. Was leistete wohl mehr Vorschub seine Zwecke zu erreichen, als die Aufnahme der mit Gold beladenen spanischen Juden! Er erkannte den Werth des Geldes und die Handelserfahrungen Derjenigen, welche es brachten, und nicht vermochten die tausend Goldstücke, welche die einheimischen Juden Rom's dem heiligen Vater boten, ihre bittenden Brüder von der Stadt abzuweisen, seinen Entschluss zu ändern. Bereitwillig wies er ihnen Quartiere an und die Unheil im Schilde führenden römischen Juden mussten 2000 Goldstücke erlegen, um selbst in dem alten Rom bleiben zu dürfen[120].

So bildeten sich in Neapel, Rom, Ancona, Mantua und Ferrara Gemeinden spanischer Juden. Unter Italiens lächelndem Himmel

erheiterte sich ihr Gemüth, fand ihr Handelsgeist neuen Boden und
die Literatur durch sie eine neue Pflege.

Wir verlassen einstweilen Italien, um bald wieder dorthin
zurückzukehren und wenden uns auf einige Augenblicke nach dem
Nachbarlande Spaniens, nach Portugal.

. Die Politik dieses mit dem Reiche der Unduldsamkeit durch
natürliche Lage eng verwandten Landes war eine ihm ähnliche. Wie
konnte es anders sein, als dass auch die inneren und äusseren
Zustände der hier ansässigen Juden sich ziemlich gleich gestaltet
hatten?

Die Juden zeichneten sich auch in Portugal durch Fleiss und
Thätigkeit vor den übrigen Bewohnern des Landes aus, sie hatten
sich auch hier durch ihren Handelsgeist grosse Reichthümer erworben und Viele von ihnen Würden und Staatsämter erlangt.
Auch hier lag das Finanzwesen und die medicinische Kunst fast
ganz in ihren Händen. Die in den Judarias eingeschlossenen, unter
eigener Gerichtsbarkeit stehenden Juden nahmen somit immer eine
nicht unbedeutende Stellung im Staate ein und erregten dadurch,
wie in Spanien, den Neid des Volkes und den Hass der Geistlichkeit. Es ist daher nicht sehr überraschend, dass unter den Anklagen, welche der hohe Clerus gegen den mit der Kirche in Zwist
und Uneinigkeit lebenden Sancho II. erhob, auch ein besondres
Gewicht auf seine Begünstigung der Juden gelegt wurde.

Der allgemeine Fanatismus, welcher von den 90er Jahren des
14. Jahrhunderts an in Spanien loderte, diese Tauflust der spani-
schen Geistlichkeit musste selbstverständlich die Grenze überschreiten und auch Portugal mit Schrecken erfüllen. An Tumulten
fehlte es auch hier nicht. 1449 erregten einzelne den Juden stark
verschuldete Christen einen Aufruhr in Lissabon und tödteten viele
ihrer lästigen Gläubiger. Das Gemetzel ward mit solcher Wuth
getrieben, dass der König Affonso V., welcher von Evora herbei-
eilte, nicht im Stande war, ihm Schranken zu setzen.

Je mehr die Juden mit irdischen Gütern gesegnet waren, je
mehr sie ihren Reichthum entfalteten, desto grösser wurde der
Hass der Gesammtbevölkerung. Besonders waren es auch hier die
Geistlichen, welche die Herrscher beständig angingen, die Frei-
heiten der ungläubigen Juden zu beschränken und die wenigen
zugestandenen Rechte ihnen wieder zu nehmen. Ein Mönch
von Sanct Marcus machte dem König den Vorschlag, ihnen den

Handel zu entziehen und bemerkte in seiner Petition, dass dieses ein Remedium sei, welches, als heilsam für den Staat, schon oft von der Majestät gefordert worden wäre. Es entspriesse dem Monarchen mehr Ehre und Vortheil daraus, meinte der mönchische Diplomat, seine eingeborenen Unterthanen reich zu machen, als wenn sich die Schätze in den Händen der Fremden befänden, die dem Lande doch wohl keinen Nutzen brächten.

Gestattete es das uns gesteckte Ziel, die Geschichte der Juden in Portugal in allen ihren Einzelnheiten zu verfolgen, wir würden wahrnehmen, dass sie dieselben Phasen durchlaufen haben, wie in dem Nachbarlande. Immer dieselben Klagen über den Luxus, über ihre fürstlichen Wohnungen, dieselben Verläumdungen, dieselben aufrührerischen Reden! Es ist dem verarmten Adel ein Dorn im Auge, dass die Juden auf Pferden und reich behangenen Maulthieren als Reiter erscheinen und in prächtigen Gewändern sich zeigen, dass sie Herren sind, da sie doch eigentlich wie Knechte behandelt werden sollten [121]).

João II., der Nachfolger Affonso V., war den Juden nicht abgeneigt, und auch bemüht, sie vor den Plagen des Volkes und den Bestrebungen der Cortes in Schutz zu nehmen. Sie von dem Amte, die Steuern einzuziehen, auszuschliessen, konnten ihn die wiederholten Bitten der Cortes nicht bewegen, er begnügte sich damit, ihnen alle sonstigen Staatsämter zu entziehen.

Der ewig denkwürdige letzte Märztag des Jahres 1492 bildet den Anfang einer neuen Epoche in der Geschichte der Juden Portugals. Viele der spanischen Juden, welche ihr Heil nicht im Weiten suchen wollten, richteten ihren Blick nach diesem schmalen Küstenstriche. Portugal lag ihnen ja so nah, ihrer Brüder und Genossen gab es ja dort in grosser Menge!

Dreissig der edelsten Familien der spanischen Juden hatten gleich anfangs, als der Befehl vom 31. März publicirt worden war, den König João um die Erlaubniss gebeten, bei ihm Zuflucht suchen zu dürfen. Diese dreissig Familien, ihren alten Lehrer, den letzten Gaon von Castilien, R. Isaac Aboab an der Spitze, zogen mit königlicher Bewilligung nach Porto, wo ihnen in einer besondern Strasse, S. Miguel-Strasse genannt, gegen eine bestimmte Summe von den Bürgern Wohnsitze eingeräumt werden mussten. Unter ihren mit P, dem Buchstaben der Stadt, decorirten Häusern ragte bald nach ihrer Ankunft eine Synagoge hervor [122].

Ob diese dreissig vorangegangenen Familienväter auch die übrigen Genossen haben kommen lassen? Zu den vielen Fabeln, welche die Bosheit und Verläumdung über die Juden in allen Zeiten ausgesprengt haben, gehört auch die von vielen Historikern berichtete Gesandtschaft der spanischen Flüchtlinge nach Portugal, so wie die Antwort, welche die als Spione und Kundschafter geschilderten Deputirten überbracht haben sollen. Kommt nur! Das Land ist gut, das Volk dumm und das Wasser (der Seehandel) gehört uns.

Sie kamen. Mit des Königs Erlaubniss betraten sie das Land, gegen den Willen des Volkes. In einer zu Cintra anberaumten geheimen Rathssitzung rechtfertigte der Monarch seine, der Menge missbeliebige Handlungsweise. Er erklärte ganz offen, dass die politischen, die finanziellen Verhältnisse ihn zu diesem Zuge der Menschlichkeit bewogen hätten und dass er beabsichtige, mit den von den Juden zu zahlenden Einzugsgeldern einen Krieg gegen Afrika zu unternehmen. Gaben auch einige Mitglieder des Rathes dem Könige ihren vollen Beifall zu erkennen, so erhoben doch andere, von Fanatismus und Judenhass inspirirte Herren heftige Gegenrede und legten ihrem Herrscher die Frage vor, ob denn Portugal im Glaubenseifer hinter Castilien zurückstehen dürfe? João II. war jedoch nicht der Mann, welcher sich von einem einmal gefassten Entschlusse so leicht abbringen liess und hunderttausend der aus Spanien Verjagten überschritten die Grenzen seines Königreichs.

Binnen acht Monaten sollten diese Flüchtlinge gegen eine Steuer von acht Crusaden eingeschifft werden, wohin ihr Herz begehrte. Das hatte ihnen der König versprochen. Olivença, Arronches, Castello-Rodrigo, Bragança und Melgaço waren ihnen als Aufenthaltsorte angewiesen. Alle Arten von Beschimpfungen und Gewaltthätigkeiten hatten die, acht Monate geduldeten Juden von dem sie hassenden portugiesischen Volke zu ertragen. Ein Unglück kommt selten allein! Die Volkswuth fand neuen Stoff. Eine Pest brach im Lande aus und raffte Tausende der Bevölkerung fort. Wie die nach Rom geflüchteten Juden die sonderbarer Weise im päpstlichen Palaste zuerst bemerkte Lustseuche [123] — Papst Alexander und seine galanten Söhne, die Brüder Borgia sind zuerst davon befallen worden — sollten mitgebracht haben, so wurden auch die in Portugal Aufenthalt Genommenen beschuldigt, die Pest im Lande verbreitet zu haben. An allem Elend sollten die Juden Schuld haben. Mit Ungestüm verlangte die Menge ihre Entfernung, so dass den ewig Gehetzten und Verfolgten nichts anders übrig blieb, als in aller Hast auf die vor Anker liegenden Schiffe zu fliehen und noch vor der abgelaufenen Frist das Land zu verlassen. Von Tanger und Arzilla aus traten sie die unselige Reise nach Afrika an; nur Wenige betraten das Land, die Meisten wurden in der grauenhaftesten Weise auf den Schiffen massacrirt und ins Meer geworfen. Andere, welche aus Furcht vor gleichem Schicksale abgehalten wurden, sich den Wogen anzuvertrauen, wurden als Sclaven verkauft. Die Söhne rissen die Unmenschen aus dem Schoosse der Eltern; João hatte kein Ohr für die um ihre Kinder fussfällig Bittenden und schickte die geraubten Jünglinge nach der kurz zuvor entdeckten S. Thomas-Insel. »Dort wurden sie zum Theil von den Lagartos, einer Eidechsen- oder Seefisch-Art, verzehrt, zum Theil starben sie aus Mangel an allen Erfordernissen des Lebens« [124]).

»Dom Affonso, der älteste Sohn des Königs João«, fährt die jüdische Chronik in der Erzählung fort, »heirathete die Tochter des spanischen Königs Ferdinand und liebte sie sehr. Als er aber an seinem Freudentage auf einem schnellfüssigen Rosse ritt, strafte ihn der Herr, Affonso stürzte zu Boden und starb am folgenden Tage, worauf ihn sein Vater beweinte. Nach einiger Zeit starb auch der König João, da man ihn vergiftet hatte, ohne dass er einen Erben seines Reiches hinterliess, und es folgte ihm Manuel«, der Herzog von Beja, berühmt durch seine glanzvolle Regierung. Der neue Monarch, das Glied einer verfolgten Familie, hatte es in den Tagen seines eigenen Unglücks gelernt, menschlich zu fühlen. Mit einem Gnadenacte begann er seine Regierung: er befreite die von seinem Vorgänger zu Sclaven verkauften Juden und wurde für diesen Zug von Menschlichkeit mit einem reichen Geschenke belohnt.

Aber auch Manuel's Gesinnung wurde durch eine Herzens-, oder genau genommen Staatsangelegenheit vom höchsten Interesse geändert. Manuel wollte die Tochter des katholischen Königpaars heimführen und trat dadurch in die engste Verbindung mit dem castilianischen Hofe. Diese auf Ländervereinigung und Machterhebung berechnete Heirath bereitete den nach Portugal geflüchteten Juden eine schreckliche Feier. Die Königin Isabella hatte nämlich dem jungen Könige auf seine Bewerbung die Antwort ertheilt, dass er nicht früher daran denken könne, die Hand ihrer Tochter zu erhalten, als bis er mit ihr in ein Bündniss gegen Frankreich trete und — alle Juden aus seinem Lande verjage. Gegen Ende des October 1496 schickte Manuel seinen ersten Minister D. Alvaro an den castilianischen Hof, um Unterhandlungen wegen Ausgleich der gestellten Bedingungen anzuknüpfen, denn zu der von ihm geforderten gänzlichen Vertreibung der Juden konnte er sich nicht so leicht entschliessen und doch wollte selbst Isabella, seine Braut, nicht früher seine Gemahlin werden, bis das Edict der Verjagung publicirt worden wäre. Der König brachte auch die Angelegenheit vor seinen Rath. Hier waren die Meinungen getheilt. Sei es Nationalhass gegen die spanische Nation, sei es die religiöse Duldsamkeit, welche den Sinn der Räthe lenkte, sei es wirklich die Ueberzeugung, dass durch eine solche That dem ganzen Staatskörper Verderben drohe, — die Majorität des Raths war gegen diesen ihnen zur Annahme vorgelegten Beschluss. Die Räthe wiesen darauf hin, dass viele andere katholische Nationen die Juden in ihren Staaten duldeten, dass der Papst selbst sie in seinem Gebiete aufgenommen habe; sie machten den König aufmerksam, dass die Juden durch den Verkehr mit der christlichen Bevölkerung endlich wohl zum wahren Lichte könnten geführt werden; sie gaben ihm zu bedenken, dass die Verstossenen von den maurischen Herrschern bereitwillig aufgenommen und die muselmännischen Feinde von dem Reichthume und Speculationsgeist der Eingewanderten würden Nutzen ziehen und gefährlich werden. Alle Nachtheile, welche dem Staate aus dem Verluste so vieler gewerbthätiger Menschen erwachsen konnten und mussten, sah der König sehr wohl ein und doch fühlte er die Kraft nicht in sich, sie zu verhüten. Sein Verhältniss zu Spanien war schon zu weit gediehen, der Gedanke, einst die ganze Halbinsel unter einem Scepter zu vereinen, hatte zu mächtig auf ihn gewirkt.

Am 20. December 1496 erliess Manuel in Muge, einem kleinen Orte in der Nähe Lissabon's, vorläufig das Edict, dass alle nicht getauften Juden und der Consequenz wegen auch alle Mauren innerhalb einer Frist von 10 Monaten das Land verlassen sollten. Wer von ihnen nach dieser Zeit noch auf portugiesischem Gebiete angetroffen würde, sollte mit Verlust des Vermögens bestraft werden. Der König machte sich auch anheischig, um zu zeigen, dass noch nicht alles menschliche Gefühl in ihm erstorben sei, ihnen selbst bei der Abreise behilflich zu sein; er wollte sie hinbringen

lassen, wohin sie wünschten, wollte ihnen dienen, so viel er
könnte, wollte ihnen die Reise erleichtern, so viel als möglich.

Die Vertreibung der Juden aus Portugal basirt nicht auf Fanatismus, wenngleich das Volk sich gegen sie erhob, nicht auf Intoleranz, wiewohl! die Geistlichkeit gegen sie wüthete, nicht auf
einer falschen Politik, — die Cortes erklärten sich laut genug da-
gegen —; diese Vertreibung ist ein Verbrechen, wobei Manuel nur
den Henker spielte: der spanischen Isabella und der ihr ähnlichen
Tochter gebührt der Ruhm der Erklüglung.

Ohne Schutz, ohne Vaterland, ohne Freunde mussten die
Juden, eben angelangt, den Wanderstab wieder ergreifen. Der
grösste Theil, von dem hehren Glauben beseelt, dass auch dieses
Verhängniss göttlich Werk sei, ertrug mit Ergebung in den Willen
des Höchsten das Schicksal, sie traten mit gen Himmel gerichtetem
Blicke die Reise wieder an und wanderten. Anderen, welche aus
Liebe zum Vaterlande so sehr gefesselt waren, dass sie zum Exil
sich nicht entschliessen konnten, blieb nichts anders übrig, als
sich unter den Säulen der Kirchenkuppeln zu beugen. Ein alter
Rath João II. und Manuel's, D. Fernando Coutinho, Bischof von
Silves (Algarve), welcher mit aller Kraft gegen die Vertreibung und
mehr noch gegen die gezwungenen Taufen gekämpft hatte, wiederholte damals den Ausspruch eines Isidor von Sevilla: »Sie —
die zur Taufe genöthigten Juden — können wohl characterem sed
non rem sacramenti habere. Alle Gelehrten und auch ich, weniger weise als Alle, haben aus mehreren Autoritäten und Rechts-
sprüchen bewiesen, dass sie nicht gezwungen werden dürfen, den
christlichen Glauben anzunehmen. Freiheit will und begehrt er,
nicht aber Gewalt«[125]).

Wie wenig beherzigte der von Liebe geblendete Manuel den
Rath seines ehrwürdigen Bischofs! Er liess die Söhne und Töchter, welche das vierzehnte Jahr noch nicht überschritten hatten,
den Eltern gewaltsam entreissen und schickte sie zur Erziehung in
dem christlichen Glauben nach allen Städten, Flecken und Dörfern
seiner Monarchie. Die Kunde von diesem in Estramoz beschlosse-
nen und auf den heiligen Ostertag festgesetzten Kinderraub verbreitete sich bald durch das ganze Land und erfüllte selbst die
christliche Bevölkerung mit Staunen und Schrecken. Hat die Geschichte wohl eine That grauenhafterer Art -aufzuweisen? Die
Klagen der Mütter, von deren Brüsten die kleinen Kinder gerissen

wurden, die Seufzer und das Geschrei der Väter, das Schluchzen
und Gewinsel der auf fremden Armen gewaltsam fortgeschleppten
Säuglinge verwandelten so das Königreich in ein Theater, auf welchem ein phantastisches, teuflisches Drama aufgeführt worden ist.
Wer das Schluchzen und das Geschrei der Frauen nicht vernommen hat, bemerkt die jüdische Chronik bei dieser Erzählung [126]), hat
nie in seinem Leben Jammer und Kummer und Unheil wahrgenommen. Die zur Verzweiflung getriebenen, gleich Wahnsinnigen um-
herirrenden Eltern leisteten Widerstand, und wie Löwinnen, denen
ihre Jungen genommen werden, setzten die Frauen sich zur Wehr.
Viele zogen vor, ihre geliebten Kinder mit eigener Hand zu tödten;
sie erstickten sie und warfen sie in Brunnen oder Flüsse. Ich habe
mit eigenen Augen gesehen, sagt der biedere Coutinho, wie ein
Vater mit verhülltem Haupte in Zeichen der grössten Trauer und
des Schmerzes seinen Sohn zum Taufbecken führte und sich nie-
derwerfend, den Allgewaltigen zum Zeugen anrief, dass sie, Vater
und Sohn, im mosaischen Gesetze, als Märtyrer fürs Judenthum
sterben wollten. O, er hat noch viel Schlimmeres gesehen! [127])

Manuel wollte die Juden nicht von sich lassen. Alle seine
Operationen zeigen deutlich, dass er sie im Lande behalten wollte
und doch musste er sie vertreiben, denn die Geliebte seines Herzens wollte es so.

Schlecht hielt der Verbrecher aus blinder Liebe die grossartigen, den abziehenden Juden gemachten Versprechen. Anfangs
hatte er ihnen drei Häfen, Porto, Lissabon und Algarve zur Ein-
schiffung angewiesen. Bald änderte er seinen Plan dahin, dass
alle Juden sich nach Lissabon verfügen sollten. Gegen 20,000 kamen
dort zusammen, und was nun geschah? Leset die Chroniken, leset
die Geschichten! Sie wurden in die tiefsten Kerker geworfen,
man ergriff sie bei den Armen und an den Locken ihres Hauptes,
schleppte sie in die Kirche [128]) und — »die Thaten, die dort voll-
führt wurden«, ruft der wackere Herculano aus, »sind ein
Schandfleck des Christenthums« [129]).

Nicht lange nach diesen Gräuelthaten wurde auch das Herz des
dennoch nicht grausamen Königs von Gewissensbissen gequält. Er
glaubte das von ihm ausgeführte Verbrechen dadurch bedecken zu
können, dass er die mit Taufwasser gewaltsam besprengten Juden,
welche auch hier wie in Spanien »Neue-Christen, Christãos-novos«
genannt wurden, in Schutz nahm und ihnen gestattete, als abge-

schlossene Race, als Parias zu leben, wenn sie sich nur äusserlich zum Christenthume bekennen wollten. Neu bekehrte Aerzte und Chirurgen durften nun auch wieder hebräische Bücher zu ihrer Belehrung in die Hand nehmen.

Diese Gnade bot allerdings vielen Verstellung hassenden Juden Gelegenheit zur Rettung. In den wenigen Jahren der Ruhe bereiteten sie sich vor, dem letzten Ruin zu entgehen. Heimlich verwertheten sie ihr Vermögen und gingen nach Italien, dem Orient und Flandern; wo sie religiöse Duldung und ein Asyl zu finden hofften, dorthin trug sie ihr matter Fuss.

Diese Gnade bahnte aber auch den Weg zur Einführung des Glaubensgerichts in Portugal. Es gab bald keine eigentliche Juden mehr im Lande und doch war die Zahl derer, welche nach jüdischem Gesetze lebten, mit einem Worte ihrer lautern, innern Ueberzeugung und ihrer äussern Handlungsweise nach dem Judenthume, ihrer Mutterreligion, angehörten, unendlich gross. Zwanzig Jahre wollte man diesen durch die Noth und Gewalt zu Betrügern gewordenen, grundehrlichen Menschen ein Leben im Judenthume nachsehen, ohne sie zu beunruhigen; zwanzig Jahre sollte keine Untersuchung über ihren Glauben stattfinden: ein Toleranz-Edict auf zwanzig Jahre war proclamirt worden. Kaum dass dieser königliche Wille in Kraft trat! Auch diese Verheissung wurde nicht erfüllt.

Eins der denk- und merkwürdigsten Jahrhunderte, eins der gewichtigsten, thatenreichsten der Weltgeschichte hatte seinen Lauf beendet. In dem ersten Jahre des neuen, die Epoche des finstern Mittelalters schliessenden Jahrhunderts, wandten sich die Neuen-Christen mit Beschwerden nach Rom. Predigende Mönche, wie gewöhnlich Dominicaner, hatten das Volk wieder belehrt. Es gährte im Volke, bis sich endlich der schwarze Krater öffnete und allenthalben Verderben und Jammer anrichtete. Die Zeichen zu einem neuen Ausbruche der Volkswuth kündigten sich an. Am 25. Mai 1504, es war am Pfingsttage, hatte eine Schaar frommer Burschen ihren sie weihenden Priester an der Spitze, das Signal gegeben, die Neuen-Christen zu überfallen. Viele von ihnen wurden niedergemetzelt. Die Gerechtigkeit des Königs schickte vierzig der funfzehnjährigen Rädelsführer zum Lohne nach der Thomas-Insel.

Das war nur der Vorläufer zu einem noch grösseren Ereignisse. Der Hass gegen die geheimen Juden schlummerte nicht und wartete nur auf eine günstige Gelegenheit, sich in seiner vollen Wuth zeigen zu können. Diesesmal kam die Natur und ihre Erzeugnisse ihnen zu Statten.

Eine Pest brach im Anfange des Jahres 1506 in der Hauptstadt wieder aus. Der König verliess aus Furcht, von dem Würgengel ergriffen zu werden, eiligst Lissabon und suchte sich in nahe gelegenen Städten zu bergen. Nirgends sicher, überschritt er den Tajo und nahm seinen Sitz in Beja, vertauschte aber auch diesen Aufenthalt bald mit Setubal. Allentbalben wüthete die Seuche. Sie trat so verheerend auf, dass bis zum April fast täglich 130 Menschen fortgerafft wurden. Oeffentliche Gebete wurden in allen Kirchen angestellt, in grossen Processionen durchzogen die Geistlichen die Städte und recitirten Klagelieder und Psalmen; das Sterben hörte nicht auf. Da verfiel man endlich auf den unglückseligen, durch Wunder gereiften Gedanken, den alten Juden die Schuld beizumessen, als ob der Wandel der Neuen-Christen dieses göttliche Strafgericht herbeigeführt habe. Hatte es ja einer der Secte in seiner Unschuld gewagt, vor der versammelten Menge seinen Unglauben offen zu erklären. Ein Tumult, ja eine Volks—Revolution liess nicht lange auf sich warten. Der elende Ketzer wurde wie von wilden Thieren zerrissen und als letzte Oelung auf den Scheiterhaufen geschleppt. Ganz Lissabon war in Bewegung. Ein Mönch führte die Menge zum Gemetzel an. Zwei andere Klosterbrüder, der eine das Kreuz, der andere ein leuchtendes Crucifix in der Hand, liessen den Ruf: Haeresie! Haeresie! erschallen. Die wildesten Tiger hätten den Ausbruch ihrer Wildheit nicht mehr zeigen können, als die Lissaboner Bürger, zu denen sich die Matrosen der in dem Hafen liegenden Schiffe schnell gesellten, und ein langes Drama der Anarchie wurde aufgeführt [130]).

Sobald die beiden Mönche — auch ihre Namen [131]) seien der Nachwelt überliefert, João Mocho, ein geborener Portugiese, und Bernardo, aus Aragon — mit ihrem Grauen erregenden Schlachtruf das Signal gegeben hatten, begann auch das furchtbare Gemetzel. Dreihundert Neue-Christen wurden am ersten Tage getödtet. Die Cannibalen bedurften nicht der Ruhe der einbrechenden Nacht, nicht der Erholung. Mit gesteigerter Wuth wurde das Massacriren fortgesetzt, auch alte Christen fielen unter dem Mordschwerte: über tausend Menschen wurden in den ersten 24 Stunden niedergemacht. Selbst die Tempel, die Heiligthümer boten keinen Schutz, vom Altare nahm man die Flüchtigen, mit den Bildern der Heiligen bedeckt, wurden sie getödtet, Mädchen und Frauen aus den Kirchen getrieben, dienten den Priestern zur Lust. Viertausend Menschen wurden in drei Tagen geopfert[132]).

Der von den jüdischen Chronisten bald als Unmensch, bald als frommer König bezeichnete Manuel liess dieses von fanatischen Mönchen angerichtete Blutbad nicht ungestraft. Die Meisten und Angesehensten der Unruhestifter wurden eingezogen, 46 oder 47 enthauptet; die beiden Dominicaner wurden nach Setubal, wo der König sich noch befand, [133]) geschleppt, von da nach Evora transportirt, erdrosselt und verbrannt. Ihre anderen Brüder und Genossen liess der König aus den Klöstern jagen und ein Gesetz vom 22. Mai 1506 nahm der königlichen Stadt Lissabon einen Theil ihrer alten Privilegien[134]).

Eine tiefe Stille folgte diesem Volkssturme. Die Neuen-Christen wurden wieder in jeder Weise geschützt, sie gingen und kamen, trieben Handel zu Wasser und zu Land und gelangten zu neuem Vermögen, zu neuen Hoffnungen für die Zukunft. Ihre Schutzbriefe wurden auf 10 Jahre prolongirt und die Zeit bis zum Tode Manuel's kann als eine Epoche des Friedens für die geheimen Juden angesehen werden. Sie selbst trugen nicht wenig zu der Ruhe bei: sie suchten ihre Feinde durch ihr äusseres Leben zu entwaffnen, sie benahmen sich wie gute Katholiken und hielten äusserlich streng alle Gesetze des Cultus, sie weihten ihre Kinder der Kirche und schickten sie in die Klöster.

Trotz Allem, regte sich immer wieder der Hass der vom Könige schwer gekränkten Geistlichkeit. Sie konnte die 1506 erfahrene Erniedrigung nicht vergessen und nicht gleichgültig ansehen, dass die Juden in Ruhe lebten. Beständig erhoben sie Anklagen und forderten die Regierung zur Strenge auf, aber Manuel unternahm nichts gegen sie. Eine Stille herrschte in Portugal, gleich der, die dem Sturme vorangeht. Manuel starb im December 1521, die Blüthezeit der portugiesischen Monarchie war zu Ende und der Sturm war im Anzuge.

Der älteste Sohn Manuel's, João III., folgte ihm auf den Thron, noch nicht älter als 20 Jahre. Ohne alle natürliche Anlagen, — er konnte kaum die ersten Rudimente der Wissenschaften fassen — hatten schändliche Leute in seinem zarten Alter auf seinen ohnehin schwachen Geist gewirkt. João war schwach, dumm und einfältig, so recht ein Mann für das geistliche Regiment. Die kirchlichen Fragen traten unter seiner Regierung immer mehr in den Vordergrund. Den sehnlichsten Wunsch, welcher ihn seit seiner Kindheit quälte, führte er bald nach dem Regierungsantritte aus — er baute ein grosses, prächtiges Dominicaner-Kloster. João, ein Fanatiker, ein geistloser Schwärmer, ein Monarch im geistlichen Gewande, von den Klosterbrüdern ganz und gar beherrscht, hatte mit der Muttermilch einen unglaublichen Hass gegen die Neuen-Christen eingesogen. Es war ihm ja oft genug vorgepredigt worden, dass es Juden wären, welche sich nur zum Scheine, ja zum Spotte Christen genannt hätten! Vielleicht hatte man es ihm auch beigebracht, dass diese vom heiligen Glauben Abirrenden nie zur reinen, wahren Seligkeit würden geleitet werden, weil sie hartnäckig in ihrer jüdischen Treulosigkeit verharren würden. Daher fasste der König den Plan, sie gänzlich auszurotten und traf Anstalten, die Inquisition ins Land zu holen. Nur auf zwei Jahre wurden die den Neuen-Christen Schutz gewährenden Privilegien erneuert. Es war dieses der letzte Gnadenact, welchen Viele benutzten, noch vor dem Sturme in fremden Ländern bei ihren vorangezogenen Brüdern einen Schlupfwinkel zu suchen.

Mag es immerhin der grosse Eifer für den Glauben sein, welcher João III. anspornte, durch Einführung der Inquisition denselben zu heben und in seiner Reinheit zu erhalten, eine Nebenabsicht niedrigster Art kommt noch hinzu. Nicht allein der Hass gegen die Marannen, nicht allein die nähere Verbindung, in welcher auch er durch die Heirath einer spanischen Prinzessin zu dem Lande trat, in dem die Scheiterhaufen nicht erloschen, waren die Motive, Inquisitoren zu bestellen; auch die innern politischen Verhältnisse nöthigten ihn, die Juden, oder wie man sie sonst nennen will, zu bedrücken, zu plündern, zu verbrennen. Auch João bedurfte, trotz der ihm von fremden Ländern zufliessenden Schätze, ihres Geldes, wie ihrer Zeit die spanischen Majestäten darauf angewiesen waren.

Betrachten wir die innern Zustände Portugals kurz vor der Berufung des ersten Martermeisters, so erhalten wir ein Bild der grössten Verkommenheit. Missbräuche der Justiz überboten sich in allen Instanzen; die Laster herrschten in allen Classen der Bevölkerung, Raub und Mord war nichts Seltenes. Der Ackerbau lag darnieder; die Leichtigkeit, Schätze in entfernten Gegenden anzuhäufen, entzog den Gewerben die nützlichsten Hände. Eine unübersehbare Menge Parasiten und Schlemmer an dem Hofe und in den Klöstern verzehrten das Vermögen des Staates. In dem Rathe des Königs sassen unmündige, unwissende Menschen, der König selbst war, wie wir gesehen, schwach, beschränkt, das Werkzeug und der Spielball der Pfaffen: in ihren Händen allein lag das Staatsheil.

Um diese betrübenden Zustände zu heben und die Lage des Landes zu verbessern, richteten sie ihren Blick auf die Neuen-Christen. Dass sie als Juden lebten und in ihrem Besitze der Reichthum sich befände, war ja allgemein bekannt, seit Jahren erwiesen! Man wiegelte das Volk auf und entflammte den alten Hass gegen die jüdische Race; das Volk sollte um Vernichtung des jüdischen Geschlechts bitten, der Einwilligung des Königs war man gewiss.

Bedurfte es doch nur eines kleinen Funkens, um die leichtgläubigen, von den Priestern gegängelten Portugiesen gegen die Juden zu hetzen!

Die geistlichen Herren sprengten aus, dass ein Arzt aus Campo-Mayor, welcher als Maranne von der Inquisition in Llerena verbrannt wurde, auf der Folter bekannt habe, dass viele Personen seines Wohnortes durch Gift von ihm aus der Welt geschafft wären. Dieses Bekenntniss des jüdischen Arztes musste natürlich das portugiesische Volk auf Sicherheit denken lassen, denn alle seine Aerzte und Apotheker gehörten dem jüdischen Geschlechte an, und so reichte die Menge beim Könige die Petition ein, das Land von den Missethätern zu säubern, ein strenges Gericht gegen die Neuen-Christen einzusetzen. Bischöfe und andere Prälaten, Individuen, welche, wie Herculano meint, von sich sagten, dass sie Gott fürchteten, Prediger und Beichtväter, alle Freunde der giftigen Intoleranz unterstützten und begutachteten die Gesuche des rachsüchtigen Volkes. Man legte den Neuen-Christen, deren frommes Betragen noch wenige Jahre früher höchsten Ortes gelobt wurde, zur Last dass sie an Sonn- und Festtagen die Kirche nicht besuchten, dass sie ihre Todten nicht in Klöstern und Capellen beisetzten, sondern tief in jungfräuliche Erde verscharrten, dass sterbend sie nicht nach den Sacramenten verlangten, dass sie in ihrem letzten Willen nicht Messen für ihr Seelenheil bestimmten und bezahlten, dass sie Sabbath und Passah feierten, dass sie nicht zur Beichte kämen, dass sie nur gegen ihre Glaubensgenossen Liebe zeigten, dass sie sich ausserhalb der Kirche verheiratheten und bei der Taufe nicht nach Vorschrift verfuhren.

Nichts wahrer als diese Anklagen! Und wie viele Punkte hätten noch hinzugefügt werden können?

Die Intoleranz feierte wieder ein Fest, die Inquisition war mit Gewissheit zu erwarten.

Ein elender Jude war gottlos genug, die ersten Opfer für das neue Glaubensgericht auszuspähen. Henriquez Nunes ist der Name dieses Auswurfs der Menschheit, welcher seines wahren oder falschen Eifers wegen von dem Könige João, an dessen Hof er sich zuweilen aufhielt, mit dem Beinamen »Firma-Fe«, der Glaubensfeste, belegt wurde. Er bildet ein würdiges Glied in der Kette der Verfolger jüdischen Volkes, welche aus diesem selbst hervorgegangen sind. Henriquez Nunes wurde in Borba geboren, er begab sich später nach Castilien, wo er den neuen Glauben annahm und erhielt in der Schule des Inquisitors Lucero seine Ausbildung.

Lucero war der blutigste Charakter, der grausamste Gross-Inquisitor Spaniens. Fast scheint es, als ob er Torquemada an Wildheit hätte übertreffen wollen. Nach dem Tode dieses Robespierre der Kirche, wie wir ihn genannt haben, hatte Deza das Henkeramt übernommen. An Verordnungen gegen das jüdische Geschlecht hat auch er es nicht fehlen lassen; wo die Inquisition sich noch nicht befand, wurde ihr durch ihn Eingang verschafft.

Ximenez de Cisneros, der Hohepriester von Toledo, dessen Moral sich der heuchlerischen Politik Isabella's ebenbürtig bewies, der Mann von edler Abkunft mit der jüdischen Nase und seinen tief liegenden schwarzen Augen, folgte Deza in der Würde des Gross-Inquisitors. Von ihm wird nachher noch die Rede sein.

Mit ihm zu gleicher Zeit wirkte Lucero, der »Tenebrero«, wie Pedro Martyr ihn nennt, als erster Gross-Inquisitor in Cordova. Sein Hass gegen seine früheren Glaubensgenossen — auch er war jüdischer Abkunft — war so gross, dass er keinen anderen Ruf kannte, als: »Dámele Judio«, gebt mir Juden, ich will sie verbrennen. In Jedem erblickte er einen Ketzer, einen Juden. Ritter, edle Damen, Mönche und Nonnen, die geachtetsten Personen aller Classen waren von ihm als Brandopfer ausersehen worden; er liess eine so grosse Menge festnehmen, dass Cordova auf dem Punkte stand, sich zu erheben und Lucero seine Stelle niederzulegen gezwungen war. »Er und de la Fuente haben alle Provinzen entehrt, sie erkannten weder Gott noch die Justiz, sie tödteten, beraubten und misshandelten die Mädchen und die Frauen zur Schande und zum grossen Aergerniss der Religion « [135]).

Dieser Lucero, dessen Grausamkeit in Rom sprüchwörtlich geworden war, ist der Meister des Henriquez Nunes.

Der elende Täufling nistete sich in den Häusern jüdischer Familien ein, betrug sich als ihr Bruder, als ihr Glaubensgenosse und that Alles mit ihnen vereint, um die geheimen Ansichten seiner ehemaligen Brüder recht genau erforschen zu können. Sobald er das Innerste ihres Herzens und die geheimen Verstecke der Juden in Lissabon, Santarem und anderen Städten durchwühlt und ausspionirt hatte, begab er sich nach Evora, woselbst der Hof sich zur Zeit aufhielt, und von da nach Olivença. Hier gingen den betrogenen Juden endlich die Augen auf: sie merkten, dass Nunes ein Spion und Verräther sei und suchten um jeden Preis seiner habhaft zu werden. Auf dem Wege nach Badajoz erreichten sie ihn. Nunes wurde in Valverde, wenige Stunden von dem genannten Bischofssitze, erdolcht und erhielt so seinen wohlverdienten Lohn.

Der Tod des Verräthers erregte im Lande grosses Aufsehen und diente den mitleidigen Mönchen zum Vorwand, neue Ränke gegen die Neuen-Christen, als die Mörder eines so saubern Genossen, zu schmieden. Henriquez Nunes wurde heilig gesprochen; Wunder über Wunder wurden an seinem Leichname wahrgenommen, die Stelle, auf welcher er lag, heilte alle fieberhaften Krankheiten und Buchstaben prophetischen Inhalts zeigten sich auf seinem Grabe.

Henriquez Nunes hat das fluchwürdige Verdienst, als einer der Gründer der portugiesischen Inquisition genannt zu werden. Die drei Briefe, welche er an den König João III. richtete, bildeten die Grundacte, die Basis des Gerichts. Wie er in dem einen Brief die Gründe auseinandersetzte, welche die Vernichtung des jüdischen Volkes erheischten, so überreichte er in dem zweiten eine grosse Liste aller von ihm als Juden erspähten Personen und rechnete in dem dritten Handschreiben die Zeichen auf, an welchen der versteckte Judaismus leicht zu erkennen sei.

Ein in Santarem 1531 verspürtes Erdbeben feierte den Beschluss der Einführung des Höllentribunals.

Noch einmal erhob sich der greise Coutinho gegen die Orgien

des Fanatismus, noch einmal machte er all' sein Ansehn geltend, die Juden zu schützen und sie vom Feuertode zu retten — seine Worte verhallten, er wusch, wie er ausrief, seine Hände in Unschuld. Der portugiesische Gesandte am apostolischen Stuhle, Bras Neto, hatte bereits die Befehle seines Herrn erhalten, schleunigst eine päpstliche Bulle zu senden, damit das Gericht seine Wirksamkeit eröffnen könne.

Wer hätte geahnt, dass Rom nicht dem Eifer des katholischen Königs Beifall ertheilen würde? Cardinal Pucci, der einflussreichste Mann der Curie, erklärte Bras Neto rund heraus, dass auch sein König aus denselben Gründen wie die spanische Isabella die Inquisition wünsche: er strebe nur nach den Reichthümern der Juden. Möge er ihnen, meinte Pucci, statt sie zu verbrennen, lieber erlauben, frei und ungehindert nach ihren Gesetzen zu leben und nur die bestrafen, welche von dem Katholicismus sich dem jüdischen Glauben zuwenden, das Land würde alsdann glücklich sein. Eisern und hartnäckig zeigte sich der Cardinal gegen alle Vorstellungen des Gesandten; solcher Widerstand eines Cardinals war dem frommen Portugiesen unerklärlich. Erst später, erfuhr er die Gründe dieser ketzerischen Unbeugsamkeit: Cardinal Pucci hatte einen jüdischen Freund, der ihn in diesen Unterhandlungen zu leiten schien. Es lebte nämlich damals in Rom Diego Peres, ein portugiesischer Jude, welcher nach der Türkei und von da nach Rom geflohen war. Er genoss grosses Ansehen, stand im Rufe der Heiligkeit unter seinen Glaubensbrüdern, weil er ihnen das Gesetz zu erklären pflegte und unterhielt Freundschaft mit dem Papste und seinem einflussreichen Cardinal, so dass dieser auch nicht die Hand bieten wollte, die Glaubensgenossen des Freundes zu bedrücken. Zum Unglück für die Juden starb Pucci wenige Wochen, nachdem Bras Neto mit der abschläglichen Antwort beschieden war.

Der Nachfolger und Neffe des judenfreundlichen Cardinals theilte nicht seine Meinung und der portugiesische Gesandte sah sich dem Ziele seiner Wünsche einen Schritt näher. Am 17. December 1531 wurde durch einen päpstlichen Erlass Diego de Silva zum Gross-Inquisitor für Portugal ernannt.

Vor den mit Thränen gefüllten Augen der Juden erhob sich das Gericht wie ein furchtbares Gespenst. Sie sahen keine andere Erlösung von ihren Leiden als den Tod, denn selbst die Flucht

9 *

war ihnen durch königlichen Erlass verboten. Einige versuchten zwar dem Lande zu entkommen und überschritten glücklich die Grenze; andere wurden aufgehalten und zurückgetrieben. Der Gedanke, Gott will es so, war ihr Trost. Wahrlich, Staunen erregt ihre so erhabene Natur, durch Leiden haben sie dieselbe errungen, die Ergebung in den göttlichen Willen ist ihnen gleichsam anerzogen.

Noch einen Versuch machten die an den Rand des Unglücks geführten Juden Portugals, die Kraft der Inquisition zu lähmen, sie appellirten nochmals an die römische Curie und erwarteten Hilfe vom Papste. Ein schlauer und verschmitzter Mann wurde mit der Mission betraut, Duarte de Paz wurde als Vertreter der Neuen-Christen nach Rom geschickt.

Wir wünschten wohl die Entwicklung der am päpstlichen Hofe Jahre lang dauernden Verhandlungen in ihrer ganzen Bedeutung und Ausführlichkeit darstellen zu können. Hier müssen wir uns auf einige wenige Punkte beschränken.

Duarte de Paz spielte lange Zeit eine falsche Rolle und wurde endlich zum Verräther der heiligen Sache. Diego Antonio übernahm nach ihm die Anwaltschaft und wurde durch Diego Fernandez Neto, einen Mann des grössten Vertrauens, unterstützt. Diego Mendes, ein sehr reicher Jude, verwandte sich von Flandern aus für die portugiesischen Glaubensgenossen.

Zu diesen die Interessen der Juden vertretenden Personen gesellte sich der Cardinal Ghinucci, welchem vom Papst die Leitung der Verhandlung übergeben worden war. Ghinucci liess es sich angelegen sein, die Neuen-Christen gegen João und die portugiesischen Diplomaten in Schutz zu nehmen und suchte durch eine eigens verfasste Denkschrift auch den Papst für sie geneigt zu stimmen. Ob die beredte Sprache des Cardinals diesen Zweck erreichte, oder ob die Verpflichtung, zu welcher sich die portugiesischen Juden und ihre Vertreter Thomas Serrão und Manuel Mendes verstanden, dem Papst 30,000 Ducaten zu zahlen, ihn für ihre Sache gewonnen hat — gleichviel, Paul III. hintertrieb noch einige Jahre die Wirksamkeit der Inquisition und bewilligte, gleich seinem Vorgänger Clemens VII., allen portugiesischen Juden allgemeine Amnestie. Dadurch breitete sich trotz des Tribunals, welches 1535 seine Thätigkeit eröffnete, das jüdische Volk auf por-

tugiesischem Boden immer mehr aus und die Juden weilten noch
lange im Lande.

Die Pintos, die Mendes, die Frances, die Aboabs, die Perrey-
ras und viele andere berühmte Familien werden wir als aus diesem Lande kommend, in der Folge begrüssen, denn auch ihr Loos
war die Wanderschaft.

- Ein ganzes Volk war auseinander gerissen und in alle Welt-
gegenden geschleudert worden. Und doch hielten die aus Spanien
und Portugal verjagten Juden noch mehrere Jahrhunderte hindurch
aufs engste zusammen und nennen sich noch heute die spanisch-
portugiesischen Juden.

Was war und ist denn dieses allgemeine Bindemittel, welches
sie als besonderes Geschlecht noch immer vereint? Was die Seele
dieses für sich bestehenden, in sich fortlebenden Körpers?

Vor Allem ihre Sprache, die Literatur ihrer ehemaligen Heimath.
Obwohl vertrieben und in anderen Gegenden schweifend, hielten
sie doch noch an der Sprache des Heimathlandes fest und pflegten in aller Herren Ländern die spanische Literatur. In der
Türkei und Italien, in Fez und den Raubstaaten, in Holland und
Frankreich, in Hamburg und auf Jamaica hatten sie die Liebe zu
der alt-spanischen Sprache, die Verehrung vor der von ihnen ge-
förderten Literatur bewahrt; allenthalben brach das Idiom ihres
einstigen Wohnsitzes durch. In der Sprache concentrirte sich ihre
Selbstständigkeit, ihre Abgeschlossenheit, durch sie wurde die
Liebe zu dem alten Vaterlande immer wieder wach und empfing
stets neuen Stoff.

Was ist aber der Grund dieser ihrer Anhänglichkeit an Spanien, an seine Sprache, an seine Literatur, an seine Poesie? Warum liess die so unbarmherzig gequälte, gehetzte, verjagte und
gemarterte Menschenrace nicht die Leier zu den Liedern anderer
Sprachen ertönen? Warum warfen sie nicht Alles von sich, was
noch an Spanien und seine Gewohnheiten, seine Sitten erinnerte?
Warum ertödteten sie nicht die Idee in sich, dass sie diesem ihnen
so feindseligen Lande je angehört hatten?

Es liegt einmal in der Natur des Menschen, dass er immer,
auch vertrieben, auf die Gegenden gern seine Gedanken heftet,

welche ihm und den Seinigen einst Leben, Freude und Trauer boten Fraget den Polen, der aus seinem Lande vertrieben, fern von
ihm weilet, ob er sein Vaterland, das ihm entrissene Land, liebt,
ihr werdet Thränen statt einer Antwort erhalten. Achtzehn hundert Jahre sind verstrichen, seitdem die Römer Jerusalem zerstörten und die Juden in das Exil sandten; achtzehn hundert Jahre
weilet der Jude jetzt schon fern von seinem gelobten Lande in
allen Erdtheilen und noch ist die Liebe zu seinem Palästina nicht
erstorben und die Anhänglichkeit an seine heilige Sprache nicht
erloschen. Diese Liebe zu dem gelobten Lande wird nie aufhören,
so lange noch der Name Jude existirt; Palästina und die Gottes-
Sprache, in welcher der Jude der ganzen Welt seine Klagen und
Wehmuth ausdrückenden Gebete verrichtet, sind wesentliche Be-
standtheile seiner Religion, gehören zu seinen Glaubensartikeln,
wenn überhaupt das Judenthum Artikel des Glaubens, Dogmata
hat. Wie der Jude, der sein ganzes Leben hindurch nichts vom
Judenthume, seinem eigentlichen Begriffe nach, in sich aufgenommen und nichts von all' den Denkmalen bewahrt hat, die ihm den
Namen Jude verleihen, sterbend noch den alten Einheitsruf stam-
melt, so findet der alte, gläubige Sohn Palästina's in der letzten
Stunde keinen seligern Trost, als den Gedanken, auf der Scholle
Erde seines Landes, seines ureigenen Palästina ruhen und schlum-
mern zu können.

Die Liebe und Anhänglichkeit der spanischen Juden an ihr
Spanien und seine Sprache ist nun freilich nicht ebenso gross,
nicht ebenso allgemein, aber immerhin doch so stark gewesen,
dass sie sich bei ihnen selbst nach Jahrhunderten nicht verloren
hat. Es bedarf nicht der Annahme, dass noch lange nach ihrem
Exil sie sich zu ihrem Hüttenfeste Zweige von den Citronenbäumen
Spaniens zu verschaffen suchten, unter deren Schatten sie einst
gelebt hatten, dass bis zum siebenzehnten Jahrhundert Juden le-
diglich um desswillen nach Spanien reisten, um ihren Synagogen
diese Zweige zu besorgen, an die sich so viele Erinnerungen knüpf-
ten [136]; ihre Liebe zeigt sich deutlich genug in der Literatur, den
ewigen Monumenten ihres Geistes. Wie viele ihrer Gebete, so sind
ihre Gesänge, ihre Reden, ihre Freuden-, Trauer- und Volkslieder
in der Sprache des Landes verfasst, welches sie vierzehn hundert
Jahre ihr Vaterland nannten; nie wandten sie sich von der Pflege
der spanischen Literatur ab.

Zu dieser dem Menschen innewohnenden Liebe zu dem Verlorenen tritt noch der Charakter der Sprache selbst hinzu. Stolz wie der Spanier, ist seine Sprache die stolzeste und männlichste aller Sprachen: kräftig, wie ihre Mutter; ist sie ohne Härte und geschmeidig, ja schmeichelnd ohne Weichlichkeit; bald tönt sie wie die Stimme der Trompete, bald sanft und musikalisch, melodisch gleich dem lieblichsten Frauengesang; sie ist lebendig und zart, prunkend, prahlerisch und feierlich [127]). Daher dürfen wir uns auch nicht wundern, dass die Juden Portugals so wenig Fleiss auf die Sprache dieses Landes verwandten und ebenfalls die ihrer Brüder in Spanien pflegten und bebauten. Kaum findet sich mehr als ein jüdischer Dichter, der die lusitanische Muse erhoben! Wie verhältnissmässig klein und unbedeutend ist nicht die Zahl der von Juden in portugiesischer Sprache verfassten Werke! Eigentlich war sie und ihre Literatur nie so recht zur Geltung gekommen, sie war, trotzdem dass ein Camoëns ihr angehörte, stets verrufen und verachtet [128]); das Portugiesische war, wie der Spanier zu sagen pflegte, dem gemeinen Idiom gleich, das die galicischen Wasserträger in Madrid reden.

Aehnlich wie mit der Sprache verhält es sich mit der Musik und dem Gesang der spanischen Juden. Die von den Juden und Mauren nach Spanien gebrachte Tonkunst, die orientalische Musik hatte sich früh mit der einheimischen vereint, hat sich bis heute in dem Lande erhalten; auch sie gehört gewissermassen zum Charakter des Volkes. Wer auch nur einmal die Viardot-Garcia hat singen hören, wird zugeben müssen, dass in ihrem Gesange mehr als ein blosser orientalischer Beigeschmack sich findet und mehr als ein Triller aus der Synagoge durchschallt. Es liegt in ihm dieselbe doppelartige Tonfolge, wie in der Sprache selbst; weder die Lust noch der Schmerz erklingen rein: bald ist es ein leidenschaftliches Aufschreien, bald ein schmerzvolles Insichverklingen. Diese spanische, oder wenn wir wollen, orientalisch-spanische Gesangsweise haben die Juden aus diesem Lande mit fortgenommen und allentbalben, wo sie sich niederliessen, verbreitet. Einige dieser spanischen Melodien haben auch in den Synagogen der deutsch-polnischen Juden Eingang gefunden und mancher Gesang, welchen die Kunst unter die alt-jüdischen rubricirt, erinnert recht lebhaft an den spanischen Troubadour, wie er mit den abgerissenen Guitarrenaccorden seine Liebesgluth hauchenden Sonette und Lieder in dunkler Nacht erschallen lässt.

Ausser dem Gesange, der Sprache und Literatur haben die verbannten Juden auch noch die alt-spanischen Familien-Namen als Erinnerung an eine geschwundene trübe Zeit beibehalten. Sie nennen sich noch heute mit einem gewissen, auch auf sie übergegangenen Stolze nach den alten Städten, den jetzt zerfallenen Dörfern und Villen, aus denen ihre Vorfahren entsprossen sind. Wer wollte ihnen einen solchen Stolz wohl verargen? Die Namen der ältesten, längst erloschenen spanischen Casas finden sich bei den vertriebenen Juden wieder. Die Silvas, Braganças, Pereyras, Castros, Costas, Sosas, Tavoras, Coutiños, Silveyras, Melos. Almeydas, Limas, Fonsecas, Cardosos, Cabrais, die Calderon, Ximenez und viele Andere machen den Adel der Spanier aus und gehören den spanisch-portugiesischen Juden an. Woher dieses? Stammen die Granden von den Juden oder die Juden von den Granden ab? Beides zugleich, das lehrt uns die Geschichte, beweist die von schwarzen Wolken umzogene Vergangenheit der Juden Spaniens. Ihre Namen von edlem Klange sind zum Theil Errungenschaften des letzten Jahrhunderts ihres Verweilens auf hesperischem Boden : bei den gewaltsamen früher besprochenen Taufen mussten sie ihre Namen wechseln — es ist ja das auch noch heute so. Mit der Taufe verloren sie nicht allein den bei der ersten Weihe ihnen verliehenen Namen, sondern empfingen ausser einem neuen Taufnamen auch den Desjenigen, welcher bei ihnen Pathenstelle vertrat; durch den Namen der Familie wurden sie nach römischer Weise gleichsam in den Kreis der Familie mit aufgenommen. Viele sollen aber auch den Namen der spanischen Häuser in den Zeiten der Vertreibung und heimlichen Flucht als Hilfsmittel gebraucht haben, um bei ihrer Entfernung an den Thoren und Grenzen nicht aufgehalten zu werden. Niemand fand etwas Entehrendes oder Religionswidriges darin, auch in anderen Ländern mit einem Granden von Spanien oder einem Connetable von Portugal gleichen Namen zu führen.

Gern möchten wir noch auf einzelne Eigenthümlichkeiten der spanisch-portugiesischen Juden, auf gewisse Vorzüge, welche ihnen eigen sind, hier verweisen, unterlassen dieses aber, weil wir fürchten, dass unsere Worte verkannt und ihnen ein andrer Sinn und eine andere Deutung untergelegt würde, als wir damit verbinden. Ist doch nichts gefährlicher, als Eigenthümlichkeiten, Sitten und Sonderbarkeiten eines ganzen Geschlechts zu besprechen und zu beurtheilen !

Das Eine aber muss zum Ruhme der spanisch-portugiesischen Juden hier hervorgehoben werden, dass sie die ersten waren, welche Religion und Wissenschaft in sich vereinten und beide Elemente gleichmässig wahrten. Ihre Religiosität war zu allen Zeiten so lauter, so rein von aller Frömmelei, sie blieb sich immer gleich, immer dieselbe, fern von allen Uebergriffen schalen Vernünftelns, weil sie mit der Wissenschaft vereint auftrat, wie diese selbst andrerseits sie abhielt, vom richtigen Wege abzuirren. Das Verdienst wird man den spanisch-portugiesischen Juden immerhin einräumen müssen, dass sie an allen Orten, an welchen sie sich niederliessen, Bildung, Kenntniss und gediegenes Wissen verbreiteten; die zermalmende Stärke des sie verfolgenden Unglücks entzündete eine warme Religiosität, durch welche Lerneifer geweckt und fromme Einrichtungen, Akademien und Lehrhäuser gestiftet wurden. Durch die Leiden und Schmerzen, welche dieses Geschlecht ertrug, durch die Märtyrer, welche von ihnen der Religion und des Glaubens wegen fielen, wurden Religion und Glauben den Sitzen überwiesen, an welchen diese edeln Pflanzen menschlichen Glücks einzig und allein gedeihen können. Religion und Glauben wurden Angelegenheiten des Herzens und Gefühls, während der Wissenschaft die grosse Bahn der Vernunft eingeräumt worden ist.

Funfzig Jahre und wohl mehr vergingen, ehe die von dem schmerzlichen Beben ob der erfahrenen Ereignisse durchzuckten Juden wieder Kraft sammeln konnten, der Literatur Spaniens ihre Thätigkeit zu widmen, denn der eben vom Unglück Betroffene dichtet nicht und philosophirt nicht, wenn anders der Schmerz in Wahrheit, in seiner ganzen Intensität ihn ausfüllt; er trägt sein Leid und ist in dieser Einheit mit demselben befriedigt [139].

Während die Masse der Ausgewanderten den verschiedensten Lebensberufen sich hingab, lagen seine Weisen und Lehrer in stiller Abgeschiedenheit dem Studium ihrer Religionsschriften ob, wiegten ihre Jünger in den Herz und Verstand erquickenden Discussionen traditioneller Lehren ein, dämpften ihren Schmerz durch die anhaltende Beschäftigung mit dem Gottesworte, durch die alten Reminescenzen des geschwundenen Glückes, durch einen Blick in die glücklichere Zukunft.

Erst nachdem sich auch die in spanischen Hochschulen Gebildeten unter den jüdischen Vertriebenen von dem furchtbaren Schlage, der sie betroffen, ein wenig erholt hatten, ward auch ihr Geist wieder rege, griffen auch sie wieder in der Leier Saiten und sangen und dichteten in fremden Ländern.

Die nächste Sorge aber war auch bei ihnen, die religiöse Existenz der Verjagten zu sichern, die Menge mit ihren religiösen Pflichten, mit der Lehre selbst vertraut zu machen. Vielen der Vertriebenen war, wie religiös auch ihr Sinn immer gewesen sein mag, das Gesetzbuch ein mit hundert Siegeln verschlossener Schatz — das Gesetz war ihnen etwas Fremdartiges, denn sie konnten es nicht lesen, hatten sich ob der Wanderungen, der Leiden und Qualen das Verständniss desselben abhanden kommen lassen. In der National-, der Heimathssprache war aber die Gotteslehre nicht vorhanden. Welches Verdienst gebührt nicht den Männern, die solchen Mängeln abhalfen? Was zweihundert Jahre später den deutschen Juden der unsterbliche Mendelssohn durch seine Bibelübersetzung geleistet, das thaten für die spanisch-portugiesischen Glaubensgenossen sechzig Jahre nach der Vertreibung zwei Männer, Usque und Pinhel.

Mit ihnen betreten wir wieder das lächelnde Gefilde Italiens, das schöne, alte Ferrara.

Mehr als einmal fanden die vertriebenen Juden in dieser Stadt mit ihren breiten Strassen, ihren schönen Palästen, ihren vielen Canälen und Dämmen ein Asyl. Haufenweise begaben sie sich in die Gebiete des leutseligen Herzogs von Ferrara. Ihre Lage in dieser neuen Heimath war freilich nicht immer die glücklichste, denn das Volk konnte die Fremdlinge nicht ertragen, so dass der Herzog wider seinen Willen manches drückende Gesetz gegen sie erlassen musste. Die Ferrarer Juden mussten wieder das gelbe Abzeichen, diesen Schandfleck des Mittelalters auf ihrer Brust tragen. Eine Pest war ausgebrochen und die Juden sollten verbannt werden. Um die aufrührerische, Synagogen und Bethäuser zerstörende Menge zu beruhigen, musste der Herzog ein Verbannungsedict unterzeichnen: sie wanderten aus, kamen aber vor Ablauf zweier Jahre nach Ferrara zurück [140]).

Und doch war keine Stadt mehr geeignet, den Sinn für Wissenschaft und Poesie bei den Juden zu wecken, als Ferrara, an dessen Hof beide aufs sorgfältigste gepflegt wurden. An dem Hofe

der Este blühte nicht allein Tugend, Tapferkeit und heiteres Leben, die Hercules und Alphonse statteten ihre Wohnsitze nicht nur
mit königlichen Gebäuden aus, sondern auch mit trefflichen Sitten
und schönen Studien. Das Beispiel des Hofes fand bald im ganzen
Staate Nachahmung, und Ferrara wurde die Metropole der Bildung,
der Wissenschaft, der Musensitz Italiens. Hier dichtete Battista
Guarini seinen Pastor Fido; die Schwester des Herzogs gab literarischen und musikalischen Bestrebungen Schutz und Antrieb;
durch sie wurde der gefeierte Tasso an den Hof befördert: der
grosse Vater und sein noch grösserer Sohn lebten und dichteten in
dieser Stadt[141].

Wo Alles sich regte und wissenschaftlichen Bestrebungen nachgab, wo Fürsten und Fürstinnen dichteten und schrieben, da durfte
auch die Feder der Juden nicht ruhen. In dieser Periode vollführten sie in dieser Stadt das grosse, ihre Nation beglückende Unternehmen der Bibelübersetzung.

Es ist diese Uebersetzung vielleicht die merkwürdigste, welche
je von Juden verfertigt worden ist. Meint doch der vorzüglichste
deutsche Kritiker[142], der sich ob seiner Ehrlichkeit todt geärgert
hat, dass ein Theologe nur dieser Bibel zu gefallen spanisch lernen
müsste, indem die grössten Gelehrten darin übereinkämen, dass
keine einzige andere Uebersetzung die natürliche und erste Bedeutung der hebräischen Worte so genau ausdrückte, wie diese!
Wirklich diente sie mehrere Jahrhunderte lang allen späteren Bearbeitungen der heiligen Schrift zur Grundlage. Sieben oder acht
Mal ist sie neu aufgelegt. Als der Graf de Rebolledo, welcher im
dreissigjährigen Kriege oberster Befehlshaber der spanischen Truppen in der Pfalz war und nach dem Friedensschlusse als Gesandter
in Dänemark einzelne Theile der Bibel, wie die Psalmen, Hiob,
die Klagelieder poetisch übersetzte, bediente er sich, um dem
hebräischen Grundtexte zu folgen, der gedachten spanischen Bibel.
Der Wörtlichkeit und Genauigkeit wegen sind auch die poetischen
Bücher in Prosa übersetzt und deswegen müssen wir uns hier,
da die Prosa nicht unser Thema bildet, auf das Allgemeinste beschränken.

Das dem Herzoge Hercules II. einerseits, andrerseits der
Doña Garcia Nasi gewidmete Bibelwerk[143] wurde März 1553
(11. Adar 5313) beendet und wohl nicht vor Ende der vierziger
Jahre des 16. Jahrhunderts begonnen, da der eine der verdienst-

vollen Redacteure, D u a r t e (Eduard) P i n h e l *) 1543 noch in Lissabon weilte und dort seine lateinische Grammatik mit einem Com-
pendium über das Kalenderwesen erscheinen liess.

In demselben Jahre, in welchem A b r a h a m U s q u e in Verbindung mit genannten Pinhel die ferrarische Bibel der Oeffentlichkeit
übergab, erschienen (September 1553) in seiner Buchdruckerei von
seinem Verwandten S a m u e l U s q u e die »Consolacões de Israel«,
ein Werk, in einem blühenden Stile geschrieben, welches über
die verschiedenen Leiden der Juden Nachricht gibt und von allen
späteren jüdischen Historikern und Chronisten häufig benutzt
worden ist.

---

*) Duarte Pinhel soll einen Sohn Namens B e n t o (Benedikt) P i n h e l gehabt
haben. Bento wurde in Lissabon geboren, studirte in Coimbra Jurisprudenz
und begab sich zur weiteren Ausbildung nach Italien. An der Universität
Pisa las er einige Jahre über kaiserliches Recht und folgte später einem Rufe
nach Prag, wo er zu den berühmtesten Professoren der juristischen Facultät
gerechnet wurde. Sein 1613 zu Venedig gedrucktes Werk: »Selectarum juris
interpretationum conciliationum ac variarum resolutionum T. pr.« widmete
er dem Grossherzog von Florenz, Cosmos II., und dankte in der Dedication
für die gastliche Aufnahme, welche der Fürst seinem aus Spanien flüchtigen
Onkel Arias Pinhel bereitet hatte. So erzählt Barbosa, bibl. lusit. I, 510.
Wer hätte je vermuthet, einen Sohn Duarte's an der prager Universität
zu finden? Um über diese Person etwas Näheres zu erfahren, wandte ich mich
an Herrn Professor Dr. Wessely in Prag, dessen Dienstfertigkeit und Zuvorkommenheit in weiten Kreisen bekannt ist. Den Bemühungen dieses Gelehrten verdanke ich folgende Notiz :
» — In den hier gedruckten libris Decanorum, wo ich sicher etwas über
»den fraglichen Juristen Bento Pinhel zu finden hoffte, ist des Namens gar
»nicht erwähnt, eben so wenig in der von Professor Tomek herausgegebenen
»Geschichte der prager Universität. Auch Professor Höfler vermochte mir
»keine Auskunft zu geben. Da Tomek während der Osterferien abwesend war,
»wartete ich bis zu dessen Rückkunft, in der Hoffnung, dass er, der die Ge-
»schichte der prager Universität zu seinem Specialstudium machte und daher
»alle darauf bezüglichen Quellen kennt und benutzte, mir die gewünschte
»Auskunft geben werde ; aber auch ihm ist nichts hierüber bekannt, ja nicht
»einmal der Umstand, dass ein Pinhel professor juris hier gewesen ist —.«
Das auf der k. k. Bibliothek zu Prag befindliche Werk Pinhel's (ed. Lugdun.)
wurde mir durch die Freundlichkeit eines hiesigen mir befreundeten Pro-
fessors zur Ansicht verschafft, aber auch darin ist mit keinem Worte von dem
Grossvater und Onkel die Rede, so dass ich die Mittheilung Barbosa's für
eine blosse Fiction halte. Derartige Combinirungen und Erdichtungen sind
bei dem gelehrten Portugiesen nichts Seltenes.

Auch ein Mann mit poetischer Begabung gehört dieser Familie an:

Salomon Usque[144].

Es lebte zu gleicher Zeit mit Abraham und Samuel in Italien und übersetzte die Sonette, Cancionen, Madrigale und Sextinen des grossen Petrarca ins Spanische. Diese 1567 erschienene, dem Fürsten von Parma und Piacencia gewidmete Uebersetzung erwarb ihm grosses Lob, so dass Affonso de Ulloa, welcher ihn auch in einem Sonett besungen hat, sie für die beste aller Bearbeitungen des italienischen Dichters erklärte. Ausser einer italienischen Ode, in welcher Usque den später canonisirten Cardinal Borromeo, dessen Erholung es war, Abends einige Gelehrte bei sich zu sehen, feierte, bearbeitete er in Gemeinschaft mit Lazaro Gratiano das erste jüdische Drama in spanischer Sprache unter dem Titel »Esther«. Diese Tragödie soll der Venetianer Rabbiner Leon de Modena, eine der merkwürdigsten Persönlichkeiten im Judenthume, im Jahre 1619, veröffentlicht und der gelehrten Italienerin Sara Copia, welche ausser verschiedenen Gedichten eine Abhandlung über die Unsterblichkeit der Seele geschrieben hat, gewidmet haben.

Diesem frühesten Anfange spanisch-jüdischer Dichtung auf italienischem Boden, wohin wie die Juden auch die spanische Muse ihre Zuflucht genommen hatte, lassen wir einige Gedichte eigenthümlicher Art folgen.

Sobald der verfolgte Jude nur einen Augenblick seinen Nacken frei fühlte von dem beständig drückenden Joche und wieder eine Scholle Erde die seine nennen konnte, war er nicht mehr der immer klagende, immer und ewig trauernde Jude, dann kannte er auch die Freude, zu welcher seine Religion ihn lud, und verstand es, dem Festeseindruck Sprache und Laute zu verleihen. Ein solches aus Festesfreude entstandene Freudenlied liegt uns in dem zunächst folgenden Gedichte vor. Wie aber das religiöse Gesetz immer in Israel gewaltet und dem freien Lebensverkehr seine Schranken und Marken vorgezeichnet hat[145]), wie zur Zeit der Noth und Bedrängniss die Juden sich um das uralte göttliche Gesetz schaarten und für dieses einzige, durch alle Jahrhunderte hindurch sie geleitende Kleinod Alles hingaben, so war es auch dieses alte Gesetz, das zur Zeit der Freude sie beseelte und von ihnen stets wieder besungen wurde. Zur Feier der Gesetzesfreude ist, aller Wahrscheinlichkeit nach, auch dieses Gedicht von einem aus

Spanien in Italien eingewanderten Juden zu Ende des 16. oder
Anfang des 17. Jahrhunderts verfasst worden. Es besteht aus
Versen von verschiedenartigen Sprachelementen — spanisch und
hebräisch, eine Erfindung, welche bekanntlich sehr alt ist und
»rythmo polyglotto« genannt wird. Auch in der spanischen Literatur haben sich Einzelne, wie Gongora und selbst der auf Reinheit der Sprache dringende Lope de Vega, in dieser Art versucht
und schrieben Sonette, die, wie Diez sich ausdrückt, Harlequins-
Jacken sehr ähnlich sahen [146]):

> Unser Herr, unser Gott,
> Schuf den Moses, unsern Lehrer,
> Uns zu geben unsre Thora,
> Welche anfängt mit A n o c h i. [*])
>
> Moses stieg hinauf gen Himmel,
> Ohne Speis' und ohne Trank,
> Und empfing die beiden Tafeln,
> Die beginnen mit A n o c h i.
>
> Herab vom Sinai kam das Leuchten
> Mit Trompeten- und Schofar-Klang,
> Und Israel bebte heftig,
> Als der Ew'ge sprach A n o c h i.
>
> Unser Gesetz ist hochgeachtet,
> Angenommen von Nationen,
> Wie Israel schwer gefesselt;
> Befrei' es, der da sprach A n o c h i. [**])

---

[*]) Anfangswort der zehn Gebote.

[**])
> Adonenu Elohénu
> Baré es Mose Rabénu,
> Para darnos Toraténu,
> Que empieza con Anochi.
>
> Mose ala lasamaim
> Sin achila y sin maim,
> Trujo las luchos snaim,
> Que empiezan con Anochi.
>
> Misinai bá à relumbrar
> Con hazozrot y kol sofar,
> A Israel hizo temblar,
> Cuando el Dio dijo Anochi.
>
> Nuestra ley es estimada,
> De los tímot otorgada,
> Con Israel cativada,
> Librela el que dijo Anochi.

Uns gab er die zehn Gebote,
Mit ihren Rechten, ihren Pflichten;
Ach wie stauneten die Seelen,
Als der Ew'ge sprach A n o c h i. *)

Den Geist echt spanischer Poesie haucht das folgende Gedicht aus, dem vielleicht ein historisches Factum zu Grunde liegt. Nach dem Zusatze (am Ende des 2. und 4. Verses) בשירך zu schliessen, wurden diese Verse im Chore gesungen:

Der Du thronest in der Höhe,
Deinem Volk nimm Schmerz und Wehe,
Dass nicht Alles untergehe!
   Und wir schauen,
   Und wir trauen.
Er nur, wie er ist als Gott,
Ist allein — kein andrer Gott!

   Ich will preisen,
   Lob erweisen,
Gott nur den Geliebten heissen.
   Der eifervolle,
   Gnadenvolle Gott,
Ist allein — kein and'rer Gott!

Er, der gross ist und erhaben,
Wird sein Volk mit Freiheit laben,
Liebreich — von Exiles Gaben! **)

---

*)
   Nos dio aseret hadibrot
   Con sus dinim y sus mizwot,
   Ahi estaban las nesamot
   Cuando el Dio dijo Anochi.

**)
   Tu que estas en las alturas,
   Sacá a tu pueblo de tristura,
   Que mataron pueblo y criadura.
     Y no miraron,
     Y no cataron
   A el Dio que es él,
   No hay otro como él.

     Alabaré
     Y loaré,
   Y à mi Dio amaré,
     Dio zeloso
     Y piadoso
   Es no otro como él.

   El que es grande y ensalzado,
   Sacara à su pueblo amado,
   De galut tan depravado.

Lasst in Gott uns leben,
Lasst uns ihn erheben,
Bis zur Ankunft des Erlösers — Gott
Ist allein — kein andrer Gott!

· Hóffen will ich,
Bitten will ich,
Seinen Namen preisen willig!
Der liebevolle
Gnadenvolle Gott
Ist allein — kein andrer Gott!*)

Vorstehende Gedichte sind einem 1640 zu Venedig hebräisch geschriebenen Manuscripte entnommen und von uns in Frankel's Monatsschrift VI. 459 ff. mitgetheilt (vergl. auch Jewish Chronicle, Februar 1858). Andere Poesien dieser Art Volkslieder, wie man sie nennen könnte, befinden sich in einer zu Amsterdam 1793 erschienenen Liedersammlung (ספר שיר נאמן).

---

*)
          Y gozaremos,
          Y cantaremos,
  Colla*) venida del goél**),
  No hey otro como él.

          Esperaré
          Y rogaré,
  Y à su nombre salmearé,
          Dio gracioso
          Y piadoso
  El, no es otro como él.

---

*) Colla, italienisch für con la, vielleicht a la..
**) גואל Erlöser.

Sechstes Capitel.

Rückblick auf Spanien. Carl V. Philipp II. Moses Pinto Delgado. Gonçalo Delgado. Die Juden in Holland. David Abenatar Melo. Antonio Alvares Soares. Paul de Pina. David Jeschurun u. A.

Wir haben in dem vorigen Capitel die verschiedenen Wanderungen, zu welchen die Juden durch Ferdinand und Isabella gezwungen worden waren, ihre Leiden und Qualen zu schildern versucht. Spanien hatte keine öffentlichen Juden mehr. War es nun glücklich? War es zufrieden? Und im hohen Königshaus?

Es dürfte unseren Lesern nicht unwillkommen und im Allgemeinen auch wohl nicht nutzlos sein, am Hofe der spanischen Majestäten einen kurzen Besuch abzustatten und sich nach dem Wohlergehen der königlichen Familie zu erkundigen.

Die bekehrungssüchtige, fromme Isabella tritt uns zuerst entgegen. Wie wir bereits gesehen, hatte sie, nachdem sie vorher viermal verlobt gewesen war, dem bigotten, bedeutend jüngeren Ferdinand die Hand gereicht. Mit fünf Kindern hat sie ihn beschenkt.

Juan, ihr Kronprinz und einziger Sohn, feierte am 3. April 1497 seine Vermählung mit Margaretha von Oesterreich. Bald nach der Trauung — der Cardinal Ximenez hatte den Bund gesegnet — wurde der schwächliche Infant von einem hitzigen Fieber ergriffen und starb am 4. October 1497, kaum 17 Jahre alt. Gross war der Schmerz Isabella's, ihre Trauer gleich der um einen einzigen Sohn.

Ihre älteste Tochter Isabella wurde die Gemahlin des Thronerben von Portugal, Affonso's, des einzigen Sohnes João II. Der junge Prinz starb bald nach der Hochzeit und die achtzehnjährige Isabella blieb Wittwe. Später reichte sie dem König Manuel die Hand, gebar ihm ein schwächliches Kind und starb bei der Entbindung.

An diesem Kinde Isabella's, Miguel, der im Januar 1499 als Thronerbe von Castilien und Aragonien von den Cortes anerkannt worden war, hing das katholische Ehepaar mit solcher Liebe, dass sie ihn nicht von ihrer Seite lassen wollten. Es war ja ihr einziger Trost. In dem zartesten Alter starb er in den Gemächern der Alhambra. Pedro Martyr schildert als Augenzeuge den tiefen Schmerz der Grossmutter, welcher um so drückender war, da sie den Tod des Kindes aus politischen Rücksichten verheimlichen musste.

Ihre Tochter Maria vermählte Isabella mit dem letztgenannten Gemahl ihrer ältesten Tochter. Auch sie segnete das Zeitliche in dem blühenden Alter von 35 Jahren.

Catharina, ihre Jüngste, heirathete Arthur von Wales. Als dieser durch den Tod früh aus ihren Armen gerissen wurde, freite sie sein Bruder, der bekannte Heinrich VIII. Fünf Frauen führte der reformatorische König Englands nach seiner Scheidung von der spanischen Prinzessin noch ins Ehebett und Catharina erreichte zu ihrem Unglück ein hohes Alter.

Auch Johanna, welche die Geschichte nur unter dem Beinamen »die Wahnsinnige« kennt, war Isabella's Kind. Ihretwegen wurden Unterhandlungen mit dem österreichischen Herrscherhause angeknüpft. Um Oesterreich und die Niederlande mit der spanischen Monarchie zu vereinen, sollte der schöne Philipp Johanna's Gatte werden. Philipp dachte an die älteste Tochter, die junge Wittwe. Doch der spanische Gesandte stellte ihm vor, dass es dem Hause Oesterreich zur Schande gereichen müsse, die Wittwe eines Mannes zu heirathen, dessen Vater ein Bastard gewesen und dessen Grossvater die Tochter eines jüdischen Schuhmachers zur Concubine gehabt hätte. Die Ehe wurde geschlossen, aber Philipp, ein Wollüstling sonder Gleichen, liebte alle Kammerfrauen mehr als seine Gemahlin. Johanna's Eifersucht stieg mit jedem Blick, womit er eine Andere beglückte. Johanna, ein einfältiges Frauenzimmer, hatte ihr ganzes Wesen in der leidenschaftlichsten Liebe zu ihrem Philipp aufgehen lassen. Getrennt von dem Freunde ihres Herzens, ertrug sie die grössten Schmerzen der Sehnsucht. Sie war für die ganze Welt verschlossen, kümmerte sich wenig um die zärtlich besorgte Mutter, versank in ein lautloses Hinbrüten, ihr kranker Körper war in Spanien, ihr wundes Herz in den Niederlanden bei ihrem Gemahl. Die Mutter ertrug darüber grossen Schmerz, sie wurde krank, sehnte sich nach besserer Luft und verliess Madrid. Auch Johanna's Zustand wurde mit jedem Tage gefährlicher, ihr einziges Sinnen war Flandern, ihr einziger Wunsch, ihren Gemahl zu umfassen. Trotz aller Widerwärtigkeiten segelte sie endlich ab und dort angekommen — fand sie ihren Philipp in den Armen eines blondlockigen Mädchens, über welches sie in ihrer Wuth herfiel und ihr das goldene Haar vom Kopfe riss. Da hörte auch Philipp's Geduld auf und wir wissen nicht, was im innersten Gemach vorging.

Isabella war das Weib, die das Elend geschaut, sie starb im 54. Jahre ihres Alters, am 26. November 1504. Ihr noch lebenslustiger Gemahl stand an ihrem Grabe. Mit neidischem Auge sah er den jungen Philipp nach Spanien kommen, mit dem tiefsten Groll im Herzen musste er auf die Regentschaft verzichten und ohne seine Tochter gesehen zu haben, in seine Erbstaaten zurückkehren. Diese wollte er wenigstens seinem Kinde entreissen und vermählte sich in der Hoffnung auf einen Leibeserben mit der jungen französischen Prinzessin Germaine de Foix.

Kaum hatte Philipp von seinem neuen Reiche Besitz genommen, als er in Folge einer plötzlichen Erkältung zu Valladolid erkrankte und am 25. September 1506 starb.

Johanna's Zustand artete in Raserei aus. Im Wahnsinn schied sie aus der Welt.

Könnten wir die Fingerzeige Gottes so deuten, wie wir in den Blättern der Geschichte lesen, stünde uns die Natur Rede — um wie viel glücklicher würde die Menschheit sein.

So sichtbar trat Gott für sein Volk in die Schranken!

Ein Heiligthum ist Israel dem Herrn —.

———————

Spanien war nunmehr das mächtigste Reich und der junge Carl, Johanna's Sohn, der mächtigste Monarch der ganzen Welt. Die ganze Halbinsel, Sicilien und Neapel, Burgund und die Niederlande, Mexico und Peru gehorchten seinem Scepter; mit Recht konnte er sich rühmen, dass in seinen Staaten die Sonne nicht untergehe. Die spanische Monarchie hatte unter ihm den Glanzpunkt erreicht.

Was man auch immer von Carl sagen mag, wie fremd er auch immerhin unserem deutschen Reich gegenüberstand, als grosser Monarch gilt er für alle Zeiten. Es gibt wohl kaum ein grossartigeres Schauspiel auf der historischen Bühne, als Carl's Regentenperiode. Alles erhob sich gegen den 19jährigen jungen Mann: Franz I. schnaubte Rache, Dänemark und Schweden mussten gezüchtigt werden, das Reich war in Aufregung, Italien erhob sich,

10*

der deutsche Mönch hatte die religiöse Einheit aus ihren Grund-
pfeilern gehoben, Mailand, das ewig unruhige, erforderte seine
persönliche Gegenwart, und die an allen Enden unternommenen
Kriege erheischten ungeheure Mittel, die er in seinem Staatsschatze
nicht vorfand.

Das war wieder éine Gelegenheit, welche die in Spanien zu-
rückgebliebenen Neuen-Christen nicht unbenutzt lassen wollten,
sie machten noch einmal den Versuch, mit Gold ihre Freiheit im
Glauben zu erkaufen. Die Angesehensten unter sich sandten sie
nach den Niederlanden, wo sich Carl wie oft, so auch damals aufhielt, und liessen ihn bitten, ihnen das zu bewilligen, was Gott
dem Menschen gegeben hatte, als er ihn in die Welt gesandt, Freiheit im Glauben, Freiheit im Denken, Freiheit im Wollen. Sie
gaben vor, und der erleuchtete Kaiser wusste das recht wohl,
dass die Religion, als Sache des Herzens und Gefühls, nicht durch
Gewalt und Strenge geleitet werden könne und daher möchte er
doch den als Juden Geborenen in Gnaden gestatten, als Juden zu
leben, in ihrem Glauben selig zu werden; mit 800,000 Goldthalern
wollten sie ihre Dankbarkeit an den Tag legen. Carl brachte in dem
versammelten Rath die Juden-Angelegenheit zur Sprache, und die
an Duldsamkeit gewöhnten Flamänder hatten dem Kaiser gerathen,
die Summe zu nehmen und gleich ihnen selbst tolerant zu sein.
Von diesem kaiserlichen Willen hatte aber der Cardinal Ximenez, der
mächtige Minister und Regent, der mit dem Stricke des heiligen
Franciscus alle Aufrührerischen züchtigen wollte, Kunde erhalten.
Eiligst schickte er einen Courier nach Flandern; in wenigen Worten schrieb er dem Könige, er möchte es sich nicht einfallen lassen,
an die Rechte der Kirche und Gottes zu rühren; die Religion stände
höher als die Krone, als aller Gewinn. Er wies ihn auf den frommen Wandel seines Grossvaters Ferdinand hin, welcher in der
äussersten Noth die 600,000 Goldthaler der Juden ausgeschlagen
habe, bloss um des Glaubens willen.

Carl hörte auf den Mönch, der sich nicht begnügte das Evan-
gelium zu predigen, sondern auch den Krieg gegen die Bücher
führte und 5000 Manuscripte den Flammen übergab, ohne selbst zu
erlauben, die goldenen und silbernen Beschläge, im Werthe von
10,000 Ducaten abzunehmen; er hörte auf Ximenes und wies die
Juden ab.

An allen Enden Spaniens stiegen unter seiner Regierung die

Flammen der Scheiterhaufen gen Himmel, die Juden wurden in corpore et in effigie verbrannt, wie im deutschen Reiche die unschuldigen Schriften des göttlich Werk vollbringenden Luther.

Denken wir an das hämische Lächeln, welches den Mund des deutschen Kaisers umzog, als er in einer deutschen Reichsstadt vor einem solchen, von Büchern unterhaltenen Scheiterhaufen vor- überging, so können wir uns nicht bereden, dass er es mit dem Glaubenseifer so ernst gemeint habe. Sicher muss man den Carl von Gent von dem Carl im Kloster Yuste unterscheiden. Als Kloster- bruder dachte er anders, anders als Kaiser. Noch auf dem Todten- bette soll er seinem lieben Sohn Philipp den Befehl ertheilt haben, die Ketzer, Juden oder Lutheraner, ohne Ausnahme, ohne irgend welche Rücksicht mit aller möglichen Strenge zu strafen; er bedauerte, wie er sagte, selbst so nachsichtig gegen sie gewesen zu sein. Strenge und Aufrechthaltung der Glaubenseinheit ver- sprach Philipp dem sterbenden Vater und hielt dieses Versprechen treuer, als das bei der Abdankung gegebene, für den Lebensunter- halt des Vaters Sorge zu tragen [147]).

Das geben Alle, auch seine Feinde zu, ein frommer katho- lischer Mann war Philipp. Seine ganze Klugheit bestand darin, den katholischen Glauben zu befestigen; Monarch war er nie. Seine Politik war unklug, seine Kriege führte er unglücklich, seine verwegenen, unwissenden Feldherren brachten ihn, den König zweier Welten, um das Ansehen, und Spanien um den Rang einer Grossmacht. Er selbst liebte die Ruhe, aber die des Grabes, der Ergebung des Geistes unter der ewigen Vormundschaft der Geist- lichkeit. Darum war ihm die Inquisition ein so theurer Besitz und ihre Fortpflanzung in allen seinen Staaten, von Sicilien bis nach den Niederlanden, bis Indien und Amerika der Hauptzweck seines Lebens. Gegen die Ketzer, weil sie zu denken wagten, hatte Phi- lipp, der ob der grausam frommen Handlungen das Denken ver- lernt hatte, einen unversöhnlichen Hass [148]).

Schon jetzt, es waren kaum funfzig Jahre verflossen, fühlte das Land die bittern Folgen früherer Gewaltthaten. Das war das alte Spanien nicht mehr —.

Es hatte seine Freiheit verloren, die allgemeine Vertreibung der Juden, die Einziehung ihres Vermögens war das Signal zur Ungerechtigkeit, zu unerlaubter Selbstsucht, zur Befriedigung der ungezügeltesten Leidenschaften, zu Raub, Mord und Plünderung.

Die entdeckten heimgeführten Schätze der neuen Welt befriedigten die Habsucht nicht mehr, heimische Fluren und von Gott mit Fruchtbarkeit gesegnete Aecker wurden vernachlässigt, das Volk hatte die Lust zur Arbeit verloren und ganze Schaaren zogen nach dem Goldreiche, um dort an der Quelle ihren Durst zu löschen, sich zu Bettlern zu schwelgen. Je mehr sie fanden, desto gieriger, unmenschlicher, hasserfüllter wurden sie. Holland, Italien, England triumphirten, der Handel, der Reichthum, der Glanz waren aus Spanien gewichen. Das ganze Mercantilwesen befand sich, seitdem die Juden das Land hatten räumen müssen, in den Händen der Fremden, denn die Spanier waren weder Handelsleute noch Fabrikanten, sie verstanden es nicht, die reichen Schätze, die aus der neuen Welt ihnen zugeführt wurden, zu erhalten und dienten nur dazu, fremde Königreiche zu bereichern.

Der ganze Reichthum des Landes und auch seine Pracht befand sich in den Klöstern bei den Mönchen. Sie führten das flotteste Leben und kümmerten sich wenig um die Wohlfahrt oder den Ruin des Landes. Philipp erbaute das Escurial, das Kloster mit seinen 5000 Fenstern, das grösste, welches je in der Welt aufgeführt worden ist, und mehrte dadurch die Schuldenlast des Landes. In der mit diesem Riesenpalaste vereinten, nach dem Muster der Peterskirche in Rom erbauten, prachtvollen Hauptkirche befindet sich das Mausoleum der spanischen Regenten; in diesem Pantheon liegen die Philippe, in diesem Pantheon liegt die Grösse und Macht Spaniens begraben.

Philipp bereitete unter dem Glanze der Flammen und unter den Freudenfesten der Inquisition dem Lande den Untergang. Nie war es heller in Spanien, nie gab es der Feste mehr in diesem Lande, nie erlitten mehr Menschen den Tod der Flammen, als unter seiner Regierung. Sein alter Gegner in der politischen Macht, der alte Caraffa, Paul IV., war sein treuer Gehilfe in den Grausamkeiten. Er begünstigte hauptsächlich die von ihm selbst hergestellte Inquisition, lebte und webte in ihr, erliess Bullen gegen die Juden, excommunicirte und hielt Auto-da-Fés. Wie ihn endlich eine Krankheit niederwirft, beruft er noch einmal die Cardinäle, empfiehlt seine schwarze Seele ihrem Gebete und ihrer Sorgfalt die Inquisition. In Italien liess er die Juden und ihre Bücher verbrennen und strenge Befehle gegen die in Spanien sich findenden jüdischen Seelen ergehen [149]).

Trotz der allgemeinen Vertreibung, welche Spanien an einem Tage um über eine halbe Million Menschen brachte, trotz der wü- • thenden Verfolgungen, welche die Juden in dieser Hölle erduldeten, trotz der Tausende, welche nun schon den Tod erlitten hatten, war das Land noch nicht von der jüdischen Secte gesäubert. Es schien beinah, als ob diese Race nicht vertilgt werden könne. In den Klöstern, in den Kirchen, in den Cortes, im Rathe der Inquisition, in allen wichtigen Staatsämtern fand man die geheimen Juden, welche ihrem Glauben eben so treu geblieben waren, selbst ohne äussere Formen mit mehr Liebe dem Judenthume anhingen, als viele Juden, die nicht unter den Kirchenkuppeln sich beugten, als viele Männer, die jetzt in unserer Zeit als Geistliche und Führer ihres Volkes figuriren. Wer bedenkt, welche Marter diese unglücklichen Gezwungenen ihres Glaubens wegen ertrugen, wie sie freudig ihren letzten Sabbath feierten und mit Ergebung den Feuerstoss bestiegen; wer dieses bedenkt und sie noch gering schätzt, noch sie seiner nicht würdig erachtet, weil sie nicht so streng, so genau an den äussern Formeln hingen, von dem möchte ich mit dem Dichter sagen, das ist ein Mann, in welchem kein Herz wohnt.

Wo man sie fand, wurden sie in Verwahrsam gebracht; an jedem Orte gab es eine Inquisition, in jedem Jahre wenigstens einen Festtag, ich meine ein Auto-da-Fé, und bei keinem dieser Schauspiele fehlten die Juden.

Wer könnte und möchte sie Alle aufzählen die Märtyrer, welche für die heilige Glaubenssache ihr Haupt senkten?

Besonders Murcia hatte eine grosse Menge solcher zum Judenthum Zurückgekehrten mit ihren Rabbinern und geheimen Synagogen. Die Zahl der Judaisirenden in dieser Provinz war so beträchtlich, dass sogar der eiserne Philipp dem Papst den Vorschlag machte, durch ein Breve all' Denen, welche sich selbst als solche bekennen würden, leichtere Strafen als den Tod aufzuerlegen. Pius willigte ein und schloss nur die geistliche Aemter verwaltenden Judaisirenden von dieser Gnade aus [150]). Und doch blieb die Thätigkeit der Inquisition unausgesetzt dieselbe.

In Murcia wurde am 8. September 1560 mit acht anderen Juden der Leichnam der Maria de Bourgogne verbrannt; sie war von jüdischen Eltern zu Saragossa geboren und unterlag als 90jährige Frau der Tortur [151]).

Am 15. März 1562 verbrannte man ebendaselbst 23 Judaisirende. Unter ihnen befand sich Luis de Valdecagnas, ein Franciscaner von jüdischer Abkunft, welcher das Judenthum gepredigt hatte, Juan de Santa-Fé, Albert Xuarez und Paul de Ayllon, Geschworene, Pedro Gutierrez, Senatsmitglied und der Stadtsyndicus Juan de Leon [152]).

Am 2. Mai des folgenden Jahres wurden in Murcia 16 Judaisirende und mehrere Bilder dem Feuer übergeben. Diego de Lara aus Murcia, Baccalaureus der Rechte und Caplan des Königs, welcher mit mehreren Anderen seines Glaubens geflohen war, unglücklicherweise aber wieder in die Klauen der Inquisition fiel, wurde bei diesem Auto verbrannt; mit ihm Pedro de las Casas, ein Advocat, der Licentiat Augustin d'Ayllon, der Sohn des wenige Jahre früher geopferten Paul d'Ayllon und seine Mutter Isabella de Leon, Isabella Sanchez, der Doctor Francisco de Santa-Fé erlitten die Strafe im Bilde [153]).

1564 hielt man in derselben Stadt ein neues Auto mit einem Juden und eilf Bildern, unter denen sich das des im Gefängnisse verschiedenen Pedro Hernandez befand [154]).

Wozu der Opfer noch mehr herrechnen?

Der unmenschliche Philipp, der herzlos genug gewesen, seinen eigenen nach Freiheit lechzenden Sohn dem Tode zu weihen, gab nicht allein diese Grausamkeiten willig zu, sondern fand in seiner blinden Glaubenswuth ein besonderes Vergnügen daran, die Auto-da-Fés mit seiner hohen Gegenwart zu beehren. Unsere Zeit kann sich von einem solchen Tyrannen kaum einen Begriff machen: Philipp ist nur mit einem Nero zu vergleichen.

Wie Nero in seinen eigenen Gärten die Schauspiele der Hinrichtung von Tausenden aufführen liess, so stellte Philipp seine eigene Leibwache zum Dienste der Inquisition; sie mussten die Flammen anschüren, welche die Unglücklichen in Asche verwandelten [155]).

Nero war in der Kleidung eines Wagenführers unter der wilden Menge und ergötzte sich an dem Zetergeschrei der Geopferten. Philipp, angethan mit seinen prächtigsten Gallagewändern und vom ganzen Gefolge umgeben, weidete sein Auge an dem Elende der zum Feuertode abgeführten Märtyrer [156]).

Nero, die kaiserlichen Insignien an der Stirn, stand auf einem Wagen, damit auch das ganze Volk ihn sehen könne; Philipp hielt es für die grösste Ehre, sich der Menge als den Präsidenten der Inquisition zu zeigen.

Auf Nero's Befehl endete Seneca, endete Lucan; durch Philipp's Grausamkeit sank die Literatur, verlor sie ihren Charakter, schmachteten die grossen Gelehrten seiner Zeit in den Kerkern, bestiegen die hellsten Denker die Feuergerüste. Die schöne Zeit der freien Dichtung, wo die Höfe die Tummelplätze begeisterter Sänger gewesen, war geschwunden; es gab keine echte Poesie, keine wahrhaften Dichter im Lande, denn nie kann anders die Tochter des Himmels gedeihen, als auf einem Boden, wo der freie Geist sein freies Lied anstimmen kann.

Der Jude, der geheime, verkappte Jude sang nicht und dichtete nicht im Lande. Dichter und Sänger mussten den Wanderstab ergreifen und in anderen Gegenden ein Plätzchen für ihre Leier suchen. Hatten sie ihren Glauben wieder errungen, so nahm auch ihr Geist einen erhabenen Flug und herrliche Lieder strömten von ihren Lippen.

Zu den ersten, welche uns unter den Pflegern der castilianischen Muse nach der Vertreibung genannt werden, gehört

Moses Pinto Delgado.

In der Hauptstadt des kleinen Algarve, dieser südlichsten Provinz Portugals, deren Berge und Schluchten den Juden und Mauren Zuflucht und Schutz boten, in dem am Meere gelegenen Tavira, wurde in dem ersten Drittel des 16. Jahrhunderts Moses Pinto Delgado von jüdischen Eltern geboren. Mehrere berühmte Männer nannten mit ihm Tavira ihren Geburtsort. Dort erblickte João Sarram, ein berühmter Professor der Medicin, der Leibarzt des Herzogs von Aveiro, D. Juan de Lancaster, welcher in seinem 70. Jahre sein Werk »Mosaica Filosofia« vollendete und mit grosser Gelehrsamkeit und grossem Scharfsinn einige Capitel der Genesis erklärte, vielleicht gleichzeitig mit Delgado das Licht der Welt [157]; auch der Reisende Melchior de Moraes und ein Historiker Lobato sind aus dieser Stadt hervorgegangen.

Früh verliess Delgado das väterliche Haus und wurde einem Verwandten in Spanien zur Erziehung übergeben. Hier wurde ihm nun in einem zarten Alter, ohne dass er wusste, was mit ihm vorging, ein anderer Name — Juan [158] ward er genannt — und ein anderer Glaube beigelegt. Doch nur zu bald bot sich ihm eine Gelegenheit, Namen und Glauben wieder von sich zu werfen, denn

die Jeden argwöhnisch verfolgende Inquisition hatte einen Liebes-
blick auf Juan geworfen, so dass, sobald er von der Einladung des
hohen Tribunals Kunde erhalten hatte, er schleunig das unduld-
same Land und seine nach Tavira gezogene Familie verliess. Sonderbarer Weise begab sich Delgado nach Rom, wo zu jener Zeit
Pius V., der Cardinal von Alessandria [159]) auf dem päpstlichen
Stuhl sass. Einen so frommen Papst hatte es noch nicht gegeben,
ganz wie Paul IV., ja er übertraf ihn noch an Frömmigkeit. Er
war der vertrauteste Freund Philipp II., so dass, als dieser einmal
krank war, er seine Hände erhob und Gott bat, ihn von seiner
Krankheit zu befreien, ihm selbst möge er einige Jahre abnehmen
und sie dem Könige zulegen [160]). Ganz ähnlich war er ihm an Tyrannei. Es war dem alten Dominicaner aus Bosco nicht genug,
dass die Inquisition die neuen Verbrechen bestrafte: den alten vor
zehn und zwanzig Jahren liess er nachforschen. Der in der Inquisition und ihren Ideen alt gewordene Papst, dieser gottlose und
boshafte Mensch, wie der jüdische Chronist ihn nennt [161]), dessen
sämmtliche Gedanken nur auf Unheil ausgingen, vertrieb im Monat
Mai 1566 alle Juden aus seinen Staaten, über tausend Familienväter verliessen Italien und suchten andere Gegenden auf. Es ist
nicht unwahrscheinlich, dass sich unter diesen Auswanderern
auch Delgado befand. Genug, er verliess Rom und schlug seinen
Weg nach Frankreich ein, wo zur selben Zeit der ausschweifende
Medicäer Heinrich III. regierte. Er, selbst ein schlechter Katholik,
hegte einen innern Groll gegen die Juden [162]) — von einem fanatischen Dominicanermönch wurde er ermordet.

Weder von dem Bildungsgange Delgado's, noch von seinem
spätern qual- und martervollen Leben ist irgend eine Notiz auf uns
gekommen. Von Natur mit ausgezeichneten Anlagen versehen — er
konnte, so erzählt Barbosa [163]), eine gehörte Rede aus dem Gedächtniss wörtlich niederschreiben — studirte er aller Wahrscheinlichkeit nach zu Salamanca Humaniora und wurde dort der Freund
des vorzüglichsten Dichters seiner Zeit, des ihm an Alter gleichen
»Bruders mit der jüdischen Seele« [164]), des, wie Delgado von der
Inquisition gequälten Luis de Leon.

Dieser Augustiner, Doctor und Professor der Theologie an der
alten Universität Salamanca, hatte für einen seiner Freunde eine
spanische Uebertragung des Salomonischen Hohenliedes angefer-
tigt, in welcher er es pastoralisch behandelt und Schäfer und

Schäferin redend einführt. Obwohl er diesen seinen ersten poetischen Versuch, dessen Tendenz in offenem Widerstreit mit der herrschenden Meinung der Kirche stand, nur dem engsten Kreise seiner vertrauten Freunde zeigte, so wurde die Uebersetzung dennoch durch die Treulosigkeit seines Dieners bald so bekannt, dass Luis de Leon 1572 vor die Inquisition von Valladolid geschleppt wurde. Fünf Jahre schmachtete der unschuldige, bewundernswürdig freimüthige, rationalistische Theologe im Gefängnisse und tröstete sich mit Job, dessen Leidensgeschichte er während seiner eigenen Leidenszeit trefflich übersetzte und erklärte. Erst auf Verwenden einiger einflussreichen Freunde und seiner zahlreichen Schüler wurde er an dem vorletzten Tage des Jahres 1576 von der Folter befreit und begann dann seine lange Zeit unterbrochenen Vorlesungen mit den seit damals unzählige Male wiederholten Worten : » Wie wir am Schlusse unserer jüngsten Vorlesung bemerkten «, als ob die fünf bittern Jahre seines Kerkerlebens seinem Gedächtnisse entschwunden gewesen wären. Nicht so bald erholte sich seine Gesundheit. Einsam und von der Welt zurückgezogen, lebte er nur den Wissenschaften, und in einem Briefe, welcher seine Gedichte an seinen Freund Puertocarrero, den Staatsmann Philipp II. begleitete, findet sich das offene Geständniss, dass er nie mit mehr als zehn Personen befreundet gewesen war. In diesen engern Kreis gehört auch unser Delgado.

In einem fremden Lande, ohne Hoffnung, sein geliebtes Tavira, welches seinem theuren Weibe und einem hoffnungsvollen Sohne noch zum Aufenthalte diente, je wiederzusehen, schöpfte er aus den heiligen Schriften Trost und beruhigte sich mit dem den Trauernden so wohlthuenden Gedanken, in einer dem sterblichen Auge verhüllten Zukunft mit den im Leben Geliebten wieder vereint zu werden.

Die Dichtung bot ihm Trost, Ruhe und Erheiterung.

Seine Poesien sind die eines tiefen Gefühls und weichen Gemüths, er seufzt ob des verlorenen Vaterlandes und seufzt ohne Hoffnung. Er klagt mit dem Propheten auf den Trümmern Jerusalems um den Verfall der heiligen Stadt, um die Verbannung und den Druck seiner Brüder. Eine schwere Melancholie zieht sich durch alle seine Producte und doch ist in ihnen nicht die Verzweiflung zu finden, in welche andere Dichter seiner Zeit, seine Leidensgefährten, so oft verfielen.

In bittere Klagen bricht er gegen die Verfolger seines armen
Volkes aus, er wendet sich an den Höchsten und bittet um Erlösung:.

> An jenem Schreckensorte litt meine Seele,
> Ob meiner Sünde durch Tyrannen Knechtschaft!
> Send' meiner Nacht von Deinem Himmelsglanze,
> O Gott, nur einen Feuerstrahl,
> Und sei Dein Geist mein Führer allemal.
> O Gott, gedenke meiner in der Wüste
> Bei jenem sanften Feuerschein,
> Denn fern von ird'scher Art ist Dein Gedanke. —
> So lieg ich nackt und hilflos hingestreckt! ·
> Doch jetzt hab' ich des Irrthums dichten Schleier,
> 'Das abgenutzte Kleid weit hin von mir geworfen,
> Nur die Betrachtung Deiner Grösse macht mich glücklich.

Zum ersten Gegenstande seiner Dichtung wählte Delgado die
Geschichte seines Volkes.

Fast scheint es, als ob die vom heimischen Heerd verjagten
Juden an der Vergangenheit, an dem einstigen Glücke der Nation
sich haben weiden wollen!

Wie der Astronom und Dichter Abraham Zahalon in jener Zeit
das Buch Esther commentirte, so erquickte sich auch Delgado an
dieser persischen Hof-, Intriguen- und Liebesgeschichte, an dieser
des Höchsten Macht und väterliches Walten so deutlich zeigenden Erzählung und stärkte sich mit Muth und besseren Hoffnungen für Israel,
für seine eigene Zukunft. Diese Geschichte war auch der Zeit seiner
und seines Volkes Leiden am angemessensten. Das Bild einer von
Verfolgungssucht bis zum Wahnsinn getriebenen Person, das Ab-
bild eines Haman schwebte ihm in allen Farben vor, und was war
leichter als ein solches Gemälde vom ersten Anfang bis zum letzten
Pinselstrich, dem allgemein bekannten Ende der Judenverfolger in
einen poetischen Rahmen einzukleiden.

Ein kurzes Gebet geht dem Gedichte voran:

> Der Du vollführtest, Gott, im wunderbaren Raum, *)
> Erhabne Pläne Deines heil'gen Geistes,

---

*)   Señor, que obraste en milagroso espanto
Altos designios de tu santa idea,

Zu Dir erhebet sich mein Lobgesang,
Damit er sei das Werkzeug Deines Ruhms.
Mein Wunsch, obgleich zu kühn, erstrebet
Durch meine Feder Deines Namens Ehr'. *)

Nach diesem, den Inhalt der Geschichte andeutenden Prologe,
wenn wir das Gebet so nennen dürfen, beginnt das Epos selbst in
folgender Weise:

In Susa, der Hauptstadt, residirte
Auf dem von Cyrus ererbten Thron
Assüeros, der weite Reiche regierte u. s. w.

Diesem, in harmoniereichen Sextillen geschriebenen epischen
Gedichte schliesst sich ein ähnliches an, die Geschichte der Ruth.

Delgado besingt hierin die Ruth, die arme Moabiterin, welche
aus Liebe zum Judenthum und seinen Satzungen ihrer Schnur gefolgt und die Stammmutter von Israels Helden und Königen geworden war.

Auch diese Dichtung eröffnet er mit einer Lobpreisung Gottes:

Herr, wenn in der Welt sich so
Zeigen Deine Wunder,
Wie die Berge Du versenkest,
Wie die Thäler Du erhöhest.

. . . .

So, o Gott, lass mich erzählen,
Wie ein Mann, treu dem Gesetz,
Zeugte jenen frommen König,
Dessen Namen feiert die Welt. **)

---

*)   A ti levanta, como tuyo, el canto
Porque á tu gloria el instrumento sea,
Y aunque atrevida, en su labor presuma,
Será trompeta de tu voz mi pluma.

**)   Señor, si en el mundo tantas
Se miran tus maravillas,
Cuando los montes humillas,
Cuando los valles levantas;
. . . .
Concede, Señor, que escriba
La que, abrazando tu ley,
Fué su fruto un santo rey,
Su memoria al mundo altiva.

Dieses Gedicht zeigt deutlich, wie Delgado die Versification in
seiner Gewalt hatte. Herrliche, aus den heiligen Schriften gezogene
Sentenzen sind in dem Gedichte geschickt mit verwebt. Als Proben mögen folgende Strophen dienen:

> Zu der Zeit als Israel
> Ward regiert durch Richter,
> Als verderblich herrschte Sünde,
> Bat es thränenvoll zu Gott.

> Als den Jordan es durchzog,
> Wunderbar zum zweiten Male,
> Stieg von Neuem auf den Thron
> Abzan, so genannt mit Namen.

> Wenn dem Mensch der Eifer fehlet,
> Welcher reift die ew'ge Frucht,
> Gibt der Himmel keinen Segen,
> Gibt Tribut nicht mehr das Feld.

> Wankelmüthig zeugt die Erde
> Uebles, wenn das Gute weicht,
> Lasterunkraut wachset, wuchert,
> Wenn die Tugend blühend welkt.

> Ob den grünen Glanz der Wiese
> Auch in Gold die Zeit verschliesst,
> Stein nur ist er, wenn die Sünde
> Hat das Herz verstockt zu Stein. *)

---

*)
> Al tiempo que era Israel
> Por jueces gobernado;
> Siendo su daño el pecado
> Su llanto el refugio en él;

> Despues que pasó el Jordan
> Con segunda maravilla,
> De nuevo heredó su silla
> Quien fué su nombre Abezan.

> Faltando en el hombre el celo
> Que alcanza el eterno fruto,
> El campo negó el tributo,
> Sus influencias el cielo.

> La tierra en su ingratitud
> Muestra el mal, si bien encierra:
> Que mal produce la tierra,
> Si muere en flor la virtud.

> El verde honor que en el prado
> En oro el tiempo resuelve,
> Piedras son, si en piedras vuelve
> Al corazon su pecado.

Das vorzüglichste Product Delgado's ist seine herrliche Nachahmung der Klagelieder.

Es ist ein sonderbares Zusammentreffen, dass fast zu gleicher
Zeit mit Moses Pinto ein andrer Delgado, Pedro Nuñes mit Vor-
namen, welcher als Professor in Sevilla starb, einen Commentar
zu denselben Klageliedern Jeremias geschrieben hat [165]. Wir wollen keineswegs behaupten, dass Pedro Nuñes Delgado jüdischer
Abkunft, geschweige mit Moses Pinto Delgado verwandt gewesen
sei, wie sich dieses von einem dritten Namensvetter, Juan Delgado,
welcher als Jesuit aufgeführt wird und dessen praktische Theologie
im Manuscripte vorhanden sein soll, eben so wenig bestimmen
lässt. Freilich erblickte letzterer in einem Städtchen nicht weit
von Moses Pinto's Geburtsort — Lagos in Algarve — nur wenige
Jahre nach ihm das Licht der Welt, doch — nichts führt leichter
auf verwandtschaftlichen Irrthum, als spanische Familiennamen.

Besonders in den Klageliedern bricht der jüdische Geist Delgado's in der ganzen Fülle durch. Er klagt und weint mit dem
göttlichen Propheten um den Verfall der Zionsstadt, um die Einäscherung des Tempels, um die Fortführung der seit jener Zeit
fremdes Joch ertragenden Nation.

Wie beiden erwähnten Dichtungen geht auch den Klageliedern
ein aus fünf Redondillen zusammengesetztes Gebet voran, in welchem er für sich und sein Werk Gottes Beistand erfleht:

> Meine schwache Stimm', o Gott, *)
> Die gepresst aus meinem Herzen
> Und befreit von eitlem Wahn',
> Weilet heut' mit dem Propheten
> Bei den Klagen Deines Zion.

> Spend' aus Deinem hohen Schatze
> Meinem scheuen Blick Dein Licht,

---

*)
> Señor, mi voz imperfecta
> Nacida del corazon,
> Que á vano errór se sugeta,
> Hoy siga con tu propheta
> El llanto de tu Sion.
> .   .   .   .
> Concede de alto tesoro
> Tu luz á mi ciega vista

Lass, was ich nicht weiss, mich fassen,
Denn dem Fremden gilt die Klage,
Ihm nur, meiner Sünde nicht. *)

. . . .

Und wenn gleich ich ohne Flügel
Mich erheb' zu solchem Flug,
Meine Lippen zaghaft schweigen —
Flöss' den Geist mir ein zu singen
Thränenvoll ein Liederbuch.

Sodann beginnen die in alten nationalen Quintillen, dem Lieb-
lingsversmaass Luis' de Leon geschriebenen Klagelieder in folgender Weise:

Wie unselig hast, o Stadt, Du
Dich so traurig umgewandelt!
Deine Grösse, Majestät,
Dein geweihtes Gotteshaus —
Heute ist es Schutt, Verwüstung.

Wer sich neiget Dich zu schauen
Und die Mauern, jetzt Ruinen,
Durch ein göttlich Strafgericht,
Könnte nur in Deinen Sünden
Sehn die Ursach' Deines Falls.

Wer wohl könnte Dich betrachten,
Wer wohl den geschwundnen Ruhm,
Und nicht wünschen, dass sein Leben
Sei ein thränenvolles Meer,
Ewiglich Dich zu beweinen?

Deine Thore und Paläste
Boten, ach! der Flamme Stoff.
Sie, die in der öden Strasse
Züngelte an Deinen Ruhm,
Dass Dein Elend Abgrund tief.

Könnt' ich nur auf Deinen Plätzen,
Deinen Strassen jener Männer
Einen, auch nur Einen sehen!
Soll der Wirklichkeit ich trauen?
Meinem Auge trau' ich nicht.

---

*)
Tu sciencia en lo que ignoro,
Porque en ageno mi lloro
A propias culpas resists.
. . . .

Ach, wie eitel ist mein Wunsch!
Thiere vom Instinkt getrieben,
Ohne Herren, ohne Hirten,
Blöcken, schreien, unbewusst
Bieten Zeugniss sie — ich glaube.

Doch die Ursach', dass entthronet,
Dass Du so gestürzest bist
Von dem Ruhm, in dem Du lebtest,
Weil die Wahrheit Du verwarfest,
Und der Eitelkeit gefolgt.

Ja, Du bist nicht mehr die Fürstin
Aller anderen Nationen,
Deine Hoheit ist nicht mehr!
Deines Diademes Grösse —
Fremden wurde sie zum Raub.

Ja Dein königliches Haus
Deckt jetzt demuthsvoll die Erde,
Traurig ist die Grabesstätte.
Krieg ist jetzt der alte Frieden,
Uebel jetzt das alte Gut.

Warst Du doch dem Herrn zuwider!
Früchte, wie sie Sünden folgen,
Musstest Du auch erndten ein,
Musstest den Tribut bezahlen,
Wie ihn forderte die Schuld.

Nicht allein siehst Du nun schwinden
Den von Dir besess'nen Ruhm,
Auch die Söhne gehen unter,
Weil Dein Gott sie überliefert,
Fremder Herren Tyrannei!

Wie auch könnte in den Leiden
Athmen noch das arme Volk?
Zeit nun hat es zur Betrachtung!   —
Das Erstrebte ist erfolget,
Das Erstrebte — ewig da.

Weinend ruft es: Weh' mir Armen!
Wo mein Ruhen? Wo mein Bleiben?
Wohin ward ich fortgetrieben?
Drückend nah ist mein Besitz,
Weit entfernet mein Verlust.

Wenige Elegien solcher Schönheit haben wir dieser zur Seite zu setzen !

So nimmt Moses Pinto Delgado als Dichter einen hervorragenden Platz in der spanischen Literatur ein. »Es erregt wahrlich«, sagt de los Rios [166]), »alle Aufmerksamkeit, zu sehen, wie ein Mann, verfolgt und vertrieben, der in dem grössten Mangel und den grössten Leiden lebte, in einem fremden Lande die heimathliche Sprache und Poesie in solcher Reinheit pflegte, denn in jener Zeit »asombra ya su cabeza la hidra del mal gusto en la literatura nacional«, steckte die Hydra des schlechten Geschmacks schon ihren Kopf in die National-Literatur und selbst bevorzugte Talente, wie Lope de Vega und Gongora, füllten unsern Parnass mit Fremdartigem.«

Aehnlich lautet das Urtheil Ad. de Castro's, welcher die poetischen Werke Delgado's für ausgezeichnet erklärt: »sie verdienen von allen Freunden der schönen Wissenschaften in hoher Achtung gehalten zu werden« [187]). Diesem Ausspruch stimmt auch Ticknor bei, wenn er sagt: »parts of them are written not only with tendernes but in a sweet and pure versification« [168]).

Die Kritik solcher Männer, wie die eben genannten, ist zu gewichtig, als dass wir noch Etwas zum Lobe Delgado's hinzufügen sollten, und so wollen wir nur noch die wenigen Worte des ihn besingenden Daniel Levi de Barrios [169]) hierhersetzen:

> Von der Königin Esther und des Jair's Sohn
> Sang Moses Delgado im herrlichen Ton,
> Und schrieb in dumpfer Klage nieder
> Des Sehers Jeremias Klagelieder.

Delgado wurde von seinem kummervollen Leben im Jahre 1590, 61 Jahr alt, befreit.

Seine poetischen Producte, bestehend ausser den besprochenen aus einzelnen Sonetten, Hymnen u. dgl., bilden zusammen einen Band von 366 Seiten und wurden in Rouen 1629 [170]) gedruckt. Sie sind dem Cardinal Richelieu, »dem Grossherrn, dem Präsidenten der Schifffahrt und des Handels in Frankreich«, wie er in der Widmung bezeichnet wird, zugeeignet.

Ob auch Delgado, gleich dem oben genannten Salomon Usque, Fernando de Hozes, Francisco de Ayllon, Henriquez Garces, fast lauter Zeitgenossen unseres Dichters, Theile Petrarca's ins Portugiesische übersetzt hat, wie Barbosa angibt »Petrarcha traduzido

em 8. Rima Portugueza. M. S.« lässt sich nicht ermitteln; jedenfalls ist die Uebersetzung nie im Druck erschienen.

Indem wir nun Delgado den Vater verlassen, wenden wir uns
zu seinem bis jetzt unbekannten, auch de los Rios, Ticknor u. A.
entgangenen Sohne, der wie sein Erzeuger reich an poetischer
Begabung gewesen ist und alle Ansprüche hat unter die spanischen
Dichter gerechnet zu werden.

Gonçalo Delgado

ist sein Name. Er wurde in Tavira, dem Geburts- und zeitweili-
gen Wohnorte Moses Pinto's geboren. Wie sein Vater, war auch
er der Poesie geneigt und erwarb sich durch sie die ihm gebührende
Anerkennung. Von seinen poetischen Werken ist uns nichts erhalten, nicht einmal die Titel derselben werden uns genannt.
Barbosa, die einzige Quelle, welche ihn mit wenigen Worten erwähnt [171]), berichtet von einem einzigen Gedichte, welches durch
einen heftigen, die Stadt Faro verheerenden Ueberfall der Conglän-
der im Jahre 1596 hervorgerufen und dem Statthalter von Algarve,
Ruy Lourenço de Tavora, gewidmet worden ist [172]). Sonst ist uns
nichts von ihm bekannt.

Ehe wir zu dem Manne übergehen, welcher wie Moses Pinto
Delgado den Musen seine Thätigkeit widmete, müssen wir einen
Blick auf das Land werfen, dessen blühende Städte von nun an
die Hauptsitze der spanisch-portugiesischen Juden wurden, auf
Holland, auf die Niederlande.

In demselben Jahre, in welchem Spaniens Juden sich nach
neuen Heimathen umsehen mussten, waren die Niederlande endlich einmal ruhig geworden. Durch die diplomatisch berechnete
Verbindung des schönen Philipp's aus dem burgundisch-österrei-
chischen Hause mit der wahnsinnigen Tochter der katholischen
Isabella war auch Spanien und seine verhasste Politik zuerst in
nähere Berührung mit den freien, stets unruhigen Niederlanden
getreten — ein Ereigniss, das natürlich auch auf die dorthin geflüchteten Juden und ihre Verhältnisse einen bedeutenden Einfluss
übte.

Allem Anscheine nach wurden die geheimen spanischen Juden
durch Handelsverbindungen zuerst auf den Gedanken gebracht, sich
in Holland niederzulassen. Das herrlich gelegene Antwerpen war im

11*

funfzehnten Jahrhundert Mittelpunkt des Welthandels geworden,
der Haag wurde schon damals die Vorrathskammer der holländischen Schätze genannt, Amsterdams treffliche Tuchfabriken ver-
sorgten schon lange Spanien und Portugal, wie Deutschland und
die Türkei mit ihren Fabrikaten, so dass es nicht eine allzu gewagte
Vermuthung ist, dass die Juden der Halbinsel schon lange vor der
Vertreibung mit den niederländischen Kaufleuten in Geschäftsver-
bindung getreten waren. Ob die Flüchtlinge nun direct oder von
Frankreich und Italien aus ihre alten Handelsfreunde aufsuchten,
lässt sich nicht bestimmen, kann uns im Grunde genommen hier
auch gleichgültig sein, da nur das Factum der Uebersiedlung
selbst uns an diesem Orte interessirt. Als Neue-Christen, geheime, verkappte Juden, fanden sie Einlass und mögen auch
von der weisen, wissenschaftlich gebildeten Statthalterin Margaretha, deren Güte, Milde und Freundlichkeit von allen Geschichtschreibern ihrer Zeit gerühmt wird, einige Jahre in ungestörter
Ruhe gelassen worden sein. Erst unter der Regierung Carl V. hört
man von einzelnen Edicten gegen die Neuen-Christen, nach welchen
jedem Fremden die Niederlassung streng untersagt und den schon
Ansässigen anbefohlen wird, binnen vier Wochen das Land zu
räumen [173]. Doch mögen diese von der Regierung gefassten
Beschlüsse nie mit Strenge gehandhabt worden sein. Das niederländische Volk, gutmüthig und beschränkt, aber dennoch auf
seinen Vortheil bedacht, erblickte in dem Juden nur den handel-
treibenden, nutzbringenden Fremdling und bekümmerte sich wenig
um den Glauben, der ihn von der Menge trennte. Der Niederländer war nie von Glaubenseifer besessen, er verfolgte nicht,
weil er selbst zu den Verfolgten gehörte.

Der durch Glaubenswuth und Fanatismus zum Tyrannen gemachte Philipp II. hatte als König von Spanien über die reichen
Handelsstaaten am Gestade der Nordsee, als grossväterliches Erb-
gut, seinen mächtigen Arm ausgestreckt und gleich nach seinem
Eintritte in die Niederlande auf die Ketzer, worunter auch die
Juden begriffen waren, Jagd machen lassen. Jeder Angeber, welcher sie dem Gerichte überlieferte, sollte mit dem Tribunal die
Besitzungen der Ketzer theilen [174]. Die Inquisition sollte auch in
diesem freien Lande ihre Geburtsstunde feiern. Der Schrecken
eines Gerichts, dessen Gräuel in Spanien damals den höchsten
Gipfel erreicht hatten, wirkte, wie von Kampen aus den Quellen

berichtet, vorzüglich auf Antwerpen; die Stadt fürchtete, und mit Recht, den gänzlichen Verlust ihres Handels, wenn auch dort Untersuchung des Glaubens stattfinden und das Innerste des Menschen durchwühlt werden sollte. Viele Kaufleute machten sich zur Abreise fertig, der Handel gerieth ins Stocken, der Häuserpreis verminderte sich und eine Deputation wandte sich an die von Philipp eingesetzte Statthalterin mit der Bitte, Sorge zu tragen, dass der mächtigste Handelsplatz der kaiserlichen Staaten nicht durch das Glaubensgericht ins Verderben gestürzt werde.

So war es das materielle Interesse auf der einen Seite, wie auf der anderen das religiöse Moment der Toleranz, welches die Freunde der Religionsfreiheit in diesem blühenden Lande mit seinen mannigfachen Waaren, Meinungen, Erfahrungen und Glaubenssätzen in Schutz zu nehmen und zu wahren hatten. Es war der tollste Gedanke, welchen Philipp vielleicht je hatte, die spanische Inquisition auch den Niederländern aufzudringen, dort, wo sie im grellen Contrast mit den Nachbarländern, mit England, Deutschland und selbst Frankreich stand. In dem ganzen Norden athmete damals die Freiheit und in den handelsreichsten Staaten der Welt sollten Schranken gegen Denk- und Glaubensfreiheit gezogen und der friedliche Bürger bis ins Heiligthum seiner Ueberzeugung verfolgt werden!

In dieser Zeit der Gefahr traten Männer wie Wilhelm von Oranien, Egmont und Hoorn an die Spitze des unzufriedenen Volkes, der Adel reichte dem Volke zur gemeinschaftlichen Thätigkeit die Hand, Alle wollten die alten Rechte der Glaubensfreiheit schützen und es bot sich ein Schauspiel, das nur einmal seines Gleichen in der Weltgeschichte gefunden hat. Eine der denkwürdigsten Revolutionen brach aus, eine Revolution, welche — den Juden eine Heimath gleichsam eroberte. Alba, nicht der besser gesinnte Carlos, wurde nach den aufrührerischen Niederlanden geschickt. Ganz im Sinne seines königlichen Herrn wüthete und hauste er, er errichtete einen Blutrath, der Jeden mit Schrecken füllte. Die Tyrannei kannte weder Maass noch Ziel, Personen jedes Geschlechts, Alters und Standes wurden in die Kerker geworfen und hingerichtet, die Galgen, die Räder, sogar Pfähle und Bäume an den Wegen mit Erwürgten und Enthaupteten beladen, boten das traurige Schauspiel, dass die Luft, zum Leben erschaffen, als ein allgemeines Grab erschien. Jeder Tag hatte seine Trauer, der

Klang der Todtenglocke zur Hinrichtung der zahllosen Schlacht-
opfer tönte fürchterlich in den Herzen von Kindern, Aeltern, Verwandten und Freunden [175]). Auch die wenigen Juden, welche heimlich und versteckt sich im Lande aufhielten, sollten des gewaltigen
Alba's Anwesenheit fühlen. Am 10. Januar 1570 liess er das Gesetz bekannt machen, alle Juden gefangen zu nehmen und am
17. Mai desselben Jahres wurde diese Maassregel durch ein anderes
Edict insoweit verschärft, keinem Juden freien Abzug zu gewähren,
keinen Juden aus dem Lande zu lassen [176]).

Der grosse Religionskrieg brach aus: er währte über 80 Jahre.
Alba versuchte daran all seine Kraft, Juan von Oesterreich fiel ihm
als Opfer.

Wilhelm von Oranien, der wackere Kämpfer für Gewissensfreiheit, der edle Deutsche, der hoch über sein Jahrhundert her-
vorragte, hatte das edle Streben, durch Proclamation einer allgemeinen Glaubensfreiheit dem Kriege ein Ende zu machen. Kam
auch sein Plan nicht zur Ausführung, so hatte der Funke doch ge-
zündet und trotz des wüthenden Krieges den Juden Sitz und Bleiben in Middelburg verschafft. Gross sind die Verdienste des damals in den Niederlanden weilenden maroccanischen Gesandten
Don Samuel Palache um seine Glaubensbrüder; er hat den späteren Ankömmlingen die Strasse geebnet.

Und an Ankömmlingen fehlte es nicht, denn auch Portugal
musste Philipp als Herrscher anerkennen und auch die dort noch
wohnenden Juden mussten wandern.

Wir haben dieses Land mit der Einführung der Inquisition verlassen. Das Gericht über Leben und Tod hatte seine Wirksamkeit
eröffnet, aber keineswegs eine Thätigkeit entfaltet wie in Spanien.
Noch wohnten die Juden in den verschiedenen Städten, wie Porto,
Santarem u. A., noch konnten sie durch das blendende Gold Schutz
von den Königen erkaufen, da stürzte sich der König Sebastian in
einen unüberlegten, gefahrvollen Krieg und fiel dem nach Ländern,
Gold und Seelen haschenden Philipp in die Hände. Portugal wurde
der spanischen Monarchie einverleibt und zugleich ein neuer Schau-
platz der Inquisition. Jahre der Betrübniss brachen über die Juden aus, wer nicht verbrannt werden wollte, musste aus dem
Lande fliehen.

Unter den Schrecken der Inquisition erhob ein Gott ergebenes
Weib ihr Auge gen Himmel und bat den Allmächtigen um Rettung.

Mayor Rodriguez schickte sich mit ihrem Manne Gaspar Lopez (Homem), ihren Söhnen Manuel und Antonio Lopez (Pereyra) und ihren Töchtern Maria Nuñes und Justa Lopez (Pereyra) im Jahre 1590 zur Auswanderung an[177]. Das Geschwisterpaar Manuel und Maria schifften sich mit ihrem Oheim Miguel Lopez nach Holland ein. Unterwegs wurden sie aber von den mit den Niederländern gegen Spanien verbündeten Engländern ergriffen und als Kriegs-gefangene nach London geführt. Maria war von so seltener Schön-heit, dass der Capitän des Schiffes, ein englischer Lord, ihre Hand verlangte und sie mit so ausserordentlichen Beweisen der Liebe und Sorgfalt behandelte, dass das Verhältniss des Lords zu dem portugiesischen Judenmädchen der Königin Elisabeth zu Ohren kam. Elisabeth liess Maria zu sich kommen. Sie bewunderte ihre Schönheit, mehr aber noch die Bescheidenheit und das anmuthige Wesen der kriegsgefangenen Jüdin. Auch die Königin behandelte die schöne Maria mit allen Auszeichnungen: sie nahm sie in ihren Staatswagen, fuhr mit ihr durch die Hauptstadt, um den Bewoh-nern Londons dieses Wunder von Schönheit zu zeigen. Aber Maria kümmerte sich wenig um diese Ehren, sie hörte nicht auf die inständigen Bitten der Majestät, hatte kein Ohr für die ehren-vollen Anträge, welche man ihr machte, — sie flehte nur um ihre Freiheit. Sie wurde ihr bewilligt. Maria verliess England mit all dem ihr versprochenen Glanz um des Judenthums willen und setzte mit ihren Begleitern die Reise nach Holland fort. Maria Nuñes Pereyra war gleichsam die Erste, welche als Jüdin Amsterdam betrat; Maria legte den Grund zu der so grossen und berühmten spanisch-portugiesischen Gemeinde Amsterdams.

Einige Jahre später kam auch ihre Mutter Mayor Rodriguez mit den übrigen Verwandten ihr nach. Im Kreise dieser kleinen Familie wurde bald nach ihrer Ankunft eine Doppel-Vermählung unter Musik, Gesang und Freude gefeiert. Die heldenmüthige Maria heirathete Manuel Lopez Homem und ihre Schwester Justa wurde die Frau ihres Vetters Francisco Nuñes Pereyra. Antonio Lopez erhielt nach wenigen Jahren das Amt eines Hofbanquier des Königs von Spanien »Contador Mayor del Rey de España y balido' del Conde Duque«.

Die wenigen Familien der Lopez und Pereyra machten wenige Jahre die ganze Gemeinde aus. Ihre Ehen waren von Gott mit Fruchtbarkeit gesegnet. Justa Pereyra hatte zwei Söhne, beide

starben im zartesten Alter und die fromme Gattin schob den Tod
ihrer Kinder auf die Weigerung des Vaters, die Beschneidung an
sich vollziehen zu lassen. Sie trennte sich von ihm, bis er sich
der Operation unterwarf. Antonio Lopez nannte sich David Abendana und die zu ihrem Gatten zurückkehrende Justa legte sich den
Namen Abigail bei. Aus dieser Ehe entspross der später berühmt
gewordene Manuel Abendana.

    Zu den Personen, welche sich um die Bildung der Amster-
damer Gemeinde und die Begründung des Judenthums besondere
Verdienste erworben haben, gehört Uri Levi, welcher 1554 in
Deutschland geboren wurde. 1594 hatte er eine kleine Karawane
spanisch-portugiesischer Juden von Emden, wo er als Rabbiner
fungirte, nach Amsterdam gebracht, und alle in den ersten Jahren
nach dieser Stadt gekommenen Flüchtlinge der Halbinsel wurden
von ihm dem Judenthum geweiht. Sein Sohn Aron unterstützte
ihn in der heiligen Handlung; letzterer soll während seines Lebens
931 Personen beschnitten haben.

    Vier Jahre später erhielt die Gemeinde neuen Zuwachs. 1598
kamen aus Porto Melchor Mendes Franco (Abraham Franco) mit
seiner Frau Sarah und seinen beiden Söhnen Francisco (Isaac) Mendes und Christoval (Mardochai) Mendes. Die letztgenannten Portugiesen standen bei dem Senat der Stadt in hoher Achtung:
Isaac, welcher früh starb, wegen seiner Kenntnisse, Mardochai
wegen seiner unbegrenzten Wohlthätigkeit [178]).

    Diese eingewanderten Juden versammelten sich an dem ersten
Versöhnungstage, welchen sie wieder als freie Juden feiern konnten, um ihren gepressten Herzen durch Thränen Luft zu machen.
Sie dankten Gott für die Errettung, als ein neuer Schrecken sie
überfiel. Schon neigte sich der Tag, und die reuigen, zerknirsch-
ten Juden, in ihre Sterbekleider gehüllt, wollten eben das letzte
Gebet der Nacht gen Himmel senden:

> O Vater Du, o mächtiger König,
> Befrei' in Deiner Gnade uns von Schuld!
> O Vater Du, o mächtiger König,
> O schreib' uns ein ins Buch der Huld!

als plötzlich bewaffnete Macht sie überfiel und ihre Bilder verlangte. Die Juden wurden für Papisten, Bilderdiener gehalten.
Doch man fand keine Bilder und die leichenblassen Juden be-

theuerten, dass sie Abkömmlinge der alten egyptischen Nomaden-
familie, die seit Urzeit die Bilder verabscheuten, aber keine Bilderdiener wären. Die Justiz erkannte ihre Unschuld und bewilligte
ihnen freie Religionsübung. Nun vergrösserte sich die Gemeinde
allmälig. Schon nach wenigen Jahren war sie zu einer solchen
Anzahl herangewachsen, dass ihr das von Samuel Palache ein-
geräumte Betlocal nicht mehr genügte und sie darauf bedacht sein
musste, ein Gotteshaus zu errichten. Der verdienstvolle Jacob
Tirado, welcher nach Barrios[179] nach Jerusalem pilgerte, legte
im Verein mit David Abendana den Grund zu der ersten Synagoge, welche seinen Namen auf alle Zeiten verewigte. Jacobs
Haus wurde sie genannt. Uri Levi und der 1620 verstorbene
Joseph Pardo waren ihre ersten Rabbiner[180].

Einige Jahre später entstand durch ein Glied der Familie
Mendes eine zweite Synagoge, »Friedenswohnung« genannt, und
nicht lange nachher wurde, durch die strengen Busspredigten des
Isaac Usiel veranlasst, eine dritte angelegt, welche den Namen
»Haus Israel« führte und David Pardo an ihrer Spitze hatte.

Auf dem Ouderkerker Felde, ungefähr eine Meile von Amsterdam, erwarben sie auch für 2700 Gulden ein Stück Land, um ihre
Todten zu begraben.

Für Gotteshäuser, Begräbnissplatz, für Lehrer und Führer war
gesorgt, Amsterdam bildete eine Gemeinde im wahren Sinne des
Wortes. An Gelehrten, dem Schmuck jeder Gemeinde fehlte es
nicht: Wissenschaft und Bildung hatten die Flüchtlinge mitgebracht,
für Pflanzstätten der Wissenschaft hatten sie Sorge getragen;
neben jedem Gotteshaus befand sich auch ein Lehrhaus mit Männern, wie Joseph Pardo, Isaac Usiel, David Pardo an der Spitze.

Einer ihrer Nachfolger in der geistlichen Würde, welcher auch
als Dichter glänzt, war

David Abenatar Melo.

Melo, gegen Mitte des 16. Jahrhunderts geboren, war mit einem
klaren Geiste begabt und ein Mann tiefen Wissens. Mehr aus natürlicher Neigung, als durch die Erziehung dazu geleitet, widmete er
sich, wie er selbst erzählt, früh der Poesie und übertrug einige
Davidische Psalmen ins Spanische. Diese unschuldige Manifestation
seines poetischen Talents führte ihn sehr schnell in die finstern,
nur selten von einem Sonnen- und Lichtstrahl erhellten Kerker der
Inquisition, wo er mit anderen Judaisirenden die grausame Folterung

ertragen musste. Dort schmachtete er einige Jahre, bis er endlich, nachdem man seine Unschuld anerkannt hatte, in Freiheit gesetzt wurde. Es geschah dieses 1611 im Todesjahr der Königin Margaretha, der die Chronisten ausserordentliche Frömmigkeit beimessen, und welche den Auto-da-Fés mit vielem Vergnügen und grossem Wohlbehagen beiwohnte; sie starb bei der Entbindung und ihr kleiner Sohn folgte ihr bald in die Seligkeit.

Wie zu erwarten steht, wandte Melo sofort dem Lande der Bedrückung den Rücken und arm und elend, an Leib und Geist gedrückt, folgte er seinen Genossen nach Amsterdam, wo er von den ihm vorangegangenen Brüdern freudig empfangen wurde. Die Inquisition war ihm, wie er in der Vorrede zu seinen Psalmen bekennt, gewissermassen eine neue Schule, sie ertheilte ihm neue Unterweisung in der Erkenntniss Gottes.

David Abenatar bekleidete in seinem neuen Wohnsitze die Würde eines Synagogenleiters. Gleichzeitig wirkte er an der Akademie de los Pintos.[181])

Kaum war Melo seinen Quälern entronnen und von seinen früheren Leiden ein wenig zu sich selbst gekommen, so fasste er den Entschluss zum Lobe Gottes und zum Heile seiner die Sprache des feindlichen Heimathlandes redenden Brüder eine vollständige Psalmenübersetzung zu liefern. In der Vorrede zu derselben macht er uns mit den Gründen bekannt, welche ihn zur Bearbeitung bewogen. »Wenn wir in unserer Betrübniss und bei unseren Leiden noch singen können, so wollen wir die Lieder singen, welche uns Trost bieten und Lob unserm Herrn. Wir legen die Eitelkeit andrer eitler Schriften ab, lassen Komödien und Romanzen den Männern der Fremde, und behalten uns, was uns eigen ist, was in den Leiden das Wohl des Innern befördert. Sollten die Verse, welche ich Dir biete, geliebter Leser, hinter den lieblichen der übrigen Dichter zurückstehen, so lass Dich nicht ermüden, lies inzwischen Besseres, es kommt eine Zeit, wo auch nach meinen schlechten Versen Du greifst. Ich bin kein Dichter, habe nur wenig von der Kunst gelernt — meine Verse können ja kaum für solche gelten, sie wollen auch nicht gemessen, nicht nach Sylben abgetheilt, sie wollen gefühlt werden, sie haben Etwas von jener natürlichen Einfachheit, welche mich in meiner Jugend, als ich die Regeln der Kunst lernte, beglückt und mich auch in meinem Alter nicht verlassen hat«.

Das von Selbstverleugnung und Bescheidenheit zeugende Urtheil, welches Melo über seine Uebersetzung fällt, steht von dem wahren Verdienste weit ab. Melo ist der Gefühlsdichter in der wahren Bedeutung, als solcher erscheint er in seinen Dichtungen. Er übersetzte wie ein anderer, der den deutschen Juden die erste Uebersetzung der Lieder des königlichen Sängers lieferte, wie Moses Mendelssohn, nicht in der Ordnung, nach einander weg, sondern er wählte immer einen solchen Psalm, der ihm gefiel, mit der Lage seines Gemüths übereinkam, ihn bald durch seine Schwierigkeit, bald durch seine Schönheit lockte.

Die Uebersetzung Melo's, dieses »traductor harmonioso del Psalterio misterioso«, wie ihn Barrios [182]) nennt, ist in dem 1693 zu Amsterdam erschienenen 30 Seiten starken Catalog der Bibliothek des R. Samuel Abas S. 19 verzeichnet [188]) und führt folgenden, etwas sehr langen Titel:

> »Die 150 Psalmen David's. In spanischer Sprache, in verschiedenen Reimen, von David Abenatar Melo. In Aehnlichkeit mit der wortgetreuen Uebersetzung von Ferrara, mit einigen Allegorien des Verfassers. Gewidmet an D. B. und an die heilige Gemeinde Israels und Judas, jetzt zerstreut auf dem weiten Erdenrund. Auch ist beigefügt die Berachah desselben David und der Gesang Moses'. Franquaforte (Frankfurt) im Monat Elul 5386 == September 1626« [184]).

Sonderbar ist, dass Melo seine Psalmen in Frankfurt (am Main) drucken liess; es führt uns dieses auf die Vermuthung, dass er auf seiner Reise nach Amsterdam seinen Weg durch diese Stadt genommen und sich eine Zeit lang dort aufgehalten habe. Aehnlich finden wir, dass ein aus Spanien vertriebener Lutheraner Cassiodoro de Reyna sich nach Frankfurt geflüchtet und seine spanische Bibelübersetzung aus Dankbarkeit für das ihm verliehene Bürgerrecht dem dortigen Senat gewidmet hat [185]).

Ehe wir auf das lange Zeit verkannte Werk unseres Dichters selbst näher eingehen, verweilen wir erst einen Augenblick am Eingange. Melo widmete seine Psalmen, wie der Titel besagt, seinem besten Freude, der ihn in den Kerker begleitete, dort ihm zum Trost und zur Hoffnung ward, alle Qualen und Marter hat ertragen helfen, dem D. B., dem Dio Benigno, dem ihm, wie Jedem gütigen Gotte.

Kenntnisslos, doch voller Eifer
Räche ich an Jenen mich;
Meine Hand ergreift die Feder,
In des Wermuths Kelch getaucht.

Wohl ist nur winzig der Versuch,
Wohl das Gemäld' nur matt,
Denn es hat des Schmerzes Farbe,
Eine schwarze, schwarze Farbe.

Dir, o Herr, will ich es widmen,
Dir, o Herr, will ich es weihen;
Wie Du weisst, ist's nur der Eifer
Deiner Liebe, was mich spornt. *)

Dass Melo seine Leidenszeit, an welche er durch seine zerrüt-
tete Gesundheit nur zu oft erinnert wurde, nicht so leicht vergessen
konnte und sein Lebenlang an das lichte Spanien mit seinen schwarzen Folterbänken zurückdachte, ist begreiflich. Wie er nun aus
den Liedern, wo die Natur gleichsam Ton und Stimme bekommt,
die Elemente sprechen, die Laute des allgemeinen Lebens sich in
freier Harmonie der Anbetung widmen, Trost, Beruhigung und
Hoffnung schöpfte, wie seine Seele von dem die Psalmen durch-
wehenden, allbelebenden Hauch der Geschichte zum religiösen
Entzücken emporgehoben, Vergangenheit mit einander und mit der
Gegenwart verglich, wie er den schlummernden, besseren, glücklicheren Zeiten seiner Brüder entgegenlächelte, so waren es auch
seine Psalmen, in denen er den ganzen Hass und Grimm gegen
seine unmenschlichen Quäler, gegen die »nach Blut lechzenden
Wölfe«, wie Menasse ben Israel sie bezeichnet, niedergelegt hat.

---

*)

Con tu celo, mas sin sciencia,
Por darles vergüenza á ellos,
Tomé en la mano la pluma,
Mojada en mis descontentos.

Hice este pobre rasguño
En este lienzo pequeño,
Encolado con mis males
Que son de color de negro.

A ti, Señor, lo encamino,
A ti, Señor, te lo ofrezco;
Pues conoces que me incita
De tu amor ardiente celo.

Melo's Uebersetzung ist daher noch etwas mehr als eine blosse Uebersetzung, er mischte in viele Psalmen seine Leidensthränen und schob nicht wenigen Stellen seine eigenen Schmerzensergiessungen ein. Jenes Rachegefühl, welches ihn so oft überwältigte und seiner zitternden Hand die Feder führte, überbob ihn bei seiner Uebersetzung der Genauigkeit und der beabsichtigten wörtlichen Treue. So liefert er in dem 30. Psalm ein schönes Bild der Tortur:

> Aus des Kerkers Dunkel,
> Aus der harten Inquisition,
> Aus des Löwen Willkür
> Hast Du, o Herr, mich befreit.
> Heilung gabst Du meinen Leiden,
> Weil Du Busse fandest.
> Meinen Ruf hast Du erhöret,
> Besserung ich Dir gelobte,
> Wenn von dort Du mich erlöstest.
> Du zeigtest Deine Wunder mir,
> Vernichtung meinen Quälern.
> Da fast vernichtet ich schon war,
> Hast die Peiniger Du verscheucht,
> Da ich gespannt auf harter Folter,
> Als ob Mörder ich des Nächsten wär'.
> Da löste sich der Knoten mir,
> Erstarrt und ohne Athem schon,
> Den Blick gewandt nach oben.
> Ich hatte geschrieben und verzeichnet,
> Gestanden Alles, was sie wollten,
> Versprochen Alles, was ich hatte.
> Aus dieser dunkeln Mördergrube
> Hast Du voll Güte mich befreit,
> Durch Dein Geschenk in meine Seele
> Ein neues Leben ward gehaucht,
> In Freude hast Du meine Trauer
> Also mein Gott verwandelt,
> Die Kraft, die in Dir wohnet,
> Ward herrlich offenbaret. *)

---

*)
> Nel inferno metido
> De la Inquisicion dura
> Entre fieros leones de albedrio,
> De alli me has redimido,
> Dando á mis males cura,
> Solo porque me viste arrepentido.
> Llamé, de ti fuí vido,
> Enmienda prometiendo
> Si de alli me sacases etc.

Besonders ein Gedanke ist es, welcher Melo neben seinem unbegrenzten Hass gegen seine Quäler erfüllt, ein Gedanke, der ohne
dass man es erwartet, wie ein Blitz durchfährt: die glückliche
Messiaszeit, wo Israels Häuflein nicht mehr geknechtet, gedrückt,
gefoltert und vertrieben, wo Gott in seiner Einheit als der Alleinige
von den Bewohnern der ganzen Erde wird erkannt werden.

Schön singt er in dem 78. Psalm, der Israels Geschichte von
Jacob dem Vielgeprüften, dem kräftigen Kämpfer und Gottesstreiter
bis auf die spätesten Zeiten mit allen Vergehen und Heimsuchungen
vorführt:

> Errette uns von dieser Qual,
> Dann werden wir zu Deinem Tempel wallen,
> Dann wird auch unser Lob zu Dir, o Gott, erschallen,
> Dann werden Fürsten mit Geschenken nahen.
> O säh' ich erst vernichtet jene Classe,
> Die gegen Dich im blinden Hasse
> Sich zu verschwören unterfängt.
> Vollführ' in unseren Tagen,
> Wie Du es hast versprochen,
> Vollende das begonnene Werk!
> Send' Deinen Messias,
> Send' Deinen gesalbten Königssohn,
> Dein Haus erbaue wieder!

Dergestalt liefert uns die Psalmen-Uebersetzung Melo's nicht
allein wichtige Notizen über sein eigenes Leben und die damaligen
Zustände seiner Glaubensgenossen, sondern eröffnet uns auch die
geheimsten Falten seines Herzens und macht uns mit den tiefsten
Gefühlen seines Innern bekannt. Das Bild des Glaubensgerichts, welches Vermögen, Freiheit und Leben eines Jeden in Händen hatte,
Rache, Verwünschung und Messiaszeit füllten die Seele unseres
Dichters. Seine Uebersetzungen gelten, wo sie bloss solche sind, für
ausgezeichnet, und obzwar Melo, wie er selbst bekennt, die Regeln
der Poesie nicht kannte, stehen seine Dichtungen denen des Herrera,
dem von seinen Zeitgenossen der Name »der Göttliche« beigelegt
wurde, nicht nach. Werk und Dichter waren von den spanischen
Kritikern und Literatoren lange gänzlich verkannt und vernachlässigt, und sind erst in neuerer Zeit durch de los Rios' Verdienst
wieder gewürdigt worden. David Abenatar Melo war ein Dichter
des Gefühls, der Natur und verdient die Beachtung aller Freunde
der spanischen und spanisch-jüdischen Literatur.

Aus der ziemlich verbreiteten Familie Melo werden uns besonders zwei Glieder genannt:

Emanuel Abenatar Melo[186]), ein »celebre Jazan«, Vorsänger, zuerst in Rotterdam, nach dem Tode Ephraim Abrabanel's nach Amsterdam berufen. Er lebte zur Zeit Daniel Levi de Barrios welcher ihn besingt:

> Emanuel Abenatar Melo,
> Mit der Kraft seines Gesangs
> Ganz Melodie,
> Bewegt zur Melancholie. *)

Abraham Abenatar Melo[187]), vielleicht ein Neffe oder Sohn unseres Dichters, studirte, um einen Ausdruck unserer Zeit zu gebrauchen, jüdische Theologie in der Akademie Kether Schem Tob zu Amsterdam.

Gleichzeitig mit unserem Dichter David Abenatar Melo lebten noch einige andere Musensöhne. Wir nennen:

Antonio Alvares Soares[188]).

Er kam aus Spanien nach Amsterdam und verfasste zur Einweihung des ersten von Jacob Tirado in dieser Stadt gegründeten Gotteshauses »Beth Jacob« eine Silva. Barrios, welcher seine »vortrefflichen, verschiedenartigen Poesien« im Manuscript besass, nennt ihn den »berühmten Dichter«. Der von Barrios mitgetheilte Vers**) trägt keine Spuren der gerühmten Vortrefflichkeit.

Paul de Pina (Rohel Jeschurun)[189]) wurde zu Lissabon geboren und scheint für den geistlichen Stand bestimmt gewesen zu sein. 1599 trat er eine Reise nach Rom an,

---

*)
> Emanuel Abenatar
> Melo, todo melodia,
> Quiebra à la melancolia
> Con la fuerça del cantar.

**)
> Cayó el dezimo dia del maduro
> Septimo mes, y el sol en la balança
> Cinco mil y trecientas y cincuenta
> Y siete vezes, quando el pueblo puro
> En dia de Kipur, halla propicia
> La clemencia del cielo, y la justicia
> De la tierra, que admite el judaismo
> Luz de la ley, y es panto del abismo.

> La primer Synagoga Amstelodama etc.

um dort in ein Kloster einzutreten. Sein Vetter Diego Gomez Lobato', auch Abraham Cohen Lobato genannt, gab ihm ein Em-
pfehlungsschreiben an den damals noch in Livorno wohnenden,
spätern Leibarzt der Maria de Medici, Doctor Elias Montalto folgenden Inhalts:

»Unser Vetter Paul de Pina geht nach Rom, um Mönch
(Frayle) zu werden. Ew. Wohlgeboren würden mich sehr verbinden, wenn Sie ihn davon abhielten.

Lissabon den 8. April 1599.

Diego Gomez Lobato. «

Montalto brachte den jungen Geistlichen von seinem Vorhaben ab
und führte ihn dem Judenthume, welchem er durch die Geburt
angehörte, wieder zu. Der jetzt Rohel (Reuel) Jeschurun sich nen-
nende Pina kehrte nochmals nach Portugal zurück und begab sich
nach kurzem Verweilen mit Lobato nach Brasilien und von da
1604 nach Amsterdam. 1614 [190]) entwarf er die ersten Bestim-
mungen zu einer Begräbnissordnung und verfasste 1624 in portugiesischer Sprache einen Dialog »de los siete Montes (über die sieben
Berge)«, welcher in demselben Jahre in der Synagoge Beth Jacob
von Abraham de Fonseca (Sinai), Isaac Cohen Lobato (Sion), Joseph
de Pharo (Hor), Moses Gideon Abudiente (Nebo), David de Fonseca
(Gerisim), Doctor David de Haro (Carmel), David Belmonte (Seir),
Josua Ulloa (König Josaphat) aufgeführt worden ist. Der Dichter
Barrios, welcher diesen Dialog in einem Sonett besingt [191]), theilt
ein Stück (17 Zeilen) aus dem Producte Rohel Jeschurun's in seinem
Sammelwerke mit [192]).

Eine Trauerbotschaft brachte Paul de Pina nach Amsterdam,
welche alle Gemüther betrübte und verschiedene Männer in poetische Klagen ausbrechen liess. Diego de la Assencion hatte den
Märtyrertod erlitten!

Diego de la Assencion, ein Franciscaner, war nach vielem For-
schen in den heiligen Schriften zu der Ueberzeugung gelangt, dass
das mosaische Gesetz, in welchem seine Väter erzogen waren,
einzig und allein das wahre sei; er erklärte öffentlich, dass nur in
dem Glauben seiner Väter auch er der Seligkeit theilhaftig werden
könne. 1604 wurde er seiner Lehre wegen von der Lissaboner
Inquisition in Haft genommen. Die Theologen gaben sich alle er-
denkliche Mühe, ihn ihrem Glauben wieder zuzuführen, aber Diego

blieb standhaft bei seinen Aussprüchen, widerlegte die Geistlichen
mit Stellen aus der heiligen-Schrift und erklärte ihnen zu ihrer
Beruhigung, dass er noch viele Mönche kenne, welche seine
Glaubensmeinung theilten und nur aus Furcht, gleiches Schicksal
mit ihm zu erleiden, sie nicht laut werden liessen.   Diego de
la Assencion wurde am 3. August 1603 lebendig verbrannt. Mit
ihm bestieg die für ihren Glauben sich heldenmüthig opfernde Tamar Barrocas den Scheiterhaufen [193].

Den Tod dieses Märtyrers besang

David Jeschurun [194]).

Er war vor der spanischen Inquisition nach Amsterdam geflüchtet und bei der Einweihung des mehrfach genannten »Beth
Jacob« zugegen. Weil er von Jugend auf fleissig und geschickt
dichtete, wurde er von seinen Zeitgenossen »Poëta niño, der kleine
Poet « genannt. Seine Gedichte befanden sich handschriftlich im
Besitz Benjamin Belmonte's in Amsterdam; aus diesem Manuscript
hat Barrios verschiedene Sonette in seinem Sammelwerke mit aufgenommen.

Als David Jeschurun den Ort seines Reiseziels, das prächtige
Amsterdam erblickte, war er so begeistert, dass er folgenden
Lobgesang auf Gott anstimmte:

> Wir preisen heilig, heilig, heilig Dich, o Gott!
> Dich, mächtiger Adonai Zebaoth!
> Es soll mein Geist Dich würdig hoch erheben,
> Beständig mein Gesang für Dich gen Himmel streben.
>
> Dir Dank — von aller Unbill frei in dieser Stunde,
> Vom Schiffbruch, Sturm, gerettet aus dem Schlunde,
> Bewundert nun mein Aug' die Kron' von allen Städten,
> In Blüthe, Amsterdam, nach feindlich herben Nöthen. *)

---

*)   Te Deum laudamos Sancto, Sancto, Sancto,
Adonay Zebaot Omnipotente,
Mi anima refiera prontamente
Con el celeste é incessable canto:

Pues sin perdida alguna, y sin espanto
Naufragio, tempestad, ó otro accidente,
Miràn mis ojos à Amsterdam presente,
Libre de golfo, y de enemigo tanto.

Ergriffen tief von Gottes Offenbarung,
Erkennt mein Geist aus täglicher Erfahrung,
Dass, wer auf Dich vertraut,
Fest wie auf Felsen baut. *)

. . . .

Ausser der in portugiesischer Sprache verfassten Elegie auf
Diego de la Assencion theilt Barrios ein Sonett Jeschurun's auf die
Beschneidung mit.

Wie David Jeschurun und Barrios [195] beklagte den Tod des
Franziscaners

Ezechiel Rosa [196]),

welcher früher den Namen Ruy Lopez Rosa führte. Die Sprache
seines Gedichtes ist nicht ganz rein, und wie sich dieses auch bei
dem Dialoge Rohel Jeschurun's bemerkbar macht, mit vielen portugiesischen Wörtern und Lauten vermischt; doch ist ihm poetische
Begabung nicht abzusprechen. Zu erwähnen ist noch, dass er die
Wochen des Daniel astrologisch erklärte.

Auch der Sohn Ezechiel's,

Samuel Rosa,

wird von Barrios, dessen Schwager »cuñado« er gewesen [197]), als
Dichter genannt [198]). Auffallend ist, dass bei der Eleganz, welche
von Samuel Rosa's unbekannten Poesien gerühmt wird, Barrios
ein Gedicht für ihn verfasste [199]).

Siebentes Capitel.

Die Heldendichter: Jacob Usiel, Miguel de Silveyra. Abraham Gomez de Silveyra. Isaac Cardoso. Abraham Cardoso.
Diego Beltran Hidalgo.

Unter dem hellen Schein der Flammen der Inquisition hatten
sich die grossen Genien der spanischen Poesie: Cervantes, Lope
de Vega, Calderon und der reformatorisch wirkende Gongora auf
den Parnass geschwungen und in der sturmbewegtesten Zeit den

---

*) Con notable, y divina semejança,
Mi espiritu conoze la evidencia,
De hallarte el que en ti pone la esperança.
. . . .

Höhepunkt erreicht. Die Literatur hielt mit der Geschichte des Landes gleichen Schritt.

Wir haben gesehen, zu welcher Macht das spanische Reich unter dem zweiten Philipp gelangt war; Portugal und die Philippinen gehorchten seinem Scepter, die halbe Welt gehörte ihm, Europa zitterte, Spanien bedrohte den ganzen Occident.

Zu welcher Macht und Grösse hätte diese Monarchie nicht wachsen können, wenn ein Mann der Mässigung, kein Philipp auf dem Thron gewesen wäre? Durch seine Tyrannei erblickten wir die freien Niederländer in offenem Kampfe; Englands jungfräuliche Königin genoss das selige Vergnügen, die stolze unüberwindliche Flotte des einst sehr befreundeten Philipp in den Grund gebohrt zu sehen; kein Feldherr konnte den Verfall länger aufhalten. Die Inquisition bereitete Feste für die Kirche und den Hof, wüthete, füllte die Gefängnisse, geisselte, confiscirte, verbrannte Juden und Lutheraner, Moriscos und Hugenotten, und wachte mit Argusaugen über Gedanken und Meinungen. Klöster wurden in Menge erbaut und Paläste mit Hunderten von Zimmern für die Mönche eingerichtet. Die geistliche Macht nahm mit jedem Tage zu und der Diener der Kirche gab es eine ungeheure Zahl. Misstrauen, Furcht, Verschlossenheit, Entsetzen lockerten die heiligsten Bande, der Lebensmuth erstarb, die Zuversicht und Hoffnung auf bessere Zeiten schwanden, das Volk war entnervt, und hatte die Spannkraft verloren. Alles strömte den Klöstern zu, um ein müssiges Wohlleben führen zu können; das Land entvölkerte sich immer mehr und mehr; 800,000 Moriscos mussten den Boden verlassen und im üppigen Wachsthum überwucherte die Natur die sonst so sorgsam bestellten Aecker.

Den Anfang des neuen Jahrhunderts hatte Philipp II. nicht erlebt. Nachdem ganze Schwärme von Läusen über funfzig Tage sich von seinem Körper genährt hatten und die grässlichsten Schmerzen mit heroischer Standhaftigkeit von ihm ertragen worden waren, gab er am 13. September 1598 in seinem Escurial den Geist auf. Sein zwanzigjähriger Sohn, der dritte Philipp, bestieg den Thron. Er war gut und fromm, willenlos und schwach wie kein Regent Spaniens vor ihm. Hier hört die Geschichte der spanischen Monarchie auf.

Wo die Geschichte aufhört, nimmt die Poesie ihren Anfang; wenn die Helden aussterben, verkünden Sänger und Dichter ihre

12*

Thaten, um die kraftlos gewordenen, erschlafften Männer an den früheren Glanz und Ruhm zu erinnern, zu neuen Unternehmungen durch ihren Gesang zu wecken, mit einem Worte, wenn keine Helden mehr da sind, so entstehen die Heldengedichte.

Zu den ersten dieser Heldengedichte gehören ausser dem Cid die Carolea und der Carlo famoso; beide besingen den Kaiser Carl V. und seine Kriegsthaten. Aehnlich wurden alle Männer aus der Glanzperiode der spanischen Geschichte, amerikanische Eroberer und Feldherren früherer Zeiten behandelt, der alte Cid, Alphons X. und viele Andere von spanischen Dichtern gefeiert. Auch Ignazius von Loyola, der Vater einer mächtigen Nachkommenschaft, Ximenez, der heilige Benedict, Columbus, Gonzalvo de Cordova, Joseph, Mariens Mann, die Jungfrau, Ferdinand Cortez, Pizarro und Andere hatten ihre Bearbeiter in Menge gefunden.

Da traten auch jüdische Dichter mit jüdischem Gemüthe auf, um die Helden ihrer Nation zu besingen und den spöttisch und höhnend »Judiado« schreienden Spaniern zu zeigen, dass auch die jüdische Geschichte ihre Helden hat, Helden, welche den von ihnen besungenen an Tapferkeit und Kriegsruhm nicht nachstehen.

Es sind vorzüglich drei Männer, welche wir als Heldendichter in den Kreis unserer Betrachtung zu ziehen haben: Jacob Usiel und sein Heldengedicht »David«; Miguel de Silveyra mit dem »Macabeo« und Antonio Enriquez Gomez, den Verfasser des »Samson Nazareno«. Von Letzterem werden wir in dem folgenden Capitel reden.

Jacob Usiel.

Jacob Usiel stammte aus einer alten, weitverzweigten spanischen Familie [200]. Zwei Glieder derselben, Joseph und Schemtob, waren Schüler des letzten Gaon's von Castilien, des grossen R. Isaac Aboab, und hatten sich nach der Vertreibung in Fez niedergelassen [201]. Ein Zweig der Usiel wandte sich nach Amsterdam, wo R. Isaac, ein guter Mathematiker, hebräischer Dichter, vorzüglicher Prediger und Grammatiker, eine Akademie errichtete, aus der die bedeutendsten Gelehrten hervorgingen. Seine Enkel finden wir in Polen wieder [202]. R. Samuel Usiel, der Sohn des nach Fez ausgewanderten Joseph, war Arzt und Rabbiner in

Saloniki, und Jehudah Usiel, der Verfasser von Homilien über einzelne Abschnitte des Pentateuch, Beth Ha–Usieli, lebte zu Venedig, woselbst auch unser Heldendichter wohnte [203]).

Jacob Usiel [204]) wandte die von seinem Berufsgeschäfte als Arzt freien Stunden dazu an, ein Heldengedicht in spanischer Sprache zu schreiben, welches den Namen des göttlichen Psalmisten und frommen Königs an der Stirn trägt. Das aus zwölf Gesängen bestehende, 440 Seiten füllende Heldengedicht.»David« ist in einem einfach gefälligen Stile geschrieben und eine sichtbare Nachahmung Tasso's [205]). Das Wenige, was wir über dieses, poetischen Geistes ermangelnde Product wissen, wollen wir unseren Lesern nicht vorenthalten. Der Doctor Jacob Usiel hat in dem 9. Gesange des David, in welchem er eine Beschreibung des alten Spaniens gibt [206a]), den sonderbaren Einfall, einen spanischen Navigator bei dem königlichen Hof in Jerusalem einzuführen; vielleicht schickte Salomo seinen Steuereinnehmer Adoniram, dessen Grabmal man auf der Halbinsel gefunden haben will, zum Gegenbesuch an den befreundeten Hof? Sollten denn schon damals die Spanier den mit reichen Schätzen beladenen Staatsmann Judäa's aus Fanatismus getödtet und ihm ein Denkmal mit Inschrift gesetzt haben? Doch davon erzählt Jacob nichts.

Dieses Werk erschien zu Venedig 1624 [206]), in demselben Jahre, in welchem ein merkwürdiger Mann jüdischer Abkunft in Coimbra verbrannt worden ist.

Antonio Homem [207]), das ist der Name dieses Märtyrers, welcher vielleicht zu der Familie der ersten portugiesischen Juden Amsterdams gehörte. Nachdem er in Coimbra, seiner Vaterstadt, seine Studien beendet hatte, erlangte er am 22. Februar 1592 die Doctorwürde und machte schnell Carriere. Nach verschiedenen Aemtern wurde er 1610 Abend– und 1614 Früh– messenleser. Am 18. December 1619 wurde er jedoch gefänglich eingezogen, weil gegen ihn die Anklage erhoben worden war, Jude zu sein und das Judenthum gepredigt zu haben, und so wurde er am 5. Mai 1624, zu welcher Zeit man auch in Neisse einen Falschmünzer, weil er kein Christ war, zwischen zwei Hunden an den Beinen aufknüpfte [208]), lebendig verbrannt. Das Haus, in welchem Homem in der Strasse »dos oleiros« in Coimbra wohnte, wurde demolirt und über die Ruinen erhob sich ein Stein mit der Inschrift: »Praeceptor infelix«, aber die Postillen

dieses wegen seiner Weisheit sehr geschätzten Mannes und seine
übrigen Schriften sind noch heute geachtet und handschriftlich in
der Bibliothek des Grafen von Vimieiro vorhanden [209]).

Auch Jacob Usiel, welcher 1630 auf Zante verschied, soll
ausser einem ihm zugeschriebenen Werke »über die Traumdeu-
terei«, nach einem Briefe des zur selben Zeit mit dem Dichter zu
Venedig lebenden Rabiners Jacob Aboab an den für jüdische Bibliographie begeisterten Unger, noch verschiedene Manuscripte
sowohl philosophischen als medicinischen Inhalts seinen Erben
hinterlassen haben [210]).

Trefflicher als der »David« des Jacob Usiel ist der »Macabeo« des

Miguel de Silveyra.

In der portugiesischen Provinz Beira, welche besonders den
geheimen, verkappten Juden als Aufenthaltsort diente, liegt ein
kleines Dörfchen Celorico. So klein und unbedeutend es auch
ist — es zählt heute gegen 1300 Einwohner, meistens Fabrik-
arbeiter —, so bemerkenswerth und wunderbar erscheint es,
wenn man es nach den Geistern misst, welche aus dem Dörfchen
hervorgegangen sind.

Anna de Fonseca, eine in den classischen Sprachen so sehr
unterrichtete Dame, dass sie die »Sibylle ihres Jahrhunderts (si-
billa do seu seculo)« genannt wird, und welche in einem eleganten
Latein Homilien schrieb, wurde in Celorico geboren [211]).

Ein gewisser Martinho, ein Richter der Inquisition, dessen
ehrenwerthes Geschäft es war, die mit »jüdischem Blut befleck-
ten« Christen in einem 1619 zu Madrid erschienenen Foliobande
zu vertheidigen, ging aus diesem Dorfe hervor und ward nach
seinem Geburtsort de Celorico genannt [212]).

Rodrigo Mendez Sylva, der spanische Livius, der Phönix von
Portugal, der königliche Historiograph, der wirkliche geheime Rath
von Castilien, nannte Celorico seine Heimath. Dieser Gelehrte und
in spanischen Staatsangelegenheiten wohl Unterrichtete, der aber
die lateinische, hebräische und griechische Literatur nie begrüsste,
wie sein Landsmann Thomas de Pinedo [213]) von ihm rühmt, bearbeitete, nachdem er lange genug für König und Reich geforscht
und geschrieben hatte, gegen Ende seiner Tage als letzte Hinter-
lassenschaft seiner historischen Untersuchungen — die Geschichte
seines Dörfchens, seines ihm theuern Celorico [214]).

Auch Isaac Cardoso, der Arzt und Naturforscher, der Philosoph und Dichter, der rüstige Kämpfer für Freiheit des Denkens,
der geschickte Polemiker gegen fremde Verunglimpfung, der jüdische Märtyrer, welchen wir demnächst kennen lernen werden,
schaute von den anmuthigen Bergspitzen Celoricos zuerst das Sonnenlicht; auch er nannte Celorico seinen Geburtsort.

In diesem Dörfchen erblickte auch unser Miguel de Silveyra,
der königliche Sänger, gegen Mitte des sechszehnten Jahrhunderts
das Licht der Welt. Er hatte im spätern Alter und in der Begleitung seines fürstlichen Gönners seines Dörfchens nicht vergessen
und ihm vom fernen Lande noch den Gruss gesandt [215]).

Ein Mann mit hervorragendem Geist und einer seltenen Gelehrsamkeit tritt uns in Silveyra entgegen. Kann man von einem
Menschen sagen, dass er sein ganzes Leben hindurch studirt und
geforscht hat, dass er unter allen Verhältnissen eifrig bemüht war,
sein Wissen zu bereichern, so wird man dieses von unserem Dichter mit vollem Rechte behaupten können. Er studirte zuerst in
Coimbra Philosophie, wandte sich alsdann nach Salamanca, woselbst er sich mit Cervantes, dem Glanzstern spanischer Poesie,
zu gleicher Zeit aufhielt, und ohne den philosophischen Studien
abhold geworden zu sein, sich mit der Jurisprudenz, der Medicin
und der Mathematik beschäftigte, wie er in dem Vorworte zu seinem
Macabeo selbsterzählt. »Aus Liebe zu meinem Vaterlande fasste ich
den Entschluss, den Macabeo zu schreiben. Ich war immer noch
zu ängstlich, damit vor die Oeffentlichkeit zu treten. Einiges Vertrauen konnte ich wohl in meine, an den Universitäten Coimbra
und Salamanca vierzig Jahre lang ununterbrochen gepflogenen
Studien setzen, an welchen Orten ich Philosophie, Jurisprudenz,
Medicin und Mathematik aus den Quellen studirte, aber selbst,
nachdem ich zwanzig Jahre am Hofe seiner katholischen Majestät
Vorlesungen über verschiedene Disciplinen der Wissenschaften und
besonders über Poesie gehalten hatte [216]), war ich immer noch
nicht kühn genug, das Werk zu beginnen, ohne zuvor die gelehrtesten Männer Spaniens um Rath gefragt und die Approbation der
ausgezeichnetsten Italiener eingeholt zu haben. Ihnen legte ich
meinen Plan vor, ehe ich zur Ausführung schritt.« Aus diesen
einzelnen Zeitangaben lässt sich auf das hohe Alter schliessen,
welches Silveyra erreicht haben muss. Sicherlich hat er nicht
seine Studienjahre von seiner Geburt an gerechnet und nicht seine

Leseübungen schon ein Studium genannt, wie dieses in gewissen
Gegenden Oesterreichs Brauch ist. Wir können also ohne Bedenken zu den sechszig Jahren, welche sich uns aus seinen eigenen
Mittheilungen ergeben, mindestens zehn Jahre hinzufügen und erhielten somit ein Lebensalter von siebenzig Jahren. Sodann begleitete er seinen grossen Gönner D. Ramon Philipp de Guzman,
Herzog von Medina de las Torres nach Neapel. Dort, auf italienischem Boden, fing er erst an sein grosses Werk, wenn auch nicht
auszuarbeiten — eine solche Frische lässt sich unmöglich bei
einem siebenzigjährigen Greise denken! — so doch zum Drucke,
für die Oeffentlichkeit vorzubereiten, ein Geschäft, das namentlich in damaliger Zeit »auch nicht merklich förderte und so von
der Hand sich schlagen liess«. Seine Tage beendete er in Neapel,
wo auch sein Macabeo[217]) gedruckt wurde, im Jahre 1636[218]).

Ehe wir den Macabeo und den Rang betrachten, welchen der
Dichter in der Literatur einnimmt, wollen wir einige Worte über
das religiöse Bekenntniss Silveyra's vorausschicken.

Es bedarf wohl kaum einer Erwähnung, dass Miguel de Sil-
veyra an den Universitäten Coimbra und Salamanca, in Madrid als
Prinzen-Erzieher und in der Begleitung seines Herzogs keineswegs
als Jude gelebt, ja wir bezweifeln sogar sehr, ob man in den hohen
Kreisen seinen jüdischen Ursprung geahnt hat. In früheren Zeiten und
auch theilweise noch jetzt scheint man diesen jüdischen Ursprung
Silveyra's bezweifelt und in Abrede gestellt zu haben. So bemerkt
Diez : »Wolf macht Silveyra zu einem Juden und beruft sich auf
Miguel de Barrios. Er selbst (Barrios) scheint eben so wenig ein
Rabbi gewesen zu sein, wofür ihn Wolf ausgibt, als Silveyra ein
Jude gewesen ist. Wenigstens finden sich gar keine Beweise für
diese Meinung«[219]). Aehnliches oder vielmehr dasselbe sagt Tick-
nor[220]), nur mit dem Unterschiede, dass er sich statt auf Wolf,
auf den diesen übersetzenden und mit ungelehrten Noten und
Irrthümern bereichernden Castro beruft. Der von dem ehrlichen
Bibliographen Wolf citirte Gewährmann Barrios könnte als genügen-
der Beweis dafür gelten, dass Miguel de Silveyra Jude gewesen sei,
da derselbe in seiner Abhandlung über die spanischen Dichter nicht
Einen aufführt, der nicht jüdischer Abkunft gewesen. Als andres
und in jeder Beziehung sicheres Zeugniss für Silveyra's Abstammung lassen wir den berühmten Kosmographen und Alterthums-
forscher, den Uebersetzer und Commentatoren des Byzantiner Ste-

phanus, Thomas (Isaac) de Pinedo, reden. Pinedo, welcher als Jude geboren und als solcher gestorben ist, erwähnt unseren Michaël (Miguel) de Silveyra als seinen Verwandten — »cognitus noster, qui pariter cum Epicis Hispaniae poetis in bicipite parnasso decertavit«[221]. Barrios und Pinedo sind nach unserem Dafürhalten beglaubigt genug, als dass man noch ferner über Silveyra's jüdische Abkunft Bedenken tragen sollte.

Und sollte das Werk selbst nicht noch Spuren seines jüdischen Geistes an sich tragen? Besang er nicht einen jüdischen Helden, den tapfern Makkabäer-Fürsten? Zu unserem Bedauern sind wir nicht in den Stand gesetzt[222], die innere Entwicklung des Gedichts verfolgen und den darin herrschenden Geist erforschen zu können; wir müssen uns auf die wenigen, aus sprachlichem Interesse von de los Rios mitgetheilten Proben beschränken. Auch aus den wenigen uns vorliegenden Stellen gibt sich ein wahrer Enthusiasmus, ein bewundernswürdiger Reichthum und eine lebhafte Einbildungskraft zu erkennen; die Wärme des Gemüths steigert sich in seinem Gedichte zur Gluth und seine Phantasie ruft ihm alte Jugenderinnerungen wieder frisch ins Gedächtniss zurück. Obwohl Silveyra in Spanien und am spanischen Hofe lebte, Prinzen und Fürsten auf ihren Reisen begleitete, sie und ihre Söhne unterrichtete, so war doch sein Gefühl und sein Herz zu Zeiten noch an jenem Orte, nach dem Juda's Söhne sich sehnen und dessen Ruin die durch die engsten Bande mit dem Heimathslande verknüpften Juden täglich und nächtlich beklagen. Diese Sehnsucht, diese in des Juden Brust wohnende Klage bricht auch bei Silveyra in Mitten des Siegestriumphes im elegischen Tone durch:

> Schauet jene Strassen, Felder,
> Wie verödet sind sie heut'!
> Gibt's wohl einen Schmerzes-Melder,
> Wie ihn meine Feder beut? *)

Wie sein Stamm, wurde auch sein Werk oft verkannt und verschieden beurtheilt. Es gab nämlich eine ganze Menge Zeitgenossen, welche es unter ihrer Würde hielten, den Macabeo zu lesen, und sich bemühten, ihn dergestalt absolut in Misscredit und

---

*) Mirad, cuantos pasais la inculta via,
Si puede haber dolor como mi pena!

Verachtung zu bringen. Die Wenigen, welche aus der Schaar der Missgünstigen ihn lasen, konnten, wie das vorauszusehen war, an dem »Schwülstigen und Babylonischen seines Stils (lo hinchado y babilonico de su estilo)« keinen sonderlichen Geschmack finden. Die echten Kritiker jedoch, welche den Geist des Werkes erfassten und den Einfluss beachteten, den der Macabéo in der Republik der Wissenschaften machte, zählen Silveyra zu den vornehmsten, geistvollsten Dichtern und scheuen sich nicht, sein Gedicht den berühmtesten Epopöen anzureihen, es sogar der Iliade und Aeneïde, diesen edeln Kunstwerken des Alterthums, gleich zu stellen. In dieser Weise lässt sich besonders Antonio Enriquez Gomez, der erwähnte Dramatiker und Heldendichter, in dem Prologe zu seinem »Samson« darüber aus: »Es ist so schwer, sich auf die Gedankenhöhe eines Heldengedichts zu schwingen, dass unter allen Denen, welche diese Gedichte geschrieben haben, sich nur fünf den Lorbeer verdienten. Der erste war der Vater Homer mit seiner Odyssee; der zweite Virgil mit der Aeneïde; Tasso der dritte mit seinem Jerusalem, der vierte der Portugiese Camoëns mit der Lusiade und der Doctor Silveyra der fünfte mit dem Macabeo. Jeder dieser fünf Meister hat eine besondre Eigenthümlichkeit: Homer ist göttlich, Virgil erhaben, Camoëns bewundernswürdig, Tasso tief und Silveyra heroisch; er ist der Einzige, dem es gelungen, einen Heldencharakter und Heldenthaten in leichtem, fliessendem Stile zu besingen«. Wollen wir auch wohl gern einräumen, dass Gomez, der Glaubensgenosse, den Macabeo ein wenig zu hoch gestellt und ihm einen Platz angewiesen, dessen der Dichter ihn wahrscheinlich selbst nicht würdig gehalten hat, so müssen doch auch die unpartheiischen und leidenschaftslosen Beurtheiler dem Gedichte Recht widerfahren lassen, und ihm wegen der vielen Schönheiten, trotz der nicht wenigen sich darin findenden Mängel, Beifall zollen [223]). Wir wollen die Stimmen der Männer hier nicht zählen, welche Silveyra Lob gespendet haben. Nennt ihn doch Sylva, der oben erwähnte Freund und Landsmann »den berühmten, durch sein Heldengedicht wohl bekannten Sänger Europas!« [224]) Feiert ihn ja der grösste Dichter der spanischen Literatur, Lope de Vega, als einen ihm ebenbürtigen Genossen! Nur das Urtheil eines neuern Kritikers, Diez, wollen wir diesen noch hinzufügen. Diez, dessen Verdienst nicht so gering anzuschlagen ist, und der mit Umsicht und Sachkenntniss in früher Zeit den Deutschen eine

Geschichte der spanischen Literatur lieferte, sagt von dem Macabeo: »Bei all' seinen Fehlern verdient er doch für eine gute Epopöe gehalten zu werden und Silveyra zeigt sich als einen wahren Dichter darinnen.« Was den Ruhm dieses Dichters und seines Werkes geschmälert haben mag, ist, dass auch Tasso dasselbe Sujet gewählt hatte, ehe er Gottfried zu seinem Helden machte. »Silveyra strebte den Tasso zu erreichen, aber Silveyra hatte nicht den Genius des Tasso. Er hat, es ist wahr, zwanzig Gesänge geschrieben wie Tasso, aber die Aehnlichkeit fehlt« [225]).

Und doch zeigt sich Silveyra vollkommen seiner Aufgabe gewachsen, wenn man den innern Gang, die Verbindung und Verknüpfung des ganzen Kunstwerks betrachtet. Er macht sich des Ruhmes würdig, welcher ihm zu Theil ward; der Macabeo ist nach de los Rios' Kritik eins der plan- und regelmässigsten Gedichte der spanischen Literatur. Freilich muss man von einigen unnöthigen Episoden absehen, welche die Action aufhalten und den Dichter in eine dem Leser beschwerlich fallende Breite führt. Wozu, um nur das Eine anzuführen, unterbricht er sich in dem funfzehnten Gesang mit der Schilderung der Rüstung seines Gönners? Aber auch diese Breite und Schwülstigkeit ist nicht allein Silveyra's Fehler, viele seiner Zeitgenossen waren wie er davon befallen.

Was den Inhalt des Macabeo betrifft, so ist es die bekannte Makkabäergeschichte, die berühmteste, die heroischste, die hervorragendste Zeit des jüdischen Staatslebens, es ist die Heldenperiode, welche durch die wahnsinnige Wuth des wahnsinnigen syrischen Königs hervorgerufen und in welcher der Muth der orientalischen Krieger so recht auf die Probe gestellt wurde. Silveyra erzählt in einer prächtigen Schilderung die unnennbaren Gräuel, welche von dem Wüthrich und seinen ihn an Grausamkeit übertreffenden Statthaltern verübt worden sind. Lange ertrugen die armen Dulder alle Unbill mit der Standhaftigkeit, welche das jüdische Volk in allen Zeiten bewiesen hat; lange hielten sie ihre Wuth an, bis endlich der siebenzigjährige Greis, der alte jugendlich feurige Vater mit seinen fünf ihm ähnlichen Söhnen hervorbricht — das Signal zum Kampf ist gegeben. Juda Maccabi, diese Feuerseele, der Held, welcher sein überall siegreiches Schwert nicht früher aus den Händen legte, bis er auf dem Schlachtfelde seinen Geist aufgab, tritt in den Vordergrund; das ist die Person, welche der Dichter

verherrlicht. Ihm reicht'der Prophet, der trauernde Jeremias, ein
Schwert von Gott geweiht zum Kriege gegen die Unterdrücker.
So beginnt der Kampf, der die theuersten Pfänder menschlichen
Besitzes, Freiheit und Religion, Nationalität und Glauben erringen
sollte, errungen hat. Schaaren verschiedener Völkerschaften, verschiedener Götter, verschiedener Gebräuche stellt der Syrerkönig
zum Treffen: Alle kämpfen für ihren tyrannischen Herrn. Diesen
gegenüber lagert die winzige Mannschaft Judas, von Einem Gedanken beseelt: Gott und Freiheit ist ihr Losungswort, ihr Glaube und
ihr Tempel, ihr Alles, ihr einziges Gut, das Tyrannenmacht zerstören und Tyrannenwuth vernichten wollte. Juda, der Held, ist
der erste in jeder Schlacht. Lysias fällt, Nikanor fällt — auch
Eleasar fällt unter dem Bauche des schweren Thieres, aber der
Makkabäer siegt, erringt die Freiheit, stellt seines Gottes Haus und
seines Volkes Zufluchtsstätte wieder her; er stirbt für den Glauben, stirbt für die Freiheit.

Dieses der Inhalt des Macabeo, welcher noch lange zu den
besten der Heldengedichte aller Literaturen wird gerechnet werden[220]. '

Noch ein anderer Silveyra'wird als spanischer Dichter genannt:

Abraham (Diego) Gomez de Silveyra.

Jung an Jahren verliess er als Diego Gomez de Silveyra
sein Vaterland, hielt sich längere Zeit in verschiedenen Städten
Frankreichs und Hollands auf und nahm endlich in Amsterdam
seinen Wohnsitz. Dort machte er die heiligen Schriften zu seinem
Studium. Er war der scherzhaften, muntern Poesie »poesia jocosa« von Jugend an geneigt und veröffentlichte verschiedene
Producte dieser Dichtungsart. Seine »Vexamen« (Satiren) sollen
eine Nachahmung des Hieronymus Cancer sein und erschienen zusammen mit einigen Reden in Amsterdam 1676[227].

Zur selben Zeit, als Miguel de Silveyra den jungen Prinzen
am Hofe zu Madrid Vorlesungen über Geschichte und Poesie hielt,
trat von Malaga aus ein Mann jüdischer Abkunft:

Pedro Teixeira,

dieser »bewährte Schriftsteller«, wie Menasse ben Israel ihn
nennt[228], eine grosse, wenn wir so sagen dürfen, wissenschaftliche Reise an. Dem Studium der Geschichte ergeben, war er mit
den Schriften des Procopius, Agathius, Genebrardus, Zonaras u. A.

innig vertraut und.hatte keinen sehnlichern Wunsch, als andere Gegenden und andere Länder kennen zu lernen. So bereiste er die ganze spanische Küste längs des mittelländischen Meeres, Persien bis nach Indien hin. Als Frucht seiner Wanderungen gilt' das auch in andere Sprachen übersetzte spanische Werk »über die Könige von Persien und Harmuz« und »die Reise von Indien bis nach Italien«. Dass Teixeira sein Reisewerk in Antwerpen (1610), wo er auch starb, drucken liess, führt uns auf die Vermuthung, dass auch er vor seinem Tode zum Judenthume zurückgekehrt sei. Der Umstand, dass Barrios den Weltreisenden in seiner Relacion de los Poetas aufgenommen hat [229], bewog uns, seiner an diesem Orte kurz zu gedenken.

In dem Dörfchen, in welchem Miguel de Silveyra das Licht der Welt erblickte, in Celorico, wurde auch der bereits erwähnte

Isaac Cardoso

gegen Anfang des siebenzehnten Jahrhunderts von jüdischen Eltern geboren. Hier verlebte er als Fernando die schönen Tage seiner Kindheit, frei und sorglos, noch nicht ahnend, welcher Kummer die Herzen seiner Eltern beschlich, ohne zu verstehen die tiefen Seufzer, welche ihrem Innern entströmten, ohne zu begreifen, warum sie ihren Gott nicht so laut, so offen verehrten und anbeteten; hier legte er auch den Grund zu seiner spätern Berühmtheit. Mit eminenten Anlagen versehen, wurde er früh zum Studium bestimmt: Philosophie, Medicin und Naturwissenschaften bildeten den Kreis seiner geistigen Thätigkeit an der spanischen Universität Salamanca, und was er in den genannten Fächern geleistet, das bekunden seine Schriften, seine nur zu selten gewordenen Werke. Das Studium, welches er, wie man heute zu sagen pflegt, zu seinem Fache und für sein Brod wählte, war die Kunst, die wir die jüdische par excellence nennen möchten, die Medicin. War und ist die jüdische Nation, welche die Vorsehung sich herangebildet, sich erzogen und wunderbar geleitet hat, von ihr zugleich im Allgemeinen berufen, die ihr einzig und allein geoffenbarte Lehre unter den Völkern zu verbreiten, somit Trägerin, aber auch Dulderin seines Erbtheils zu werden; konnte ein jüdischer Platoniker mit vollem Rechte von diesem Volke sagen, dass demselben das Prophetenthum für das ganze Menschengeschlecht anvertraut worden war, und seine Mission hat wahrlich noch nicht aufgehört! so glauben wir mit demselben Rechte behaupten zu dürfen, dass die Juden im Besondern waren auserwählt worden, wie der Seele die geistige Speise der Erleuchtung, so auch dem kranken Körper Heilung zu bringen, als Aerzte sich an den Höfen aller Grossen, wie in den verfallensten Hütten Eingang zu verschaffen, und es gibt kein Land, wo nicht jüdische Aerzte als Meister dieses so hohen göttlichen Berufs geschätzt und geachtet gewesen sind. Wir haben gesehen, dass in den frühesten Zeiten die jüdischen Leibärzte an den spanischen Höfen die wichtigsten Rollen spielen. Franz I. wollte nur von einem Juden geheilt sein. In Frankreich und Italien, in Deutschland und der Berberei gelangten die Juden als Aerzte zu den höchsten Würden. An Austreibung und Verbannung gewöhnt, konnten sie ja ihren Meisterbrief, ihr allenthalben gültiges Creditiv, als einen sie äusserlich nicht beschwerenden Schatz allenthalben mit sich führen. Die Medicin ist die jüdische Kunst bis auf den heutigen Tag geblieben, wie denn auch die hohen Regierungen der deutschen Länder unablässig in der »wohlwollendsten Absicht« für die Vermehrung der jüdischen Aerzte sorgen. Unsere Jünger der aesculapischen Kunst können stolz sein auf einen Genossen wie Isaac Cardoso es war.

Mit einer Schrift »über den Vesuv, berühmt durch seine Verwüstungen und durch den Tod des Plinius, den wunderbaren Brand im Jahre 1631 *), über seine natürlichen Ursachen und den wahren Ursprung der Erdbeben und Stürme« eröffnete er 1632 seine literarische Laufbahn, zu welcher Zeit er sich auch als Arzt in Valladolid niederliess. In dieser Stadt übte er einige Jahre seine Kunst mit solchem Glücke, dass er bald darauf als Oberarzt (physico mor) nach Madrid, dem spanischen Athen, wie es zu jener Zeit genannt wurde, berufen ward. Seine Geschicklichkeit wurde an diesem Orte bald allgemein anerkannt und man gab ihm das Zeugniss, dass die von ihm angeordneten Mittel nie ihre Wirkung verfehlten. Die ersten Jahre seines Aufenthalts waren sowohl praktisch, wie auch literarisch grösstentheils der Medicin gewidmet;

---

*) Im December 1631 erfolgte einer der stärksten Ausbrüche des Vesuvs, welcher seit 1500 ruhig gewesen war. Der Krater warf eine solche Menge Asche aus, dass sogar in Constantinopel davon niedergefallen sein soll. 5000 Menschen verloren durch diese Eruption das Leben.
Schnurrer, Chronik der Seuchen (Tübingen 1824) II, 172.
Vergl. auch Roth, der Vesuv (Berlin 1857) 10 ff.

so erschien 1633 sein kosmographisches Werk »über den Ursprung
der Welt«, 1634 seine mit geschichtlicher Einleitung und Anmerkungen versehene Schrift »de Febre syncopali«; in welcher er mit
einer neuen Theorie auftrat.   Dieser folgte im darauf folgenden
Jahre das Werk »über die grüne Farbe, das Symbol der Hoffnung,
das Zeichen des Sieges«, welches er der Doña Isabella Enriquez, von der später noch die Rede sein wird, zueignete.

In demselben Jahre lernen wir Cardoso von einer neuen Seite
kennen, Cardoso als Leichenredner.   Seine Rede auf den Tod des
grössten, wegen seiner unglaublichen Fruchtbarkeit fast vergötter-
ten spanischen Dichters Lope de Vega Carpio wurde dem Herzoge
von Sessa, welcher bekanntlich die Manuscripte Vega's geerbt,
dafür aber auch die Verpflichtung übernommen hatte, die Zierde
der spanischen Literatur in einem prächtigem Aufzuge zur Erde
zu bestatten, gewidmet. Wir wissen nicht, in welcher Beziehung
Cardoso zu dieser spanischen Coryphäe stand— vielleicht war er sein
Leibarzt — und wären nicht abgeneigt, den Berührungspunkten
nachzuspüren, welche zwischen Lope de Vega und der Geschichte
der Juden sich auffinden liessen. Zur Charakteristik dieses seit Jahrhunderten gefeierten, als bekannt vorausgesetzten Mannes möge
hier erzählt werden, dass er, der schwelgerischen Liebe zu seiner
Donna endlich müde, ernstlich an die Religion dachte, an frommen
Werken Gefallen fand; fromme, in den Strassen von Madrid noch
heute von den Bettlern abgesungene Lieder verfasste und sodann
als Geistlicher, treuer Diener und Freund des Santo Officio wurde.
Lope de Vega, der Verfasser von 500 Komödien, der Dichter des
eroberten Jerusalems, der frühere Sänger ausgelassener Liebes-
lieder, der trostlos war über den Verlust eines ihm früh entrissenen
unehelichen Kindes — präsidirte bei dem Acte eines Auto-da-Fé,
wo ein dreierlei Verbrechen wegen angeklagter Elender aus Catalonien den Feuertod erleiden sollte und auch erlitt. Der Unschuldige, welcher nur einmal und dazu in einem taumelnden Zustande
dem Priester während der Messe die Hostie entriss und sie in
Stücken zerschlug, behauptete männlich seine Unschuld, aber
der Präsident des heiligen Tribunals bewies ihm, dass er Lutheraner und Calvinist zugleich sei und noch dazu von einer Mutter stamme, die Jüdin gewesen.   Diesen letzten Anklagepunkt
konnte er gewiss nicht in Abrede stellen, und so sah das Madrider
Publicum an einem kalten Januartage unter Zusammenlauf der

wilden Menge, unter der sich auch der Hof befand, diesen sonderbaren Verbrecher öffentlich verbrennen. Lope de Vega, der
Präsident, wurde später von einer fanatischen Melancholie ergriffen: er geisselte seinen abgelebten Körper so furchtbar, dass die
Wände seines Zimmers mit Blutstropfen besudelt wurden und starb
an Raserei am 25. August 1635 — ein jüdischer Arzt hielt ihm die
Leichenrede.

Der vielgesuchte Oberarzt von Madrid, geliebt vom Volke, geachtet von Fürsten, Herzögen und sogar vom Könige Philipp IV.,
dem er sein 1637 erschienenes Werk »über den Nutzen Schnee
und Wasser kalt und frisch zu trinken«, dedicirte, in äusserm
Glücke lebend, gab dennoch seine glänzende Stellung, seine königlichen Freunde endlich auf, weil er ihn nicht mehr ertragen konnte,
diesen mehr als alle Folter quälenden, innern Kampf, diesen sein
Gemüth beständig beunruhigenden, seine Ruhe verscheuchenden
Gedanken, vor seinem Gotte als Larventräger erscheinen zu müssen.
Nicht das plötzlich über Cardoso einbrechende Missgeschick, nicht
das jeden Schritt beobachtende, jedes Wort belauschende, jeden
Gedanken erspähende Glaubensgericht, nicht die Inquisition, die,
sei sie königlich oder kirchlich, sich immerhin die heilige nannte,
führte ihn dem Judenthume wieder zu, sondern die freie Wahl, der
Trieb seines innersten Glaubensquells, sein Herz, das nie aufgehört
hatte, für die ihm angestammte Religion zu schlagen, die mit der
Muttermilch eingesogene Liebe zu den Satzungen brachte den lang
gehegten Entschluss endlich zur Ausführung Spanien und Madrid
und Alles, was ihm in dieser Stadt lieb und theuer geworden, zu
verlassen; seitdem er einmal erkannt hatte, dass es des edeln Menschen unwürdig sei, Wohlstand, Ansehen und Würde durch eine
Beschränkung im Denken und Glauben zu erkaufen, höhere, immer
neuen Reiz und neue Wonne schaffende Gefühle dem äussern oft im Nu
schwindenden Glücke zu opfern, konnte ihn nichts mehr an den Ort
fesseln, der mit so vielen Auszeichnungen ihn überschüttet hatte.
Nach Italien, diesem obwohl päpstlichen, aber in jener Zeit für die
Juden doch so heimathlichen Lande, dass es gewiss nicht ohne
Grund das jüdische Paradies genannt wurde, wandte Cardoso seine
Blicke und wählte Venedig, die Stadt mit ihren reichen Juden, zum
einstweiligen Aufenthalte. Hier angelangt, fiel mit den Schuppen
von seinen Augen auch der Name Fernando. Freudig und willig
liess er die einzig und allein den Juden weihende Operation an

sich vollziehen und schmückte sich mit dem Namen des zuerst auf göttlichen Befehl durch das Bundeszeichen geweihten Juden. An dem Orte seiner Weihe und Wiedergeburt entstand auch 1673 unseres Isaacs treffliches, naturphilosophisches Werk unter dem Titel »Philosophia libera«, in welchem er nach einer als Einleitung vorangeschickten Geschichte der Philosophie bis auf seine Zeit das ganze Gebiet der Naturphilosophie methodisch betrachtete und welches dem damals so mächtigen, mit Königen und Kaisern an Pracht und Glanz wetteifernden, die Juden ganz besonders schützenden [230]) Senate der Lagunenstadt von ihm gewidmet wurde. Italiens grosser Geschichtschreiber, Gregorio Leti, welcher von den zu jener Zeit grössten Mächten Europas, Frankreich, England und Holland, als solcher besoldet wurde[231]), kannte Cardoso und thut des eben genannten aus sieben Büchern bestehenden Folianten Erwähnung[232]). Von Venedig wanderte er, aber erst in den letzten Jahren[233]) seines Lebens aus uns unbekannten Gründen nach der zu jener Zeit blühenden jüdischen Gemeinde Verona, und auch hier erwarb er sich den Ruf eines tüchtigen, in seinen Curen glücklichen Arztes.

Was Cardoso als Arzt, Naturforscher und Philosoph geschrieben, was er auf dem Gebiete dieser verschiedenen Wissenschaften geleistet hat, haben wir im Verlaufe unserer Betrachtung, wenn auch nur durch die blosse Angabe der Werke erfahren, und wir haben nun noch sein letztes grosses Vermächtniss, welches seine Leistungen für Juden und Judenthum verwahrt, seine vorzügliche, sehr seltene Schrift »Excelencias y Calunias de los Hebreos« kurz ins Auge zu fassen. Diese ist, wenn wir richtig vermuthen, zur Abwehr gegen politische Bedrückung und jesuitische Verunglimpfungen erschienen und insofern beruht ihr Entstehen auf geschichtlichem Grunde. Mit dem 1676 gewählten, damals schon 66 Jahre alten, aber dennoch glühenden Papst Innocenz IX. war ein schwerer Druck über die Juden Italiens gekommen. Innocenz war, wie der wohlbekannte, mit jüdischer Geschichte so vertraute Leo sich ausdrückt[234]), »von der Würde des römischen Stuhls begeistert«, und die Jesuiten, diese ehernen Stützen und Träger des Stuhls, regten die Bevölkerung Italiens an allen Orten gegen die Juden auf. Gewöhnliche, den Charakter des finstern Mittelalters an sich tragende Beschuldigungen wurden auch damals — und Niemanden wird es Wunder nehmen, denn selbst die »Aufklärung unserer besseren Tage erstreckt sich noch lange nicht so weit«, dass diese

der menschlichen Vernunft Hohn sprechenden Anklagen gänzlich
verklungen wären — gegen die arme Menschenclasse vorgebracht.
Da sollten sie aus Muthwillen, um sich gütlich zu thun, Heiligthümer schänden, unschuldige Kinder zur Augenweide martern,
da sollten sie Brunnen vergiften, sollten treulos handeln gegen die
ihnen Schutz gewährenden Fürsten, in ihren von Dank und bitte-
rer Klage überströmenden Gebeten nicht den Segen des Himmels
für ihre anders denkenden und anders glaubenden Mitmenschen
erflehen, da sollten sie — und was nicht Alles? Was war nicht
dem nur Hass und Verfolgung brütenden Gehirn jener schwärme-
rischen Finsterlinge entsprossen? Tiefe und überraschende Gelehrsamkeit prägt sich in diesem Bosheit und Aberglauben zugleich
bekämpfenden, grossartigen Werke aus; Cardoso verbreitet sich
darin über die neuere und ältere Geschichte und entlehnt mit vieler
Geschicklichkeit den heiligen Schriften die Waffen, deren er in seinem
Kampfe bedurfte. Das Ganze zerfällt wie der Titel auch schon besagt,
in zwei Haupttheile, wovon jeder wieder in zehn Capitel zerlegt ist.

Auf den Inhalt dieses von uns mehrfach benutzten Werkes hier
näher einzugehen, kann unsere Absicht nicht sein. Es sichert seinem Verfasser für ewige Zeiten den Ruhm eines tapfern Vertheidigers
seiner Glaubensgenossen und in der reichen von Philo eröffneten,
noch nicht zum Abschluss gekommenen Literatur der jüdischen
Polemik wird man nie vergebens nach dem Namen Cardoso suchen.

Ein Jahr vor seinem Tode, welcher ihn aller Wahrscheinlichkeit nach in Verona ereilte[235]) — 1678 hielt er sich dort noch
auf — erschienen seine gewiss nicht ohne Grund gerühmten »Verschiedenen Poesien«[236]). Uns sind keine davon bekannt.

Jacinto Cordeiro, dessen »Sieg durch Liebe« lange Zeit ein
Lieblingsstück der Madrider Bühne war, hat unserem Doctor Isaac
Cardoso in seinen »Lobliedern« und der berühmte Zacuto Lusi-
tano[237]), dieser Glanzstern seines Jahrhunderts, wie ein Krakauer
Professor ihn nennt, seiner medicinischen Kunst ein Denkmal ge-
setzt[238]).

Auch der Bruder Isaac's,

Abraham Cardoso,

welcher als Leibarzt des Dey zu Tripolis lebte und verschiedene hebräische Werke verfasste, soll nach Barrios[239]) Dichter gewesen sein.

Um dieselbe Zeit, also in der Mitte des 17. Jahrhunderts, lebte

Diego Beltran Hidalgo.

Er stammte aus Murcia von jüdischen Eltern und war der Poesie
ganz ergeben. Als Glossator der Volksdichtungen nimmt er in der
spanischen Literatur einen Platz ein, und wir wollen nicht unterlassen, von den wenigen uns bekannten Gedichten Hidalgo's einige
mitzutheilen:

Thränen, die solch' starren Sinn
Nicht zur Rührung können bringen,
Will ins Meer ich giessen hin,
Weil sie aus dem Meer entspringen.

Glosse.

Wer ist, den der reinen Liebe
Wünsche unerweicht gelassen?
Der bei Zärtlichkeit im Hassen?
Der bei Seufzern hart und trübe?
Und bei Thränen thränenlos verbliebe?

Mir Unglücklichem allein
Bleiben Wünsche ungewährt.
Zärtlich Lieben unerhört;
Seufzer können nicht erweichen,
Thränen ihren Zweck erreichen.

Sehen oder sonst nicht sein,
Wünscht das Herz, Du Trauter, mein,
Lieber sehn und nicht mehr sein,
Als sehen nicht und ewig sein. *)

_____

*)
Lágrimas que no pudieron
Tanta dureza ablandar,
Yo-las volveré á la mar,
Pues que de la mar salieron.

Glosa.

De un amante enternecido
Ruegos ¿ qué no han ablandado?
Ternezas ¿ qué no han vencido?
Suspiros ¿ qué no han obrado?
Lágrimas ¿ qué no han podido?

Solo en mi triste se vieron
Ruegos que no enternecieron,
Ternezas que no importaron,
Suspiros que no ablandaron,
Lágrimas que no pudieron.

O no mirar ó morir
Decis, pensamiento, amando:
Mas vale morir mirando
Que, no mirando, vivir.

13*

Glosse.

Zwei Momente ganz verschieden
Birgt mein heiss ersehntes Glück,
Jedes macht mich ganz zufrieden.
Gern ums Leben möcht' ich sehen,
Ohne sehen — gleich vergehen.

Hast Du Augen recht zu wählen,
Die allein den Mensch beseelen,
Werden beid' zu Tod sich quälen,
Denn das Leben für das Sehen,
Ohne sehen — gleich vergehen.

Kräftig und feindselig streiten
Meiner Liebe zarte Seiten
Glühend eine, wie die andre kalt,
Diese trägt Entsetzen zur Gestalt,
Jene meiner Sehnsucht Allgewalt.

Todverkündend ist die Furcht,
Zittern fasst mich durch und durch,
Dass ich seh', ohn' zu vergehen,
Dass ich lebe, ohn' zu sehen
Den Trauten, den mein Herz mir wünscht.

Was Du Schönste liebst zu sehen,
Wär' es auch im Todtenkleid,
Macht mich fröhlich voller Freud';
Tod ist's, von Dir fern zu stehen,
Und Verzweiflung nicht Dich sehen.

Ja, ums Leben möcht ich sehen,
Denn wenn Schönheit untergehet,
Ist's Gewinn zu sterben auch;
Wenn man lebt, vergebens spähet,
Ist das Leben Todes Hauch.

Mit welcher Leichtigkeit und Gewandtheit Hidalgo dichtete,
ist aus diesen wenigen Proben ersichtlich[240]).

Achtes Capitel.

Menasse ben Israel. Opfer der Inquisition. Jonas Abrabanel.
Joseph Bueno. Immanuel Nehemiah. Emanuel Gomez,
Rosales u. A. David Zarphati de Pina. Antonio Enriquez
Gomez, Villa-Real, Diego Enriquez Basurto.

In den ersten Monaten des 17. Jahrhunderts erblickte Calderon de la Barcas in Madrid das Licht der Welt. Er gehört zu den
grössten und fruchtbarsten Dramatikern der spanischen Literatur
und ward der Vater einer Schule, aus der auch die Theaterdichter
jüdischer Nation hervorgegangen sind.

Wenige Jahre später (1604) wurde in Lissabon einer der
ausgezeichnetsten Männer, welche das Judenthum je aufzuweisen
hatte,

Menasse ben Israel

geboren. Wer hätte seinen Namen nicht schon nennen hören?
Wer bewunderte nicht diesen schaffenden Geist, diese liebens-
würdige Persönlichkeit, diesen hervorragenden Gelehrten, all' die
Vorzüge, welche dieser Mann in sich vereinte? Er war es, der
seinem Jahrhunderte eine bestimmte Richtung vorzeichnete. Wollte
man sich nach einer Persönlichkeit umsehen, der Menasse ben
Israel an die Seite zu stellen wäre? Wir wüssten dem grossen
deutschen Mendelssohn keinen würdigern Vordermann zu geben,
als diesen spanisch-portugiesischen Juden und Menasse ben Israel
keinen angemessenern Platz in der Culturgeschichte des jüdischen
Volkes anzuweisen als zwischen den beiden Moses, zwischen Mai-
mons-Sohn und Mendels-Sohn.

Bleiben wir einen Augenblick bei diesen beiden Bildnern ihres
Volkes, den Männern des 17. und 18. Jahrhunderts stehen.

Den Vorzug wird Mendelssohn vor allen Heroen der Wissenschaft haben, dass er Alles, was er geworden, aus sich selbst
durch unübertrefflichen Fleiss und staunenswerthe Ausdauer geworden ist. In einer Zeit, wo Alles, was nicht Talmud und Schrift
hiess, bei den Juden in argem Misscredit stand, in einer Zeit, wo
Bildung und Wissenschaft bei den Söhnen Israels noch blosse Namen

waren, wurde Moses Mendelssohn, arm und verlassen, in die Welt gestossen —; im Kampf mit den grössten Mängeln errang er die schönsten Früchte des Wissens.

Menasse ben Israel hingegen, aus einer alten spanischen Familie entsprossen, von Haus aus reich, genoss eine seinen Vermögensumständen, seiner gebildeten Heimath angemessene Erziehung: er betrat als Mann die Laufbahn und hatte sich in dem Alter schon Schätze von Kenntnissen angeeignet, in welchem Mendelssohn sich mit den Rudimenten der classischen Sprachen abmühen musste. Mit achtzehn Jahren war Menasse schon Haupt und Leiter der grossen Amsterdamer Gemeinde.

Moses Mendelssohn hat sich nie als Vertreter seiner Nation gezeigt! Abstrahiren wir von einzelnen Fällen, wo er sich bei einflussreichen Männern für seine bedrückten Glaubensgenossen verwandte, so geben wir diese ihm zum Vorwurf gemachte Lässigkeit gerne zu. Wir räumen auch willig ein, dass Mendelssohn zum Theil aus religiösen Rücksichten, wenn wir so sagen dürfen, jedes öffentliche Auftreten scheute, denn eine mächtige Partei, der er freilich selbst seinen Handlungen und seinem Bekenntnisse nach angehörte, stand ihm auf jedem Schritte, den er wohl hätte wagen mögen, im Wege: die orthodoxen Juden grollten ihm wegen seiner wissenschaftlichen Bestrebungen und seines freien Denkens, sie hielten in ihrem verschleierten Blicke Mendelssohns aus Herz und Gefühl entsprungene Anhänglichkeit an das alte, ihm so theure Judenthum für erkünstelt, ja, wie das auch thörichter Weise wohl schon behauptet worden ist, für Pastoralklugheit. Sollte aber die Unthätigkeit dieser höchst achtbaren Persönlichkeit auf politischem Gebiete nicht einen tiefern, dem edeln Charakter des Mannes angemessenern Grund haben? Wir sind der festen Ueberzeugung, dass Mendelssohn durch die kümmerliche Lage, mit welcher er in der Jugend zu kämpfen hatte, so eingeschüchtert worden war, dass die Spuren dieser Schüchternheit ihn nie verliessen. In seiner musterhaften Bescheidenheit hatte er es nie gewagt, die Sache der Juden öffentlich zu vertreten. Wer weiss, ob nicht auch er, unter glücklicheren Verhältnissen geboren, sich vor die Throne der Könige und Fürsten gestellt und wie Menasse ben Israel, sein Vorbild, offen und laut Rechte für seine bedrückte Nation gefordert hätte!

Nur der Reiche hat Muth. Menasse ben Israel trat ohne Scheu

ver Cromwell; der Theologe und Doctor, wie er sich nannte, zeigte
sich als Sachwalter und beredter Fürsprecher seiner Glaubensgenossen und verlangte in würdiger Weise eine Heimath für die
Juden. Seine Bemühungen blieben nicht fruchtlos; zogen die Juden
auch nicht unter dem »papistischen Ulysses« in England ein, so
waren die Gemüther der Uferbewohner durch Menasse doch vorbereitet und acht Jahre nach seinem Erscheinen in der Hauptstadt Englands erhob sich dort wieder die erste Synagoge.

Beide, Mendelssohn und Menasse ben Israel, haben das grosse
Verdienst, die Vorurtheile ihrer Mitmenschen besiegt zu haben;
beide haben ihrer Zeit die Wahrheit gelehrt, dass der Jude nicht
der abergläubische, entsittlichte Jude sei und das Judenthum und
die jüdische Religion nicht die Oeffentlichkeit zu scheuen habe.

Beide hatten unter den christlichen Gelehrten ihre trautesten
Freunde. Mendelssohn hatte seinen Lessing, Nicolai, Abbt und
wie sie Alle heissen; die damaligen Grössen waren stolz darauf,
sich Freunde des philosophischen Juden, des jüdischen Plato nennen
zu können.

Menasse ben Israel war der Intimus eines Hugo Grotius;
Vossius, Barlaeus u. A. standen im vertrautesten Umgange mit ihm.

Mendelssohn sorgte für die Veredlung seiner jungen Glaubensgenossen, pflanzte dem jungen Geschlechte einen neuen bessern,
lauterern Geist ein und reichte ihm zum ersten Male in einer von
den Schlacken der Unwissenheit gesäuberten Uebersetzung das
Wort des Herrn.

Menasse ben Israel sorgte für die Verbesserung der Schulen
in seiner Gemeinde und liess mit ungeheuerm Kostenaufwande in
der von ihm begründeten Druckerei die Ferrarische Bibelübersetzung neu auflegen.

Mendelssohn wirkte als Schriftsteller, beschenkte die Welt
mit den hohen Producten seines Denkens, bekundete sich als der
freieste Geist seiner Zeit.

Menasse ben Israel schrieb seinen Conciliator, ein Werk, durch
welches er die Bewunderung aller Gelehrten sich erwarb, über die
Weltschöpfung, über die Auferstehung, wie Mendelssohn über die
Seele; er schrieb »die Rettung der Juden«, die Schrift, welche
Mendelssohn mit einer meisterhaften Vorrede versah und dem
deutschen Publicum zugänglich machte[240]).

Mendelssohn der Philosoph und Aesthetiker, der Literar-

schönsten Triumphe. Nach dieser Stadt eilte Alles. Die noch in
Spanien und Portugal weilenden Juden wandten nach dem durch
Gewissensfreiheit und Toleranz berühmt gewordenen Holland sehn-
süchtige Blicke und begaben sich dorthin, sobald nur das Tribunal,
dessen Thätigkeit sich nie erschöpfte, »diese grausame Mutter«,
welche ihre eigenen Kinder verzehrte, einen Augenblick Mund und
Augen geschlossen hatte.

Es ist nichts weniger als eine Metapher, wenn wir behaupten,
dass ein grosses Stück der jüdischen Geschichte des 16. und 17.
Jahrhunderts in flammenden Zügen aufgezeichnet sei: die Scheiterhaufen der Inquisition, welche auf Erden dem Himmelreiche
angezündet wurden, nährten sich vom jüdischen Blute [246]).

In dem am 7. und 8. November 1610 zu Logroño abgehaltenen Auto-da-Fé wurden sechs geheime Juden verbrannt und zwar
vier, weil sie den Sabbath feierten, reine Wäsche und bessere
Kleider anlegten und andere Ceremonien des mosaischen Gesetzes
beobachteten. Der eine wurde dem Tode geweiht, weil er häufig
folgendes Liedchen gesungen haben soll:

> »Si es venido no es venido,
> El Mesias prometido,
> Que no es venido.«

Ein anderer wurde zusammen mit einem Morisco und einem Lutheraner zu ewiger Kerkerstrafe verurtheilt. Sein Vergehen war,
25 Jahre lang als Jude gelebt zu haben [247]).

Am 21. December 1627 bot Cordova das Schauspiel eines
Auto-da-Fé. 4 Juden und 11 Bilder wurden den Flammen übergeben, 58 Personen jüdischen Geschlechts erlitten andere Strafen [248]).

Eins der glänzendsten und merkwürdigsten Autos fand 1632
in Madrid statt [249]). Der König, die Königin und die Gesandten der
meisten fremden Höfe waren zugegen.

Zuerst bestieg Beatriz Nuñez, ein 60 Jahre altes Weib den
Scheiterhaufen: ihre Kräfte waren auf dem letzten Gange geschwunden.

Ihr folgte Hernan Baez, ein 60jähriger portugiesischer Jude
aus Toro de Moncorbo, welcher von vier Capucinern geführt werden musste. Seine Frau Leonor Rodriguez, 55 Jahre alt, aus Pin-

celas in Portugal, begleitete ihn und erlitt mit ihm den Tod. Ihre Tochter Beatriz Rodriguez, welche mit Catalina de Acosta, der Frau des Wundarztes Manuel Nuñez aús Madrid entflohen war, wurde im Bilde verbrannt.

Miguel Rodriguez, 60 Jahre alt, in Madrid wohnhaft und seine Frau Isabel Nuñez Alvarez [250]) aus Viseu in Portugal,. wurden von vier Franciscanern in die Flammen geschleppt. Sie waren die Eigenthümer einer in der Strasse de las Infantes gelegenen Synagoge, in welcher sich mehrere der Verurtheilten zu versammeln pflegten, um ihre ·unschuldigen Gebete gen Himmel zu senden. Das heilige Offiz liess die Synagoge schleifen, und auf den Platz, auf welchem 'sich später ein Capucinerkloster erhob, zum ewigen Andenken eine Inschrift setzen.

Ein Advocat aus Fermosilla in Coimbra, Jorge Quaresma, der sich in Madrid niedergelassen hatte, machte für dieses Mal den Beschluss.

Und allen diesen war der Tod doch so süss, wenngleich nicht die Erde ihre Leichname deckte! Um wie viel mehr waren Diejenigen zu bemitleiden, denen das Urtheil ewige Kerkerstrafe und Galeerendienst verkündete. Dieses Schicksal erlitten mit Anderen: Luis de Acosta, 45 Jahre alt, aus Villa-Flor in Portugal, der 28jährige Francisco de Andrade, aus dem im Erzbisthum Lissabon gelegenen Alcobaz, Giomar de Vega aus Viseu, die 22jährige Violante Nuñez Mendez, Helena Nuñez aus Gradis. Zwei junge Mädchen, fast noch Kinder, Anna Rodriguez und Catalina Mendez wurden trotz ihrer Jugend, sie waren kaum 12 Jahre alt, in die Gefängnisse geführt.

53 Personen jüdischen Geschlechtes, fast lauter Portugiesen, figurirten bei diesem grossartigen Auto. Glieder der Familien Rodriguez, Mendez, Nuñez, Acosta u. A. wurden theils in eine andre Welt, theils auf die Galeeren geschafft.

Diese Zeit kannte beinah kein prächtigeres Schauspiel als Auto-da-Fés.

Am 22. Juli 1636 wurden in Valladolid [251]) 10 Juden zu ewiger Kerkerstrafe verdammt, weil sie »Sohn und Mutter«, wie Llorente sich ausdrückt [252]), durch ihre Blasphemien beleidigt hatten.

Acht Jahre später, am 25. Juli 1644, fiel in derselben Stadt Don Lope de Vera y Alarcon [253]), ein spanischer Ritter aus San Clemente [254]) en la Mancha als Opfer der Inquisition. Er war einem

edlen Geschlechte entsprossen und erlernte während seiner Studienjahre in Salamanca die hebräische Sprache. Als er es darin
so weit gebracht hatte, dass er den Text lesen und verstehen
konnte, gingen ihm die Augen auf: er nahm die jüdische Religion
an, legte mit der Kühnheit eines Ritters und eines Gelehrten (con
la libertad de Cavallero y de Sabio) vielen Theologen verfängliche
Fragen vor und erklärte offen, dass er an den erschienenen Messias nicht glaube. Täglich las er auf freiem Felde die Psalmen.
Keinerlei Fleisch wollte er geniessen, weil sein Gesetz es ihm verbot. Sobald der Unglaube des zwanzigjährigen jungen Mannes
bekannt geworden, wurde er von dem Inquisitionsgerichte zu
Valladolid eingezogen. Sechs Jahre schmachtete er im Kerker.
Die eminentesten Theologen statteten ihm Besuche ab und waren
bemüht, ihn der Kirche wieder zuzuführen; er widerlegte sie Alle
mit Stellen aus der Schrift und den Worten der Propheten. Während der ganzen Kerkerzeit enthielt er sich aller Fleischspeisen,
beschnitt sich mit eigener Hand und legte sich den Namen »Jehu-
dahel Creyente (der Gläubige)« bei. Sein Vater D. Fernando
machte den letzten Versuch, den geliebten Sohn — er war schön
und weise, »Joven hermoso y sabio« — sich zu erhalten, aber auch
seine Worte blieben wie die der Theologen ohne Wirkung und
rührten nicht seines Kindes Herz. Er wollte nicht die Seligkeit
der allein seligmachenden Kirche und wurde als verstockter Jude
in dem 26. Jahre seines Alters öffentlich verbrannt. Bis zum letzten Athemzuge recitirte er in hebräischer Sprache die Psalmen.
Das ganze Volk, selbst der Inquisitor*), bewunderte seine Ausdauer, und die jüdischen Dichter Manuel de Pina und Antonio
Enriquez Gomez[254a]) betrauerten den hoffnungsvollen Jüngling
in ihren Poesien.

Kaum waren drei Jahre verflossen, so erfüllte eine neue Bot-
schaft die Gemüther der spanisch-portugiesischen Juden mit Trauer
und Schmerz. Am 15. (22.) December[255] 1647 wurde Isaac de Castro
Tartas, ein Verwandter des Leibarztes Montalto und des Buch-
druckereibesitzers Castro Tartas in Amsterdam, in dem blühenden

*) Der Inquisitor Moscoso schrieb der Gräfin von Monterey über diesen
Vorfall: »Nie sah man eine solche Standhaftigkeit, wie dieser junge Mann
sie zeigte. Er war wohl erzogen, gelehrt und dem Anscheine nach tadelfrei.«
Barrios, Govierno popular Judayco, 45.

Alter von 25 Jahren in Lissabon lebendig verbrannt. Die Gas-
cogne war seine Heimath, Tartas, ein kleines aber niedliches
Städtchen, sein Geburtsort. Zur Zeit, als Brasilien unter hollän-
discher Botmässigkeit stand, begab sich der junge Castro nach der
Provinz Bahia und lebte mehrere Jahre in einer Stadt dieser Gegend, Parahiva genannt. Als er eines Tages auf die Warnung
seiner hier ansässigen Verwandten und Freunde nicht hören wollte
und sich gegen ihren Willen nach der Hauptstadt da Bahia dos
Santos begab, wurde er von den auch dort die Ketzer ausspähen-
den Portugiesen als Jude erkannt, gefangen genommen und nach
Lissabon vor die Inquisition transportirt. Gleich im ersten Verhör
bekannte er, dass er Jude sei, als Jude leben oder sterben wolle.
Obwohl die strengen Herren bereits an mehreren Beispielen die
jüdische Ausdauer und Hartnäckigkeit zu erproben Gelegenheit
hatten, griffen sie doch wieder zu den gewöhnlichen Mitteln, den
Jüngling vom Judenthume abzubringen; zungenfertige, fromm-
thuende Theologen und andere Gelehrte dieser Art belästigten ihn,
den philosophischen Denker und unterrichteten Mann, mit ihren
Besuchen, ohne ihre Bemühungen mit Erfolg gekrönt zu sehen.
Isaac de Castro war von dem hohen Gedanken beseelt, den Namen
seines Gottes zu verherrlichen und er hat seinen Zweck erreicht.
Er lieferte seinen Verwandten, seiner ganzen Genossenschaft ein
eclatantes Beispiel, mit welcher Ruhe man den Tod für seinen
Glauben und seine Ueberzeugung erleiden müsse. Im Vorgefühl
seines nahen Endes hatte er vor seiner Abreise von Parahiva seinen
in Amsterdam wohnenden Eltern die Anzeige gemacht, dass er
nach Rio de Janeiro in der Absicht wandere, um einige seiner Verwandten zur Gottesfurcht zu führen. Gleichzeitig bemerkte er in
seinem Schreiben, dass die geliebten Eltern in den nächsten vier
Jahren keinen Brief von ihm erwarten sollten. Noch war die bestimmte Frist nicht verflossen, so empfingen die besorgten Verwandten die Anzeige, dass ihr herrlicher Sohn in Lissabon auf
dem Scheiterhaufen geendet habe. Er starb wie ein Held, wie ein
Heiliger! Nachdem er schon mehrere Stunden auf dem Feuergerüste gestanden und helle Flammen sein Haupt in Rauch gehüllt
hatten, erhob er zum letzten Male seine Stimme und rief mit der
ganzen ihm noch gebliebenen Kraft: »Sch'ma lisrael, Höre Israel«.
Mit dem Worte »einzig« gab er, der echte Märtyrer, den Geist auf.
Der Tod dieses Jünglings hatte selbst die abgehärteten Inquisitoren

so erschüttert, dass sie sich vorgenommen haben sollen, Niemanden mehr zu verbrennen. Noch viele Jahre nach dem Tode Isaac de Castro's ergötzte sich das Lissaboner Publicum mit der Recitation des Sch'ma, so dass sich doch endlich die Inquisition genöthigt sah, gegen dieses unschuldige Vergnügen einzuschreiten [256]).

Des heimgegangenen Jünglings gedachte der Rabbiner Saul Levi Morteira in einem Sabbathvortrag, und verschiedene andere Poeten jüdischer Nation besangen in spanischer Sprache seinen Tod. Salomo de Oliveyra, ein wohlbekannter Rabbiner Amsterdams aus jener Zeit, dessen Werke in der Officin David de Castro Tartas, des Verwandten Isaac's, gedruckt wurden, betrauerte ihn in einer hebräischen Elegie [256a]).

Von den Dichtern, welche den jungen Castro in spanischen Poesien beklagten, wird uns vornehmlich

Jonas Abrabanel

genannt. Zu der alten Familie gehörig, welche ihre Abstammung direct von David ableitet, war er der Sohn des zu Amsterdam lebenden Doctor Joseph Abrabanel und ein Neffe des Menasse ben Israel [257]). Er war auch Mitglied der wohlthätigen Anstalt »Chonen Dallim« zu Amsterdam [258]). Sein sechszeiliges, durch den Tod Isaac de Castro's hervorgerufenes Gedichtchen ist zu unbedeutend, als dass wir weitere Rücksicht darauf nehmen sollten *). Wichtiger ist die spanische Psalmen–Uebersetzung [259]), welche er im Verein mit dem aus edler Familie stammenden Doctor Ephraim Bueno, dem Sohn des Arztes Joseph Bueno, verfertigte. Obwohl diese Uebersetzung eine wörtlich treue und demnach prosaische ist, so enthält dennoch dieses Prosa–Werk ein Product, welches die poetische Begabung Abrabanel's bekundet, eine Ode, in der er David und das geknechtete Israel erhebt:

> David sang erhab'ne Hymnen,
> Eingeflösst von höherer Macht,
> Und sein Geist, prophetisch blickend,
> Liess erleuchten dunkle Nacht. **)

---

*) Estas son señales ciertas,
Que fue santa vuestra historia etc.
Cardoso, l. c. 325.

**) Cantò David sacros himnos
Dictados de un sacró génio,
Y su profetico ingenio
Sacó numeros divinos.

Deine Söhne, Gott, als Fremde
Leben sie im schweren Joch;
Kummervoll von Leid gedrücket,
Weit entfernt vom Vaterland,
Werden, Gott, sie Dir noch Lieder
In Verbannung stimmen an?

An den Strömen jenes Babels
Sind die Harfen aufgehänget,
Nach der Kinder frommer Lieder
Blickt voll Neides der Barbar.
Edom's Volk und auch Ismael,
Das der Heiligkeit sich rühmet,
Hat geraubt uns die Gesänge,
Und der süsse Ton ward Klage,
Harmonie vom Schmerz zerrissen.

. . . .

Baue auf die Mutterstadt,
Bau' bald auf Dein heilig Haus!
Zeig', o Gott, wie wundervoll,
Ewig ist Dein hehres Wort!
Deine Schafe leite immer,
Wie der Hirt die Heerde führt, *)

_____

*)

Tus hijos por peregrinos
Viven en duras cadenas;
Con tantos males y penas
De la patria desterrados.
¿Cómo los cantos sagrados
Cantarán en las agenas?

Sobre rios de Babel
Las arpas dejan colgadas:
Que las canciones sagradas
Pide el barbaro cruel:
Entre Edom y entre Ismael
Que se reputan por santos,
Ya no nos piden tus cantos:
Mas almas piden por pechas
Donde el canto son endechas,
La armonica voz son llantos.

Fraga la ciudad materna
Tu santuario edifica:
Tu maravilla publica
Que tu palabra es eterna.
Tus corderillos gobierna
Con pastor al pátrio nido,

Und Dein Volk, das auserwählte,
Wenn die Hoffnung ihm erfüllet,
Wird verkünden in den Psalmen
Deines Lieblings, Deine Grösse. *)

Auch der Vater des eben genannten Ephraim Bueno, des Stifters der Akademie »Tora Or« in Amsterdam, der berühmte Arzt

Joseph Bueno

verdient hier genannt zu werden. Er war seiner Zeit ein viel-gesuchter Arzt in Amsterdam, derselbe, welcher einmal an das Krankenbett des Prinzen Moritz gerufen wurde[280]). Dieser Doctor war der vertraute Freund Menasse ben Israel's und besang dessen »Conciliator« in einem schönen spanischen Sonett**), so wie auch die jüdischen Märtyrer, deren wir noch später Erwähnung thun werden.

Gleich diesem »Doctor und Philosophen«, wie Menasse den Freund bezeichnet, rührte

Immanuel Nehemiah

die Saiten der Leier. Als Intimus Menasse's und Freund der Wis-senschaften besang auch er den »Conciliator«***) und ein anderes Werk desselben Verfassers, welches unter dem Titel »de creatione«

---

*)
    Y alli tu pueblo escogido,
    Cumplidas sus esperanzas,
    Cantará tus alabanzas
    Con los Salmos de tu Ungido.

**)
    Canta suave ciene y docto Hebreo
    En elevado tono y compostura
    Lo dudoso que ay en la Escriptura,
    En el sacro idioma, y en Chaldeo.

    . . . .

    Inclina los sentidos muy de veras
    A esta sublimada Philomena,
    Honra de Portugal, gloria de España.

***)
    Unico fenix de immortal memoria
    Que por suaves medios sin mudança
    Con magnanimo pecho y confiança
    Vuelves los textos de la sacra historia.

    . . . .

    Elevese de honor el alta pecho
    Que pisa de Platon el rico estrado,
    Por llamarse divino entendimiento.

erschienen ist. Vielleicht wird er allein dieser Producte wegen von Barrios zu den Dichtern gerechnet [261].

Auch wissenschaftliche Themata wurden in dieser Zeit in ein poetisches Gewand gekleidet. Wir nennen hier vorzugsweise

Emanuel Gomez.

Gomez wurde von portugiesischen Eltern in Antwerpen [262] geboren und liess sich in seiner Vaterstadt als Arzt nieder. Gleich anderen jüdischen Aerzten vereinigte dieser von Zacuto Lusitano unter dem Beinamen »Antwerpiensis« gefeierte Doctor mit der medicinischen Kunst auch die der Poesie. So schrieb er ausser einem zu Antwerpen 1603 erschienenen medicinischen Werke de pestilenciae curatione [263], über die ersten Aphorismen des Hippokrates, »Vita brevis, Ars longa, occasio praeceps, experimentum periculosum, judicium difficile« 1643 *) einen 107 Seiten langen metrischen Commentar in spanischer Sprache, welchen er dem D. Francisco de Melo, dem damaligen Gouverneur Flanderns, zueignete. Verschiedene Gedichte über die Spinne, Ameise und Biene sind diesem Werke beigegeben. Emanuel Gomez wird von einem Manne gefeiert, welcher wie er von portugiesischen Eltern jüdischen Geschlechts in Antwerpen geboren wurde,

Manuel Rodriguez [263a].

Manuel Rodriguez, ein ausgetretener Augustinermönch, lebte als Studienmeister in seiner Vaterstadt. Von ihm ist unter anderen Schriften ein Drama »Herodes saeviens« Antwerpen 1626. 8 vorhanden, so wie die Ode »clarissimo expertissimoque Domino D. Emanueli Gomez, Medicinae D. Doct.« Antwerp. 1643. 8.

Einer der bedeutendsten und angesehensten Männer dieser Zeit war

Immanuel (Jacob) Bocarro Frances y Rosales [264].

Gegen Ende des 16. Jahrhunderts in Portugal geboren, studirte er an einer Landesuniversität Medicin, Philosophie, Mathematik und Astronomie und war auch den Musen nicht abgeneigt. Nachdem er einige Jahre als Arzt in Lissabon gelebt hatte, begab er sich noch vor 1637 nach Hamburg, wo er seine Kunst übte und wegen seiner ausgezeichneten Kenntnisse zum Pfalzgrafen, »Comitus Palatinus«, ernannt wurde, eine Ehre, welche damals nur sehr wenigen Juden zu Theil

---

*) In diesem Jahre erschien auch zu Antwerpen von einem Anonymus »El Doctor Manuel Gomez Portuguez«.

ward. Auch in Amsterdam hielt er sich einige Jahre auf und nahm dann seinen Wohnsitz in Livorno, wo er 1667 in hohem Alter verschied. Er hatte sich selbst ein Epitaphium in hebräischer Sprache verfasst. Leider war der Abend seines Lebens vielfach getrübt: sein früherer Sang war in Jammer, sein Jubel in Trauer verwandelt. Schon 1644 klagt er, dass sein einziger Sohn ihm entrissen sei; auch seine Frau war vor ihm heimgegangen und mit seiner Familie scheint er nicht in Freundschaft und Harmonie gelebt zu haben, so dass der Tod ihm sicherlich eine ersehnte Erlösung aus dem Jammerthale gewesen ist.

Die erste uns genannte Schrift des kaiserlichen Pfalzgrafen ist medicinischen Inhalts und unter dem Titel »Armatura medica sive modus addiscendi medicinam« erschienen. Zum Lobe seines berühmten Freundes Zacuto Lusitano, welcher ihn den »illustrem Doctorem« nennt, schrieb er ein Poculum Poeticum:

Accipe mi Zacuto, tui tibi poculum etc.

und bereicherte dessen auch noch heute geschätztes Werk »de medicorum principum historia« mit einem »supplementum chirurgicum«.

Zu der Schrift Menasse ben Israel's »de vitae termino« verfasste er 1639 ein »carmen intellectuale«.

Sein vorzüglichstes Product ist das 1644 in Hamburg in Folio erschienene Werk »Regnum Astrorum Reformatum«, welches allen Königen und Fürsten Europas gewidmet ist. Nach einem Verzeichniss derjenigen Theile, welche behandelt werden sollen, folgt das am 10. Mai 1624 zum ersten Male zu Lissabon erschienene portugiesische Gedicht »Status astrologicus sive Anacephalaeosis I. Monarchiae Lusitanae« in zweiter, vom Verfasser selbst verbesserter Auflage mit gegenüberstehender lateinischer Uebersetzung. Dieser aus 133 Versen und 4 Theilen zusammengesetzte Gesang feiert die Zukunft des portugiesischen Reiches und wir wollen aus sprachlichen Rücksichten das Ende der Section unseren Lesern mittheilen, deren Anfang 1626 von dem grössten Feind der Jesuiten Galileo Galilei in Rom geprüft worden ist:

Tem livre o aluedrio todo humano,	Libertas est arbitrii cuncto humano,
Capàz de seu querer, e pensamento,	Sat capax proprii velle, ac sui affectus,
Com que pode, evitando, o proprio dano,	Qua potest, evitando mala, ut cano,
Nos astros dominar, delles izento;	Et astris dominari, his non subjectus:
Dizer, que o ceo constrãje, he puro engano,	Nam coelum vim non infert nisi insano,

Que naó pode forçar o entendiměto,	Neque cogi valebit intellectus,
Pois que he da alma immortal, vera potençia,	(Cum animi mortalis sit potentia),
Dos çeos, nem das estrellas a influençia.	Stellarum vel coeli ab influentia.
Assim que naó entendas, que o que canto,	Quapropter non intelligas, quae canto,
Profeçia he divina, e verdadeira;	Prophetica divina adesse et vera;
Porque pode dispor o eterno santo	Namque possunt disponi aeterno a sancto,
As cousas, se quizer de outra maneira:	Si ita velit, diversa ut signa in cera:
Mas para, que com lagrimas, e pranto,	Sed ut totidem lacrymis, et tanto
Com santa contriçaó, com dor inteira,	Dolore et poenitentia ita sincera,
Pessais a Deos perdaó, do mal, que ouvistes,	Ut Deus velit moveri, veniam petas,
Dos astros vos prediçe aos fados tristes.	Tibi ex astris praedixi res non laetas.

Diesem Gesange sind noch angehängt »Foetus astrologici libri tres ad Heroem et virum Admirantem«, welche zusammen 470 lateinische Hexameter ausmachen.

Ob die dem Dichter zugeschriebenen handschriftlich vorhandenen hebräischen Werke, worunter sich auch eine Schrift gegen den falschen Messias Sabbatai-Zewi befindet, von ihm wirklich herrühren, müssen wir dahin gestellt sein lassen; eben so wenig kann mit Bestimmtheit gesagt werden, dass die diesem »Poeta laureado« angeeignete »verdadera composicion del mundo philosophico et mathematico«, welche Wolf in einem Catalog als Manuscript aufgeführt sah, aus seiner Feder geflossen sei.

Er hatte einen Bruder, Namens

Josias Rosales[265]),

der Verfasser eines »Bocarro«[265a]) betitelten Gedichtes, über dessen Inhalt uns nichts bekannt ist. Es wäre nicht unwahrscheinlich, dass es ein Lobgesang auf seinen Bruder sei oder sonst die Familie behandele. Jedenfalls wird der Verfasser des Bocarro, welcher, wie Delitsch[266]) meint, eben so fleissig gelesen zu werden verdient als die Araucana des Alonso de Ercilla und die Lusiade des Camoëns, mit Recht unter die Dichter gezählt.

Wir vermuthen, dass auch der als Doctor und Dichter gerühmte

Mardochai Barrocas[267])

zu der Familie der beiden letztgenannten Männer gehört, da der

14*

Name Barrocas nichts als eine Umstellung der Buchstaben in Bocarro zu sein scheint. Erst als Mann kehrte er zum Judenthum
zurück. Zur Feier seiner Beschneidung verfasste er einige elegante
Terzetten, deren Anfang ist:

> O Herr der Heere,
> Gott himmlischer Chöre!
> Bald nahet des ersehnten Tages Ende,
> O dass mein Geist an ihm doch Ruhe fände! *)

Zu gleicher Zeit mit dem Pfalzgrafen Immanuel Rosales lebte
in Hamburg

David Cohen Carlos.

Er übersetzte 1631 die Gesänge Salomo's aus dem Chaldäischen (?)
ins Spanische. Das Manuscript dieser Uebersetzung will Wolf
in einem zu Haag 1728 erschienenen Catalog erwähnt gesehen
haben [268].

Von Hamburg, wo wir später noch dem Dichter Joseph Fran-
ces begegnen werden, wenden wir uns wieder dem eigentlichen
Sitze spanisch – portugiesischer Dichter, dem freien, glücklichen
Amsterdam zu und betrachten hier noch den Doctor

David Zarphati de Pina [269],

das Glied einer alten spanischen Familie, welche viele Gelehrte
aus sich hat hervorgehen sehen. Der Rabbiner zu Fez, Vidal
Zarphati, war der Grossvater eines Aron Zarphati [270] und dieser
der Vater unseres David Zarphati de Pina [271].

Aron's Eltern hatten sich früh in Amsterdam niedergelassen,
denn er wird zu den ersten Kindern dieser Stadt gerechnet,
an welchen die Beschneidung am gesetzlich vorgeschriebenen
achten Tage vollzogen worden ist [272]. Er lebte einige Zeit in
Brasilien [273] und wurde nach seiner Rückkehr in die Heimath
Lehrer und Prediger an der 1648 in seiner Vaterstadt errichteten
Gesellschaft » Abi Jethomim « [274]. Seine Weisheit und Bescheidenheit
verschafften ihm allgemeine Achtung. Aron Zarphati edirte das
Werk צוף דבש seines Grossvaters und schrieb einen Commentar
über die letzten, das tugendhafte Weib schildernden Verse der
Salomonischen Sprüche [275]. Ausser dem genannten, uns hier

---

*)   Ya llego el fin del deseaado dia
            Señor de los exercitos del Cielo etc.

vornehmlich interessirenden Sohn David hatte er noch einen, andern Namens Josua Zarphati Pina, welcher als Hauptstütze der 1665 zu Amsterdam gegründeten wohlthätigen Gesellschaft »Temime Derech« von Barrios gelobt wird[276]).

Unser Zarphati de Pina widmete seine Thätigkeit vorzüglich der Anstalt, an welcher wir schon seinen Vater wirken sahen[277]). David war Philosoph und Arzt, der vorzüglichste und eleganteste der damaligen Amsterdamer Prediger, el primero de su predicadores, und der Eleganz wegen wurde er auch von seinem Lobredner Barrios mit einem Cicero verglichen. Bald nach der Einweihung der grossen, weltberühmten Amsterdamer Synagoge hielt David in derselben einen Sabbath-Vortrag[278]). Nicht unpassend singt der Dichter von ihm, auf seinen Beruf als Arzt und Volkslehrer hindeutend, dass er Viele geistig erleuchte, Viele körperlich heile[279]). Aehnlich heisst es in einem Sonett[280]), in welchem dieser Arzt, Theologe und berühmte Redner gefeiert wird:

> Wie David besitzst Du die Krone,
> Wie Apollo heilst Du den Schmerz.

Dem vielseitig gebildeten Manne wurde auch neben der Krone des göttlichen Gesetzes der Dichterkranz zu Theil. Pina war auch Sänger, der Theologe und Arzt auch Poet. Seine Poesien haben aber gewiss seinen Ruhm nicht begründet, wenigstens können die wenigen uns vorliegenden Producte Pina's keinen sonderlichen Anspruch auf poetischen Werth machen. In dem einen von Barrios[281]) mitgetheilten Sonett besingt der »conceptuoso Philosopho Doctor David Zarphati de Pina« mehrere Gelehrte der Amsterdamer Gemeinde, wie Joseph und David Pardo, Isaac Usiel, Saul Levi Morteira, Menasse ben Israel, diesen gran rio de eloquencia, wie er ihn bezeichnet, seinen Vater Aron Zarphati, Raphael de Aguilar und vorzüglich Isaac Aboab. In einem anderen Gedichte feiert er Assur und bezieht die Bedeutungen aller mit der Wurzel אשר in Verbindung stehenden Wörter: Felicidad, Glück, Bienaventurado, der Glückselige, Que, welcher, Arbol idolatrico, Hain und Camino, Weg auf diesen Eigennamen, so dass das ganze 14zeilige Stück aus diesen gewaltsam herbeigezogenen Wörtern zusammengesetzt ist[282]).

Doctor David de Pina lebte noch 1693. In diesem Jahre hielt er dem reichen Isaac Penso eine Trauerrede. Dieser grossmüthige Unterstützer der durch den Rabbiner Saul Levi Morteira 1643 ins Leben gerufenen Gesellschaft »Keter Thora« wurde von der spanischen Inquisition verfolgt und wandte sich erst im reiferen Alter dem Judenthume wieder zu. Penso nahm seinen Wohnsitz in Amsterdam. Es wird ihm nachgesagt, dass er sich mit eigener Hand beschnitten habe. Besonders hervorgehoben zu werden verdient, dass er von der Verheirathung mit seiner Esther, welche beiläufig gesagt vor ihm aus dem Leben abgerufen wurde, bis zu seinem Tode 40,000 Gulden als Zehnten seines eben nicht unbeträchtlichen Verdienstes unter die Armen vertheilt hat. In der Tugend der Wohlthätigkeit so wie in der Liebe zum Studium des Gesetzes ahmte sein Sohn Abraham ihm nach [263]). Von seinem dichtenden und literarisch wirkenden Sohne Joseph Penso wird später die Rede sein.

Das Todesjahr David de Pina's ist nicht angegeben. Dass er übrigens mit dem, den Berliner Juden bei ihrem Synagogenbau in mancher Hinsicht nützenden Probste Jablonsky in Correspondenz gestanden, wie Wolf [284]) vermuthet, ist sehr unwahrscheinlich.

———————

Immanuel Rosales, David Carlos, David de Pina und Andere im Verlauf dieses Capitels genannte Männer waren, wie wir gesehen, kenntnissreich und begabt; sie glänzten als Astrologen und Aerzte, Philosophen, Prediger und Theologen, die sich auch in Dichtungen versuchten und manche beachtenswerthe Erscheinung zu Tage förderten. Eine eigentliche Bedeutung als Dichter ist ihnen nicht beizumessen und einen Platz in der allgemeinen Geschichte der romanischen Poesie haben sie bis jetzt nicht gefunden.

Ganz anders verhält es sich mit dem Mann, welchen wir nunmehr unseren Lesern vorführen werden. Er erinnert uns an die Coryphäen der spanischen Poesie und leitet uns direct in die dramatische Literatur und auf das spanische Theater.

Nachdem einmal Madrid unter Philipp II. zur Residenz und Hauptstadt des Landes erhoben und zwei Theater dort eingerichtet waren, hatte sich das Drama als nationale Schöpfung bald bis zur Vollkommenheit ausgebildet. So wie die spanische Monarchie bis um die Mitte des siebzehnten Jahrhunderts die grösste und glänzendste in Europa und der spanische Nationalgeist der entwickeltste war, so stand auch die Bühne zu Madrid, der lebendige Spiegel des Nationallebens, am frühesten im reichen Flor[256]). Guillen de Castro, Montalvan, Molina, der Vielschreiber Lope de Vega, Rojas, Ruis de Alarcon und der grosse, seinen handelnden Personen die Freiheit des Willens raubende Calderon hatten mit ihren Werken die Bühnen des Landes versorgt und die an Geist und Fülle der Erfindung so reiche, spanische dramatische Literatur zu dem Glanz und dem Ansehen gebracht, welche ihr auch noch heute zuerkannt werden. Es liegt unserer Aufgabe fern, die Geister der genannten Dramatiker heraufzubeschwören und uns mit ihren herrlichen und gefeierten Komödien zu befassen; das Eine wollen wir wenigstens nicht unbemerkt lassen, dass die Juden, verworfen und verjagt, gemartert und verbrannt, vom Theater und vielleicht auch von der Bühne nicht verschwanden, dass sie und ihre Geschichte, ihre Mängel und ihre Schwächen dem Publicum zum Ergötzen geboten wurden. Wie Montalvan in seinem »Polyphem« den curiosen Einfall hatte, den Cyclopen als Repräsentanten des Judenthums auf die Bretter zu bringen, so frischte Tirso de Molina in seiner »unglücklichen Rahel« die alte mit Wundern und Sagen zersetzte Geschichte wieder auf, dass König Alphons VIII. von Castilien der schönen Jüdin von Toledo seine Krone geopfert habe. Luis de Guevara lässt in seinem »Ruhm der Mendozas« als Kebsweib Juan I. eine Jüdin Namens Michal auftreten und sie zum Unterschied von allen anderen Personen neu-spanisch reden. Wer kennt nicht »kein Ungeheuer gleich Eifersucht«, dieses Schauerdrama Calderon's, welches das tragische Lebensende der unglücklichen letzten Hasmonäerin Mariamne vorführt? Nebucadnezar, Kain und Abel, Juda Maccabaeus und der Haifischbewohner Jonas erschienen nicht selten auf der Madrider Bühne im spanischen Costüm als Helden und Ritter aus der Zeit Philipp III.

Pedro Calderon war der grösste Dramatiker seiner Nation und neben Shakespeare der gefeiertste der Welt. Ein Stück, das den Namen dieses Genies, welches zugleich, wie Göthe sagt, den grössten Verstand hatte, an seiner Stirn trug, war der Aufnahme und auch wohl des Beifalls gewiss. Diesen Vortheil benutzten viele junge Dichter, indem sie oder ihre Verleger ihre ersten poetischen Versuche unter dem Namen des grossen Meisters, welcher nach seinem eigenen Geständnisse weder ein Auto noch ein Drama bei Lebzeiten dem Drucke übergeben, in die Welt schickten, so dass die Zahl der Werke, welche dem Calderon beigelegt werden, weil

sein Name auf dem Titelblatte prangt, nach einer kritischen Sich-
tung wohl noch bedeutend abnimmt.

Unter den Komödien, gegen deren Autorschaft der unsterbliche Meister sich vielleicht verwahrt hätte, befindet sich auch,
wenn nicht mehrere, so doch ganz gewiss eine comedia famosa,
welche den Dramatiker

Antonio Enriquez Gomèz

zum Verfasser hat.

Antonio Enriquez Gomez (Henriques Gomes), am spanischen
Hofe unter dem Namen D. Enrique Enriquez de Paz bekannt, erblickte in Segovia [286]), einer Stadt Alt-Castiliens, im Anfange des
17. Jahrhunderts, einige Jahre früher oder später als Calderon, das
Licht der Welt. Als Sohn eines judaisirenden Portugiesen Diego
Enriquez Villanueva, wurde auch er in jenem geheimnissvollen
Dunkel erzogen, welches über alle Glieder dieser Race schwebt;
äusserlich das Christenthum bekennend, genossen sie alle Vortheile der Staatsreligion, in ihrem Innern waren sie von der Wahrhaftigkeit des Judenthums überzeugt, in ihrem Herzen waren sie
Juden und lebten heimlich nach den Gesetzen ihrer Mutterreligion,
soweit sie sie kannten und zu befolgen verstanden. Der mit ausgezeichneten Anlagen begabte Antonio widmete sich von früher
Jugend dem Studium der verschiedenen Zweige der Wissenschaft:
er betrieb eifrig heilige und allgemeine Geschichte, versenkte sich
in die Lectüre der heimathlichen Dichter und wandte auch der
Philosophie und Staatskunde einen Theil seiner Zeit zu. Kaum
hatte er das 20. Jahr erreicht, so betrat er gleich den nach ritterlichen Abenteuern und Auszeichnungen strebenden edeln Jüng-
lingen Spaniens die militärische Laufbahn und zeichnete sich durch
persönliche Tapferkeit bald so sehr aus, dass er bis zum Capitän
avancirte und als Lohn für seine Diensttreue mit dem St. Miguels-
Orden und der Würde eines ordentlichen Raths belehnt wurde [287]).

Weder Orden noch Titel, noch die Stellung, welche er in der
Armee und am Hofe einnahm, konnten ihn dem stets spähenden,
in jedem einen Ungläubigen witternden Inquisitionsgerichte auf
die Dauer entziehen. Er wurde in einen anderen geheimen Juden
gemachten Process verwickelt und entzog sich nicht ohne Gefahr
durch eine schleunige Flucht dem damals stets lodernden Scheiterhaufen, der Inquisition, von welcher unser Dichter aller Wahrscheinlichkeit nach folgendes Bild entwarf:

Gierig sinnet sie auf Plagen,
Mordsuchtsvoll zu jeder Zeit,
Weiss den Mantel sie zu tragen.
Wie die Löwin in dem Streit,
Wie der Räuber wird gemieden,
Flieht der Mensch vor ihrem Neid.
Aller Welt raubt sie den Frieden,
Spähend sucht ihr Argusblick,
Unglück stiftet sie hienieden.

Gomez bereiste viele Länder, hielt sich, wie wir nach den Druck-
orten seiner Schriften zu schliessen uns für berechtigt halten, mehrere
Jahre in Bordeaux, Rouen, auch wohl in Paris auf und fand sodann in Amsterdam, dem Centralpunkte spanisch-portugiesischer
Juden, eine Ruhestätte für seinen durch Leiden aller Art ge-
schwächten Körper. Seine Person war in Sicherheit, sein Geist
labte sich an den feurigen Worten heiliger Propheten und Sänger,
aber die Inquisition nahm bittre Rache an seinem Bilde.

Am 13. (14.) April 1660, in demselben Jahre, in welchem Gomez'
»moralische Akademien« in Madrid neu aufgelegt wurden, gab es
wieder in Sevilla ein grossartiges Schauspiel, ein allgemeines Auto-
da-Fé[288]). Mit drei Hexenmeistern wurden wie gewöhnlich auch
Juden verbrannt. Drei dieses Geschlechts warf man lebendig in
die Flammen, vier wurden ihnen nachgesandt, nachdem man sie
vorher erwürgt hatte, und 33 Bilder entwichener Juden paradir-
ten bei diesem Auto. Sie wurden sämmtlich verbrannt. Unter
ihnen befand sich auch das unseres Gomez[289]). Nicht lange nach
diesem Freudentage der Pfaffen begegnete ihm in Amsterdam
ein alter Freund aus der Heimath. Sobald dieser ihn erblickte,
lief er auf ihn zu und begrüsste ihn mit den Worten: O, Herr
Henriquez, ich sah Euer Bild in Sevilla verbrennen! Worauf er
mit lautem Lachen erwiderte: Möchten sie nur dort mit Allen so
verfahren! *) [290]).

Bei all' den Leiden, welche dem Hauptmann Antonio Enriquez
Gomez und seinen Stammgenossen von seinem undankbaren Vaterlande waren bereitet worden, bewahrte er dennoch so lange er lebte
eine unaussprechliche Liebe zu demselben, und der Gedanke, sein

---

*) Allá me las don todas sind seine Worte. Ich glaube, der kurzen
Rede tiefen Sinn in der Uebersetzung wiedergegeben zu haben. Was das
Wörtchen me hier bedeutet, ist mir nicht klar.

Heimathsland nie mehr begrüssen zu können, gab besonders seinen
lyrischen Poesien ein dunkles Colorit; sie drücken die Unruhe und
die Sehnsucht aus, welche sein Herz bestürmten und quälten.
War es einerseits sein sehnsüchtiges Verlangen, die schönen Gefilde seines Geburtsorts nur noch einmal zu erblicken, so traten
doch andrerseits die grauenhafte Marteranstalt, die schwarzen Folterbänke und die unglücklichen Dulder immer wieder vor seine
Seele. Auf die Verfolgungen deutet er in seinem ersten, auf fremdem Boden entstandenen Werke, den »moralischen Akademien«
hin, wie sich denn auch besonders in diesem Werke, welches,
so siel uns bekannt ist, 3 Auflagen [291]) erlebte, sein von Bitterkeit
und Trübsinn übervolles Gemüth durch laute Klagen Luft schafft.
Und doch bricht er nicht wie andere Juden, welche mit ihm gleiches Schicksal der Verbannung theilten, in diese Verwünschungen
gegen das heilige Officium aus, wie wir sie schon früher wahrzu-
nehmen Gelegenheit hatten. Die Liebe zum Vaterlande, zu seinen
zurückgelassenen Verwandten wirkte gar zu mächtig auf ihn und
die Hoffnung, trotz der Wachsamkeit der Inquisition vor seinem
Tode noch einmal sein Spanien betreten zu können, mag ihn zu
sehr beschäftigt und abgehalten haben, seinen Grimm vollends
entbrennen zu lassen. Seine Wünsche sah er nie in Erfüllung
gehen; Gomez starb in fremdem Lande und fand ein Bett in fremder Erde.

Was war er nicht Alles dieser Mann? Jede einzelne seiner
Schriften erfüllt uns mit neuer Bewunderung und eröffnet uns
einen neuen Blick in das reiche Gebiet seiner Kenntnisse. Er war
Philosoph und tiefer Denker, lyrischer und dramatischer Dichter,
für seine Elegien sorgte sein Vaterland, Theologe, Statistiker und
diplomatischer Schriftsteller, in allen Fächern gleich bewandert,
wenn auch nicht gleich gross und bedeutend. Gomez berichtet
uns selbst in dem Prolog zu seinem Heldengedichte, mit dessen
Inhalt wir unsere Leser später bekannt machen werden, über
seine bis zum Erscheinen desselben verfassten Werke: »Die Bücher,
welche ich habe erscheinen lassen, sind folgende: Die moralischen
Akademien, Der Fehler des ersten Reisenden, Die vortreffliche
Politik »politica angelica«[291a]) in zwei Theilen, Ludwig von Gott
gegeben »Luis dado de Dios«, Der Babylonische Thurm und
dieses Heldengedicht. Zusammen bilden sie 9 Bände Prosa und
Poesie, welche sämmtlich von 1640 bis 1649 entstanden sind. Für

jedes Buch ein Jahr, für jedes Jahr ein Buch. Ordne sie wie Du willst. « Ohne auf sein Wissen und seine Vielseitigkeit besonderes Gewicht zu legen, ruft er seinen freundlichen Lesern in demselben Prologe zu : » Wünschest Du mich als Moralphilosophen kennen zu lernen, lies meine Akademien, als Staatsmann, greif nach meiner politica angelica; als Theologe, lies meinen Reisenden; als Statistiker biete ich mich Dir in Luis dado; als Dichter triffst Du mich in diesem Heldengedichte, als Komiker in meinen Komödien, und wenn Scherzhaftes, Wahrheit und Dichtung Du begehrst, so lies mein Pythagoräisches Jahrhundert, welches, leidenschaftslos und vorurtheilsfrei, von allen Denen geliebt worden ist, die es gelesen haben. «

Unsere Zeit, die so überaus reich an Bescheidenheit und voller Demuth ist, mag über ein solches Sichselbstloben mit einer Miene des Bedauerns lächeln und den fleissigen Gomez der Selbstüberschätzung und der Eitelkeit beschuldigen. Es mag immerhin sein, dass der Spanier seinen innern Werth kannte und vielleicht eine etwas zu hohe Meinung von sich hegte. Niemand kann es aber in Abrede stellen, sagt der verdienstvolle de los Rios, dass sich dieser Judaisirende, oder wie wir uns kürzer ausdrücken, dieser Jude durch seine Kenntnisse unter den Gelehrten seiner Zeit, wie unter den dramatischen Dichtern sehr auszeichnete. Er durchwanderte alle Gebiete der Literatur, erwarb sich den Ruhm eines Philosophen, Theologen und Staatsmanns und ward verherrlicht als lyrischer, epischer und komischer Dichter.

Indem wir uns die Aufgabe stellen, zur richtigen Würdigung unseres Dichters eine Charakteristik seiner Schriften, so weit sie uns vorliegen und bekannt sind, wenn auch nur in gedrängter Kürze zu liefern, so werden wir ihn von drei Gesichtspunkten aus als lyrischen, epischen und komischen oder dramatischen Dichter betrachten. Zuerst werfen wir also einen Blick auf seine lyrischen Poesien.

Wie bei allen spanischen Dichtern dieser Epoche, so zeigt sich auch bei Antonio Enriquez Gomez neben seinen eigenen selbstständigen Poesien der Charakter der Nachahmung der italienischen Schule. Doch auch in den Gedichten, in welchen Gomez den Spuren Petrarca's folgt, hat er sich nicht so streng an sein Musterbild gehalten, dass er diesem zu Liebe seine eigene Denk- und Anschauungsweise ganz und gar geopfert hätte. In seinen lyrischen

Poesien ist es ausser der Schönheit der Form auch noch die Reinheit des Ausdrucks, die Fülle der Gedanken, die Tiefe des Gefühls, welche den Leser anziehen und den Dichtungen eine ergötzende Frische verleihen. Gomez bietet uns hier die Frucht seiner einsamen Liebe und Begeisterung, welche in der Einsamkeit empfangen und auf die Gegenstände seiner nächsten Umgebung übertragen ward.

Denken wir uns den eben aus seinem Vaterlande vertriebenen Mann! Alles flösst ihm Misstrauen ein, in Jedem erblickt er einen Verräther und Ankläger; er hasst die gesellschaftliche Verfeinerung, flieht die städtischen Vergnügen und findet nur Ruhe in der Einsamkeit. Alles treibt ihn zur Natur und aufs Land hinaus und dort besingt er die schuldlose Ruhe des friedlichen Landlebens in lieblicher Weise:

> Trifft mich des Januars eisige Strenge
> In des Gebirges unfreundlicher Mitte,
> Send' ich sogleich der Wünsche Menge
> An den verehrten Rauch meiner geliebten Hütte.
> Wenn nur von fern ich ihn seh,
> Fühl' ich schon Trost, weicht schon das Weh'.
>
> An jenem einsamen Wege
> Leb' ich zufrieden, heiter und froh,
> Nicht in der Städte engem Gehege,
> Nicht in der Hauptstadt leb' ich so.
> Kein grösseres Unglück gibt's wohl auf Erden,
> Als ob seines Lebens nicht froh zu werden. *)

Noch in zwei anderen Gesängen feiert Enriquez die Ruhe des Landlebens, in beiden entwickelt er eine Tiefe philosophischer Ideen.

---

*)
> Cuando el Enero helado
> Me coge en esta sierra, miro luego
> El humo idolatrado
> De mi santa cabaña, cuyo fuego
> Aun de léjos mirado,
> Me sirve de consuelo y de sagrado.
>
> En estas soledades
> Vivo contento, alegre y descansado:
> No como en las ciudades,
> Al bullicio sugeto del Estado;
> Pues no hay mayor desdicha
> Que á costa de la vida amar la dicha.

Alle seine lyrischen Compositionen tragen die Spuren einer innern Wehmuth an sich.

Seine inneren Seelenzustände und der Schmerz, welcher sich seines Herzens bemächtigte, sprechen sich am deutlichsten in seinen Briefen an Job und in der Elegie aus, welche er über seine Verbannung anstimmte. Sie sind in dem alten National–Silben-mass, den Redondillen geschrieben, diesen Ringelversen, wie Bouterwek sie nennt, welche sich durch ihre Simplicität nicht weniger als durch ihre Lieblichkeit empfahlen, und in welche Jeder seine Liebes- und Leidensgefühle ohne Zwang zur Guitarre ab-singen konnte:

> Gering für mich noch immer waren meine Leiden,
> Will doch das Vaterland, das mein ich nenn' mit Freuden,
> Der schweren Uebel Gunst, indem wir aus ihm scheiden.

> Verloren ist der Tag, die Nacht bleibt mir allein,
> In Finsterniss gehüllt ist keine grosse Pein,
> Für den, der lebet traurig in Norwegens kaltem Hain'.

> Des Lebens kostbar Gut ist hin, für mich verloren,
> Die Freiheit ist nicht mehr. O wär' ich nie geboren!
> Das Unglück hat sich mich für immer auserkoren.

> Beklagt wohl so in Wäldern und auf Ruinen Höh'
> Ein Täubchen schüchtern, zart in des Geliebten Näh'
> Das Unglück so wie ich, wie ich des Leidens Weh'?

> Die Heimath war mir süss, was könnt' noch sonst ich sagen?
> Der Seelen Ruh' ist hin, sollt ich nicht ganz verzagen?
> Und an der Lieb' Genuss nicht find ich mehr Behagen. *)

---

*)
> Eran mis penas por mi bien menores:
> Que la patria; divina compañia!
> Siempre vuelve los males en favores.

> Gané la noche; si perdí mi dia,
> No es mucho que en tinieblas sepultado
> Esté quien vive en la Noruega fria.

> Perdí lo mas preciso de mi estado;
> Perdí mi libertad!.. con esto digo
> Cuanto puede decir un desdichado.

> No gime entre las selvas y cristales
> La tortola á su amada compañera,
> Como yo mis fortunas y mis males.

> . . . .

Der Dichter, welcher in solcher Weise in die Saiten der castilianischen Leier griff und Poesien solcher Schönheit niederschrieb,
verdient das Lob, dass er sich über das Gewöhnliche erhoben und den
Rang, der ihm neben den Grössen seiner Zeit eingeräumt worden ist.

Nachdem Gomez in der Lyrik seiner inneren Empfindung gefolgt war und seinen subjectiven Eindrücken nachgegeben hatte,
wandte er sich auch dem Objectiven, dem vorhandenen Stoffe,
mit einem Worte, dem E p o s zu und versuchte sich wie Jacob Usiel,
wie der von ihm so hochgestellte Miguel de Silveyra im Heldengedichte. Gomez, welcher den Macabeo so bewunderte und dieses
Heldengedicht, wie wir S. 186 sahen, für eine der vorzüglichsten
Epopöen erklärte, strebte danach, es dem stammverwandten
Heldendichter gleich zu thun und nahm Silveyra sich zum Vorbilde. Silveyra feierte den starken Makkabäerfürsten, Antonio
Enriquez Gomez versprach den Josua in einem Heldengedicht zu
verherrlichen und besang den Nasir Simson in seinem » Samson
Nazareno « [292]).

» Ich habe in diesem Gedicht «, erzählt Gomez, » die Thaten
des bewunderungswürdigen Helden und wunderbaren Mannes,
des Samson Nazareno behandelt, diesen Schrecken der Philistäer,
diesen Triumph des Gottesvolkes. Die ausserordentliche Liebe,
welche er zu seiner Delila fasste, zu diesem Ideal der Schönheit
und Undankbarkeit eines jeden Jahrhunderts, das unbeschränkte
Vertrauen, welches er in diese Falschheit setzte, waren die Ursache
seines schnellen Falles. Wenn die Liebe zu meiner Thalia mich
getäuscht hätte, ich würde wahrlich kein Wachs verlangen, weil
ich weiss, dass mit Wachsflügeln man nicht fliegen kann. «

Gomez zollte mit dem » Samson Nazareno « *) den Tribut,

---

*) Denselben Gegenstand behandelte Montalvan in einem Drama »El
Nazareno Samson« (44 Seiten in 4). Auch dieses Drama endet mit einem
Gebete, in welchem sich der Held dem Tode weiht:

> Ich sterbe für Gott, für mein eignes Selbst,
> Für mein Vaterland, für meinen Eifer;
> Ich sterbe jetzt für meine Ehr'.
> So starb Samson
> Und alle Philistäer,
> Er starb als Gottesfreund —
> Sie als seine Feind'.

Ein Drama gleichen Titels kam noch 1820 auf dem Hoftheater zu Madrid häufig
zur Aufführung.

welchen seine dem Heldengedichte huldigende Nation von ihm forderte. Doch gebührt ihm für dieses Epos die Palme mit Nichten. Er blieb weit hinter seinem Musterbilde zurück und das Gedicht leidet trotz einzelner Schönheiten an wesentlichen Mängeln. Der grösste Fehler liegt wohl in der Wahl seines Helden selbst. Simson, der biblische Hercules, ist nicht das Sujet, dessen Thaten eine poetische Behandlung zulassen, eben so wenig wie der griechische Titan sich zum Gegenstand eines Heldengedichts eignet; dem freien Spiel der Phantasie im Wunderbaren, dem Haupterforderniss in dieser Dichtungsart, wird durch den streng biblischen Stoff eine Schranke gesetzt.

Eine der schönsten Partien dieses Gesanges, in welcher Gomez den wahren Ton des Epos getroffen hat, ist der Schluss. Er führt Simson in den Tempel der Philistäer, stellt ihn zwischen die beiden Säulen, die er krampfhaft umfasst und lässt ihn sodann zu seinem Gotte beten:

> Gott meiner Väter, ewiger Schöpfer,
> Dreier Welten erhabener Atlas.
> Heil'ger Vater, ewig dauernder,
> Gott Abrahams, Du wahrhaft Geliebter,
> Isaacs Gott, dessen hohe Herrschaft
> Triumphirend lebt im göttlich' Gesetz,
> Gott Jacobs, der Segnungen voll,
> Hör' auf Samson, merk' auf den Nasiräer!

> Einziger Schöpfer, unerfassbarer,
> Der Weltenheere hochheiliger Herr,
> Unbesiegbare Kraft der Schlachten,
> Verherrlicht durch alle Jahrhunderte hin; *)

---

*)
> Dios de mis padres, dice, autor eterno
> De los mundos, soberano Atlante,
> Incircunciso, santo y abeterno;
> Dios de Abraham, tu verdadero amante;
> Dios de Isahak, cuyo altisimo gobierno
> En la divina ley vive triunfante,
> Dios de Jahacob, de bendiciones lleno,
> Oye á Samson, escucha al Nazareno.

> Unico criador, incomprensible,
> Señor de los egercitos sagrado,
> Brazo de las batallas invencible,
> Por siglos de los siglos venerado;

Unbegreiflicher Anfang des Anfangs,
Vollkommner Schöpfer alles Geschaffenen,
Gnade, o Gott, Gnade, Dir will ich mich weih'n,
Erbarmen erfleht der Nasiräer!

Ich sterb' für das Gesetz, das Du einst für uns schriebst,
Und für die heil'ge Lehr', womit Du uns hast geschätzt,
Ich sterb' für heilig Volk. das Du auch heut' noch liebst,
Und für Gebot und Recht, das Du hast eingesetzt.
Ich sterb' fürs Vaterland, das Du mir hast gegeben,
Und für den hehren Ruhm, womit Du das Volk geehrt ;
Ich sterb' für Israel, ich weih' zuerst das Leben,
Damit des Herren Ruhm, sein Name werd' gemehrt.

An diesem Tag, o Gott, will ich mich noch ermannen,
Nur frei soll sein mein Volk, dem Tod will ich mich weih'n,
Frei sei es heut und immer von Bosheit der Tyrannen,
Von Fremden harter Herrschaft will ich mein Volk befrei'n.
Nimm ab, o Gott, das Joch von Deiner heil'gen Schaar,
Und fei're den Triumph mit Deines Dieners Blut ;
O rette Israel, Herr, und räch' auch Du mein Haar,
Mein Leben sei das Opfer und glanzvoll sei mein Muth. *)

---

*)

Causa si, de las causas invisible
Perfecto autor de todo lo criado,
Pequé, señor, pequé : yo me condeno :
Misericordia pide el Nazareno.

. . . .

Yo muere por la ley que tu escribiste,
Por los preceptos santos que mandaste,
Por el pueblo sagrado que escogiste,
Y por los mandamientos que ordenaste :
Yo muero por la pátria que me diste
Y por la gloria con que el pueblo honraste :
Muero por Israel, y lo primero
Por tu inefable nombre verdadero.

Yo me ofrezco á la muerte, por que sea
Redimido mi pueblo en este dia
De la dura potencia felistes,
Arbitrio de la misma tiranía :
Sacuda el yugo la nacion hebrea ;
Goce este triunfo con la sangre mia ·
Salva á Israel ¡ señor ! sea mi vida
Victima santa y lámpara lucida.

O Gott, mein Gott, die Zeit sie nah't,
O send' mir Deinen Geist und einen Strahl von Dir,
Gieb Du doch Kraft der Hand, dass sie vollbring' die That,
Dass end' der Fremden Macht an diesem Orte hier. *)

. . . .

Ein nicht unerheblicher Fehler dieses von Antonio dos Reys **)
besungenen Heldengedichts ist auch die häufige Einführung mytho-
logischer Personen. Es verdient dieses bei Gomez nicht allein deshalb Rüge, weil sich Mythologie mit der Bibel nicht wohl vereinigen
lässt, sondern auch weil er eben hierin zeigt, dass er in der Praxis
seiner eigenen Theorie nicht zu folgen verstand. Tadelt er selbst
doch die Dichter, welche in der Verherrlichung mittelalterlicher
Personen zugleich Apollo, Daphne, Phaëthon und andere Gottheiten
besingen. Nach Ticknor's [288]) Urtheil steckt der Samson Nazareno
voller Gongorismus, eine Eigenthümlichkeit, von welcher auch ein
anderes zu Rouen 1644 erschienenes und der Herzogin von Orleans,
Margaretha de Lorena gewidmetes Werk unseres Dichters » la Culpa
del primer Peregrino« nicht frei ist.

Diese » Culpa « [294]) ist nach der Kritik de los Rios' [295]) ein in
» versibus non inelegantibus « geschriebenes Gedicht, welches Gomez nicht wenig Ruhm verschaffte und Spuren seines Studiums
der heiligen Schriften an sich trägt. Dem genannten spanischen
Literator waren freilich viele Stellen in diesem Gedichte so dunkel,
dass es ihm, wie er selbst gesteht, unmöglich schien, ihr Verständniss zu ergründen; er gibt aber dennoch zu, dass das Ganze reich
an Schönheiten sei und theilt eine Probe mit, welche als Beleg für
seine letzte Behauptung gelten kann:

> Glanzvolle Wesen der Höh'
> Erblicktet Ihr meinen Geliebten? ***)

---

*)   Ea ¡señor eterno! agora . . agora
          Es tiempo que tu espiritu divino
          Favorezca á esta mano vencedora
          Para que acabe el doro felestino.

          . . . .

**)   Toto celebratus in orbe
          Gomesius validè calamo qui tollit in astra
          Samsonis benefacta.

***)   Deidades luminosas,
          Habeis visto á mi amado?

Wer ist Dein Geliebter? Sprich,
Erwidern die Planeten im Chor.

O, mein Geliebter, mein Trauter
Ragt empor wohl über Myriaden,
Golden wie die Sonne selbst
Und wie Aurora so weiss.

Glänzend wie Gold ist sein Haupt,
Das Ophir übertrifft noch an Strahlen,
Und seine Locken gekräuselt,
Rubine selbst ziehen sie an.

Seine Augen — himmlisch schön,
Denen der Taube so ähnlich,
Sanft schwimmen sie in der Milch,
In der sie beide sich baden.

Er ist der König der Welt
Und das heil'ge Paradies,
Edens göttlicher Garten
Dient ihm als königlich Haus. *)

Antonio Enriquez Gomez als epischen und lyrischen Dichter
haben wir im Vorhergehenden kennen lernen.

Ehe wir Gomez den Dramatiker betrachten, erwähnen wir
noch seine Ludwig XIV. lobende, ihm gewidmete Schrift, deren
vollständiger Titel ist:

---

*)

¿Quien es tu amado? dicen
Los planetas sagrados.

Es mi amado, respondo
En diez mil señalado,
Rubio como el sol mismo,
Y como el alba blanco.

Su cabeza es de oro
Que ofir dispara á rayos
Y sus cabellos crespos
Que tiran á topacio.

Sus dos hermosos ojos
Son de paloma y tanto
Que nadan sobre leche,
Donde se están bañando.

Es rey de todo el orbe
Y el paraiso sacro,
Huerte de Hedem divino,
Le sirve de palacio.

Vergl. hiermit Hohelied Salomonis V. 11 ff.

» Luis dado de Dios a Luis y Ana

Samuel dado de Dios a Elcaua y Ana. «[296])

und die 5 Dialoge, welche in Prosa geschrieben und unter dem Titel »Politica angelica« in Rouen 1647 erschienen sind.

Fruchtbarkeit, Viel- und Geschwindschreiberei ist eigentlich ein Erbstück der spanischen Dramatiker und in diesem Punkte hat Gomez seine Nationalität nicht verläugnet. »In meiner Zeit«, äussert Gomez in dem mehrerwähnten Prolog, »gab es, abgesehen von dem Adam der Komödie, Lope de Vega, eine grosse Menge Dichter. Der Doctor Juan Perez de Montalvan brachte unter den vielen Komödien, welche er schrieb, auch eine auf die Bretter, mit welcher er sich an seinen Nebenbuhlern rächte; er war ein grosser Geist . . . . Luis Velez war durch das Heroische bedeutend. Ich will nicht unerwähnt lassen D. Francisco de Rojas, D. Pedro Rosete, Gaspar de Avila, D. Antonio de Solis, D. Antonio Cuello und viele Andere, welche mit vielem Fleisse Komödien schrieben. Ich verfasste 22, deren Titel ich hier aufführen will, damit die Welt auch wisse, dass i c h sie geschrieben habe, denn die Verleger in Sevilla gaben allen oder wenigstens den meisten Titel und Verfasser ganz nach Belieben « [296a]).

Können wir auch nicht alle 22 Komödien — die Zahl beläuft sich auf noch mehr — unseren Lesern einzeln vorführen und zergliedern, wofür sie uns auch gewiss keinen Dank sagen würden, so wollen wir doch wenigstens die Titel derselben nennen. Dieses glauben wir dem fruchtbaren, sein Eigenthum sorgsam wahrenden Dichter schuldig zu sein.

Die Kinder seines Geistes, »hijas de mi ingenio«, wie Gomez sich ausdrückt, waren :

1. 2. El Cardenal de Albornoz	Der Cardinal Albornoz in 2 Theilen.
3. Engañar para reynar	Betrügen um zu regieren.
4. Diego de Camas	Diego de Camas.
5. El Capitan Chinchilla	Der Hauptmann Chinchilla.
6. 7. Fernan Mendez Pinto	Fernan Mendez Pinto in 2 Theilen*).

---

*) In dieser Komödie behandelt Gomez den bekannten Reisenden gleichen Namens. Fernan Mendez Pinto war in Montemor Ovelho in Portugal geboren, bereiste 21 Jahre lang Europa, Asien und Afrika und zeichnete die Erlebnisse seiner Reise in portugiesischer Sprache auf (Lissabon 1614 [1644], [Hallervord bibl. curios. 75]). Die Reise des Fernan M. Pinto, welchen Addison einen Mann von unendlichen Abenteuern und unbegrenzter Etabli-

15*

8. Zelos no ofenden al Sol	Eifersucht verletzt nicht die Schönheit.
9. El Rayo de Palestina -	Der Glanz Palästina's.
10. Las sobervias de Nembrot	Der Hochmuth Nimrot's.
11. A lo que obligan los zelos	Die Pflichten der Eifersucht.
12. Lo que pasa en media noche	Die Mitternacht.
13. El Caballero de Gracia	Der Caballero de Gracia.
14. La prudente Abigail	Die kluge Abigail.
15. A lo que obliga el honor	Die Pflicht der Ehre.
16. Contra el amor no hay engaños	Kein Betrug in der Liebe.
17. Amor con vista y cordura	Vernunft in der Liebe.
18. La fuerza del heredero	Der Entschluss des Erben.
19. La Casa de Austria en España	Das Haus Oesterreich in Spanien.
20. El Sol parado	Die unempfindliche Schönheit.
21.22. El Trono de Salomon [297]	Der Thron Salomon's in 2 Theilen.

In diesem von Gomez selbst aufgestellten Verzeichniss fehlt die Comedia famosa: '

No hay contra el Honor poder, Keine Macht gegen Ehre, eine Komödie in drei Acten, in welcher Alphons X. von Castilien, D. Sancho, Rodrigo de Lara, D. Blanca, dessen Gemahlin, D. Tello die Hauptrollen haben [298]).

Ausserdem hatte er seinen Freunden und Gönnern noch versprochen

Aman y Mardocheo [299])	Haman und Mardochai und
El Caballero de Milagro	Der Caballero de Milagro.

Bedenket man, dass die bei weitem grösste Zahl dieser Komödien bis zum Jahre 1642 geschrieben sind, so kann man eine solche Productivität nur bewundern. Gomez war als Dramatiker in seiner Zeit gefeiert. »Die Theater Madrid's sind das sicherste Zeugniss seines Verdienstes. Seine Komödien wurden mit Lobeserhebungen überschüttet; sie wurden gewünscht und eben deshalb wohlgefällig aufgenommen. Das Drama »der Cardinal Albornoz« hat in seiner Erfindung, Anlage und Auffassung Etwas, was freilich Denen nicht gefallen wird, welche Alles bekritteln, was sie nicht nachmachen können. Er vereint hier die einem Fürsten schuldige

---

dungskraft nennt, liefert das Vorbild zu Ereignissen, welche zwar eingeräumtermassen erdichtet, jedoch kaum unglücklicher waren als jene. Vergl. Dunlop, Geschichte der Prosadichtungen, deutsch von Liebrecht (Berlin 1851), 119.

Ehrfurcht mit den Grundsätzen eines uneigennützigen Ministers, ohne dass durch die Zärtlichkeit des Liebhabers der Ernst verdrängt wird. — Die Erfolge Fernan Mendez Pinto's nöthigten auch dem in Billigung und Anerkennung geizigen Hof Bewunderung ab. Ich hätte noch Vieles über seine dramatischen Werke vorzubringen : sie haben sich Alle gleicher Achtung zu erfreuen gehabt. « Als Schluss wird noch folgender Satz hinzugefügt : » Hält man Menander und Plautus für gross in der Komik, so steht Gomez weder dem Plautus noch dem Menander nach. «

Wir haben soeben das Urtheil eines Zeitgenossen unseres Dramatikers, die Stimme seines Freundes, seines Waffen – und Leidensgefährten, die Worte des Dichters, des Märtyrers fürs Judenthum, des

Manuel Fernandes de Villa-Real

vernommen.

Wieder ein bis heute der Dunkelheit anheimgefallener Sohn Israels ! Manuel Fernandes war ein Lissaboner Kind. Als Jüngling begab er sich nach Madrid, in den Hörsälen der dortigen Universität sammelte er sich Kenntnisse. Auch soll er einige Jahre in der Armee gedient und den Rang eines Capitäns erlangt haben. Später liess er sich in Paris nieder und lebte dort als portugiesischer Consul lange Zeit in Wohlstand. Diese Würde wurde gern den Juden, den portugiesischen Flüchtlingen übertragen. Lebte nicht Duarte Nuñes de Acosta als Agent D. João IV. in Hamburg? Manuel de Belmonte als Resident der spanischen Majestät? Im Auslande weilend, suchten die katholischen Könige Nutzen von ihren Juden zu ziehen *), nur im Lande selbst durften sie sich nicht blicken lassen, da hiess es — doch wir wollen zu unserem Fernandes zurückkehren.

Obwohl Fernandes eigentlich der Geschäftswelt angehörte, so pflegte er dennoch mit warmer Liebe die Wissenschaft und machte

---

*) Sir William Temple, einer der ausgezeichnetsten englischen Diplomaten des 17. Jahrhunderts (st. 1698), der während seiner mehrjährigen Gesandtschaft in den Niederlanden mit den jüdischen Residenten fremder Höfe im Verkehr stand, sagt einmal : »Zwei Dinge finde ich merkwürdig, dass die Spanier, welche die Juden so sehr hassen, in Amsterdam Juden zu Agenten und Residenten annehmen, und'dass andrerseits die Juden, so bitter von den Spaniern und Portugiesen verfolgt, noch überall die spanische und portugiesische Sprache auf ihre Kinder verpflanzen. «

sich als Dichter und Historiker der Welt bekannt. Im Jahre 1637 erschien von ihm unter dem Titel »el color verde a la divina Celia«[200]) ein Gedicht, in welchem er, wie dieses zu gleicher Zeit von dem S. 189 behandelten Isaac Cardoso geschehen ist, — auch sein Verleger ist derselbe — die grüne Farbe besingt.

Sein wichtigstes Werk ist ohne Zweifel das als »discursos politicos«[*])[201]) sich ankündigende 1641 erschienene. Wahrlich, ein merkwürdiges Buch! Das einzige, welches uns von den Schriften dieses keineswegs unbedeutenden Mannes zu Gesicht gekommen ist. Ein wahrer Fürstenspiegel! Fernandes behandelt darin genau genommen die Vorzüge und Thaten des gewaltigen französischen Staatsmannes, des Cardinals Richelieu, welchem er allem Anscheine nach zu besonderem Dank verpflichtet gewesen ist und der von ihm als der Beschützer der Fremden und Verfolgten gerühmt wird. Er lobt seinen Gönner, seine Verdienste um Frankreich, seine Energie und Klugheit und ruft einmal aus: Frankreich kennt ihn, die Welt bewundert ihn, seine Freunde verehren ihn, seine Feinde fürchten ihn. Fernandes erscheint als der Lobredner des französischen Ministers, und doch finden sich so feine Ideen in diesem Buche, weiss sein Verfasser so geschickt den damals schon dem Grabe nahen Herrscher Frankreichs an seine Fehler und Vergehen zu erinnern, enthalten diese politischen Discurse so viel Moral und Philosophie, dass man sich oft die Frage vorlegen möchte: Ist das wirklich das Werk eines Panegyrikers? Einige Male berührt er auch den Punkt, welcher ihm so nahe lag, die Religion. Er legt dem Minister ans Herz, in Religions-Angelegenheiten keine Gewaltmassregeln zu gebrauchen und verweist ihn auf die Grausamkeiten Philipp III. von Spanien, welcher in seiner Zeit die Moriscos, die geheimen Anhänger des Islam, aus dem Lande gejagt hatte. »Die geheimen Anhänger einer Religion sollen nicht mit solcher Strenge, mit so ausserordentlich grausamen Mitteln geplagt werden. Es steht nicht in der Macht der Fürsten, die Geheimnisse der Seele zu erforschen. Genug wenn der Unterthan seine Gesetze befolgt, seinen Vorschriften Gehorsam leistet; er darf seine Herrschaft nicht auf die verborgensten Gedanken, auf das Innerste des Herzens erstrecken. Ist es nicht ein Scandal, ist es

---

*). Es ist nicht unwahrscheinlich, dass die »Discorsi« und der »Principe« Machiavelli's von Villa-Real benutzt worden sind.

nicht ein böses Beispiel, wenn die Urtheilskraft so anmassend ist? Was vermögen wohl Reden, die aus Hass entstehen und mit der Vernunft nichts zu schaffen haben? Keine Macht darf diesen Punkt (die Religion) berühren, denn das Herz des Menschen liegt in seinen Thaten; wollt Ihr Euch nicht in Vermessenheit verirren, nicht die Grenzen Eurer Gerichtsbarkeit überschreiten, beurtheilt die Menschen nach ihren Thaten, nach ihren äussern Handlungen, nicht nach Eurer Unwissenheit, oder um besser zu sagen, nach Eurer Bosheit. «*)

Wer anders als ein der Verfolgung entronnener Jude konnte eine so freie, ungebundene Sprache führen? Und das in einem Lande, welches von den heftigsten Religionskriegen erschüttert war! In einem Lande, dessen König 20 Jahre früher seinen Secretär verbrennen liess, weil er Judenthum bei ihm witterte! In einem Lande, dessen Minister und Regent täglich die Hostie mit den Worten begrüsste: »Das allein ist mein Richter!« Manuel Fernandes' Schrift blieb sicher nicht ohne Einfluss. Zwei Jahre nach ihrem Erscheinen wurde sie durch seinen Freund Francisco de Grenailles, diesen Maecenatem autoris et cultorem eximium, wie Fernandes ihn nennt, ins Französische und 1646 auch ins Italienische übersetzt.

Auch Antonio Enriquez Gomez eiferte seinem Freunde nach und besang den Cardinal in einem dem eben besprochenen Werke vorgedruckten Cancion**).

Wir übergehen die anderen Festungsbau und Politik betreffen-

---

*) No es del poder del Principe el excudriñar los secretos del alma, hasta que el vasallo obedesca sus leyes, observe sus preceptos, sin introducir su imperio en lo más oculto de los pensamientos, en lo más intimo del coraçon. . . . . El coraçon del Hombre esta en sus manos, esto es, en sus obras : . . . jusgad por ellas (obras) por lo exterior, no segun vuestra ignorancia, ó por mejor decir, vuestra malicia.   (Ed. Pamplona 105.)

**) Der zweite Vers dieses Gedichtes lautet:

> O tu felice honor de toda Europa,
> Monarcha sin segundo,
> Decimo tercimo Luiz, señor del mundo
> Si la Francia dichosa,
> Deste consejo vive misteriosa,
> Bien puede blazonar de su grandeza,
> Que raras vezes dá naturaleza
> Salomon y Alexandro en un sugeto etc.

Von ihm befindet sich noch in dieser Schrift ein Sonett an »su intimo amigo« M. F. de Villa-Real und ein andres »al Retrado del Eminent. Señor Cardenal Duque de Richelieu«. Beide Gedichte fehlen in der 2. Aufl.

den spanischen Schriften dieses geschickten und erfahrenen Schrift-
stellers und Dichters seines Jahrhunderts, wie ein Zeitgenosse ihn
bezeichnet, und erzählen nur noch, dass er durch Henkershand
den Tod erlitt. Seine geschäftlichen Beziehungen zum portugiesischen Hofe brachten ihn nämlich einmal nach der Residenz seines
Königs, nach Lissabon. Nur zu bald merkte man dort, dass er
nicht das sei, was man von ihm wünschte. Er war, so berichtet
Barbosa[302]), ein eifriger Anhänger des Judenthums und hatte
40 (?) Jahre hindurch streng nach dem jüdischen Gesetze gelebt.
Dieses war dem Spürblick der Inquisition nicht entgangen und das
hohe Tribunal wies ihm in seinen Mauern eine Wohnung an. Es
ist nirgends angegeben, wie lange er im Gefängnisse schmachtete;
1650 hielt er sich schon in Lissabon auf, denn in diesem Jahre erschien
dort von ihm eine Romance heroico, in welcher er den Tod einer
adligen Dame D. Maria de Attayde beklagte. Ob von dieser Donna
er Hilfe und Rettung erwartet hatte und mit ihr sein letzter Hoff-
nungsstrahl geschwunden war! Wer weiss hierauf zu antworten?
Genug, am 1. December 1652 erlitt der unschuldige Fernandes den
Tod[302a]); er wurde nicht verbrannt, sondern ausnahmsweise als edler
Portugiese garrotirt. »Es war ein Mann von angenehmen Aeussern,
sein Geist und sein Charakter schafften ihm viele Freunde, alle
Leute von Stand und Geschmack fanden Vergnügen daran ihn zu
sehen«, meint ein französischer Kritiker und Freund des Mannes,
welcher seinen eigenen Freund Antonio Enriquez Gomez so vor-
theilhaft beurtheilt und dessen dramatische Leistungen so hoch
gestellt hat.

Doch hat Fernandes, der selbst Dramatiker war und dessen
»Principe vendido« am 25. Juni 1642 in Viana in Holland zur
Aufführung kam, in dem von uns vernommenen Urtheil mehr
die Person als die Sache berücksichtigt, obwohl sich keineswegs
in Abrede stellen lässt, dass sich Gomez' Dramen in jener Zeit
eines gewissen Beifalls zu erfreuen hatten. Seine Vielschreiberei
scheint sogar durch diese beifällige Aufnahme von Seiten des Publicums hervorgerufen zu sein: das Publicum selbst hat diesen
dramatischen Schriftsteller dahin gebracht, dass er sich ohne Ziel
und Maass der Bühne überliess und manches Stück improvisirte
und in des Wortes wahrer Bedeutung fabricirte.

Dass die neuere Kritik sich der Manuel Fernandes' nicht anschliesst, wird Niemanden überraschen. Wie hat der Geschmack

in den letzten Jahrhunderten sich nicht geändert? Steht doch selbst der grosse Calderon heute nicht mehr auf dem Zenith der Dramaturgie! »So bin ich auch weit entfernt«, sagt der geistreiche Schlegel, »das spanische Drama oder den Calderon als Muster der Nachahmung für unsere Bühne zu erkennen oder zu empfehlen. .... Am Wenigsten ist die äussere spanische Form für uns anwendbar. Die blumenreiche Bilderfülle einer südlichen Phantasie kann wohl da schön gefunden werden, wo ein solcher Ueberfluss Natur ist, aber nachkünsteln lässt er sich nicht«[303]). Gilt das von dem grossen und göttlichen Meister, durch welchen das Trauerspiel und Schauspiel eine so hohe Vortrefflichkeit erreicht hat; welchen Maassstab muss die Kritik an die heroischen und historischen Schauspiele unseres Dramatikers legen! Gomez war kein Menander, kein Plautus und hält mit Calderon und Rojas keinen Vergleich aus.

Ziemlich hart, vielleicht zu hart verfährt mit ihm ein neuerer Kritiker, der Herausgeber und Bearbeiter der früher erwähnten Disciplina Clericalis. Gomez gehört, meint Schmidt, zu den unzuverlässigsten Arbeitern, die, wenn die Kunst einmal handwerksmässig betrieben wird, bald Gutes, bald Mittelmässiges, bald Schlechtes liefern[304]). Das Schlechte und Mittelmässige konnte bei all den Fähigkeiten, welche Gomez eigen waren, nicht ausbleiben. Er entwarf die Pläne zu seinen Komödien mit grosser Leichtigkeit, führte sie auch wohl mit Fleiss und nicht ohne Schwierigkeit aus, aber die von ihm gezeichneten Charaktere müssen eher für unvollkommene als für vollendete Bilder gelten, seine Ritter und Helden sind nicht immer ehrenhaft, sie beobachten nicht bei allen Gelegenheiten mit derselben Genauigkeit und derselben Ausdauer die Regeln der Rittertugend und geben sich oft zur ungelegenen Zeit den Netzen der Liebe gefangen.

Wollte man an dem Bau seiner Komödien und an ihrer Form Etwas aussetzen, so wären es besonders seine ungeheuer langen Monologen und Reden in dreifüssigen Trochäen, welche Rüge verdienen. Voll solcher Seiten langen Reden ist sein erstes *) Schauspiel,

---

*) Am Ende der Komödie finden sich die Worte:
    Y aqui el poeta dá fin
    A su comedia, notando
    Ser la primera que ha hecho.
    Si a vos ilustre senado
    Os agrada sera buena
    Que este es el crisol mas alto.

»Engañar para reynar, Betrügen um zu regieren«, welches zu den
schlechtesten der überreichen spanischen Bühne gehört. Hier
wird uns dramatisch berichtet, wie der König Desiderius von
Ungarn durch einen Stiefbruder entfernt wird und sich allmälig
wieder mit Hilfe von Verkleidungen, Verstellungen und Betrügereien die Königswürde verschafft. Die Mittel, deren er sich bedient, sind eben nicht sehr löblich. So lügt er seiner Muhme Liebe
und verspricht sie zu ehelichen, obgleich er schon heimlich verheirathet ist. Alles dieses, weil es erlaubt sei zu »betrügen um
zu regieren«, eine Ansicht, welche schon Euripides dem Eteokles
in den Mund legt, die nach ihm Cäsar häufig wiederholt und durch
die That für die seinige erklärt, wie es bei Cicero heisst: Ipse
autem socer in ore semper Graecos versus de Phoenissis habebat,
quos dicam, ut potero, incondite fortasse, sed tamen, ut res possit
intelligi:

> Nam si violandum est jus, regnandi gratia
> Violandum est: . . . . [305)]

Dieses Stück, dessen Inhalt hier kurz angegeben ist, soll von
einem Buchhändler, welcher, wie Schmidt sich ausdrückt, glaubte,
es sei nicht allein erlaubt zu betrügen um zu regieren, sondern
auch zu betrügen um zu gewinnen, dem grossen Calderon untergeschoben sein und gar nicht Gomez' Namen führen. Wir möchten
diesen Betrug aus verschiedenen Gründen bezweifeln. In dem
Prolog zum Samson führt der Verfasser dieses Stück als das seinige
an, wie er auch die Komödie als seine erste am Ende selbst bezeichnet; ferner haben beide uns vorliegende, zu verschiedenen
Zeiten veranstaltete Ausgaben dieses Stücks den Namen des rechtmässigen Verfassers, nicht aber den Calderon's, dessen Name
allerdings bei einer anderen Komödie unseres Dramatikers angegeben ist.

Nicht alle Komödien Gomez' gleichen diesem ersten verfehlten
Versuch. Trotz mancher falschen Künstelei hat er doch zuweilen
den Gipfel der Kunst erreicht und den hellsten Glanz blühender
Schönheiten entfaltet. Oft prägen sich in seinen Dramen das ritterliche Gefühl und die Rittertugenden seiner Epoche aus; er ist ganz
Spanier, ganz von dem edelsten Nationalgefühl durchdrungen, seine
Denkart ist die aller spanischen Schriftsteller, wie sie Alle nur eine
kennen, die echt spanische: die Ehre, die Liebe und die Freundschaft bilden das Charakteristische seiner Helden, seiner Personen.

Zu den besten und vorzüglichsten Dramen Enriquez Gomez' gehören »A lo que obliga el honor, die Pflicht der Ehre« und »La prudente Abigail, die kluge Abigail«, mit deren Inhalt und Werth wir unsere Leser in möglichster Kürze bekannt machen wollen.

Gomez verfolgt in dem erstgenannten [306]) Drama, »die Pflicht der Ehre«, denselben Gedanken, welchen Calderon in dem »Arzt seiner Ehre«, dem »Maler seiner Schande«, dem »Tetrarchen von Jerusalem« durchführt. Die Handlung spielt in Sevilla in den letzten Jahren des Königs Alphons XI.

Zuerst tritt Alphons mit seinem tapfern General D. Enrique de Saldana auf. Der Monarch rühmt die dem Reiche von D. Enrique geleisteten Thaten und will seine Dankbarkeit dadurch bezeigen, dass er ihm die D. Elvira de Liarte, eine Hofdame der Königin, zur Frau geben will. Obwohl der General, wie er sagt, immer eine Abneigung gegen die Ehe hatte und es nie seine Absicht war, der Venus zu huldigen, willigt er dennoch in den Wunsch seines königlichen Freundes, weil seine Donna, seinem eigenen Geständnisse nach, ein Wunder von Schönheit und Tugend ist und ihm durch diese Verbindung die Grafschaft Carmona zufällt. D. Elvira hatte aber mit D. Pedro, dem früher von uns genannten Sohn Alphons', heimlich ein Liebesverhältniss. Sie gestehen einander ihre Zuneigung in langen, Leser und Hörer ermüdenden Reden, in welchen sie plötzlich von D. Maria de Padilla, einer anderen bekannten Herzensfreundin des jungen Pedro, unterbrochen werden. Mit Bestürzung vernimmt die Geliebte des Prinzen die Nachricht, dass der König sie dem General versprochen habe und dass schon in den nächsten 24 Stunden die Hochzeitsfeier stattfinden solle. Sie ist ihrem leidenschaftlich wilden Pedro innig zugethan, wagt es aber dennoch nicht die Hand des seiner Tapferkeit wegen von ihr geschätzten Generals auszuschlagen und den Unwillen des Königs auf sich zu laden:

Der König.   Sprechen Sie frei!
              Haben Sie Liebe gefasst zu einem meiner Vasallen?
D. Elvira.   Nein, mein König.
Der König. Gestehen Sie!
D. Elvira (bei Seite). Was fang' ich an?
              Ich bin verloren, wenn mein Geheimniss ich verrathe!
Der König. Nennen Sie mir Ihren Geliebten,
              Er soll Ihr Gatte werden, wenn er Ihrer würdig ist.

D. Elvira.	O König!
	Ich liebe nicht, habe nie geliebt.
Der König.	Warum verschmähen Sie denn diesen edlen Gemahl?
D. Elvira.	Weil der Königin ich dienen will.

Ohne auf diese Ausrede zu hören, verlässt sie der König mit der Bestimmung, dass schon in der nächsten Nacht sein bester Freund, sein tapferster General sie ins Ehebett führen würde. D. Elvira bleibt in der grössten Unruhe allein; Ströme von Thränen entquillen ihren schönen Augen. Noch ringt sie mit dem schrecklichen Gedanken, ihrem Pedro entsagen zu müssen, als dieser zu ihr ins Zimmer stürzt und an ihren Hals fliegt. Wie vom Blitze getroffen, vernimmt Pedro den Entschluss des Vaters, die Geliebte einem Andern zu geben. In der ersten Aufwallung will er seinen Nebenbuhler erdolchen, nur die Vorstellung der D. Elvira, dass von seinem Leben das Wohl des Landes abhänge, dass er die Seele des ganzen Königreichs sei, bringt ihn davon ab.

D. Elvira reicht nun dem Willen des Königs zufolge dem General die Hand und in wenigen Augenblicken ist der Bund der Ehe geschlossen. Ueberraschender Weise entfernt sich der junge Gemahl unmittelbar nach der Vermählungsfeier von seiner Elvira, wichtige Geschäfte rufen ihn an den Hof und die unglückliche Gattin bleibt allein mit Pedro zurück. Ihr Gespräch betrifft jetzt nicht die frühere Liebesgluth ihrer Herzen, sie reflectiren vielmehr über den bittern Tod, den die Geliebte so sehnsuchtsvoll erwartet.

Die Heirath, mit welcher der erste Act schliesst, bietet den beiden dienenden Geistern der Neuvermählten, Limon, Diener des Generals und Leonor, Kammerfrau der Elvira, Stoff zur Unterhaltung. Es war auch ihnen nicht entgangen, dass ihre Herrin mit dem grössten Widerwillen sich zu diesem Schritt entschlossen habe und auch das spähende Auge der Diener hatte bemerkt, dass der Gram an dem Herzen der schönen Donna nage. Limon und Leonor, selbst Liebende und Geliebte, folgerten aus dem Zustande Elvira's, dass es nichts Grässlicheres auf Erden gebe, als eine gezwungene Heirath, als eine Ehe wider Willen.

Don Pedro hatte seine geliebte Elvira nicht vergessen. Den Sinnspruch des Philosophen, dass die Liebe einem Tage gleiche, der, vergangen, auch vergessen sei, hatte er sich wohl gemerkt und befolgt; dennoch wollte er diesesmal dem Rathe seines Freundes Felix kein Gehör geben, der Maria de Padilla nämlich sein ganzes Herz zuzuwenden, nachdem Elvira nicht mehr die seine werden könnte. Er will vielmehr auch nach ihrer Verheirathung in ihrer Nähe weilen. Dieses zu erreichen, gewinnt er ihre Kammerfrau Leonor und erlangt von dieser, dass sie ihn in der Abwesenheit des Generals in das Schloss führe. Durch einen Diener hatte dieser aber von dem verabredeten Besuch frühzeitig Kunde erhalten; er kehrt vor der Zeit nach Hause zurück, begibt sich in das Gemach seiner Gemahlin und findet wirklich den Liebhaber Pedro hinter einer Gardine, durch welche er sich den Blicken des Generals entziehen zu können glaubte.

So war das erste Zusammentreffen gestört. Pedro gab dennoch die Hoffnung nicht auf, sich der Nähe seiner Donna erfreuen zu können. Selbst das Anerbieten der hier als charakterfest geschilderten Maria de Padilla sein krankes Herz zu heilen und ihm ganz anzugehören, vermochte nicht den Prinzen von dem Vorsatze abzubringen, seine Elvira zu besuchen und er entlässt Maria mit einem »Reisen Sie mit Gott! Nicht gibt's Trost, nicht Liebe ohne Elvira.« Endlich erblickt er die Angebetete, hält lange Unterredungen mit dieser Unschuld, welche ihm den Rath ertheilt, den Liebesfunken in seiner Brust zu ersticken, denn sie sei das Eigenthum eines Andern und müsse ihn vergessen; aber »Siegen oder Sterben« ist sein Wahlspruch, Siegen oder Sterben die Erwiderung seines Rivalen.

Hier tritt der nationale Stolz des edeln Spaniers hervor, der allein auf seine Ehre bedachte Liarte kennt keine andere Pflicht als seine Ehre zu rächen. Er fühlt sich durch das heimliche Eindringen des Prinzen in seinen Palast tief gekränkt und entehrt, er sinnt auf Mittel seinen Stolz zu wahren, seinen Beleidiger zu strafen. Hocherfreut ist er, seinem Könige sein Leid klagen zu können. Wie gross ist das Staunen des Freundes, als er erfuhr, dass durch seinen Sohn die Ruhe des Generals gestört und das Glück aus seinem Palaste gewichen sei. Elvira muss dem Auge des Prinzen entzogen werden. Einem königlichen Rathe zufolge wird sie nach einem Landsitze in der Sierra Morena, 5 Meilen von Sevilla, geführt. Aber auch dort verfolgt Pedro die Geliebte. Der General hat keine Hoffnung mehr seine mit Füssen getretene Ehre retten zu können. Er verbirgt den Schmerz, welcher ihn verzehrt und beschliesst, sich durch den Tod seiner unschuldigen Gemahlin an dem leidenschaftlichen Prinzen zu rächen. Eines Tages begleitet er Elvira auf einen hohen Felsen und stürzt sie, während sie nichts Böses ahnte, in den Abgrund. Der König, Pedro, Liarte sehen sie als Leiche wieder. So endet der General seine Qual und sein Leid, so endet der Dichter sein Drama. *)

Gomez ist in diesem Drama wie in vielen anderen ganz Spanier : er schildert auf der einen Seite die Liebesgluth Pedro's, die Neigung einer Kammerfrau, auf der andern wird in D. Enrique ein echter Ritter und Held vorgeführt, dem Verlust der Ehre grässlicher ist, als selbst der Tod.

Einer andern Gattung der Dramaturgie gehört das zweite oben genannte Stück »La prudente Abigail« [307]) an. Wir haben es hier mit einem biblischen Stoff zu thun, wie der blosse Titel genugsam verräth.

Die biblische Erzählung von David und Abigail hat so viel Alt-Orientalisches und Fremdartiges, dass es zu den schwierigsten Aufgaben gehört, sie für ein modernes Theater anzupassen. Schon der Nürnberger Meistersänger Hans Sachs behandelte 1553 diese alt-testamentliche Geschichte in einer schlichten Komödie, die »Abigayl«, und Calderon richtete sie unter dem Titel »la primer flor del Carmelo« für ein Auto zu [306]). Gomez hat vieles gethan die nomadischen Sitten, das Familienleben, das Verhältniss Saul's zu seinem Feldherrn und Feinde David dadurch weniger anstössig zu machen, dass er die grellen und schroffen Züge abstreift und etwas Märchen- und Idyllenartiges einschiebt. Nur das Verhältniss der Eheleute Nabal und Abigail ist so feindselig beibehalten, wie es die alt-testamentliche Darstellung überliefert hat. In gewisser Beziehung kann man das Drama vortrefflich nennen.

Der Dichter eröffnet sein Stück mit dem Zusammentreffen David's und Saul's in der Höhle (I. Samuel. XXIV. 9 ff.). Saul ist in seiner Ruhe gestört und weiss nicht, dass David in seiner Nähe weilt. Bald gibt sich dieser zu erkennen und ruft dem ihm nachstellenden König zu :

---

*) Die Schlussworte sind:

D. Enrique: Y el Poeta dando fin
A este tragico suceso,
De h lo que obliga el honor,
Que os lo da por verdadero,
Os pide perdon, pues es
Para serviròs su ingenio.

Unbesiegbarer Monarch,
Saul, grosser König des Reichs,
Ich bin David Dein Feind,
Ich bin Isai's Sohn,
Dieser tapfere Hirt,
Der mit seinen Händen theilte
Jenen unbeschnittenen Riesen. *)

In einer langen Rede erzählt er dem Könige wer er ist. Der Dramatiker hat jedoch den Charakter seines Helden gänzlich verkannt. Während die biblische Erzählung David als den versöhnlichen unschuldigen Hirten darstellt, erscheint er bei Gomez als der stolze, sich brüstende Feldherr, der immer wieder die That berührt, dass durch seine Hand der Philistäer gefallen, dass durch ihn des Königs Haupt mit Lorbeern bekränzt, dass durch ihn Israel frei geworden sei; er nennt sich mit Stolz Schwiegersohn des Königs und denkt nicht ohne Anmassung daran, dass er, Isai's Sohn, zum Herrscher geboren sei. Erst gegen Ende der Rede nimmt Gomez die bescheidene Sprache der Schrift wieder an. Der Einfachheit entbehrt auch die Antwort Saul's. Wie schön und erhaben sind nicht die wenigen Worte, welche der von dem grossmüthigen Betragen David's gerührte König ausruft: Ist das Deine Stimme, mein Sohn David? Gerechter bist Du als ich! Der Dramatiker führt statt dessen die ganze Seele Saul's mit allen ihren Empfindungen dem Publicum vor: weinend prophezeit er dem Verfolgten, dass er einst mächtiger und alleiniger Regent des Reiches werde und nimmt ihm das Versprechen ab, dass er sich sodann seiner Kinder erbarmen und seinen Namen nicht von der Erde vernichten wolle.

Treffend schildert der Dichter den Nabal, den Harpagon der Bibel. Bei seinem ersten Erscheinen zankt er mit seinen Dienern: er zankt mit dem einen, weil ihm einige Eichen fehlen, er zankt mit dem andern, unter dessen Aufsicht einige Esel gestorben sind, er zankt mit seiner Frau, weil diese ihm in ihrer Sanftmuth vor-

---

*)
Invictisimo monarca
Saul, gran rey de los polos,
Yo soy David tu enemigo:
Yo soy hijo de Isai,
Aquel pastor valeroso,
Que dividio con sus manos
Tanto incircunciso monstruo.

hält, dass es ja nicht des Dieners Schuld sei, wenn Gott die Esel zu sich nähme und dass der Diener nicht zum Schadenersatze dürfte angehalten werden. Schön ist die Rede, welche die sanfte Abigail an den besorgten Gemahl richtet. Der Geizhals meint nämlich, dass wenn er jeden Tag solchen Verlust erleide, er bald ein armer Mann sein würde, worauf die kluge Frau ihn an seine Schätze erinnert, an seine Schur, an die Fülle seiner Erndte, an seine Weinberge, Oliven und Datteln. Sie macht es ihm zur Pflicht freigebig, leutselig zu sein:

Wir sind Alle Erdenpilger,
Wir sind Alle Brüder,
Jeder Mensch muss Gutes thun,
Muss den Tugendpfad bewahren.

Aber Nabal will kein Gutes thun, will von diesen neuen Hypocrisien, wie er sie verächtlich nennt, nichts hören, Nabal will Nabal bleiben, nur für sich scharren und geizen.

Ohne dass man es erwartet, führt der Dichter eine Scene aus dem Landleben ein. Abigail befindet sich inmitten einer fröhlichen Schaar von Knechten und Mägden; die gute Hausfrau spricht freundlich mit Allen, erlaubt ihnen Wein zu trinken, weil die Schur so reichlich ausfällt. Kaum hatte Nabal bemerkt, dass der Becher von der einen Hand in die andere geht, dass so verschwenderisch sein Wein getrunken wird, so stürzt er im vollen Zorn über Knechte, Mägde und Frau und zankt. Wieder hält Abigail dem Ungeheuer eine Strafpredigt, die eben so fruchtlos verhallt wie die frühere. Weinend über die verstockte Natur ihres Gemahls wendet sie sich von ihm ab, vielleicht schon das Unglück ahnend, welches ihm durch seinen Geiz sollte bereitet werden.

Alsbald treten auch die Soldaten David's mit ihrem Führer Ruben an der Spitze bei Nabal ein. Ruben bittet um Brod und Speise für seinen Herrn, doch wir wissen, welcher Bescheid ihm vom Carmeliten wurde. Mit der Abreise Abigail's zu David schliesst Gomez den ersten Act seines Dramas.

Der Anfang des zweiten Actes spielt im Lager David's. Der Feldherr unterhält sich in traulicher Weise mit seinen auf Brod wartenden Soldaten von den Verfolgungen Saul's, von dem Reichthum Nabal's und seiner Rechtlichkeit. Endlich kehrt Ruben von seiner Mission zurück und erzählt nach langen Umschweifen, wie verächtlich Nabal ihn aufgenommen und welche Reden er geführt hätte.

Das hatte David nicht erwartet. Der gekränkte und in seiner Ehre verletzte Feldherr bricht mit 400 Mann auf und will Nabal für seine frechen Aeusserungen strafen.

Unnöthigerweise unterbricht der Dramatiker hier die Action durch einen Besuch des Königs Saul und seines Sohnes Jonathan bei Nabal, welcher auch ihnen mittheilt, dass der seinem Herrn entlaufene Diener ihn soeben um Brod hatte bitten lassen. Erst nach Entfernung der für und gegen David Partei ergreifenden Glieder der königlichen Familie nähert sich der Rache schnaubende Feldherr mit seiner Mannschaft. Da erblickt er Abigail, zum ersten Male diese himmlische Schönheit, welche ihm Geschenke überreicht und ihn mit einer vorzüglichen Rede begrüsst. Diese in dreifüssigen Trochäen geschriebene Rede *) ist der Triumph des Ganzen; nur schade, dass auch sie an der schon mehrfach hervorgehobenen Länge leidet. Mit Lobeserhebungen überschüttet David die kluge Frau dafür, dass sie ihn von Blutschuld abgehalten hat, und er lässt nicht ohne Absicht den Plan durchblicken, dessen Ausführung dem dritten Acte vorbehalten ist.

Zu Anfang des dritten und letzten Actes wird das Zusammentreffen David's mit Saul (I. Sam. XXVI.) dargestellt. Saul, Jonathan, der Feldherr Abner und die Soldaten lagern in dunkler Nacht auf dem Gefilde Chachilla's. Mit dem tiefsten Groll gegen David im Herzen übergibt sich der König der Ruhe. Während das ganze Lager im tiefsten Schlafe versunken ist, nähert sich der verfolgte Hirt mit dem obengenannten Ruben, Abischai heisst er in der Bibel, dem Könige, nimmt Lanze und Kelch vom Haupte seines Feindes,

---

*)

Capitan heroyco,
De cuya prosapia
Israel adquiere
Descendencia sacra :

.   .   .   .

Pastor generoso,
De cuya cabaña
Espera Israel
Valor, honra y fama :
Una muger soy,
Que à tus pies postrada,
Piedades procura,
Si decoros guarda.

entfernt sich wieder und weckt vom gegenüberliegenden Hügel den
seinen Herrn schlecht bewachenden Abner. Treu der Erzählung
der Bibel berührt er sodann das Zusammentreffen. Inzwischen
feierte Nabal beim fröhlichen Mahle die geendete Schaafschur, die
auserlesensten Speisen, welche nebenbei bemerkt unser Dramatiker einzeln aufführt, zieren seinen das orientalische Gepräge ver-
lierenden Tisch, und Musik und Sänger lassen sich vernehmen.
Wie vom bösen Geiste besessen führt der Herr des Mahles von
seinem Sitze, als man ihm aufspielt:

Der tapfere David u. s. w.

Der blosse Name flösst ihm Furcht und Entsetzen ein, alle Schreck-
gestalten treten vor seine Seele, die Freude des Mahls ist gestört;
ihn graut vor dem Gedanken, von diesem Verräther an König und
Vaterland, als welcher David ihm erscheint, getödtet zu werden
und er ruft in einem Anfall von Raserei seine Diener zu Hilfe. Die
kluge Abigail spricht ihm Muth ein und will durch ihre sanfte Rede
die bangen Bilder seines Geistes verscheuchen: sie erzählt, dass
sie David Geschenke überreicht und dadurch ihn abgehalten habe,
ihr Haus zu schleifen. Diese Nachricht mehrt nur seine Angst,
seine Raserei. Nabal stirbt. Er stirbt »durch eine Frau, welche
der Himmel ihm zum Verderben gegeben«, er stirbt durch die
giftige Schlange des Neides, des Geizes. Das Wehgeschrei aus dem
Hause Nabals vernimmt David von Ferne. Abigail in Trauergewand
gehüllt, zieht ihm entgegen und wird von ihm als Gemahlin, als
die kluge Gattin fortgeführt. So endet die »göttliche Historie der
schönen Abigail«. [*])

Wie viele Theaterstücke unseres Dichters reich an witzigen Ein-
fällen und Satiren sind, so schrieb er auch ein besonderes Buch, das
seiner satirischen Kunst alle Ehre macht, nämlich »el Siglo Pitagorico, das pythagoräische Zeitalter« [309]). In diesem halb in Prosa,
halb in 7- und 8zeiligen Versen geschriebenen Werke nimmt er
die Seelenwanderung zum Gegenstand der Behandlung und stellt

---

[*])   Y aqui la divina historia
       De la bella Abigail
       Da fin, se acerte el Poeta,
       Dadle un vitor de limosna;
       Y sino, preste paciencia,
       Y procure escribir otra.

es sich zur Aufgabe, die Fehler und Laster des 17. Jahrhunderts ins Lächerliche zu ziehen. Eine Novelle »das Leben des D. Gregorio Guadaña« hat er mit eingeflochten. Ticknor legt diesem Buche wie vielen anderen dieser Art wenig Werth bei; einige Theile, wie die Reise nach Carmona und der Aufenthalt in dieser Stadt sind seinem Urtheile nach angenehm zu lesen und interessant, weil sie Skizzen aus des Autors eigener Erfahrung enthalten[310]).

Indem wir die Charakteristik der Schriften Antonio Enriquez Gomez' schliessen, hoffen wir zur Würdigung unseres Dichters ein Weniges beigetragen und dargethan zu haben, dass ihm ein nicht unbedeutender Platz in der spanischen Literatur gebührt. Kann er auch nicht zu den ersten Dramatikern und Koryphäen seiner Nation gerechnet werden, so verdient er doch, wie de los Rios am Schlusse seiner Betrachtung bemerkt[311]), wenigstens den zweiten Rang einzunehmen.

Ein besonderes Gewicht legt der spanische Literarhistoriker darauf, dass Enriquez Gomez eine stete Abneigung gegen die Ehe gehabt habe. In der That finden sich Scenen in seinen Theaterstücken, welche das eheliche Leben mit den schwärzesten Bildern schildern und die Heirath als eins der grässlichsten Uebel bezeichnen. Wir können nicht untersuchen, ob der Dichter selbst bittere Erfahrungen im Ehestande gemacht hat und seine sonstigen Leiden durch eine Xantippe noch vermehrt worden sind. Verheirathet war er und als die Frucht seiner Ehe, als der Erbe seines poetischen Geistes wird uns

Diego Henriquez (Enriquez) Basurto
genannt.

In Spanien geboren, verbrachte er, wohl gleiches Schicksal mit dem Vater theilend, einen grossen Theil seines Lebens in Rouen und siedelte später nach Holland über. Ausser einem Sonett zum Lobe des »pythagoräischen Zeitalters«, in welchem er erklärt, dass der Verfasser dieses Werkes sein Vater sei, veröffentlichte er 1646 den »Triumph der Tugend und die Geduld Job's, el Triumpho de la virtud y paciencia de Job«, ein aus verschiedenen Versarten bestehendes Gedicht, welches der Mutter Ludwig XIV., Maria von Oesterreich gewidmet wurde[312]). Ein sonderbares Bild von der Persönlichkeit dieses Diego Henriquez entwirft Barrios in einem von Antwerpen am 28. März 1674 an ihn gerichteten satirischen Schreiben[313]). Schon in der Ueberschrift begrüsst er ihn als »den

16*

Lügendichter, den fingido Astrologo, den Einwohner Sodoms«. Er schildert ihn als einen Mann, dessen Mund einer Mühle gleiche, die keinen Augenblick still steht. Er hat eine breite Nase, die nie sauber ist, kleine tiefliegende Augen, welche sich hinter einer grossen Brille verstecken; er trägt den Bart in Form eines S, er ist klein und dick und von Taille kann bei ihm gar keine Rede sein. Dabei geht er, der Stock sein steter Begleiter, höchst nachlässig gekleidet und hat eine so grosse Sünde begangen, dass selbst die Kinder mit Fingern auf ihn zeigen.

Neuntes Capitel.

Dichter in der Armee. Die jüdischen Dichterinnen. Miguel — Daniel Levi — de Barrios. Das poetische Martyrologium. Die Familie Belmonte, die Akademie und die Akademiker.

Dichter in der Armee! Jüdische Dichter in der Armee! Wo anders könnte das Lied gedeihen, als unter dem freien Himmel, als auf dem mit Blut bedeckten Schlachtfelde? Wer anders könnte in die vollen Saiten der Leier greifen als der tapfere Krieger, als der muthige Kämpfer für die Freiheit und den Ruhm des Vaterlandes, für die Ruhe des heimischen Heerdes?

Dichter in der Armee! Heldenmüthig kämpfende Dichter in der spanischen Armee! Keine andere Nation zählt unter ihren Musensöhnen so viele, die auch das Schwert für ihr Vaterland gezogen haben, als die spanische, wie überhaupt die Poesie dieses Landes seit ihrem ersten Anfang mehr von den Edlen und Rittern, als von den Gelehrten und blossen Künstlern geübt worden ist.

Aber jüdische Dichter in der Armee! Jüdische Dichter des 17. Jahrhunderts in der spanisch-portugiesischen Armee! Dichtende Juden mit dem Schwert in der Hand, mit dem Orden auf der Brust, mit der Leier an der Seite! Auch unter den Juden Hauptleute und Fähnriche! Unter den Juden Offiziere! Wir finden sie im 17. Jahrhundert. Und doch lebt man noch immer in dem Wahne, man müsse den Juden einzig und allein seinem Schacher und Wucher überlassen, man dürfe den Juden nicht aus diesen

Beschäftigungen ziehen, weil er sich so wohl dabei fühlt, weil es
was zu verdienen gibt; man dürfe dem hoffnungsvollen jüdischen
Jüngling keinen Rang in der Armee einräumen, weil er doch zu
nichts anderem tauglich wäre, als gemeiner Soldat zu sein. Hört!
Dichter in der Armee! Juden, Krieger und Dichter! Es sind Männer,
die der jüdischen Nation, die den portugiesischen Juden, die der
spanischen Literatur zur Zierde und zum Schmuck gereichen.

Wir eröffnen die bunte Reihe jüdischer Krieger und Dichter mit
Don Nicolas de Oliver y Fullana[314]).

Er war Ritter, cavallero Mallorquin und Major und kämpfte später als circuncidado coronel, als beschnittener Oberst der Infanterie
in holländischen Diensten gegen das französische Heer. D. Nicolas,
oder wie in jüdischen Kreisen er genannt wird, Daniel Jehudah,
war auch ein ausgezeichneter Astrolog und wird als Mitarbeiter
der »Geographia Blaeuiana«, eines seiner Zeit geschätzten Werkes
genannt, deren erste Bände von David Nasi, die übrigen von
unserm D. Nicolas de Oliver verfertigt worden sind. Endlich verdient Beachtung, sagt Koenen in einem Excurs über die Buch-
druckereien der Juden in den Niederlanden[314]), dass ein Israelit,
Daniel Juda, auch Don Nicolas de Oliver y Fullana genannt, früher
Hauptmann in spanischen Diensten, sich grosse Verdienste erworben hat durch die Verfertigung des bekannten und früher sehr
geachteten Atlas von Bleau (Blaeu)*). Dieses ist um so bemerkens-
werther, als D. Nicolas das einzige uns bekannte Vorbild unter
den Juden ist, welches sich in der Zeichenkunde ausgezeichnet hat.
Gegen 1680 bekleidete er die Stelle eines Kosmographen der katholischen Majestät und verfasste als solcher mehrere kosmographische
Werke. Von seinen Poesien ist uns nichts erhalten als ein Sonett,
in welchem er den Coro de las Musas seines Freundes Barrios besingt**).

---

*) Johann Blaeu lebte als Senator in Amsterdam. Als Herausgeber
des Werkes, welches, in verschiedene Bände getheilt, »Atlas del Mundo« genannt wird, besingt ihn Barrios, Coro de las Musas, 224.

**)
De Gracia los armonicos collados
. A Barrios se reduzen peregrinos :
De hijas de Jove en Coros castalinos,
Con plumas de su Ave señalados.

. . . .

In demselben Jahre, in welchem der Oberst ein portugiesisches
und lateinisches Gedicht zu der hebräischen Komödie Joseph Penso's schrieb[315]), 1673, starb ihm seine Gattin Johanna bei der
Entbindung von einem Sohne[316]). D. Nicolas heirathete zum zweiten Male[317]) und zwar eine Dame, welche die spanische Literatur
und die jüdische Nation mit Stolz die ihre nennen kann, die

Doña Isabella Correa.

Isabella oder Rebecca Correa war einer jener Familien
entsprossen, welche Spanien aus Furcht vor der bekannten Fang-
und Haschanstalt und aus Liebe zu ihrem lang geheim gehaltenen
Judenthume in der Mitte des 17. Jahrhunderts verliessen und sich
in Holland ansiedelten. Sie lebte abwechselnd in Brüssel, Antwerpen und Amsterdam. Das Wenige, was wir von ihr wissen,
reicht aus, uns einen Begriff von den überaus reichen, geistigen
Anlagen zu machen, womit die Vorsehung sie ausgestattet hatte.
Sie war nicht nur in den meisten europäischen Sprachen bewandert — in einigen hatte sie es sogar zur Vollkommenheit gebracht
— sondern auch in allen Künsten so wohl unterrichtet[318]), dass
man von ihr sagen möchte und auch wohl könnte, was von Tarquenia Molsa, der Bürgerin Roms, der Einzigen, wie Mit- und
Nachwelt sie nennt, erzählt wird: Die Sprachen waren ihr geläufig,
sie schrieb vorzügliche Briefe, dichtete allerliebste Verse, spielte
meisterhaft die Laute und sang wie ein Engel*). Ob sie auch
mit der Schönheit der Tarquenia ausgestattet war? Ihr schwarzes
funkelndes Auge schleuderte brennende Pfeile in die Brust eines
Jeden, der sie sah, und sie war eben so berühmt durch ihre
Schönheit wie durch ihren Geist (tan celebre por la beldad como
por el ingenio)[319]). Auch diese Jüdin seltener Art blieb durch die
stiefmütterliche Behandlung, über welche die jüdische Literatur
und ihre Träger von jeher sich zu beklagen hatten, lange Zeit vergessen, und während man genau den Tag verzeichnet hat, an
welchem eine Lucrezia Helena Piscopia die Magisterwürde zu Padua
erhielt und Baltizia Gozadina mit dem Doctorhute geschmückt
wurde, kennt man kaum den Namen unserer Dichterin, wiewohl

---

*) Barrios sagt von ihr:

Todas las Gracias instrusas
Es tu ingenio, y beldad note
El Alma .. . .   Sol de la Vida 64.

eben sie sich nicht allein den genannten Frauen, sondern auch den gelehrten Männern ihrer Zeit hätte gleichstellen können. Hält es doch sogar ein deutscher Encyclopädist unter seiner Würde, Isabella Correa den spanisch-portugiesischen, auf dem Gebiete der Theologie, Historie und Poesie berühmten, auch wohl einst mit ihr verwandten Namensgenossen selbst als letztes Glied anzureihen [220]).

Unsere in mehr als einer Beziehung die Bewunderung ihrer Zeitgenossen erregende Isabella war ein hervorragendes Mitglied in der von Manuel de Belmonte, welchen wie seine Schöpfung wir später betrachten werden, gestifteten Akademie. Es ist zu bedauern, dass uns alle Nachrichten über die Lebensverhältnisse dieser Dichterin fehlen. Dass ihr lange Zeit von den holländischen Dichtern wegen ihres Glaubens die ihr gebührende Achtung und Anerkennung versagt und sie selbst von den Ihrigen, d. h. von den Juden, vielleicht aus Neid nicht hinlänglich gewürdigt wurde *), erfahren wir aus dem in Hexametern geschriebenen, aber aller Poesie baaren lateinischen Lobgesang, womit Antonio dos Reys ihr Andenken feierte.

Wie ihr Gatte, besang auch Isabella den Musenkranz des Freundes Barrios:

> Nicht allein ein Geist von Leben
> Hebt Dich hoch auf goldne Bahn,
> Gott selbst hat es Dir gegeben,
> Gott selbst hat es Dir angethan.
> Denn ein Geist, der so erhaben,
> Strahlt mit seinem Glanze weit,
> Zeigt dem Bilde Künstlergaben,
> Gibt der Muse Lieblichkeit;
> Jede Zeil' ein Sterneglanz,
> Jedes Wort ein Blumenkranz. **)

---

*) Non bene cum Lusis Hollandis convenit: isti
   Convictum objiciunt per tempora longa suisque . . . .

**)
> No solo un vital aliento
> Te exalta, sublima y dora:
> Divino influxo mejora
> Tu candido entendimiento:
> Con el alto luzimiento
> De tu ingenio superior,
> Das al Pindo mas verdor,
> Qualquiera Musa es mas bella,
> Cada renglon un estrella,
> Y cada letra una flor.

Du würzest mit den Charitinnen,
Was Deiner Kunst nur kommet vor,
Das Welttheater zu gewinnen
Ist leicht nur Deinem Musenchor. *)

. . .

Isabella's Name ist in der spanischen Literatur nicht unbekannt. Der Pastor Fido, jenes grossartige die Stimme der Natur und
des menschlichen Herzens verkündende Werk des Italieners Guarini,
der mit seinem sieben Jahre jüngeren grossen Landsmann, dem unsterblichen Tasso, hätte wetteifern können, wurde von ihr meisterhaft bearbeitet und sichert ihr einen sie überlebenden Ruhm. Nicht
wundern wir uns, dass Isabella eben dieses Werk übersetzte!
Kaum gibt es irgend ein Product, welches dem weichen Herzen
des Weibes mehr zusagt, als dieses arkadische Schauspiel. Keiner
verstand es, wie Guarini, die Trunkenheit der Liebe in die Herzen
Derjenigen zu schütten, welche seinen Pastor sahen und lasen; er
hatte wie Keiner die Geschicklichkeit, seine Personen, seine Ama-
rillis, seinen Mirtill eine Sprache führen zu lassen, wahr und em-
pfindlich, deren Widerhall in der fühlenden Brust eines jeden
Menschen laut wird, und er ist der erste, welcher, wie Voltaire
bemerkt, Thränen des Mitleids, der Rührung, der Liebe hat fliessen
lassen. Daher ist auch kein Dichter so viel übersetzt, gelesen und
allgemein bewundert worden, als Guarini. In Frankreich wie in
Deutschland und Spanien galt es als hohes Urbild. Nächst der
spanischen Uebersetzung des Pastor Fido, welche von Suarez de
Figueroa schon 1609 veranstaltet wurde, ist die unserer Isabella
die beste und verbreitetste [321]. Isabella war sich der Vorzüglichkeit
ihrer Arbeit so sehr bewusst, dass sie kein Bedenken trug in der
zu Antwerpen den 15. November 1693 geschriebenen Widmung an
den hohen Protector spanisch-jüdischer Dichter, den erwähnten
Belmonte, zu versichern, dass ihre Uebersetzung weder an Geschmack noch an Eleganz »en aseo y pompa« dem italienischen Original, noch der französischen Uebersetzung nachstehe. »Ausser-

---

*)   Sale con gracias difusas
           De tu methodo profundo
           Al gran theatro del Mundo
           Todo el Coro de las Musas.
. . . .

dem«, setzte sie hinzu, »die Bescheidenheit erlaubt es mir zu sagen, ich übertreffe sie noch in gewisser Beziehung, da ich einige reflectirende Bemerkungen hinzugefügt habe«. Ist ihr Urtheil auch wohl zu gewagt, so verdient doch ihre Uebersetzung die Aufmerksamkeit aller Freunde spanischer Poesien [322]). Die Uebersetzung selbst ist gut. Die Dichterin hat sich verschiedener Versarten und Silbenmaasse bedient, so dass einige Stellen in achtzeiligen Strophen (octava rima), andere in zehntheiligen (Decimas), noch andere in Quintillen geschrieben sind; sie hat, wie sie in dem Vorworte sagt, diese Versmaasse nach den verschiedenen Stellen gewählt. Sie hat sich auch die Freiheit genommen, einige Partien weiter auszudehnen, zu paraphrasiren und ihre eigenen Einfälle und Betrachtungen einzuschieben [323]).

Isabella Correa gehört mit ihren Poesien zu den grössten Seltenheiten in der sonst so reichen spanischen Literatur, nicht allein, weil, wie Ticknor [324]) sich ausdrückt, es eine von den wenigen Trophäen ist, welche das schöne Geschlecht in der Poesie aufzuweisen hat, sondern auch weil — und das setzt dem Verdienste noch die Krone auf — Isabella eine Jüdin war.

Ausser der Uebersetzung des Pastor Fido erschien von ihr noch vor 1684 ein Band verschiedener Poesien [325]) und in der Vorrede zum Pastor Fido versichert sie, dass noch Manches von ihrer Hand zum Druck bereit liege, Arbeiten, welche vielleicht nie in die Oeffentlichkeit gelangt sind.

Statt der einzelnen Proben, welche wir aus dem bekannten Werke Guarini's mitzutheilen unterlassen, möge der erwähnte Lobgesang des Antonio dos Reys in freier Uebersetzung hier folgen:

Pastor Fido! Dich liest man im Text nicht mehr seit Correa,
  Spanisch schuf sie Dich um, treu übersetzend Dein Lied,
Grossen Erfolgs erfreut sie sich, denn die spanische Sprache
  Gab so im Osten wie West damals den herrschenden Ton.
Darum ziert ihr Haupt ein Kranz von Lorbeer gewunden,
  Weil ihre Rechte mit Kunst spielte die thracische Lei'r;
Darum ward ihr gewährt ein Sitz auf dem Berge der Sänger,
  Wenn auch gegen den Wunsch mancher batavischer Stimmen.
Lange verwarfen sie ja wegen des Glaubens Correa
  Und die Ihrigen selbst verschmähten ihr heit'res Wesen.

Jetzt mit besserm Recht ward verehrt die Jüdin Correa,
Correa, die, wie es schien, gänzlich der Lysia glich,
Die ja im künstlichen Vers beredtere Worte gesungen,
Als der unendliche Schwarm stammelnder Dichter vermocht.

Isabella Correa hatte einen ganzen Kreis gebildeter und gelehrter Herren und Damen um sich gesammelt. Als Freundin und
Bekannte der Frau Oberst nennen wir

Doña Isabella Enriquez,

eine Dame, welche sich, wie Barrios meint [326], durch ihren Geist
in den verschiedenen Akademien *) Madrids berühmt gemacht hat
(celebre á las Academias de Madrid por su raro ingenio). Es lässt
sich nicht bestimmen, wann sie die Hauptstadt verlassen hat, jedenfalls hielt sie sich 1634 daselbst noch auf, denn in diesem Jahre
widmete ihr Isaac Cardoso sein Werk über die grüne Farbe, das
Symbol der Hoffnung (S. 191). Dass sie später nach Amsterdam
übersiedelte und als Jüdin lebte, erzählt uns ihr Freund Barrios,
welcher ihr auch die »moralischen Akademien« des vielleicht mit
ihr verwandten Antonio Enriquez Gomez gesandt hat [327]. Alle
näheren Lebensumstände auch dieser Dame sind uns unbekannt;
das eine halten wir der Erwähnung nicht für unwerth, dass sie
1673, wo sie wenigstens 60 Jahre alt war, Amulete vertheilte,
welche gegen den Liebreiz schützen sollten [328]. Da sehen wir die
abergläubischen Spanier! Und doch kämpfte die Amuletenberei-
terin Isabella selbst gegen den Aberglauben. Unter ihren Poesien
findet sich nämlich ein Gedichtchen, welches sie bei einer sonderbaren Gelegenheit an den Amsterdamer Rabbiner Isaac Aboab
richtete. In der Behausung des Rabbi und berühmten Predigers,
welcher in seinem 88. Jahre an einem Sabbath den 27. Adar Scheni
5453 (Februar 1693) das Zeitliche segnete, wurde einst ein Ei gefunden, aber kein gewöhnliches Ei, ein Ei mit einer Krone auf dem
Haupte, »un huevo grandissimo con una corona por cabeça«, und da
dieses grosse Wunder-Ei verschieden gedeutet und ausgelegt wurde,

---

*) Solche Akademien hielten sich nach dem Vorbilde der Italiens seit der
Mitte des 16. Jahrhunderts in Spanien gebildet. Männer und Frauen trafen
hier zum gemeinschaftlichen Verkehr zusammen und lasen ihre poetischen
Erzeugnisse vor. Eine der ältesten war die Akademie der Nocturnos; ausserdem gab es in Madrid eine Minerva, Thalia u. A. Die Akademie de Apolo wird
auch von Gomez in dem Prologe zum Samson genannt. Gongora machte sich
über diese wissenschaftlichen Zusammenrottungen lustig und nannte eine
solche Gesellschaft Academia de la Mula.

so erleuchtete die poetische Isabella den Verstand der abergläubischen Deutler[329]:

> Dieser Schrecken, dieses Wunder!
> Basilisk und Natter nennt es
> Jede falsche Phantasie.
> Irrthum ist es des Verstandes!
> Wend' nur Deinen Blick ihm zu.
> Will nicht Gottes grosse Güte
> Die Beredsamkeit Dir lohnen
> In dem Monstrum, das Du schaust?
> Deine Tugend liegt im Grossen,
> In der Krone Deine Weisheit. *)

Auch noch andere jüdische Damen werden als Dichterinnen
genannt; obwohl keine ihrer poetischen Producte uns vorliegen,
wollen wir sie dennoch diesen beiden Frauenbildern als ebenbürtig
anreihen:

> D. Sara de Fonseca Pinto y Pimentel,
> D. Manuela Nuñes de Almeida und
> D. Bienvenida Cohen Belmonte

haben die später von uns zu betrachtende Psalmen–Uebersetzung
des Daniel Israel Lopez Laguna besungen[330].

Nach diesem kurzen unseren Lesern hoffentlich nicht unangenehmen Besuche bei den schönen und geistreichen Damen kehren
wir zu den Dichtern der Armee zurück und begrüssen zuerst in

> Joseph Semah (Zemach) Arias[331])

den Adjudanten des Oberst Nicolas de Oliver y Fullano.

Arias war keineswegs Rabbi, wozu ihn de los Rios[332]) stem-
pelt; er nennt sich selbst Capitän und hielt sich mit seinem Waf-
fengefährten Barrios zu gleicher Zeit in Brüssel und anderen Städten
Hollands auf. Diesem übersandte er einmal vor dem Jahre 1665
ein kleines aus Confitüren bestehendes Geschenk und begleitete es
mit einer Lampe und dem folgenden Gedichtchen[333]):

---

*)
> Este assombro, este protento,
> Que engañosa fantasia
> Basilisco o aspid cria.
> Yerro es del entendimiento:
> Pues si bien se mira atento,
> La divina Providencia
> Premiando esta tu eloquencia,
> En este monstruo que ves,
> Lo grande tu virtud es,
> Y la corona tu ciencia.

Weil nur winzig mein Geschenk,
So gering an Werth,
Halt's dem Licht nur zugekehrt,
Wie's die Lampe Dir gewährt
Dieses süsse Compliment.
Denn dem Freunde dies Geschenk,
Weih' ich, dass er eingedenk
Meiner Freundschaft bleibe treu.
Möglich, dass es hässlich sei,
Weil ein Häkchen ist dabei. *)

Der scherzende Barrios erwiderte dieses Gedichtchen in seiner
künstlich spielenden Weise, so dass er dieselben Endwörter gebrauchte, welche Arias zur Anwendung gebracht hatte.

Von der wissenschaftlichen Bildung des später zum Hauptmann avancirten Joseph Arias zeugt die spanische Uebersetzung
der Schrift Josephus' »gegen Apion«[334]). Er erwies mit dieser
Arbeit, welche er dem Professor, Arzt, Rath und Dichter Orobio
de Castro widmete, seinen Zeitgenossen einen wesentlichen Dienst
und schloss sich hiermit dem spanischen Uebersetzer des Philo,
David Usiel de Aguilar (Avelar)[335]), an.

Ferner gehören in diese Dichtergruppe:
Der Hauptmann Moses Cohen Peixoto,
nicht Pericoto, wie er bei Wolf[336]) genannt wird; er war später
Vorsteher der Akademie »Keter Schem Tob« und beklagte den Tod
der jüdischen Märtyrer Bernal[337]).

Der Fähnrich Simon Pimentel.
Sein Bruder ist vielleicht der Hauptmann Georg Pimentel, welcher von Manuel de Lara wieder zum Judenthume geführt wurde
und den Namen David annahm. Ein Manuel Pimentel tanzte
gut und spielte die Harfe. Simon spendete seinem Freunde Barrios
in einem Gedichte Lob und erregte dadurch dessen Unwillen[338]).

---

*)   Tan corto es mi ofrezimiento
Que con animo sutil,
Va este dulce complimiento
Por que tenga luzimiento
A la luz de ese candil:
Por la amistad que posseo
Con este presente, trato
Manifestar mi desseo,
Bien podrà ser que sea feo
Pero tiene garavato.

Juan de Mésquita,
von dem sich ein Gedicht am Eingang des Flor de Apolo befindet.
Juan de Faria,
welcher den Coro de las Musas besungen *) hat und von dessen Autor
der schönen Sprache wegen gelobt worden ist [339]). Ihn und einen
sonst unbekannten »weisen«
Aron Dormido
bezeichnet Barrios als »Nachtigallen des mosaischen Nestes, Rui-
señores del mosayco nido« [340]).

Mit Barrios zu gleicher Zeit in Brüssel, später in Amsterdam,
lebte
Antonio de Castillo,
derselbe, welcher auch Jacob de Castillo (Castelo) [341]) genannt wird. Dieser Dichter war in den freien Künsten sehr erfahren, spielte, wie Isaac Mendez, meisterhaft die bihuela (?) **)
und zeichnete sich besonders durch seine Räthsel aus. Ein Gedicht von ihm findet sich am Eingange des Coro de las Musas ***).
Barrios erwiderte nicht allein diese ihm vom Freunde gewordene
Anerkennung, sondern verfasste auch zu seiner Vermählung mit
der Portugiesin Margaretha de Pina ein Hochzeitslied [342]).

Täuscht uns unsere Vermuthung nicht, so war die neuvermählte
Margaretha de Pina die Schwester des Dichters
Manuel de Pina,
auch Jacob de Pina genannt [343]). Pina wurde in Lissabon ge-

---

*)   Cantays o noble Barrios tan sonoro,
           Que no distingue vuestra melodia
           Si es de un coro celeste su harmonia,
           O si es de vuestras Musas dulce Coro.
          . . . .
          . . . .

**)   En la lyra que tocas raro estremo,
           La hazes luzir junto al Ursario Polo
           Mejor que la del musico del Hemo.
           — Das é las artes arte en todo solo.
          . . . .

                             Coro de las Musas 224.

***)   . . . .
           Orfeo à brutos y al vestigio remo
           Suspendio; tu con metricas doctrinas
           Las criaturas humanas y divinas,
           Parrasio Hispano; Zeusis el del Hemo.

boren[344]) und war nach dem Zeugniss Barbosa's [345]) ein »insigne Poeta na lingua materna e castelhana«, welcher viele Gedichte jeder Art verfasste. Nicht wenig geachtet war er wegen der Lieblichkeit seiner Stimme[346]): Pina war auch Sänger. Ehe er Lissabon verliess, erschien dort von ihm eine Comedia burlesca »die grösste Heldenthat Carl VI., la mayor hazaña de Carlos VI.«, und ein Band scherzhafter Gedichte unter dem Titel »Juguetes de la Niñes y travessuras del genio«[*]), welche von den von Wolf[347]) im Catalog des David Nuñes Torres, Talmudist, Prediger an der Akademie Abi Jetomim und hebräischer Dichter gefundenen »Chansas del ingenio y dislates de la Musa« nicht verschieden sind[348]). Manuel de Pina kam vor 1665 nach Holland, denn dem in diesem Jahre gedruckten flor de Apolo des Barrios widmete er einige Decimas[**]), welche auch von Barrios erwidert wurden[***]). Später nahm er seinen Wohnsitz in Amsterdam und nannte sich als offener Bekenner des Judenthums Jacob. Er nahm an Allem Theil, was die jüdische Brust berührt: Saúl Levi Morteira's Tod wurde von ihm in einer rara cancion betrauert[349]), und er schloss sich auch Denen an, welche das Andenken an die Märtyrer Bernal und den jungen Lope

---

[*]) Unter demselben Titel erschien in Madrid 1632 eine Schrift von D. Francisco de Quevedo y Villegas, welcher 1645 starb.

[**])
Con capa de barrio Apolo
Tan galan y tan luzido
Como sale, no ha salido
Jamas desde polo à polo.
Barrios solo, por que es solo,
Y exquisito su primor,
Le equivoca el resplandor,
Pues, quien mas discreto arguya,
No distinguir si es suya.
O si es de Apolo la Flor.

[***)]

Pina, el ingenio mejor	Pina, el Orpheo mejor
Que da luz á la Poesia	Que eleva con la harmonia;
En la mano de Talia	En la mano de Thalia
Espina del Pindo flor:	Espina del Pindo flor:
Con tan divino furor	Libando el pierio licor,
La fertil cumbre ilumina	Sutilmente determina
De quanta moral doctrina	A las musas que ilumina,
Frutifica de esplendores,	Con tan altos resplandores,
Que por alcançar sus flores	Que por alcançar sus flores,
El mismo Apolo se empina.	El mismo Apolo se empina.
Flor de Apolo 179.	Coro de las Musas, 505.

de Vera*) (S. 204) durch Gesänge feierten[850]. In einem por-
tugiesischen Gedichte lobte er die 1673 erschienenen Gesänge des
Joseph Penso und in einem spanischen die in demselben Jahre ans
Licht getretene Psalmen–Uebersetzung Jacob Jeduhab Leon's[851]).

Es ist fraglich-, ob Manuel de Pina den 1679 erfolgten Tod
eines andern Pina,

Sebastian Francisco de Pina,

noch erlebt hat. Letzterer war ein »insigne Poeta«, welcher in den
cachopas de Lisbona seinen Tod gefunden hat. In einer schönen
Elegie[852]) verewigte Barrios diesen elend umgekommenen Jüngling.

Ehe wir zu dem in literarischer Beziehung verdientesten unserer Hauptleute übergehen, verweilen wir noch einen Augenblick
bei dem Fechtmeister

Lorenço Escudero.

Er war ausgezeichnet in der Fechtkunst, in der Musik und
spielte verschiedene Instrumente. In Amsterdam lebte er unter
dem Namen Abraham Israel, auch Abraham Peregrino**),
als treuer Bekenner des Judenthums im grössten Elend. Alle Ver-

---

*)   Quien oye que no se assombre
            Tu fe, tu vida y tu muerte,
            Quando mas flaco mas fuerte,
            Quando mas niño mas hombre.

            Mudas tu ley y tu nombre,
            Por ley sancta y nombre sancto,
            Y en mudecido el espanto.
            El odio muerde sa lengua
            Viendo en sa fe tanta mengua,
            Viendo en tu ley zelo tanto.

**) »Weder Barrios noch Wolf erwähnt seine »Fortaleza del Judaismo y
confusion del estraño, in welcher er mit Eifer die neu angenommene Religion
vertheidigt und auf eine schimpfliche Weise die alte bestreitet, die er verlassen
hat. Ich habe darüber 1773 Notizen in meinen »Vana aspettazione degli Ebrei«
geliefert und von neuem weitläufig in meiner Bibliothr. jud. antichr. darüber
gehandelt. Mein Cabinet besitzt zwei Handschriften. Das Original ist spanisch ;
ich habe auch eine italienische handschriftliche Uebersetzung dieses Werkes ;
eine hebräische von Marcus Luzzatto besitzt die öffentliche Bibliothek der
Juden in Mantua«.

    De Rossi, Dizion. storic. deutsch von Hamberger (Leipzig 1839) 259.

    Antonio Ribeiro dos Santos thut dieser Schrift in seinem »Ensayo de
huma Bibliotheca Lusitana Anti-Rabbinica (Memorias de Litteratura Portugueza [Lisboa 1806] VII.) keine Erwähnung.

sprechungen des Marquis von Caracena, damaligen Gouverneurs
von Flandern, vermochten nichts diesen »famoso Peregrino del
Israel« von seinem Glauben und seiner Ueberzeugung abzubringen. Eines Tages lud er ihn zu sich nach Brüssel ein, wanderte
mit ihm durch den ganzen Palast, von einem Saal in den andern
und führte ihn endlich in seine Hauscapelle, um zu sehen, ob der
verstockte Schildträger (Escudero) vor den Bildern von Holz und
Stein sich neigen würde. Doch was geschah? Statt jeder Verehrung bedeckte sich Lorenço, sobald er der Bilder ansichtig
wurde, mit dem Hute, welchen er aus Achtung vor dem fürstlichen
Herrn abgenommen und in der Hand hatte. Ueber diese »rara
accion« waren die den Marquis begleitenden Cavalliere und Hauptleute so aufgebracht, dass sie den armen Spötter in Stücke zerrissen hätten, wenn nicht der humane Gouverneur sie inständigst
gebeten hätte, den Unschuldigen laufen zu lassen. Lorenço pflegte
neben den anderen Künsten mit vieler Liebe die Dichtkunst; unter
seinen Poesien findet sich auch folgendes Pasquille, welches er an
die Thür einer Kirche heftete:

> En esta casa se aumenta
> Del Papa su autoridad ;
> Y aunque se reza por cuenta
> No conocen la unidad. [353])

Nach dem von Barrios auf den Tod Lorenço's verfassten Sonett [354]) zu schliessen, starb er gegen 1683.

Ein eigenthümliches Gefühl beschleicht uns, wenn wir die
Lebensumstände des Mannes überblicken, welcher im Verlaufe
unserer Betrachtung schon so oft genannt wurde, wenn wir an

Miguel — Daniel Levi — de Barrios

und seine Werke, wenn wir an den Mann denken, durch dessen
Sorgfalt und Fleiss so viele seiner Zeitgenossen der gänzlichen
Vergessenheit entrissen worden sind. Barrios ist, um es mit
einem Worte zu sagen, ein Universal-Genie: er zeigt sich als
Philosoph und Theologe, ist Historiker, als Dichter hat ihm
die Literatur-Geschichte seines Landes längst einen Platz eingeräumt und ihn den Männern des Parnasses beigesellt; er hat das
meiste Recht, als der poetische Chronist seiner Zeit betrachtet zu
werden. Wir werden ihn von den verschiedensten Seiten seiner

Thätigkeit kennen lernen. — Barrios stammte wie viele seiner dichtenden Freunde und Genossen von den verkappten, geheimen Juden ab.

Gegen Ende des 16. Jahrhunderts lebte in dem portugiesischen Städtchen Marialva *) ein frommer mit dem göttlichen Gesetze vertrauter Mann, Namens Abraham Levi Caniso [355]. Er hatte einen Sohn, welcher unter dem Namen Simon, auch Jacob Levi aufgeführt wird [355a]) und der sich mit Sarah aus der Familie Valle verheirathete [356]). Der Wohnort dieses Ehepaars war das alte Argel (Algier). Zehn Kinder, 6 Söhne und 4 Töchter sind dieser Ehe entsprossen. Mehrere dieser Söhne, welche sämmtlich den in Spanien häufig vorkommenden Familiennamen Barrios führten, bekleideten verschiedene Posten in der Armee. So lebte Juan de Barrios als Militär in Oran und heirathete dort die Tochter eines Sargento–Mayor, D. Augustin de Castillo [357]). Francisco, ein anderer Sohn, diente ebenfalls in der Armee und war in Oran stationirt; durch ein verruchtes Weib, welches ihm zermalmtes Glas in ein Getränk mischte, erlitt er den Tod [358]). Ein anderer Sohn hiess Diego; für diesen verfasste Miguel acht Gedichte zu verschiedenen Zwecken [359]). Francisco und Antonio, so wie ihre Schwester Clara starben im Vaterlande vermuthlich als Opfer der Inquisition [360]). Isaac und Benjamin weilten in Algier und wurden nebst ihrem Schwager Jacob Lopez Puerto in einem Briefe vom 10. Elul 5442 (August 1682) von Miguel aufgefordert, sich offen und frei dem Judenthume zuzuwenden [361]).

Die ebengenannte, früh verstorbene Clara hatte noch drei Schwestern: Blanca, Judith, Esther.

Blanca war die Frau eines gewissen Ambrosio; nach dessen Tode wanderte sie mit ihren Kindern lange umher und starb in Amsterdam [362]). Judith war an Jacob Lopez Puerto in Algier verheirathet. Gegen Ende October 1682 hatte dieser seinem Schwager Miguel geschrieben, dass ihm und seiner Familie ein grosses Unglück drohe; vermuthlich war ihm das Glaubensgericht auf die Spur gekommen. Schon am 10. März 1684 war er nicht mehr; ob er auf dem Krankenbette oder als Opfer der gefürchteten Gewalt verschieden ist, wissen wir nicht [363]). Auch der Gatte der dritten Schwester Esther,

---

*) Marialva à sus Condes generosa.

Eliahu Vaez, starb in Algier und liess seine unglückliche Frau mit fünf unmündigen Kindern zurück. Eins derselben, Abraham Vaez, lag in Amsterdam dem Studium ob [364]).

Ob Miguel jünger oder älter als diese hier genannten Geschwister war, müssen wir dahin gestellt sein lassen. Er führte von Allen das bewegteste Leben. Die meisten seiner Geschwister, wenn nicht alle, erblickten in Algier das Licht der Welt. Stand auch wohl Miguel's Wiege ebenfalls in diesem Orte, so wurde er doch unter europäischem Himmel geboren: Montilla, ein Städtchen ungefähr 5 Meilen von Cordova entfernt, bezeichnet er selbst als seinen Geburtsort [364a]), wie er es denn auch zu verschiedenen Malen besingt:

O Montilla, geliebte Heimath, glanzvoller Stern u. s. w. *)

So dunkel und geheimnissvoll, so fragmentarisch ein Theil seiner Schriften ist, so dunkel ist auch sein Leben [365]). Die Geschichte seiner an Form und Materie mannigfaltigen Werke ist die Geschichte seines Lebens und es stehen dieselben mit seinen äussern Verhältnissen im engsten Zusammenhange. Unstätt und flüchtig eilt er von einem Lande und einem Orte zum andern: bald ist er in Italien, in Livorno, Nizza, bald in Brüssel, bald in Amsterdam, Rotterdam, Antwerpen. Treffen wir ihn doch sogar auf einer Reise nach Cayenne und in West-Indien!

Die erste Veranlassung zu seiner Wanderung bot das die Juden mit glühenden Peitschen auch noch damals vor sich her treibende Tribunal, die unersättlich gierige Inquisition. Sie, die nimmer ruhete und rastete, die nach dem jüdischen Blute wie eine heisshungrige Wölfin lechzte, wüthete auch in der Mitte des 17. Jahrhunderts wie zur Zeit des Beginns ihrer Thätigkeit und — die spanische, oder wenn wir wollen, die spanisch-jüdische Literatur ist ihr zu Dank verpflichtet. So absurd und lächerlich dieses auch klingt, so ist es dennoch wahr, im buchstäblichen Sinne des Wortes wahr.

Am 29. Juni 1654 gab es in Cuença ein Auto-da-Fé mit 57 unschuldigen Verbrechern, fast lauter spanische Juden, deren

---

*)   Mi gran patria Montilla, verde estrella,
               Del Cielo Cordoves, agrado à Marte.
. . . .
                             (Coro de las Musas 196.)

ganzes Verbrechen darin bestand, im jüdischen Gesetze erzogen zu sein und nach jüdischem Gesetze gelebt zu haben. Die Meisten bis auf 40 kamen mit Strafen an Geld und Körper davon. So wurde Simon Nuñez Cardoso aus Lamego in Portugal, praktischer Arzt in Pastrana, auf die Folter gespannt. Hartnäckig leugnete er, dass er sich dem Judenthume wieder zugewandt hätte, und ertrug mit Standhaftigkeit alle Qualen. Nur die eine Erklärung gab er ab, dass man ihn falsch beschuldige, mit dem Teufel einen Vertrag geschlossen zu haben; er wisse recht gut, meinte Cardoso, den Ursprung dieses teuflischen Gerüchts. Vor langer Zeit sei eine grosse Bremse in sein Ohr geflogen und die riefe ihm unaufhörlich zu: Freund, sprich nicht von Religion! Und welch' Bewandtniss hatte es mit dieser Bremse? Cardoso deutete damit auf die heilige Inquisition selbst hin. Coimbra hatte ihm die Marter schon früher einmal besorgt und ihn gleichsam gewarnt, für die Folge hübsch zu schweigen. Diese Bremse verschonte ihn nun freilich auch diesesmal, brachte ihn aber doch um 300 Ducaten und um kostbare Zeit, denn er musste sich täglich verschiedenen Bussübungen unterziehen[386]).

Nicht so gut kam ein Anderer davon, welchen wir bei diesem Auto in der Person des Balthasar Lopez kennen lernen. Lopez war königlicher Hofsattler, in Valladolid geboren und als Jude erzogen. Um freier den jüdischen Satzungen leben zu können, hatte er sich in seiner Jugend nach Bayonne begeben. 1645 kehrte er indess nach Spanien zurück und bewog seinen Verwandten, wie es heisst, durch einen Vers aus der Araucana des Ercilla, sich wieder zum Judenthume zu bekennen. Diese That kam der Inquisition zu Ohren und sie machte dem Verführer kurzen Process. Der Jude muss — erst erwürgt und dann verbrannt werden. Lopez war ein drolliger Mann, der selbst in der Todesstunde noch scherzte. Auf seinem letzten Gange ermahnte ihn einer der ihn begleitenden Ordensbrüder, dem Herrn doch jetzt die Ehre zu erweisen, damit die Thore des Paradieses ihm, dem reuigen Sünder, auch weit offen ständen. »Was meint Ihr, Pater?« erwiderte Lopez, »kostet mir doch die Confiscation allein schon 200,000 Ducaten, und dabei weiss ich nicht einmal, ob ich ein Geschäft mache!« Auf dem Richtplatze angelangt, hatte er wahrgenommen, dass der Henker zwei Verbrecher schlecht expedirte. »Peter«, rief Lopez dem ungeschickten Henker zu, »erwürgst Du mich eben so schlecht, wie diese beiden armen Teufel, so würdest Du weit besser thun, mich

17*

lebendig zu verbrennen«. Sodann wollte man ihm die Füsse binden, aber Lopez rief voller Zorn aus: »Ich glaube nicht an Deinen Christus, wenn Du mich bindest. Da nimm das Crucifix!« Ehe der Henker sich versah, hatte er das Bild zu Boden geworfen. Noch wenige Augenblicke vor der Hinrichtung fragte ihn der pflichtgetreue und diensteifrige Geistliche, ob er nun auch wirklich Reue empfände? »Aber Pater«, entgegnete ihm Lopez lebhaft, »lieber Pater, meint Ihr, dass dieser Augenblick zum Scherzen sei?« Die Absolution wurde ihm wider seinen Willen gegeben, er wurde erwürgt und verbrannt und, fügt Llorente hinzu, si le Saint-Office ne fait pas de conversions plus sincères . . . . . [367]).

Fünf Monate später fand in Granada ein kleines Auto statt mit nur 12 Juden. Auch erschien dort das Bild einer jüdischen Frau, welche mit den Herren der Inquisition vielen Verkehr hatte: sie war aus Cordova verbannt, dann aus Granada, aus Madrid, aus Malaga und endete endlich in den geheimsten Kerkern des Tribunals [368]).

Im März 1655 erlitt ein Jüngling in dem blühenden Alter von 20 Jahren, »teniendo poco mas de quatro lustros de edad«, Marcus de Almeyda, auch Isaac de Almeyda Bernal genannt, in San Yago de Compostella den Tod durch Feuersgewalt. Er war ein Verwandter Barrios' und wie dieser und Juan de Morales, welcher 1622 den Kriegszug Sebastian's von Portugal beschrieb [369]), in Montilla geboren [370]). 1½ Monate später, am 3. Mai, hatte Abraham Nuñez Bernal in Cordova gleiches Schicksal [371]).

Solche Opfer riefen Erzeugnisse der Musen hervor und namentlich die Bernals wurden von ihren vielen Freunden ihres Märtyrerthums wegen besungen und in spanischen Poesien betrauert. Dergestalt ist auch die spanische Literatur durch die Inquisition um ein ganzes Buch Poesien, welche Jacob Bernal, ein Verwandter der Verbrannten, herausgab, bereichert worden.

Den Tod der Bernals beklagten:

Benjamin Dias Patto *)

in einem, wenn uns der Ausdruck erlaubt ist, kabbalistischen Car-

*) Ein Samson Gomez Patto gehörte zum Rabbiner-Collegium in Jerusalem und approbirte 1705 das von Hiskijah de Silva verfasste Werk פרי חדש.

men. Dieser von Barrios sapientissimo genannte Patto vergleicht den
engelhaften Geist Abraham Bernal's mit den 10 Classen der Engel[372]. Wir wagen es nicht, dieses gekünstelte Gedicht zu übersetzen und wollen nur des allgemeinen Baues wegen einen Theil
desselben mittheilen:

> Santo que del mortal velo apartado Kedosim
> De Estante, o perdurable te juraste, Omedim
> Angel que en llama al Cielo te elevaste Malahim
> Encendido Seraph por lo abrasado, Seraphim
> Glorioso Cherub grande, colocado Cherubim
> Entre luzidas asquas que pisaste, Harmalim
> Hijo de Dios, que firme despreciaste Bene-Elohim
> Humanas glorias, hijas del pecado.

Patto war Vorsteher der Akademie »Abi Jethomim« zu Amsterdam[373]) und starb im April 1664 (Nissan 5424). Salomo de
Oliveira verfasste ihm eine Grabschrift[374]).

David Henriquez Pharo,
1683 Vorsteher der Wohlthätigkeitsanstalt »Gemilut Chasadim« in
Amsterdam[375]), weihte dem Andenken Bernal's ein spanisches
Gedicht, von welchem Barrios einzelne Reihen mit seinem Gedichte
auf die 7 Madrider Märtyrer (s. S. 264) verwebt[376]*). Sein Sohn
Abraham Henriquez Pharo, 1683 noch Jüngling, war in den
talmudischen Schulen Aboab's und Sasportas' gebildet[377]).

Ferner lieferten Beiträge zu dem poetischen Martyrologium:
Der S. 252 genannte Hauptmann
Moses Cohen Peixoto[378]),
Isaac Reinoso[379]),
ein Sohn des Doctor Michael und Bruder des Abraham Reinoso,
David Antunes[380]) **),
Doctor Daniel Arauxo[381]),
Abraham Gomez de Prado[382]),
vielleicht ein Verwandter des Doctor
Juan de Prado,
welcher ein Sonett zu Barrios' Flor de Apolo und einige Terzetten

---

*)   Ostentaciones siete relevantes,
         Opuestas al rigor de la violencia,
         Siete planetas son, pero constantes,
         De la sagrada ley, con tal vehemencia etc.

**) Einen Gabriel Antunes besingt Barrios im Coro de las Musas 889.

schrieb. Juan de Prado, ein Arzt, war aus der Picardie nach
Holland übergesiedelt. Er war Meister in falschen Dogmen und
hatte nicht mehr Religion als seinem Körper eben zusagte. Einer
Dame hatte er die Ehe versprochen und sie unter verschiedenen
Vorspiegelungen verführt. Als er auf dem Punkte stand, eine An-
dere zu heirathen und kaum den Hochzeitswagen bestiegen hatte,
ging das Pferd mit ihm durch und Prado fand in dem Flusse den
Lohn für seine Treulosigkeit[282a]);

Abraham Castanho[383]),

Samuel de Crasto[284]),

der S. 208 genannte, auf der vom Papst Eugen IV. gegründeten
Universität zu Bordeaux gebildete Doctor

Joseph Bueno[385]),

Jonas Abrabanel,

Eliakim Kastiel[286])

und

Daniel de Ribera,

welcher Bernal ausser in mehreren spanischen Gedichten, auch in
einer sapphischen Ode und in zwei anderen lateinischen Gesängen
betrauerte[287]).

Wir beschliessen diese Dichter-Reihe mit

Moses Jeschurun Lobo,

welcher, wie alle früheren, Bernal in einem spanischen Gedichte
beklagte[388]). Moses Jeschurun Lobo, wahrscheinlich ein Bruder
des Benjamin Jeschurun Lobo, 1683 Schatzmeister der Gesellschaft
»Onen Dallim« in Amsterdam, und des Joseph Jeschurun Lobo,
Vorsteher der Amsterdamer Beerdigungsgesellschaft, ist nicht zu
verwechseln, wie dieses von Wolf[389]) geschen ist, mit

Moses Jeschurun Ribero,

auch Custodio Lobo*) genannt. Custodio Lobo lieferte nach
Barrios' Zeugniss vorzügliche Poesien, von denen uns folgendes
Redondill aufbewahrt worden ist:

Si es hija de Dios, porque
La ley al hombre da, quando
Sin ley a la ley faltando,
Niega la de vida fe? [390])

---

*) Ein Custodio Lobo (geb. 1575, gest. 1654) war Ordensbruder und
Examinator an den militärischen Orden in Lissabon.

Er starb in Livorno, wo auch der Dichter

Samuel Levi Rodrigues,

welcher unter anderen Poesien auch ein Sonett zum Lobe des göttlichen Gesetzes*) verfasste [391]), verschieden ist. Dieser Samuel
Levi Rodrigues ist, wie wir vermuthen, der Vater des in Amsterdam lebenden Rabbiners und Dichters

Isaac Raphael ben Jehudah Rodrigues,

wie ihn Wolf nennt, oder Raphael Levi (Jeduhah), unter welchem Namen ihn de los Rios aufführt. Von ihm kennt Wolf eine
spanische Trauerrede auf Benjamin Levi de Vittoria, welche 1719
in Amsterdam erschienen ist [392]).

Den Tod der beiden Dichter Custodio Lobo und Samuel Levi
Rodrigues und anderer Personen, so wie das Hinscheiden der
Rahel de Chaves, vielleicht eine Schwester des Dichters

David Chaves [393]),

welche in ihrer Jugend sehr schön und im Alter sehr klug gewesen
sein soll, beklagte Barrios und feierte ihr Andenken [394]).

Ueberhaupt hat wohl Niemand mehr der Verstorbenen sich
angenommen, Niemand mehr seine Freunde und Bekannten, die
Märtyrer des Judenthums verewigt und der Vergessenheit entrissen als unser Barrios.

Auf den Tod der 1665 verbrannten Abraham Athias**), Jacob Rodrigues und Rahel Nuñez Fernandez verfasste er nicht nur
ein Klagelied, sondern auch eine allegorische Komödie unter dem
Titel: »Keine Gewalt gegen Wahrheit, Contra la verdad no hay
fuerça« [395]), welche er dem

---

*)   Quando el Author de la Sabiduria,
            Le dio ser a la luz perfecta y pura,
            Neutralidad confusa, niebla obscura
            Sobre aguas del abismo se esparcia.

            Dividida la sombra, quedo el dia
            Obstentando fulgores de hermosura,   .
            Y si la obscuridad vencer procura
            Luze mejor en la tiniebla fria.

            . . . .

**) Dieser Abraham Athias war der Vater des bekannten Buchdruckerei-
besitzers Joseph Athias in Amsterdam, welchen Barrios als »del Martir
Abraham hijo facundo, de la inglesa impression raro lu-
zero« bezeichnet.

D. Joseph Phelix,

oder Joseph Milano, wie er in der Ueberschrift seines Sonetts auf den Coro de las Musas genannt wird, widmete [396]).

In einem andern Sonett besingt er den glorioso martirio Raphael Gomez Sasedo [397]), welcher mit dem durch seine Schönheit alle Frauen berückenden und von Barrios besungenen Hauptmann Alonso de Salsedo und der liebenswürdigen Maria de Salsedo verwandt sein könnte [398]).

Zu einer Elegie stimmte ihn der Tod der drei Märtyrer in Sevilla: Francisco Lopez, dessen Vater, der Doctor Joseph Lopez in Valladolid glänzende Triumphe feierte und später den Feuertod erlitt, Manuel Ferro und Clara Nuñez [399]).

Ein grosses Auto mit 118 Verurtheilten fand am 30. Juni 1680 in Madrid statt. Als in diesem Jahre der geistig und körperlich unfähige König Carl II. von Spanien, der Sohn der herrschsüchtigen Oesterreicherin Maria Anna, die junge Maria Luise von Bourbon, die Tochter des Herzogs Philipp von Orleans, als seine Gemahlin nach der Hauptstadt brachte, war das Gefühl der Nation dermassen erstorben, dass man auf das Programm der verschiedenen Hochzeitsfeierlichkeiten auch ein grosses Auto setzte. Um die französischen Prinzessinnen zu amüsiren, glaubte das spanische Volk nichts Besseres wählen zu können, als solche das menschliche Herz empörende Schauspiele. Schon 1560 war der Elisabeth von Valois zu Ehren ein Auto in Toledo und 1632 zur Feier der Niederkunft Elisabeth's von Bourbon ein anderes in der Hauptstadt selbst veranstaltet. Maria Louise sah es mit an, musste es an der Seite ihres unmännlichen Gemahls mit ansehen, wie Menschen dem Scheiterhaufen überliefert, wie unschuldige, den einzigen Gott in seiner Einheit verehrenden Judenkinder dem Staube der Erde durch Feuersgewalt zurückgegeben wurden. Maria Louise starb, ohne je ein Kind unter ihrem Herzen getragen zu haben, in der Blüthe ihrer Jugend, und auch Carl schied aus der Welt, ohne einen Leibeserben zu hinterlassen, denn seine zweite Ehe mit einer deutschen Prinzessin blieb ebenfalls ohne Früchte.

Bei diesem Auto kamen um: Phelipa Lopez Redondo, Leonor Pereyra, Louis Saraiva, Gaspar de Robles Cardoso, Balthasar Lopez Redondo, Simon de Morales und Pedro Visente [400]).

Dass auch Miguel oder Daniel Levi de Barrios, wie als frommer Jude und in jüdischen Kreisen er sich nannte, Nachstellungen der Inquisition zu erfahren hatte, erzählt er selbst freilich nicht, nichtsdestoweniger ist es Thatsache, dass er durch das Glaubens- gericht veranlasst worden ist, die Halbinsel zu meiden und in an- deren duldsameren Gegenden Schutz zu suchen. Gegen 1659 kam er als Scheinchrist nach Italien. In Nizza hielt er sich bei seiner Tante Sarah, einer Schwester seines Vaters, Gattin des Abraham de Torres, einige Zeit auf. Länger verweilte er in Livorno. Erst hier gelangte Barrios durch dunkle Wälder zum hellen Lichte, wie er seinen Brüdern in Oran schreibt. Seiner Tante Rahel, einer andern Schwester seines Vaters, Gemahlin eines Isaac Cohen de Sosa, räumt er das Verdienst ein, ihn zuerst im jüdischen Gesetze belehrt zu haben [401]), durch sie waren die ersten Strahlen des göttlichen Lichtes, der Wahrheit und Klarheit in ihn gedrun- gen, der von Frauenhand angefachte Funken zündete und erwärmte sein Herz. Barrios wurde später im reifern Alter der eifrigste Jude, der treueste Anhänger seiner Religion, von der er sich freilich vorher noch einmal, wenn auch nicht ganz, so doch zum Theil entfernte.

Zwischen seinem Aufenthalte in Livorno und seiner gänzlichen Niederlassung in Amsterdam liegt eine gewaltige Kluft. Aus irgend welchen Gründen liess er sich durch eitle Versprechungen wie- derum verlocken, seinen Glauben zu verleugnen oder wenigstens geheim zu halten. Es war dieses während seines mehrjährigen Aufenthaltes in Brüssel.

Ehe wir ihn nach diesem Orte begleiten, müssen wir eine kleine Reise nach einem fernen Erdtheile mit ihm machen.

Schon 1644 haben sich mehrere jüdische Familien aus Bra- silien und den Niederlanden nach dem von den Holländern er- oberten Cayenne (Guyana) begeben und sich in Paramaribo fest- gesetzt. Nicht allein diesen neuen Ankömmlingen wurde voll- kommener Schutz und Schirm gewährt, sondern auch durch ein Erlass der westindischen Compagnie von 1659 allen jüdischen Colonisten so bedeutende Vorrechte eingeräumt, dass schon im folgenden Jahre eine Anzahl italienischer Juden, 152 an der Zahl, sich anschickten, in dem neuen Freiheitslande eine neue Heimath zu suchen. Diese Auswanderer gingen am Trauertage den 9. Ab (August) 1660, mit dem Schiffe Monte del Cisne unter-

Segel[402])[*]). Unter ihnen befand sich auch Miguel de Barrios, begleitet von seiner Gattin Deborah, der Tochter von Abraham und Catalina Vaez aus Algier[403]).

Erzählt uns der Dichter auch wohl von seiner Abreise, so erfahren wir doch nichts von seinem Aufenthalte auf der Insel und von seiner Rückkehr, so dass wir bezweifeln würden, ob er wirklich die Reise zurückgelegt habe, erführen wir nicht, dass in Tabago (West-Indien) sein geliebtes Weib durch den Tod von seiner Seite gerissen wurde[404]). Nach diesem Verluste mag auch er die Rückreise angetreten haben, jedenfalls war er 1663 oder 1664 wieder in Europa. Diesesmal nahm er Holland, Brüssel zu seinem Wohnsitze. Er heirathete zum zweiten Male eine Tochter des Isaac und der Rahel de Pina, Abigail[405])[**]), welche an einem Dienstage, den 17. März 1665, Abends 8 Uhr in Amsterdam von einem Sohne entbunden wurde[406]). Die Nachricht von der Geburt dieses Simon genannten Sohnes, bei welchem Manuel de Campos und dessen Frau Simcha, eine Enkelin des berühmten, früher von uns genannten Isaac Usiel Pathenstelle vertraten, empfing der glückliche Vater, welcher in diesem Kinde seinen Noah, seine Stütze im Alter erblickte, in Brüssel, wo er, wie er sich ausdruckt, entre idolos profanos rompia à sus preceptos sobaranos, unter Götzenbildern weilend, den Gesetzen des Höchsten nicht folgte[407]). In dieser prächtigen Hauptstadt lebte Barrios bis gegen 1672. Er stand als Hauptmann der spanisch-portugiesischen Armee zu dem damaligen Gouverneur von Flandern, D. Antonio Fernandes de Cordova, zu D. Francisco de Melo, dem vielseitig gebildeten ausserordentlichen Gesandten der katholischen Majestät am Hofe Carl II. von Grossbrittanien, zu vielen adligen Herren und Damen, zu dem ganzen Officier-Corps in freundschaftlicher Beziehung und er kann, wie seine Poesien und Werke es zeigen, der Dichter der Armee par excellence genannt werden. Die Jahre seines Aufenthalts in Brüssel sind, wir wollen nicht gerade sagen die glücklichsten, wohl aber die ungetrübtesten seines Lebens. In dieser Zeit war sein

---

[*]) En Tisa beab (sic) sali de Liorne año de 1660 con 152 Almas de Israel en la nave llamada Monte del Cisne para ir apoblar a Cayana conquista de Holandeses en America.

[**]) Ein Sonett Barrios' zur Vermählung seiner Sohwägerin Blanca mit Diego de Rosa findet sich Flor de Apolo 210.

Geist rege und frei und nur seine Producte aus dieser Zeit sind von eigentlich poetischem Werth. Sein Flor de Apolo, sein Coro de las Musas, seine besten Dramen sind hier entstanden.

Die Stellung erlaubte es Barrios, von Brüssel aus zuweilen kleine Ausflüge nach Rotterdam, Antwerpen, Haag und Amsterdam zu machen und auch wohl einige Wochen im Jahre im Kreise seiner Familie, bei seiner »sanften und klugen« Abigail zu verbringen, welche ihn noch mit einem Töchterchen, Rebecca, beschenkte.

Diese beiden Kinder bildeten seinen einzigen Trost. Bald stand er ganz allein in der Welt da; alle seine Geschwister lebten fern von ihm; seine Eltern verlor er in Einem Jahre: am 16. Cheschwan 5430, den 30. October 1670 starb ihm die Mutter, am 11. Schewat, den 22. Januar 1671 folgte ihr der Vater. Beide starben in Algier [408]. Auch seine Abigail scheint lange vor ihm heimgegangen zu sein, da er ihrer später nie gedenkt und seine Kinder bei den Grosseltern erzogen werden. Bei all' diesem Missgeschick hatte er seit seiner 1674 *) erfolgten Niederlassung in Amsterdam mit der grössten Noth zu kämpfen.

Miguel de Barrios, der Hauptmann in Brüssel, der Dichter in der Armee, und Daniel Levi de Barrios, der bittende und bettelnde Poet, Miguel, der freie lockre Geist und Daniel Levi, der gläubige Jude, der kabbalistische Versemacher, der Sänger und Lobredner jüdischer Akademiker und reicher Juden, Miguel, der Dramatiker und Daniel Levi, der religiöse Komödienschreiber, sind so verschieden, so getheilt, dass man fast glauben könnte, die Person sei nicht allein in ihrer religiösen Anschauung, sondern auch in ihrer Denk- und Dichtungsweise eine ganz andere geworden.

Betrachten wir zuerst Barrios als Miguel, als Dichter, als den Lyriker und Dramatiker, mit einem Worte die erste Periode seiner schriftstellerischen Thätigkeit.

Hier ist Barrios ganz und gar Dichter und die Poesie ist ihm das Höchste, der Inbegriff alles Wissens, die Grundlage aller Wissenschaften.

---

*) Nach einzelnen Briefen zu schliessen, liess er sich wohl nicht vor Januar 1674 in Amsterdam nieder. Am 20. December 1673 war er noch in Brüssel, nachdem er am 28. August desselben Jahres im Haag und am 16. September in Amsterdam gewesen war. Am 22. Januar 1674 schrieb er von Amsterdam aus.

»Poesie ist Prophetie, der Poet ist der Prophet«, lautet das poetische Glaubensbekenntniss unseres Dichters. Poet und Prophet sind die Lieblinge und Schosskinder der höhern Mächte; wie Dieser in dem Schutze des höchsten Gottes weilt, so ruht Jener in dem Schatten der Fürsten und Könige der Erde. Sowohl Diesem als Jenem ist zu seiner rein geistigen Thätigkeit Frohsinn und Freude erforderlich : dem Dichter, damit er die idealen Gedanken fasse und einkleide, dem Propheten, dem Herolde Gottes, um das zu verkünden, was in den Visionen sich ihm Göttliches erschlossen hat, dem Volke die Zukunft zu enthüllen, die Menschheit mit ihren Vergehen und Lastern, ihren Strafen und den Erwartungen einer helleren Zeit bekannt zu machen. Der Prophet ist aber auch zugleich Poet: der grosse Psalmist, der die Allmacht der Gottheit in der Lieblichkeit seiner Verse besungen, war ebensowohl Dichter als Seher, Prophet.

Und was ist die Poesie als solche? Natur. Die Poesie hat keine andere Lehrmeisterin als die Natur, keinen anderen Erfinder als den höchsten König, als Gott. Der Anfang der Poesie beruht in der Natur, nur ihre Vollkommenheit liegt in der Kunst. Man sieht leicht ein, dass Barrios diese Grundideen dem Alterthum entlehnt hat und nur einen platonischen Gedanken wiederholt. Ist doch nach Plato die Poesie nichts anderes, als eine göttliche Offenbarung, das Wesen und das Spiel der Phantasie, ein Etwas, das durch menschlichen Fleiss und durch die Kunst nicht erworben werden kann. Daher setzt auch die Poesie ein Schaffen und Zeugen aus sich selbst voraus, wie dieses Zeugen und Schaffen in den Begriffen Poet, Poesie selbst liegt *). Das die Welt aus Nichts schaffende Wesen, Gott, ist der erste Poet [449]).

Wie die Malerei gleichsam eine stumme Poesie ist, welche ihre Begriffe in der Sprache der Farben ausdrückt, so ist die Poesie **) selbst eine malende Musik, que en las sombras de sus lineas

---

*) Llama el Español **Hazedor** y el Latino **Factor**; llama el Griego **Poeta** m y el Hebreo **Paytan**, que es hazedor o compositor de Hymnos, y por esto su propia raiz **Pjut** que significa Verso.

(Barrios, Prolog zum Coro de las Musas.)

**) Der Gedanke, »die Poesie ist ein Chamäleon, welches die verschiedensten Farben annimmt«, ist sicher von Barrios nicht zuerst ausgesprochen.

esparze las luzes de su habilidad, welche in dem Schatten ihrer
Linien das Licht ihrer Geschicklichkeit ausbreitet. Die Prosa hingegen ein gefälliger, sanft fliessender Kanal, welcher den Garten
der Erinnerungen bewässert und als Pflanzen die heilbringendsten
Beispiele, als Früchte die nützlichsten Lehren erzeugt[410].

Es war Barrios ein Leichtes, in seiner wilden Begeisterung
für die Poesie und Muse den Begriff Muse sogar mit Moses zusam-
menzubringen. Würde er sich begnügt haben, Moses in den Kreis
seiner Genossen zu ziehen, Moses als dem göttlichen Sänger einen
Platz auf dem Parnass anzuweisen — wer möchte ihm das übel
nehmen? Doch Barrios erstrebt noch etwas mehr: die Muse
stammt von Moses her, Musa und Moses haben ein und dieselbe
Wurzel, ein und denselben Begriff, ein und dieselbe Bedeutung.
Wie Moses durch die pharaonische Tochter aus dem Nil gezogen
worden, so war auch die Dichtkunst aus Moses, als dem »publica-
dor de las sacras letras« hervorgegangen und deshalb Musa genannt.
Die Muse, die Poesie nahm mit allen übrigen Wissenschaften von
den Israeliten ihren Ausgangspunkt und wenn es in der Schrift
(Deuteronomium 4, 6) heisst: »Das ist Eure Weisheit und Euer
Wissen vor den Augen der Völker«, so ist hiermit auf die allen
Wissenschaften zur Grundlage dienende Poesie hingedeutet.

Wie in vielen anderen, so können wir ihm auch in dieser
Ansicht nicht folgen und den schwärmenden Dichter nicht begreifen; wir wollen sie der Ergründung Anderer überlassen und uns
zu der Betrachtung seiner vorzüglichsten Werke, des Coro de las
Musas und des Flor de Apolo wenden.

Barrios hat sich in dem letztgenannten, 1665 erschienenen
und dem D. Antonio Fernandez de Cordova gewidmeten Flor de
Apolo[411] in allen möglichen Dichtungsarten und oft nicht ohne
Glück versucht. Ausser 62 Sonetten, zum Theil Gelegenheits-
gedichten, finden sich in diesem 256 Quartseiten füllenden Werke
Quintillen, Satiren, Glossen, Terzetten, Dezimen (burlesc. amoros,
liric.), 16 Pinturas und einige recht gute Romanzen, von denen wir
»Vulcan und Venus«, »Alfeo und Aretusa«, »Polyphem und Gala-
thea«, »Jupiter und Calisto« und ganz besonders »Holofernes und
Judith« hervorheben.

Von den Sonetten mögen folgende hier ihre Stelle finden:

Sicheres Vertrauen.

Goliath wähnte leicht, der Philister Riese zu siegen,
 David bewältigte ihn, rollte sein Haupt in den Staub.
Daniel liess in der Höhle viel tausend Hymnen erschallen,
 In ihr starben, die ihm wollten bereiten den Tod.
Gegen den Juden verkündete Haman stolze Befehle,
 Schon war der Galgen hoch, fertig errichtet für ihn!
Aber es kam ganz anders, an seinem eigenen Schlunde
 Musste vollstrecket er fühlen den sträflichen Wunsch.
Alle menschliche Kraft ist nur ein eitler Schatten,
 Selbst eine Monarchie sinkt, so fest sie auch scheint,
Machtlos ist sie gegen Verrath, der im Dunkelen schleichet,
 Aber unendlich gross bist Du, erhabener Gott!
Nirgends bestehet der Mensch und seine Basis ist nichtig,
 Fest nur stehet allein, wer vertraut auf Dich.*)

Rahel's Tod.

Vergoss nicht Jacob um die Rahel Thränen?
 Verblüht die Schönheit ja doch gar zu früh!
Es schnitt des Todes Arm mit starken Sehnen
 Vom süssen Leben eiteln Baume sie. **)

---

*) 　　　　A la segura confiança.

Piensa vencer gigante el Filisteo,
 Vence David, y su cerviz quebranta;
 En el lago Daniel mil himnos canta,
 Mueren en el quantos le juran reo.
Promulga el fallo contra Mardoqueo
 Sobervio Aman, patibulo levanta,
 Y permite el Criador que en su garganta
 Se execute tan bàrbaro desseo.
Todo humano poder es sombra vana,
 La mas incontrastable monarchia
 Se ve sugeta à la traycion villana.
O infinita de Dios soberania!
 Pues sin haver seguridad humana,
 Vive seguro aquel que en ti confia.

　　　　　　　　　　(Flor de Apolo, 200.)

**) 　　　　A la muerte de Raquel.

. Llora Jacob de su Raquel querida
 La hermosura marchita en fin temprano,
 Que cortò poderosa y fuerte mano,
 Del arbol engañoso de la vida.

Blickt hin! Verwandelt liegt die Purpurrose,
Die Lebensfrische in den nicht'gen Staub!
Des schönen Antlitz Gluth zu solchem Loose,
Zur Erde hingestreckt, der Mutter Raub.
O Freude wandelbar! Ruhm wie eitel!
Genuss verfliegt! Wer weiss des Lebens End'!
So jung und schon gebeugt des Hauptes Scheitel,
Durch Dich, o Tod, der grausam Alles trennt. *)

Täuschung und Enttäuschung.

Wehe dem Mann, der von Gott in Leichtsinn lenket die Schritte,
  Weh' ihm, wenn sein Herz nimmer vom Schlummer erwacht,
Wenn in dem Bösen, das nun erfasst, er trotzig verharret,
  Bis seine Sünde ihm eigene Mörderin wird.
Störrisch in seiner Schuld im ungewissen Genusse
  Ist der Verräther sein Freund, welcher ihn stürzt in den Tod;
Glücklich jedoch ist der, der von Weisheit lässt sich verbieten,
  Was unrecht ist zu thun, wie ihn verlocket die Lust,
Wie die eitele Welt nach schalem Genusse sich sehnet,
  Welcher des Lebens Bahn eiligst beschleunigt zum Tod.

Nur wenige Poesien unseres Dichters sind in dieser natürlichen Einfachheit geschrieben; die meisten haben einen bomba-
stisch schwülstigen Stil und unterscheiden sich nicht von dem
damals herrschenden Geschmack der bereits in Verfall gerathenen
Literatur. Barrios zeigt sich als der treueste Nachahmer Gongora's,
ihn feiert er neben Virgil, Homer und Tasso als den Fürsten der
Poesie und weiss seine »Soledades« nicht oft genug zu rühmen [412].
Alle seine Producte wimmeln von Hyperbeln und mythologischen
Bildern, sie tragen einen solchen Reichthum des sogenannten Gon-
gorismus an sich, dass auch die Poesien dieses Juden wie die seines
Musterbildes Commentare und Erklärungen erforderten.

Voll von diesem Gongorismus steckt auch sein vorzüglichstes
Werk, der »Coro de las Musas, Musenchor«, welcher, dem erwähnten
D. Francisco de Melo gewidmet, 1672 in Brüssel erschien [412a]) und von

---

*)   Ve la purpurea rosa convertida,
      En cardeno color, en polvo vano,
      Y la gala del cuerpo mas lozano
      Postrada à tierra, à tierra reduzida.
      Ay (dize) goço incierto! gloria vana!
      Mentido gusto! estado nunca fixo!
      . . . .
                              (Flor de Apolo, 199.)

D. Nicolas de Oliver y Fullana,
D. Isabella Correa,
Juan de Faria,
Antonio de Castillo,
Joseph Milano,

deren wir sämmtlich schon früher gedacht haben, besungen worden ist. Ihnen haben wir noch den Mann anzureihen, welcher durch seinen Reichthum, seine Stellung und seine Kenntniss unter den Juden Amsterdams glänzte,

D. Manuel de Pinto y Ribera,

dessen Gedicht*) auch von dem Autor erwidert wurde[413]. Ihm sandte Barrios auch ein Räthsel im Reim[414]. In folgenden Worten verewigte der Dichter seinen Freund:

> Herr Manuel de Pinto wohlbekannt,
> Chilueches (?) ist sein Vaterland,
> Mit feinem Geist er den Musen sich neigt
> Und ist des heiligen Aron blühender Zweig. **)

Der Coro de las Musas zerfällt nach Anzahl der Musen in neun Theile. Die himmlische Muse, Urania, besingt in leichten Jamben das Universum, Himmel und Erde und das Sternenheer. In geeigneter Weise beschliesst der Dichter diese Muse mit dem 19. Psalm:

> Gottes Ruhm besingen die Himmel
> Und seiner Hände Werk
> Das weite Firmament.
> Es ist Gesetz der Natur,
> Dass ein Tag dem andern verkünd' Sein Wort
> Und die Nacht Seine Weisheit der Nacht.

. . . .

Als lyrischen, Idyllen-, Pastoral- und Liebesdichter begegnen wir Barrios in den Musen Erato, Euterpe und Polyhymnia. Mirtil, Cloris, Nisa und seine Belisa (Isabel) nebst einigen anderen Damen

---

*) Con dulces metros solo tu à ti solo
    Te excedes en las burlas y en las veras;
    Ya en flores en tus pocas primaveras,
    Ya en frutos que envidiarlos puede Apolo.

    . . . .

**) Señor Manuel de Pinto esclarecido
     De Chilueches, todo biçarria,
     Con ingenio sutil las Musas guia,
     Y es del sagrado Aaron ramo florido.

feiert er in einer grossen Anzahl von » Triumphen «, in einer » Cam-
poña « besingt er Pan und Syringa, so wie das erste Zusammentreffen Jacobs mit der Rahel. Hochzeitslieder bilden den Inhalt
der Thalia, den Ton der Elegie stimmt er in der Melpomene an
und Gedichte moralischer Art machen mit der Calliope, der Musa
moral, den Schluss.

Mehr historischen als eigentlich poetischen Werth haben die
Musen Terpsichore und Clio. Barrios liefert besonders in der ersten
eine Geschichte Spaniens, seiner Könige und seiner Provinzen, und
wir glauben auf den besondern Dank der Forscher jüdischer Geschichte rechnen zu dürfen, wenn wir hier einige der Stellen mittheilen, welche die Juden und ihre Zustände auf der Halbinsel
behandeln.

In einer Chronologie der ersten Könige von Spanien beginnt
er nach alter Chronisten Weise mit Japhet und Tubal, und besingt
auch Sepharad:

> Sepharad se nombro del verbo Hebreo
> Sepher, que es libro, relatar y cuenta:
> Libro, porque en idioma Chaldeo
> Escrivio como al Orbe Dios sustenta;
> Relatar, porque quanto de Nereo
> Supo, à sa Corte relato opulenta:
> Y cuenta, porque Astronomo erudito,
> Conto las luzes del celeste escrito.

> Por sola esta razon llamo el glorioso
> Abdias, Sepharad al clima Hisperio,
> Como à Francia Sarphat por el famoso
> Sarmotes su primer Monarca serio:
> Fabrico à Zaphra en campo delicioso,
> Y con ciento y ochenta años de imperio,
> Dexo à su gente el nombre de Tobela,
> Erigiendo à Setubal y à Tudela.

Er besingt die römischen Kaiser, welche ihre Herrschaft über das
spanische Reich ausdehnten, geht dann auf die gotbisch-spanischen
Regenten über und bei Reccared angelangt, führt er den Faden der
Geschichte nach den Chronisten fort:

> El catholico Flavio Recaredo,
> Dezimooctavo Rey del noble Hispano,
> Con raro triumpho puso à Francia miedo,
> Al Judio oprimio y al Arriano:

Concilio grande celebró en Toledo :
Vencio en Navarra al belico Romano :
Y al segundo Líuva por su muerte
Dexo el zelo y docel, mas no la suerte.

. . . .

Heraclio, emperador dezimosexto
De Grecia, entonces por la astrologia,
Previo que de su imperio el fin molesto
La circuncisa gente causaria :
Creyò que era el Judio à su ira espuesto :
Y fue la de Ismael nacion impia,
Que negando al Pontifice de Roma,
Tomo la secta del falaz Mahoma.
Arco embio de paz el receloso
Heraclio à Sisebuto, que à su ruego
Contra los Israelitas riguroso,
Las armas de la Fe desnudo luego. *)

. . . .

Asturien und Leon erhielten ihren Platz, die castilianische, die öster-
reichisch-spanische Regentenfamilie, Andalusien, Granada, Murcia,
Mallorca, Galicien und endlich Lusitanien fanden in Barrios ihren
Lobredner und Sänger. Aehnlich erhob er in der Clio Rom und
seine Geschichte, die in seiner Zeit mächtige venetianische Republik, Mailand, Ferrara, Amsterdam und viele andere Städte. Die
»berühmte und herzogliche« Stadt Florenz und ihre Vergangenheit

---

*) Auf das Liebesverhältniss Alphons VIII. (nicht wie Barrios IX.) zur
schönen Jüdin deutet er in den folgenden Versen:

> Adelantose contra el Lybio bravo
> Del Nono Alonso audacia no dichosa :
> Ayrole el de Navarra Sancho Octavo ;
> Y rindiole gentil la Hebrea hermosa :
> Con yerros amorosos Rey esclavo
> Se olvido en su cadena de su esposa :
> Que las leyes de Amor no guardan leyes,
> Ni los reyes con el parecen reyes.

> Los grandes de su corte à la Israelita
> Dieron sangriento fin, por el sossiego
> Del regio amante, que con fuerça invicta
> Apago del Navarro el marcial fuego.

Diese Geliebte des Königs wird auch in mehreren alt-spanischen Romanzen
besungen.

wurden von ihm in einem besonderen Buche verherrlicht[415]), und diese Epopöe dem Herzog Cosme III. am 7. Februar 1674 von Amsterdam aus gewidmet.

Wird Barrios in der spanischen Literatur als Dichter genannt und geschätzt, so hat er es sicherlich nur seinem Coro und den darin enthaltenen epischen Stücken zu danken. Wäre er bei dieser Dichtungsart, welche durch ihren Charakter schon seinen schwülstigen Stil und den Gongorismus verdrängt, stehen geblieben, so hätte er zuversichtlich bei seinem Fleisse und seinen nicht gering anzuschlagenden Kenntnissen und Fähigkeiten viele seiner Zeitgenossen überflügelt und den ihm ertheilten Ruhm bedeutend vermehrt.

Sowohl über den seinen Dichterruhm begründenden Coro, als über ein anderes aus fünf Gesängen bestehendes Werk »Harmonia del Mundo«, dessen 3. Gesang der Dichter im Prolog zum Musenchor erwähnt und dessen 4. auf Kosten des Grafen de la Torre, welcher ihm zu diesem Zwecke 400 Crusaden übersandt hatte, wahrscheinlich ebenfalls in Brüssel gedruckt worden ist[416]), spricht sich Barrios in einem zu Haag den 28. März 1673 geschriebenen Briefe an seinen Oheim D. Diego Lopez Nuñez weitläufig aus[417]).

»Mein lieber Oheim! Es ist eine Eigenthümlichkeit des Wassers, den Geschmack der Mineralien anzunehmen, welche es auf seinem Laufe berührt. Mein Coro de las Musas wird nach den verschiedenen Kritiken auch verschiedene Farben bekommen. Die Recensenten welche beissen, werden ihn für grün halten, um ihn fressen zu können, und die Kritiker, welche studiren, werden einen blauen Schein in ihm erblicken, weil sie neidisch sind. Die erste Classe wird mich der Rivalität wegen, aus dem Felde schlagen und die zweite ob der mir zugestandenen Siege aus dem Himmel verjagen. Keines der Werke, welche ich je dem Drucke übergeben habe, hat so viele Kritiken erfahren als der Coro und die unter dem Titel Harmonia del Mundo so eben erschienenen Gesänge«.

Ueberblicken wir am Schlusse der ersten Periode unseres Dichters die in derselben entstandenen Producte, so gelangen wir zu dem befriedigenden Resultate, dass Barrios, wenn auch nicht zu den vorzüglichsten, so doch zu den besseren Dichtern aus der Schule Gongora's gehört. Sein »Flor de Apolo« und vor Allem der »Coro« sichern ihm einen wohlverdienten Ruhm, seine »Harmonia

18*

del Mundo« schaffte ihm Gönner und durch seine »Geographie
der 17 Provinzen Hollands« erlangte er wenigstens die Freundschaft einer hochgestellten Person, des damaligen Gouverneurs
Flanderns, des Grafen von Monterey, denn ihm widmete er diese
Schrift und zierte sie mit seinem Namen »Monte Rey con la Corona
de Apolo«[418]. Derselbe Graf hatte dem armen Poeten, vielleicht
in Folge der Dedication, das Versprechen gegeben, ihn zum spanischen Consul für Amsterdam zu ernennen. In späteren Jahren erinnerte Barrios wohl daran[419]), sah aber seinen Wunsch nie erfüllt
und sagte dem Grafen ziemlich deutlich, dass man auf Fürstengunst nicht bauen dürfe:

> Kein Mensch darf vertrauen
> Auf das Verheissen irdischer Gunst,
> Nur auf Gott muss man bauen,
> Denn Menschengunst ist Dunst.
> Seine Macht lebt ewig, lebt immer,
> Nicht kommet von Menschen das Gut,
> Nur Er hört auf Jammergewimmer,
> Nur Er verleihet den Muth. *)

Das Werk, welches die Epoche der rein poetischen Thätigkeit
Barrios' beschliesst und die Mitte zwischen dieser und der folgenden mit den in dieselbe fallenden vielseitigen Leistungen hält,
erschien 1673 in Brüssel unter dem Titel »Sol de la Vida«[420].
Diese Schrift wurde der D. Catalina von Portugal, Gemahlin Carl II.
von Grossbritannien gewidmet. Catalina (Catharina) wurde dem
Könige Carl durch einen portugiesischen Juden in Vorschlag gebracht[420a]), und es wäre immer noch eine interessante, an diesem
Orte unausführbare Untersuchung, in welchem Verhältnisse auch
der jüdische Dichter zu diesem so oft von ihm besungenen Königspaar stand.

Welch' sonderbare Bilder entrollt er aber in diesen aus
einem Gemisch biblischer und philosophischer Ideen entstandenen
Gedichten vor den Augen seiner königlichen Gönnerin! Hören wir
gleich den Anfang:

---

*) No deve confiar hombre ninguno,
En la promesa del favor humano,
Sino en el alto rey que siempre es uno.
Su poder vive eterno y soberano,
Y no viene del Hombre bien alguno,
Sin que lo mueva la divina mano.

»Sag' mir, mit wem Du umgehst und ich will Dir sagen, wer Du bist.«

Beispiel.

Adam war der Gnade theilhaftig durch Gott,
Durch das Weib wurde er zum Tode bestimmt.

Als Mann und Frau stand Adam da
Unter allen Geschöpfen allein,
Als König der Welt, als Gottes Bild,
Sollt' im Friedenstempel er sein [421] *).

Barrios speculirt in dem ersten vier Seiten langen Gedichte, dessen Anfang wir soeben vernommen, über die Schöpfung des ersten Menschenpaars und den Sündenfall und eröffnet seine Betrachtung mit dem von Plato, früher noch von dem Psalmisten wenigstens dunkel ausgesprochenen Gedanken, dass Adam als Doppelmensch, als Mann und Frau zugleich in die Welt gesetzt sei.

Auf dieses mehr philosophisches, oder wenn man will, theologisches Gepräge führende Schriftchen kommen wir in der folgenden Epoche Barrios zurück; hier wollen wir den Verfasser, welcher in dieser Zeit in steter Unruhe von einem Orte zum andern eilte, nach der Stadt führen, welche ihm als Ruhepunkt diente, wenn er dort auch nicht, wie viele Andere seines Glaubens, ein Eldorado, ein Elysium fand.

Was trieb denn aber den unglücklichen Fürstensänger von Brüssel fort? Nichts anders als eine drohende Gefahr, als die Erhaltung seines Lebens; der Neid, welcher durch seine ausgebreitete Bekanntschaft und die Gunst, in der er bei hochgestellten Personen und fürstlichen Herren stand, bei seinen »eigenen Leuten« rege wurde, war das Motiv, dass er die Residenz verliess. »Ich habe leider viel Neider«, heisst es in dem bereits erwähnten Schreiben an seinen Oheim, »weil der Himmel mir das Glück hat zu Theil werden lassen, dass die Fürsten meine Feder begünstigen. Diese halten mich für gross; möchte nur, dass ich es auch in den Augen Gottes wäre. Meine Neider beabsichtigten mich in einer Nacht zu tödten, aber die Vorsehung gab mir Kraft, ihnen zu entgehen. Ich fühle eben so wenig die Wunden, welche sie mir

---

*)   Era Adan varon y hembra,
Solo entre los animales,
Rey del mundo y en el templo
De la paz, de Dios imagen.

beibrachten, wie den Verrath, welchen sie an mir übten; ich rufe nicht die Justiz zu Hilfe, weil Gott mit seinem gewaltigen Arm mich schützt. Es gibt ja auch noch der Angesehenen genug, welche mir Ruhe verschaffen «[422]).

Ist es erlaubt von dem Umgang auf die Persönlichkeit zu schliessen, so glauben wir, dass Barrios in seinem äussern Auftreten eben so liebenswürdig gewesen, wie er sich in seinen Gedichten uns vorstellt und von den fürstlichen Personen, Herren wie Damen, recht gern gesehen worden ist. Es wäre überflüssig, alle die Grafen und Marquis, Gräfinnen und Marquisen herzurechnen, welche dieser Dichter während seines Lebens besungen hat; ganz besonders gehören zu seinen Gönnern die Glieder der mit dem portugiesischen Königshause verwandten Familie Mascarenhas, die Grafen de Frontera und de la Torre, welche nach der oft genau unterrichteten Fama jüdisches Blut in ihren Adern haben, mit anderen Worten von Juden abstammen sollen. Gleich nach seiner Rettung, oder wie Barrios sich ausdrückt, nachdem er über den Neid und die Lästerer den Sieg davon getragen hatte, richtete er an Juan Mascarenhas ein poetisches Schreiben, in welchem er ihn um die Gunst ersucht, sich bei D. Pedro dem Prinz–Regenten von Portugal für ihn zu verwenden[423]). In einem andern Briefe vom 20. December 1673[424]) bezeigt er sowohl dem genannten Grafen sein Bedauern über den Tod der Gräfin, wie auch seinem Sohne, dem jungen Grafen de la Torre, welchem er 3 Monate früher, 16. September 1673, zu seiner Vermählung mit D. Juana de Menesses seinen Glückwunsch*) übersandt hatte[425]). Als Beweis seiner aufrichtigen Theilnahme richtete Barrios auch an den gräflichen Wittwer ein grösseres Gedicht »Soledad funebre«, welches Mascarenhas am 15. Januar 1674 in einem sehr verbindlichen Schreiben von Lissabon aus erwiderte[426]).

Sei es, dass die Melo, die Cordova, die Caraçena, die Monterey, die Villa–Flor, die Mascarenhas, der Herzog de Nochera,

---

*) Der Anfang dieses sonderbaren Gratulationsschreibens lautet wörtlich: »Das beste Bild Gottes ist der Mann mit der Frau; das beste Bild des Mannes ist eine von Gott verliehene Frau. Ew. Hoheit hat in meiner Herrin D. Juana den klarsten Spiegel, in welchem Sie sich selbst schauen können und meine Herrin D. Juana hat in Ew. Hoheit den klarsten Spiegel Gottes. Die Welt wurde aus dem Nichts geschaffen, der Mann aus der Welt, die Frau aus dem Manne.«

welchen er mit einem besondern poetischen Schriftchen »Corte
Real« begrüsste[427]), dass alle seine Grafen und Herren ihm vor
seinen geheimen Feinden nicht hinreichenden Schutz gewähren
konnten, sei es, dass der nur auf Gott bauende Barrios nicht auf
Fürstengunst vertrauen wollte, wie er ja auch in seinem Briefe an
den Oheim ausruft: »Unglücklich der, welcher sich der im Nu
schwindenden Macht überlässt!« sei es, dass er wirklich ganz von
dem Wunsch beseelt war, sich seinem Gotte zu weihen und für
sein Judenthum Alles zu ertragen: er verliess die Armee, verliess
als Hauptmann Brüssel und siedelte nach Amsterdam über.

Barrios wurde nun — wir haben das schon früher hervorgehoben — der eifrigste Jude, der treueste Anhänger des Judenthums. Mit einem Gefühle der Wehmuth überschauete er sein
vergangenes Leben und denkt mit Betrübniss an die Jahre zurück,
in welchen er ein Anderer gewesen. So heisst es in dem Vorworte zu einem 1677 von ihm in Amsterdam geschriebenen
frommen Büchlein: »Die Erinnerung an meine Sünden erschreckt
wie höllische Geister meine Seele, die Du, o Gott, mir gegeben hast. In dem Bewusstsein meiner Schwäche schaudre ich
zurück vor dem Heiligthum der Gnade und Güte, doch hoffe ich,
dass die Gerechtigkeit mich nicht ferner als den betrachten wird,
der ich gewesen. Ich habe jetzt ja Deinen Geist in mir aufgenommen, ich bin ja jetzt ein anderer Mensch geworden«[428]). Aehnliches findet sich auf einem etwas später entstandenen einzelnen
Blatte: »Ich glaube, dass Deine Gerechtigkeit nicht mit dem
rechten wird, der ich gewesen; jetzt bin ich zu einem anderen
Menschen bekehrt«[429]).

Ob der innere Seelenkampf ihn ganz und gar erfasst, ob,
sagen wir es kurz, selbst auf die Gefahr hin missverstanden zu
werden, die Vernunft und Vernünftiges verbannende religiöse
Schwärmerei ihm den Kopf verdreht hat, Barrios ist in der zweiten
Epoche seines Lebens ein ganz anderer geworden und seine Schriften aus dieser Zeit sind die des verworrensten Geistes und des con-
fusesten Autoren. Er versuchte sich in allem Möglichen: schrieb Geschichte, behandelte Philosophie im Reim, zeigte sich als poetischer
Theologe, als Kabbalist, griff überhaupt zu Allem, wovon er sich
Nutzen versprach, womit er den Leuten zu gefallen glaubte und blieb
nur insofern der Poesie treu, als er reiche und gelehrte Juden besang und seine Glaubensgenossen in Gedichten um Geld und Unter-

stützung anging. Man kann wahrlich die späteren Schriften dieses unglücklichen, vom Schicksal schwer geprüften Mannes nicht lesen, ohne vom geheimen Mitleid bewegt zu werden. Gab es je einen Dichter, je einen Mann, der mit dem Mangel zu kämpfen hatte und so zu sagen von dem lebte, was barmherzige Brüder ihm reichten, so war es Daniel Levi de Barrios.

Man hat und nicht mit Unrecht in neuester Zeit die Frage aufgeworfen, woher es wohl käme, dass die späteren Schriften, die Opuscula unseres Dichters auch äusserlich das Gepräge der grössten Verwirrung an sich tragen? Sein Leben und seine bejammernswerthen Verhältnisse allein geben hierauf genügende Antwort. Wenn der Mangel sich zeigte und die Noth am drückendsten war, griff der arme Barrios zur Feder und dichtete, lobte, besang, so wenig er auch zum Singen gestimmt war. Dem Einen sandte er einen Glückwunsch zur Hochzeit, zum Geburtstag, dem Andern bezeigte er sein Beileid, von allen Familienangelegenheiten war er genau unterrichtet und Niemand kannte den Stammbaum seiner Personen, der Juden in Amsterdam, in London, Livorno und Verona besser als Barrios. Schnell stellte er ein Büchelchen oft nur aus wenigen Blättern zusammen und erreichte so seinen Zweck. Diese einzelnen Pamphlete und fliegenden Blätter, welche er auch wohl hin und wieder nochmals überarbeitete, vereinigte er oder der Buchhändler zu einem Ganzen und so entstanden die Opuscula.

Können und dürfen wir auch in diesem Wald von Blättchen und Schriftchen nicht so lange verweilen, wie es unser Wunsch wohl wäre, so wollen wir uns doch wenigstens einige Augenblicke mit unseren Lesern darin ergehen und ihnen Barrios den Geschichtschreiber und Barrios den Philosophen und Theologen in kurzen Umrissen vorführen. Den Kabbalisten lassen wir bei Seite liegen, weil wir in den höheren Regionen nicht Bescheid wissen.

Den grossen Plan, welchen Menasse ben Israel gefasst hatte, eine allgemeine Geschichte der Juden, ein »Historia universal judayca« zu schreiben, nahm Barrios wieder auf und trug, wie dieser, sich mit der Idee, in fünf Theilen die Geschichte der Juden von den jüdischen Kriegen bis zum Jahre 1684 zu liefern. Freilich blieb auch er bei der Idee stehen, doch hat er wenigstens die ersten Grundlinien seiner Arbeit entworfen. Der erste Theil sollte die allgemeine und besondere Beschreibung des Landes umfassen; der zweite Theil die Zeit von Titus bis zu Mohamed;

der dritte von Mohamed bis Saladin und Gottfried von Bouillon;
in dem vierten wollte er Alles berichten, was sich der jüdischen
Nation in den verschiedenen Königreichen und Staaten bis zu ihrer
Vertreibung aus Spanien ereignet hat und mit einer speciellen Betrachtung der verschiedenen Synagogen und Gemeinden, welche
sich nach dieser Vertreibung in allen Theilen der Welt gebildet
hatten, im fünften Theile das Werk beenden [430].

Proben seiner historischen Kenntnisse hatte Barrios allerdings
in seinem Coro de las Musas niedergelegt, aber einer solchen Arbeit
war er namentlich in der Zeit, in welcher er den Plan aufgenommen, nicht gewachsen. Von dem besten Willen war er beseelt:
er wollte zeigen, dass die Juden in allen Verhältnissen mit ihren
Nebenmenschen in Frieden leben, ihren Fürsten und Regenten treu
dienen, Wohlthaten mit Dank annehmen, auf den Schlachtfeldern
tapfer und muthig kämpfen, auf ihren Wanderungen unermüdlich
sind, dass sie mit Emsigkeit die Wissenschaften pflegen, auch
im Reichthum sich zu bewegen und zu benehmen wissen, die
ihnen anvertrauten Aemter gewissenhaft verwalten und sich gegen
Fremde eben so nobel und höflich verhalten, wie gegen ihre eigenen Brüder, dass sie von einem solchen innern Adel gehoben
werden, dass auch der Aermste unter ihnen sich nicht herablässt
dem Reichen zu dienen und lieber Armuth erträgt als eine
knechtische Unterwürfigkeit. Für einige dieser Behauptungen
führt er sodann noch einzelne Belege an, welche, so weit sie die
Geschichte seiner Zeit betreffen, von Werth und dem Historiker
eine willkommene Gabe sind. Für die Geschichte der Juden des
17. Jahrhunderts bleibt Barrios eine recht schätzbare Quelle und
in Nachrichten über die spanisch-portugiesischen Juden ist er
einzig und zuverlässig. Nur ihm verdanken wir eine sorgfältige
Geschichte oder genau genommen Memoiren über die Enstehung
und den Zustand der 15 verschiedenen wissenschaftlichen und
wohlthätigen jüdischen Anstalten und Brüderschaften Amsterdams,
wie es denn auch sehr zu bedauern ist, dass seine Geschichte der
Juden dieser Stadt entweder und wahrscheinlich bloss angefangen
und nicht vollendet wurde oder verloren gegangen ist [431]. Ganz
besonderes Verdienst erwarb er sich durch seine zerstreuten bio-
graphischen Nachrichten und Notizen über Männer und Persönlichkeiten, welche ohne ihn gewiss der gänzlichen Vergessenheit
anheimgefallen wären, so wie durch seine Relacion de los Poetas

y Escritores Españoles de la Nacion Judayca Amstelodama, und
gern lege ich hier das Bekenntniss ab, dass ohne Hilfe der Schriften dieses poetischen Chronisten ich über manche in diesem
Werke genannte Person in Dunkel geblieben wäre und manchen
Mann nie hätte kennen lernen.

Nach all dem ist Barrios den jüdischen Geschichtschreibern
mit Fug und Recht anzureihen; seine scheinbar unbedeutenden
Mittheilungen enthalten mehr Geschichte, als viele Werke, welche
diesen Namen führen. Hätte er sich nur von seinen spitzfindigen,
kabbalistischen Wort- und Wörtererklärungen fern gehalten und
sich nicht verleiten lassen, Geschichte zu construiren! Für jeden
Städtenamen weiss er eine hebräische Wurzel und die Bewohner
eines jeden Landes müssen einen Mann der Bibel zum Stammvater
haben. Welches Spiel treibt er nicht mit Amsterdam und anderen
holländischen Städtenamen! Die russischen und polnischen Juden
sollen sogar aus Spanien eingewandert sein! O Barrios!

Barrios der Dichter und Historiker, auch Philosoph? Suchen
und finden wir wohl nicht, wie die erleuchtete Berliner Akademie
aus dem Dichter Pope einen Metaphysiker hat machen wollen, in
Barrios ein philosophisches System, so sind doch in seinen Schriften einzelne philosophische Ideen zerstreut, welche der Beachtung
nicht unwerth erscheinen.

In seinem »Triumpho del Govierno popular« stellt der Dichter
Untersuchungen an über die verschiedenen Staatsformen und Verfassungen. Gleich Aristoteles*) unterscheidet er deren drei: die
monarchische, die Herrschaft eines Einzelnen, die aristokratische,
die Herrschaft der Besten und die demokratische, wo das Regiment in den Händen sämmtlicher Bürger liegt, ohne Rücksicht auf
die Vermögensumstände. Neben diesen drei Verfassungen kennt
er auch noch die Ausartungen, oder wie der Peripatetiker sie
nennt, die παρεκβάσεις der guten Formen. Die Ausartung der
Monarchie ist die Tyrannei, die willkürliche Herrschaft des Einzelnen. Monarch ist der, welcher seine eigenen Vortheile denen
seiner Untergebenen opfert, der Tyrann hingegen zieht die seinigen
denen der Unterthanen vor. Moses war ein Monarch, indem er
Alles, sogar das Leben, der erwählten und seiner Führung über-

---

*) Wir erinnern an die aristotelische βασιλεία, ἀριστοκρατία und τιμο-
κρατία mit ihren Ausartungen τυραννίς, ὀλιγαρχία und δημοκρατία.

gebenen Nation opferte. In des Wortes eigentlicher Bedeutung hat die Geschichte nach Barrios' Meinung nur sehr wenige Monarchen aufzuweisen; nur Moses, David, Salomon gelten ihm als wahrhafte Monarchen, weil ihre Monarchie auch zugleich Theokratie war und nur eine durch die Zügel der Theokratie geleitete Monarchie nicht in Tyrannei ausartet.

Höher als die Monarchie steht ihm die Aristokratie; sie ist gleichsam eine wohltönende Harfe, deren Saiten an den Thron befestigt, zur Harmonie gestimmt werden. Aristokratisch war die Verfassung des jüdischen Staates nach der ersten Vertreibung, sie war durch die Erwählung der 70 Aeltesten gleichsam von Gott selbst eingesetzt.

Die beste Verfassung ist ihm die Demokratie, in welcher das Volk, gleich und frei, sich selbst erhalten, durch Zusammenwirken sein Bestes erzielen kann, ohne einer anderen Macht zu bedürfen.

Wer weiss, ob nicht Barrios, hätte er statt in dem freien Amsterdam, in einem monarchischen Staate gelebt, der Aristokratie das Wort geredet hätte! Er pries und besang [432]) das Glück dieser Handelsstadt und erblickte nur in ihrer demokratischen Verfassung den Hebel ihres Glücks und, was ihn besonders interessirte, die Ursache, dass die Juden dort ungetrübt und in Frieden leben konnten. War ja doch selbst Aristoteles nur durch die ruhige feste Haltung des dorischen Staatslebens, besonders wie es in Sparta war, verführt, die aristokratische Verfassung für die beste zu halten und die vollendetste hellenische Staatsform, die Demokratie, als Ausartung anzusehen.

Nicht ohne Interesse lassen seine kleinen philosophisch-theologischen Lehrgedichte über den freien Willen [433]), über die Harmonie und das Verhältniss der Seele *) zum Körper u. A.

Barrios huldigt übrigens nur insoweit der Philosophie, als selbige sich mit seinen streng religiösen, ja mystischen Ansichten vereinigen lässt und es ist kein Wunder, dass er auf den aus dem »Amsterdamer Judenthume gestossenen Benedito Espinosa«, wel-

---

*) Barrios führt in diesem Gedichte die Meinungen der alten Philosophen, des Demokrit, Heraklit, Empedokles, Plato, Aristoteles, Seneca, Thales, Pythagoras, Hesiod, Diogenes, Kritias, Cicero, Averroës, auch Virgil an, und definirt die Seele als Ebenbild Gottes (»De Dios dibujo«, porque en su mixta concordia tiene poder absoluto).

chen er bei seiner häufigen Anwesenheit im Haag gewiss öfter gesehen, als er seine Schriften gelesen hatte und mit dessen Gegnern unter den Amsterdamer Rabbinern er im freundschaftlichen Verkehr stand, nicht sehr wohl zu reden war. *)

' Den religiösen Standpunkt Barrios' haben wir oft genug angedeutet und unsere Leser begreifen den Theologen, ohne dass wir näher auf ihn einzugehen für nöthig erachten. Er beweist die ewige Verbindlichkeit des mosaischen Gesetzes nach dem Conciliator des Menasse ben Israel, die Unsterblichkeit des israelitischen Volkes [434], und preist in einem langen Gedichte die Kabbala und die Engelschaar [435]. Ein grosser Hebräer war Barrios gerade nicht Bibelstellen und Citate aus religionsphilosophischen Schriften finden sich zwar massenhaft auf jeder Seite — seine ganze Weisheit war aus den Schriften Menasse ben Israel's geschöpft und selbst seine Citate sind diesen entnommen.

So wenig die mystischen Theologen auch mit der Dramaturgie liebäugeln und sich mit ihr vereinen, geschweige selbst Dramatiker und Komödienschreiber sind, so müssen wir dennoch, ehe wir unseren Barrios entlassen, noch seine dramatischen Leistungen kurz betrachten. Auch in seinen Komödien ist Barrios, der Hauptmann, von dem spätern Amsterdamer Juden wohl zu unterscheiden.

Die Zahl seiner grösseren und kleineren Theaterstücke, welche wir im Gegensatze zu den religiösen [436]) wohl weltliche nennen möchten, beläuft sich auf 9—10. Seine drei grösseren Komödien [437]) sind als solche und gegen die der grossen spanischen Dramatiker gehalten, von geringem Werth und leiden durchweg an den Fehler allzugrosser Weitschweifigkeit; der »Spanier von Oran« ist die beste. Durch die in denselben angebrachten häufigen Duelle wird der Hauptmann leicht erkannt. Die kleineren Komödien entstanden auf Wunsch seiner fürstlichen Freunde und Gönner zu verschiedenen feierlichen Gelegenheiten. Während der Anwesenheit Carl II. und seiner Gemahlin in Brüssel kam ein Stück von Barrios

---

*) Er nennt ihn nur ein einziges Mal (Eternidad de la Ley Mosaica, 83) : Benedito Espinosa, echado del judaismo Amstelodamo por sus malas opiniones, hizo un libro que al parecer es vaso de oro, pero con el ponçoñoso licor de que los Judios no tienen obligacion de observar la Ley Mosaica en quanto no tienen imperio. — An einer anderen Stelle (Corona de Ley, 2) deutet er sarkastischer Weise auf ihn hin mit den Worten : » Espinos son los que en Prados de impiedad, dessean luzir con el fuego que los consume«.

zur Aufführung. Zur Vermählung des Kaisers Leopold mit Margaretha, einer Tochter Philipp IV. von Spanien, traten zwei Hochzeitskomödien von ihm ans Licht: die eine, welche in dem königlichen Palast zu Brüssel zur Aufführung kam, verfasste er auf Wunsch der Marquise von Caraçena, die andere auf Bestellung ihres Gemahls; sie wurde von verschiedenen spanischen und flandrischen Fürsten aufgeführt [438]).

Seine religiösen Stücke, oder » mosaischen, heiligen Auto's«, wie er selber sie nennt, sind in Amsterdam entstanden. Diese für verschiedene Akademien entworfenen Dramen wurden vielleicht an Jahresfesten mit Musikbegleitung vorgestellt [439]).

In diesen religiösen Auto's sind nicht selten hebräische und spanische Sonette Anderer eingeschoben. So findet sich ein spanisches Sonett von dem Doctor

'Abraham Michael Cardoso [440]),

welcher von dem Cardoso gleichen Vornamens, dem Kabbalisten und Anhänger Sabbatai Zewi's, wohl zu unterscheiden, und aller Wahrscheinlichkeit nach mit dem S. 194 genannten Leibarzte des Dey von Tripolis identisch ist.

Ein anderes eingeschobenes Sonett hat

Abraham de Paiva [441])

zum Verfasser. Er lebte zu gleicher Zeit mit Moses Pereyra de Paiva, dessen »Noticias dos Judaeos de Cochin« (Amsterstam 1687) unter dem Titel »Kenniss der Jüden von Kuschen« 1743 ins Jüdisch-Deutsche übersetzt wurden und mit Jacob Ribero de Paiva, dem Verfasser einer spanisch geschriebenen Arithmetik, in Amsterdam [442]).

Auch

Jacob Israel Moreno [443])

lieferte ein solches Sonett. Jacob Israel ist der Sohn des am 2. Februar 1684 in Bayonne verstorbenen Abraham Salom Moreno, auch Luis de Paz genannt. Jacob hatte noch zwei Brüder, Moses und David; letzterer wird von Barrios wegen seiner Weisheit und talmudischen Kenntnisse gepriesen [444]).

Den vollen Druck der Armuth scheint Barrios in den Jahren 1683 und 84 ertragen zu haben: der grösste Theil seiner Klagebriefe und Gedichte stammt aus dieser Zeit. Er erzählt uns selbst, dass er von der Gesellschaft »Abi Jethomim« reichlich unterstützt und dass jedes Mitglied derselben ihm ein schützender Engel sei[445]). Die Teixeiras, welche als schwedische Residenten ein ganzes Jahrhundert lang eine bedeutende Stellung einnahmen, die Familie-Belmonte, deren Glieder wir sogleich näher kennen lernen, die reichen Suaso, welche als Barone de Avernas sehr geachtet waren, wurden von Barrios häufig in Anspruch genommen. Kam ein reicher Jude, ein jüdischer Gesandter nach der holländischen Handelsstadt, so war er sicher, von Barrios mit einem Gedicht begrüsst zu werden. In diesen Jahren wurden auch seine Freunde in Livorno wieder heimgesucht: am 8. April 1683 schrieb er dem »reichen, wohlthätigen und vom Grossherzog von Toscana geachteten« Abraham de Mora in Livorno. Am 27. Tebet (Januar) 1683 ging er den reichen David Abensur, Residenten des Königs von Polen, in Hamburg und Tages darauf Gabriel Arias in Livorno an. Dem Chacham Abraham Zemach, »diesem honor docto de Verona, luz de la hebrayca poesia«[446]), welcher die Akademie de los Sitibundos in Livorno sehr begünstigte, sandte er ein spanisches Gedicht und war hocherfreut, dieses durch ein hebräisches erwidert zu sehen. Im Cheschwan (November) 1683 schrieb er einem Geizhals, bei welchem er weder offene Hand noch willig Ohr fand, einen Brief voller Moral und ermahnte ihn mit dem Refrain:

> Haz aquello que quisieras
> Haver hecho quando mueras

Gutes zu thun und nach dem Gesetze zu leben.

In seiner Dürftigkeit stieg ihm auch einmal der unselige Gedanke auf, es mit Polen zu versuchen — er besang häufig den König Johann III. und liess sich ihm durch Abensur vorstellen — und nach London überzusiedeln. In einem Briefe an den Gemeindevorstand dieser Stadt vom 8. Tischri (September) 1683 — Barrios benutzte wohlweislich die von den Juden heilig und furchtbar genannten Tage —, beklagte er sich, dass in dem reichen Holland er allein arm wäre, dass Niemand ihm einen mitleidigen Blick zuwerfe, dass nur seine Geduld ihn noch aufrecht erhalte und schliesst, nachdem er sein Herz von Klagen befreit hatte, mit der ganz ergebensten Bitte, die geehrten Herren möchten doch höflich sein und sein Schreiben nicht unbeantwortet lassen. *)

---

*) En mi infeliz estado, no hay alguno
Que me mire con ojos de clemencia :
Mas de censura si, donde ninguno
Me alivia mas que sola mi paciencia :

Mit dem Jahre 1685 verschwindet Barrios. Keine Stimme lässt sich über ihn vernehmen, kein Mensch hält es der Mühe werth, dem armen Poeten in einem Gesang ein Denkmal zu errichten. Dass die 1725 in Haag von einem Barrientos geschriebene »Theologia natural« nicht Daniel Levi de Barrios zum Verfasser hat, wie Wolf fälschlich behauptet[447]), bedarf kaum einer Erwähnung, ebenso wollen wir es dem verdienstvollen Ticknor zu gute halten, dass er ohne irgend welchen Beleg 1690 als die Blüthezeit und 1699 als das Todesjahr unseres Dichters angibt[448]). Ohne Bedenken würden wir das Ende des Jahres 1684 oder den Anfang des folgenden als die Zeit annehmen, in welcher der Tod den armen Mann von seinen Qualen befreite, nennete nicht Barbosa noch zwei Schriftchen unseres Dichters, welche später entstanden sind und voraussetzen lassen, dass Barrios 1687 noch gelebt und gedichtet habe. Er soll nämlich zur Vermählung des Königs Pedro II. von Portugal ein Theaterstück verfasst haben. Pedro, welcher nach der Vertreibung des schwachen und ohnmächtigen Affonso erst zum Prinz—Regenten und dann zum König ernannt worden war, heirathete nach dem Tode seiner ersten Gemahlin die churpfälzische Prinzessin Maria Sophia Isabella, deren Frömmigkeit und Verehrung der Jesuiten besonders gerühmt wird. Am 2. Juli 1687 wurde sie dem königlich portugiesischen Gesandten Manuel Telles da Silva, Marquis de Alegrete, in der Hofcapelle zu Heidelberg angetraut, wonach dieselbe unter Begleitung des Marquis und ihres Beichtvaters, des Jesuiten Leopold Fuchs, am 7. Juli zu Wasser nach Holland und von da nach Lissabon abreiste[449]). Bei ihrer Anwesenheit in Brüssel soll eine auf Wunsch des Manuel Telles da Silva von

---

Quien no me incita quando el importuno
Trabajo me fatiga? Aun la eloquencia
De mis amigos me fatiga y culpa,
Sin admitirme prueva, ni disculpa.

. . . .

O Kahal Kados Ingles! oye mi queja:
Mi queja oye o Juizio Parnaseo!
Ya que entre escollos Amsterdam me dexa
Ya que entre fieras qual Daniel me veo.
No a mi canto, cruel cierres la oreja,
A imitacion del Aspid; que al Orpheo
De los Prophetas, imitar procuro,
Por prender con voz tierna furor duro.

Barrios unter dem Titel »Dios con nos otros« verfertigte Hochzeits-
komödie zur Aufführung gekommen und ausserdem ein Epitha-
lamium aus seiner Feder geflossen sein. Stimmen auch die Facta,
durch welche diese Producte hervorgerufen sind, mit der Angabe
Barbosa's überein, so möchten wir doch die Echtheit sehr bezweifeln [450]).

Die einzige Freude, welche der arme Barrios in seinen letzten
Lebensjahren noch empfand, bereitete ihm sein Sohn

Simon Levi de Barrios,

oder C a n i s o, wie ihn der fromme Vater nach seinem Ahn benannte.
Er war wie sein Erzeuger mit einem ausgezeichneten Gedächtnisse
begabt und machte als Zögling der Akademie »Maskil el Dal« so bedeutende Fortschritte, dass er als der Liebling seiner Lehrer galt
und bald zum Mitgliede der Akademie de los Pintos*) ernannt
wurde [451]). Aus dem Vortrage, welchen der junge Barrios in seiner
Akademie hielt, theilte der darüber glückliche Vater in seinem
Sammelwerké eine Stelle mit [452]). Dass Simon de Barrios auch der
Poesie nicht abhold war, beweist ein Sonett, in welchem er die
erste Schrift des J o s e p h d e l a V e g a besungen hat [453]).

Nicht ohne Grund hat Barrios das freie Amsterdam, in welchem die mit dem jüdischen Volke verbannte iberische Wissenschaft und Kunst sich wie in einem Brennpunkt sammelte, welches
durch seine Gelehrtenvereine, seine Akademien, seine Bibliotheken,
seine weltberühmten Druckerwerkstätten der Pflanzgarten jüdischer Geistesbildung für den ganzen europäischen Norden wurde,
als das Paradies der Juden, als ein zweites Cordova und Granada
unaufhörlich besungen und gefeiert. In der zweiten Hälfte des
17. Jahrhunderts gab es keine Stadt der Welt, in welcher die
Nachkommen des Hauses Jacob grösseres Glück und grösseres Ansehen genossen, als Amsterdam. Ihr Reichthum war so beträchtlich, dass selbst Könige und Fürsten sich ihre Schuldner nennen
mussten und Monarchen in den prächtigen Häusern der spanisch-
portugiesischen Juden gern ihr Absteigequartier nahmen. Wer kennt

---

*) Diese Akademie wurde von den Brüdern Abraham und David de Pinto
im Anfange des 17. Jahrhunderts in Rotterdam gegründet und nach dem 1669
erfolgten Tode des ersten der Gründer durch dessen Söhne Jacob und Isaac
nach Amsterdam verlegt. Diesem Jacob de Pinto widmete Isaac Cardoso
(S. 189 ff.) seine »Excelencias y Calunias de los Hebreos«.

nicht die Teixeiras, die Mesquitas, die Grafen von Avernas? Wer
nicht die durch ihre politische Wirksamkeit berühmten Acostas?
Wer nicht Miguel Osorio, den Residenten der schwedischen Königin
in Amsterdam? Waren ja selbst die schwedischen Kronjuwelen
einem portugiesischen Juden, Jacob Nuñez Henriquez, längere Zeit
verpfändet!

Zu den angesehensten, begütertsten, und was wir ganz besonders hervorheben, gebildetsten und intelligentesten Familien
aus dieser Zeit gehören die Belmonte. Vater und Söhne pflegten
mit Emsigkeit die spanische Literatur, Vater, Söhne und Enkel,
die einflussreichsten Diplomaten, die würdigen Vertreter ihrer
Nation, der Stolz des Judenthums, waren Schriftsteller und Dichter und eifrig bemüht, die Wissenschaft und ihre Träger zu fördern
und ihr einen bleibenden Sitz in ihrer Mitte zu gründen. Diese
Familie gehört auch zu den ältesten Judenfamilien in Holland.

Unter den jüdischen Flüchtlingen, welche sich gegen Ende des
16. Jahrhunderts in der Inselstadt niedergelassen haben, befand
sich auch ein Mann, dessen Eltern die Insel mit ihrem immerwähren-
den Frühling, Madeira, ihre Heimath nannten. Es war dieses
Jacob Israel Belmonte.

Sein frommer Sinn war zuerst darauf gerichtet, zehn Männer
zu vereinen, um in gesetzlicher Weise das Gebet verrichten zu können; er gehört zu den ersten Gründern der Amsterdamer Gemeinde
und war mit Jacob Tirado und Samuel Palache ihr erster Vorsteher.
Mit Rohel Jeschurun und Joseph Israel Pereyra entwarf er am
13. Januar 1614 die ersten 19 Artikel, das erste Statut über den
neu erworbenen Gottesacker[454]. Jacob Israel Belmonte wird auch
unter den ersten Juden genannt, welche auf fremden Boden die
spanische Literatur bebauten und auf fremdem Boden in der Sprache
des Heimathslandes dichteten. Die Geschichte des seine Leiden
mit den grellsten Farben malenden Job kleidete er in Verse und
verfasste ein grösseres Gedicht über den Ursprung der Inquisition
und die Opfer seines Volkes[455]. Folgende von Barrios[456] aus
diesem Gedichte mitgetheilte Octave möge hier ihre Stelle finden:

Möcht' doch in dieser Zeit das Volk zu Gott sich wenden,
Das tief betrübte Volk würde dann auch glücklich sein, *)

---

*)   Si en esto tiempo el Pueblo á Dios tornara,
          Fuera el tiempo feliz al Pueblo aflito,

Wird dann auch die Zeit des Lohnes Fülle spenden,
So wird auch mit der Zeit Unheil und Frevel enden.
Eine schönere Zeit als je wird dann sich brechen Bahn,
Die Zeit, von Gott verheissen, wird dann für uns auch nah'n.
Das Leid', das in der Zeit er uns hat zugefügt,
Die Zeit und ihr Geschick hat selber es gerügt. *)

Jacob Israel Belmonte, dessen erste Ehehälfte Esther, die zweite Simcha hiess, war der Vater von 8 Söhnen, Alle würdig nach einem solchen Vater genannt zu werden: es sind 8 glanzvolle Sterne am Firmamente der Amsterdamer Juden [457]). 1630 ging Jacob Israel zu einem besseren Leben über; seinem Andenken zu Ehren gründete Morteira in diesem Jahre eine Akademie [458]).

Von seinen Söhnen werden uns genannt:

Benjamin Belmonte. Er gehört zu den ersten in Amsterdam geborenen Kindern, welche vorschriftsmässig am 8. Tage beschnitten worden sind. Er war Vorsteher der Gesellschaft »Gemilut Chassadim« [459]).

Jacob Belmonte, Vorsteher der Akademie »Ez Chajim« (Arbol de las Vidas) [460]). Derselben Gesellschaft Mitglied war

David Belmonte [461]), welcher 1624 in der Darstellung der »sieben Berge« (S. 176) mitwirkte.

Abraham Belmonte, welchem von Barrios zu der Vermählung mit seiner Violante ein Gedicht überreicht wurde. Er ist der Stammvater der in der Geschichte bekannten Diplomaten von Schoonenberg (Belmonte) [461a]).

Joseph Belmonte. Er und seine Frau Lea vermachten der Gesellschaft »Gemilut Chassadim« Legate [462]).

Den Musen war wie der Vater geneigt:

Moses Belmonte.

Moses legte 1639 den Grund zu der Akademie »Gemilut Chassadim« und starb in der Blüthe seines Lebens 1647 [463]). Dieses »Haupt der Poesie«, de la Poesia monte, wie Barrios ihn nennt [464]), schrieb eine »sonora Silva« gegen den Götzendienst, in welcher folgender Vers sich findet:

---

*)
Y si el tiempo del merito empeçara,
Acabara con tiempo su delito.
Mas el tiempo traera que nunca para
El tiempo que promete Dios Bendito,
Porque conflesse el tiempo á su despecho,
Los males que con tiempo nos ha hecho.

Si Adam peco y es Dios el agraviado,
Como puede ser Dios el castigado?[465])

Ob die 1712 erschienene spanische Uebersetzung der Pirke
Abot[466]) von diesem Moses Belmonte herrührt, müssen wir dahin
gestellt sein lassen.

Die bedeudendste und hervorragendste Persönlichkeit istJacob
Israel's Sohn:

Isaac Nuñez*) oder Manuel de Belmonte.

Gleich seinem Bruder Andreas de Belmonte[467]) war er General–Agent und später Resident der katholischen Majestät in Holland. Als solche beanspruchten sie die allen Residenten zustehen-
den Privilegien, welche ihnen auch endlich laut Resolution vom
25. April 1679 eingeräumt worden sind. Vierzig Jahre lag Manuel
als treuer Diener seines Königs dem ihm anvertrauten Amte ob
und trug nicht wenig dazu bei, ein freundschaftliches Verhältniss
zwischen Spanien und Holland herzustellen und zu erhalten. In
seinem Amte als Resident folgte ihm sein Neffe Francisco de Ximenez Belmonte und diesem dessen Sohn Manuel de Belmonte[468]).

Der rege Eifer Manuel's, welcher mit Geronimo Nuñez de
Acosta, auch Moses Curiel genannt, Vertreter der jüdischen Nation
in Amsterdam gewesen, gibt sich vornehmlich in der Akademie
kund, welche er, angeregt durch die vielen in Holland sich gebildeten derartigen Vereine — in weniger als 30 Jahren sind mehr
als 30 Dichtergesellschaften errichtet[469]) — 1676 ins Leben rief[470]).
Wie er selbst dichtete — ein Carmen auf Bernal hat ihn zum Verfasser[471]) —, so nahm er auch in der von ihm errichteten Akademie als Preisrichter den ersten Platz ein.

In der Akademie fungirten neben dem Grafen Manuel de Belmonte als Preisrichter Doctor Isaac de Rocamora und Isaac
Gomez de Sosa.

Isaac de Rocamora

wurde gegen 1600 in Valencia von jüdischen Eltern geboren und

*) Ein Isaac Nuñez Belmonte lebte in der 2. Hälfte des 18. Jahr-
hunderts in Smyrna (Ismir). Als diese Stadt durch eine Feuersbrunst verheert wurde, bereiste Isaac Nuñez Italien, um für seine Gemeinde Geld zu
sammeln. In Ancona approbirte er ein unter dem Titel ילקוט חלבי 1776 in
Livorno erschienenes Werk. Er verfasste auch שער המלך, einen Commentar
zu Maimonides' יד החזקה.

19*

zum Geistlichen erzogen. Viele Jahre lebte er unter dem Namen
Fray Vincente de Rocamora als Dominicanermönch und stand bei
der Kaiserin Maria von Oesterreich, einer spanischen Prinzessin,
deren Beichtvater er gewesen, in hoher Achtung[472]. 1643 trat er.
zu dem Glauben seiner Väter über. Er vollzog mit eigener Hand
die ihn zum Juden weihende Operation, studirte Medicin und liess
sich als Arzt in Amsterdam nieder. Er heirathete Abigail, die
Tochter eines Moses (Abraham) Toro und zeugte mit ihr 7 Söhne,
von denen der eine, Salomon, als Arzt in Amsterdam lebte[473] und
zwei Töchter, welche vor dem Vater die Erde verliessen. Nach
einer Ehe von 19 Jahren starb Abigail und Isaac heirathete zum
zweiten Male eine Verwandte seiner ersten Frau, Sarah, die Tochter
Eliahu Toro's, welche 2 Jahre vor ihm heimging. Isaac war Arzt
und Vorsteher der Gesellschaft »Maskil el Dal«, sowie Vorsteher der
Gesellschaft »Abi Jethomim«[474] und starb den 24. Nissan (April)
1684 in einem Alter von 84 Jahren[475]. Producte seines poetischen
Geistes sind uns nicht erhalten.

Isaac Gomez de Sosa,

wahrscheinlich der Bruder des

Benito Gomez de Sosa,

dessen poetische Begabung Barrios in einem Lobgedichte hervor-
hebt[476], liess eine Schrift Saul Levi Morteira's unter dem Titel
»Divinidad de la Ley« ins Spanische übersetzen[477] und besang
die spanische Psalmen–Ueberzetzung Jacob Jehudah Leon's in
einem 8zeiligen lateinischen Gedichte[478]. Er wird von Barrios
als grosser lateinischer Dichter gerühmt[479] und war Neffe des
Doctor

Samuel Serra,

welcher Gedichte nach Muster des Virgil geschrieben haben soll[480].

Mitglieder der von Belmonte errichteten Akademie waren die
bereits genannten Isabella Correa, Isabella Enriquez,
Antonio de Castillo u. A., so wie

Abraham Gomez de Arauxo,

vielleicht ein Verwandter des S. 261 erwähnten Doctor Daniel
Arauxo, ein guter Mathematiker, welcher durch seine Räthsel-
lösungen Aufmerksamkeit auf sich zog. Er war Mitglied der Gesellschaft »Abi Jethomim« und der Akademie »Temime Derech«[481].

Als Aventureros der Akademie werden genannt:

Abraham Henriquez,
der S. 188 behandelte
Abraham Gomez de Silveyra,
Moses Rosa und
Moses Dias[482],

welcher 1697 in Amsterdam »Meditationes sobre el Genesis« er-
scheinen liess[483]), sind vermuthlich dieselben, welche unter dem
Namen Duarte Lopez Rosa und Alvaro Dias die »Rumbos
Peligrosos« Joseph de la Vega's besungen haben[484]).

Als Mantenedor de la Justa Poetica fungirte Daniel Levi
de Barrios[485]).

Zehntes Capitel.

Amerika. Daniel Israel Lopez Laguna u. A. Jacob de Castro
Sarmento. Hamburg: Joseph Frances, de Lara. Die Familie
Leon. Joseph de la Vega. Antonio Joseph. Schluss.

In diesem Capitel als dem letzten dieser Schrift mögen wir
wohl unseren Blick nach dem entfernteren Erdtheile, nach Amerika
wenden.

Wie innig die Entdeckung dieser neuen Welt mit der Vertreibung der Juden aus Spanien zusammenhängt, wie die von
dort dem Mutterlande zugeführten Schätze der spanischen Nation
und dem spanischen Reiche den Verfall bereiteten, wie wichtig
Amerika für die Juden der ganzen Welt wurde: das sind That-
sachen, welche an diesem Orte nicht weiter berührt werden können. Eben so fern liegt uns hier die Erörterung, wann und in
wie früher Zeit die Juden dort schon eine Heimath fanden und ob
nicht, trotz des Verbots, dass Mauren und Juden in der neuen
Welt Schätze suchen sollten, sie dennoch bald nach der Vertreibung aus der pyrenäischen Halbinsel sich dorthin einschifften.
Jahrzehende, ja Jahrhunderte verflossen, ehe Amerika das Land
der freien Auswanderung genannt werden konnte, ehe Amerika
frei wurde.

Amerika nicht frei! Der Erdtheil, der heute jedem Gedrückten und Verfolgten, ja jedem Verbrecher so gastlich Asyl bietet,
nicht frei! Dieser Erdtheil, von dessen Bergen für Europa die
Morgenröthe einer bessern Zeit aufging, von dem Europa es lernte,
den Kampf für die Freiheit zu bestehen, welcher Europa anregte,
das Joch des Absolutismus abzuschütteln und auf Menschenrechte
zu dringen, nicht frei! Das Amerika, nach welchem heute jeder
Lebenssatte, jeder Beschränkte, jeder unter dem Druck nach
Freiheit seufzende Mann seinen Blick als dem letzten Hoffnungs-
strahl wirft, auch einst nicht frei! Amerika war lange Zeit mit
denselben Fesseln belastet und in dieselben Ketten geschlagen, wie
das Land, dessen Bewohner zur Colonisirung und Ansiedlung dorthin geschickt wurden; der mächtige Spanier hatte auch über diese
freien Fluren seinen Arm ausgestreckt und seine der Menschheit
verhasste Politik auch dorthin verpflanzt.

Spanien wollte das Gold der von ihm neu entdeckten Länder,
um die Erde geniessen zu können, und dafür den armen Indianern,
den seligen Naturmenschen den Himmel eröffnen und sie zur Religion, zur Seligkeit führen. Das stolze Gebäude des Katholicismus
hatte sich auch dort völlig aufgerichtet und war auch in Amerika,
das ohne Religion so frei war, wie Rom frei war, als Brutus noch
lebte, zu neuem Leben und neuer gefahrvoller Macht gefördert.
War es doch selbst in Europa im 17. Jahrhundert noch so, als
wenn der Mann der neuern Zeit, der grosse Entdecker päpstlicher
Geheimnisse gar nicht gewesen wäre! Wie in den meisten Staaten
dieses Erdstrichs gegen Ende des 17. Jahrhunderts die Jesuiten
und Ordensbrüder, Diplomaten und Rathsherren, Unterweiser und
Leiter der Fürsten, die Vertreter der Gelehrsamkeit, der Wissenschaft und Literatur waren, so auch in dem vom Mutterlande jeden
religiösen Eindruck reflectirenden Amerika. Auch dort lehrten die
Jesuiten, und Bettelmönche hatten sich in dem Gold und Schätze
reichlich spendenden Süd-Amerika mit dem von Rom angestimm-
ten, ihnen melodisch klingenden Rufe, Vernichtung der Ketzer
und Ungläubigen weithin verbreitet und auch der Winkel, wohin
die Fackel der Erleuchtung noch nicht gedrungen war, sollte nicht
lange in Finsterniss bleiben; die Scheiterhaufen der Inquisition
schafften eine das menschliche Auge blendende Helle. Paramus,
eine dem Torquemada und Lucero ähnliche Creatur, der. sich
wundert, dass es den halsstarrigen Juden in Mexico trotz aller an-

gewandten Verhinderungsmittel dennoch gelungen sei, ihr Passah-
opfer (!) schlachten und die Passahfeier begehen zu können, erzählt uns mit vielem Wohlbehagen von dem ersten Auto-da-Fé
in der neuen Welt, welches 1554, in dem Todesjahre Ferdinand
Cortez, statt fand. Grosse Tribünen hatte man auf öffentlichem
Markte errichtet, mit achtzig unglücklichen Judaisirenden wurde
der Scheiterhaufen geweiht. Die rohen Indianer fanden Gefallen an
der von Morgens sechs bis Abends fünf Uhr während den Feier, an
der festlichen Musik, an dem Glockengeläute und dem Chorgesang
der-Priester, sie brachen in wildes Jauchzen aus und die Anwesenden, welche ähnlicher Feste sich erinnerten, bekannten offen, dass
dieses Schauspiel weit prächtiger gewesen sei, als viele andere,
wenn nur der Hof nicht vermisst, wenn nur der Hof auch dabei
gewesen wäre! [486])

Mexico war nicht der einzige Ort in Amerika, wo man Juden
verbrannte; auch Lima, auch Carthagena hatte seine Brandstätten.
Am 23. Januar 1639 wurde in Lima ein grosses Auto abgehalten.
Man führte 63 Anhänger des Judenthums, sämmtlich Portugiesen,
auf den Markt und 11 derselben auf den Scheiterhaufen [487]). Unter
den Geopferten befand sich auch ein Mann, welcher sehr gelehrt
war und den unwissenden Scholastikern viel zu schaffen machte.
Francisco Meldonado de Silva wurde er genannt. Dreizehn Jahre
verbrachte er im Gefängnisse. Während der ganzen Zeit genoss
er kein Fleisch, ein wenig Mais bildete seine tägliche Nahrung.
Er beschnitt sich mit eigener Hand: mit einem stumpfen Messer
begann er die Operation, mit einer Scheere vollendete er sie;
Bart und Haupthaar überliess er dem wilden Naturwuchse und
legte sich als Diener des einzigen Gottes den Namen Heli Nazareno bei. Auch verschiedene Tractate, welche sogar später
gedruckt sein sollen, entstanden während seiner Gefangenschaft;
alte künstlich verbundene Blätter dienten ihm als Papier, Dinte
bereitete er aus Kohlen, der gespitzte Knochen eines Huhnes war
seine Feder, und trotz dieses schlechten Materials kam seine
Schrift dem Druck ziemlich gleich. Nach 13jährigen Leiden und
Qualen endete Silva, der Arzt, auf dem Scheiterhaufen; während
des Auto's wüthete ein so furchtbarer Sturm, desgleichen die ältesten Bewohner Lima's sich nicht zu erinnern wussten [488]).

Ein anderer Märtyrer endete zu gleicher Zeit in Mexico oder
ebenfalls in Lima. Es war dieses der Arzt Thomas (Isaac) Tremiño

oder Trebiño de Sobremonte aus Medina de Rio seco, eine Stadt,
welche wegen ihres reichen Handels früher Klein-Indien genannt
wurde. Nach einem 22jährigen Kerkerleben fand Isaac seinen
Tod in den Flammen [489]).

Brasilien, das gesegneteste Reich der Erde, war der einzige Punkt in der neuen Welt, wo man die Juden, wenigstens
eine Zeit lang, nicht verbrannte. Brasilien wurde, genau genommen, von Juden zuerst bebaut und colonisirt, denn Portugal schickte
jährlich zwei Schiffe mit Verbrechern, Juden und Lustdirnen dahin
ab und verwies nach diesem Paradiese auch die von der Inquisition Verurtheilten. Dass die geheimen Juden, die deportirten
Neuen-Christen, sobald sie den fremden Boden betraten, schnell die
Maske abwarfen und zu dem Glauben ihrer Väter sich wandten,
war so allgemein, dass schon im Anfange des 17. Jahrhunderts
das Land von zahlreichen Juden bevölkert war.

Die Zahl der jüdischen Bevölkerung Brasiliens nahm aber bedeutend zu, als es 1624 den Niederländern gelang, ihre Herrschaft
über Theile dieses Reiches auszubreiten und sich in demselben
festzusetzen. Auf Einladung der schon ansässigen begaben sich 1642
600 Amsterdamer Glaubensgenossen mit Moses Raphael de Aguilar
und Isaac Aboab dorthin. Mit dem Sturze der Niederländer hörte
auch die Freiheit der mit ihnen verbündeten Juden auf; die meisten
der Eingewanderten kehrten in die Heimath zurück, aber es fanden
sich noch immer einzelne ansehnliche Gemeinden auch in diesem
Lande.

Jacob Lagarte war brasilianischer Chacham [490]), und der Dichter
Eliahu Machorro [491])
lebte ebenfalls dort.

Auch Eliahu's Verwandter
Abraham Machorro,
welcher sowohl in der Feder als auf der Flöte tüchtig war, wird
als Mann, der den Parnass bestieg und dichtete, von Barrios besungen [492]). Er wird auch mit einem anderen Machorro, Moses,
als Mitglied der Gesellschaft »Temime Derech« genannt.

Joseph Pardo, der Sohn David Pardo's und Schwiegersohn
Saul Levi Morteira's, welcher zuerst als Prediger in Rotterdam,
dann als Chacham in Curaçao fungirte, siedelte 1683 als solcher
nach Jamaica über [493]).

Gleichzeitig mit ihm weilte in dieser Stadt einer der hervorragendsten Geister, welche das spanisch–portugiesische Geschlecht in der Mitte des 17. Jahrhunderts erzeugte:

Daniel Israel Lopez Laguna[494]).

Ist auch wohl Leiden und Dulden, Marter und Qual das Loos des grössten Theils der Männer gewesen, welche uns bisher beschäftigten, war es ihnen Allen mehr oder weniger beschieden, für ihren Glauben, für ihr heiligstes Herzensgut bittere Erfahrungen zu machen, so übertrifft doch Laguna sie Alle; er ist der wandernde, der ewige Jude in der leibhaften Gestalt. Den grossen deutschen Meister neuerer Malerei und Kunst, welcher sich achtzehn Jahre lang nach einem passenden Subject für seinen bei der Erstürmung Jerusalems flüchtig gewordenen ewigen Juden umsah und doch endlich zur Phantasie, ja wir möchten sagen zur Karrikatur greifen musste, weil, kaum sollte man es glauben, sein Suchen vergebens war, hätte die Lebensgeschichte unseres Dichters aus aller Verlegenheit geholfen. Schon in früher Jugend verfolgt und gehetzt, lernte er sie auch kennen die Folterbänke, die unterirdischen, grauenhaften Kerker, mit denen seine Stammsgenossen einzig und allein ihres Glaubens wegen so vertraut geworden waren und selbst dann, als er ihr schon durch heimliche Flucht entkommen war, selbst dann, als er nicht allein Spanien, sondern ganz Europa den Rücken gekehrt hatte, hörte sein Leid noch nicht auf und erst mit dem Tode fand er die Ruhe, die er auf Erden nicht erlangen konnte. Jamaica war der Ort, wo er wenigstens einen Augenblick der Ruhe genoss und freier aufathmete. Nichts hatte er von irdischen Schätzen gerettet, eine Feuersbrunst entriss ihm auch das Wenige, was er noch das Seine nennen konnte; arm und verlassen stand er da in einem fremden Lande, immer ängstlich um sich blickend, ob auch der Häscher ihn nicht verfolge. Die Psalmen boten ihm Trost. Wie Viele vor ihm und nach ihm wählte auch er sie für seine Musse, in ihren Klagen fand er Linderung für seinen eigenen Schmerz. Was hätte ihm auch wohl als Balsam für sein verwundetes Herz dienen können, wenn nicht die Dichtung dieses göttlichen Sängers, dieses ersten der Gefühlsdichter, dieses Königs der Lyriker, wie ein französischer Musensohn und gewandter Staatsmann unserer Zeit ihn so treffend bezeichnet, die Psalmen, die so oft das Herz gerührt und die Gedanken mit sich fortgerissen haben! Hat sich doch die Seele keines Menschen je in so zarte, so ergreifende, so hinreissende

Ausdrücke und Gefühle ergossen? Haben doch selbst die geheimsten Seufzer der menschlichen Brust hier ihre Töne und ihre Noten auf den Lippen und der Leier des göttlichen Psalmisten!

Laguna sang und übersetzte diese Psalmen. Seine Uebersetzung gehört vielleicht zu den merkwürdigsten Producten der jüdisch-spanischen Literatur: sie war die Frucht einer 23jährigen Arbeit und noch 23 andere Jahre vergingen unter Kriegsunruhen und Sturmesbrausen, wie es in der Vorrede heisst, ehe er sie seinen noch spanisch redenden und betenden Brüdern in die Hände geben konnte. Nicht ohne Grund nannte er diese unter Verfolgungen, Brand und Stürmen entstandene Uebersetzung sein treues Lebensbild » Espejo fiel de vidas «[495]), wie sie auch in Wirklichkeit einen Blick in sein Inneres, in die Verhältnisse seines ganzen Lebens eröffnet. Von seinen Studien, seinen Leiden und der Lage, in welcher sein Werk entstand, gibt der Dichter selbst in folgenden Zeilen uns Kunde:

> Den Musen war ich geneigt
> Von früher Kindheit an:
> Die Jugend verlebt' ich in Frankreich,
> Wo Gelehrten-Schule mich aufnahm;
> Künste lernte ich in Spanien
> Und dunkle Kerker kennen.
> Mit Gewalt sprengt' ich die Riegel,
> Entwich der Inquisition,
> Hier auf Jamaica besing ich
> Meines höchsten Gottes Ruhm *).

Auf den in Laguna's Uebersetzung verwebten Geist und die Entstehung derselben spielt Abraham Jacob Enriquez Pimentel, einer der angesehensten Männer seiner Zeit, welcher sich in London häuslich niedergelassen hatte, in der Vorrede zum » Espejo «

---

*)
> A las musas inclinado
> He sido desde mi infancia:
> La adolescencia en la Francia
> Sagrada escuela me ha dado.
> En España algo han limado
> Las artes mi juventud;
> Ojos abriendo en virtud,
> Salí de la Inquisicion:
> Hoy Jamaica en cancion
> Los salmos dá á mi laud.

folgendermassen an : »Ibn (Laguna) bewegte und erregte der fromme
Eifer. Da er sah, dass alle unsere Brüder, welche aus Spanien
und Portugal vor den Verfolgungen so tyrannischer und grausamer
Staaten fliehen und zu uns nach London kommen, um hier die
Ruhe zu geniessen, welche man ihnen dort nicht verlieh, gezwungen sind in spanischer Sprache zu beten, weil sie das heilige hebräische Idiom nicht mehr verstehen, deshalb entschloss er sich
das göttliche Werk des Psalteriums aus der heiligen Sprache in
dieses liebliche und klare Spanisch, in diesen geschmackvollen
und lieblichen Stil, in diese süssen und wohltönenden Verse zu
übersetzen. Alle Versarten wandte Laguna in seinem Werke an,
um sie den hebräischen Tonarten anzupassen, damit sie bei allen
Gelegenheiten gesungen und gebetet werden können.«

In dieser Weise lässt sich Pimentel über das Werk vernehmen.
David Neto, der Londoner Oberrabiner, welcher sich um das jüdische Kalenderwesen verdient gemacht und gegen die Inquisition
eifrig polemisirte, auch einmal wegen des in seinen Reden gewit-
terten Spinozismus auf kurze Zeit seines geistlichen Amtes entsetzt
wurde, schrieb ein Encomium zu demselben. Mit vielem Beifall
wurde der »Espejo« auch von den Männern aufgenommen, welche
selbst dichteten. Folgende Poeten haben Laguna's Uebersetzung
in Gesängen gefeiert:

David Chaves (S. 263),
Abraham Gomez de Silveyra (S. 188),
Jacob Enriquez Pimentel,
Abraham Pimentel,

ob dieser mit dem Verfasser des מנחת כהן ein und dieselbe Person
ist, wagen wir nicht zu entscheiden,

R. Mondejar,
Nuñes de Almeida,

dessen Gattin

D. Manuela Nuñes de Almeida (S. 251),
Samson Guideon,
Moses Manuel Fonseca de Pina,
Abraham Bravo,
Jacob de Sequeira Sumada,

vielleicht der Bruder des Isaac de Sequeira Sumada, welcher dem
erwähnten David Neto eine Leichenrede hielt,

D. Sara de Fonseca Pinto y Pimentel (S. 251),

D Bienvenida Cohen Belmonte (S. 251),
Jacob. Lopez Laguna und
Daniel Lopez Laguna,
die beiden Söhne unseres Dichters.

Die meisten der hier Genannten lebten aller Wahrscheinlichkeit nach in London.

Fassen wir die Uebersetzung Laguna's näher ins Auge, so
müssen wir auch hier bemerken, was wir bei dem Werke David
Abenatar Melo's hervorzuheben schon Gelegenheit nahmen, dass
der Uebersetzer den subjectiven Eindrücken nachgab, indem sich
der Dichter von seinem Hass gegen die Inquisition fortreissen liess,
häufig ganze Stellen einschob und Ideen in die Psalmen legte,
die sich gar nicht darin finden. Dafür ist seine Uebersetzung auch
sein Lebensbild, das treue Bild seines ganzen an Verfolgungen,
Kränkungen und Leiden so reichen Lebens. Wer könnte es ihm
wohl verargen, dass er nicht liebäugelte mit einem Lande, in
welchem das schrecklichste*) aller Uebel, die Inquisition, ihm
Frieden und Heimath, Besitz und Ruhe, Glück und Glauben, ja
Alles nahm, was dem Menschen auf Erden nur genommen werden
kann! Wer könnte es ihm verargen, dass er die Klagen frei aus-
strömen liess, die seine Brust zusammenpressten und mit den
Verwünschungen des Psalmisten auch die seinigen gegen die aller
Menschlichkeit baaren Verfolger schleuderte! So deutet er im
10. Psalm auf die Inquisition:

> Warum, o Herr, stehst Du so ferne,
> Wenn klagen wir in Drangsalszeit?
> Dein Mitleid half ja uns so gerne,
> Als Frevler Stolz sich machte breit!**)

---

*) Nach des witzigen Barrios' Meinung gibt es noch ein grösseres Uebel —
ein böses Weib. »Tres son los mayores y particulares martirios de los Mo-
saycos: el de la terrible muger como de Job, el de la Inquisicion y el del mal
de piedra.« Zugleich erzählt er, dass ein Gelehrter »el agudo letrado Tenorio
(Daniel Pereyra), einer der frühesten Juden Amsterdams, eine sehr böse Frau
gehabt habe. Als dieser einmal einen jungen Wittwer sagen hörte: Möge
Niemand in meine Lage kommen! antwortete Tenorio: Sie sollten nicht so
traurig sein, wie Viele möchten nicht gern mit Ihnen tauschen«[407].

**)   Por que Señor te encubres á los léjos
A nuestro ruego en horas de quebranto?
Piadosos nos alumbren tus reflejos
Cuando sobervio el malo causa espanto

Wir sind verfolgt von Tribunalen,
Von Bosheit heilig noch genannt,
Verfluchet sei das gottlos Prahlen,
Sich segnend selbst, end' es in Schand. *)

An anderen Stellen weist er auf den Zustand hin, in welchem das jüdische Volk in seiner Zeit sich befand und erfleht den göttlichen Schutz:

Wäre nicht für uns der Herr,
Spricht zerstreuet Israel,
Schützt der hohe Gott uns nicht,
Da der Mensch uns feindet an. **)

Unser Dichter verstand es nicht allein, seinen Uebersetzungen ein seinem Gemüthe entsprechendes Colorit zu geben, sondern auch das Versmaass der orientalischen Poesie in einer meisterhaften Weise nachzuahmen. Als Probe möge ein Theil des 86. Psalms dienen:

Erhöre, höchster Gott, die Stimm
Der Klage, Antwort gönne mir,
Ich fürcht', da ich in Noth mich krümm,
Dass elend ich, Dich, Gott verlier'.
Bewahre meine trübe Seele,
Auf dass sie Dein' und meine sei,
Schütz' Deinen Knecht vor jeder Fehle,
Der auf Dich harret voller Treu! ***)

---

*) Al pobro, persiguiendole en consejos
Del tribunal que infieles llaman santo:
Presa sea el malsin que audaz se alaba,
Pues aunque el se bendice, en mal se acaba.

**) Si por nos el Señor no hubiera sido
Diga agora Israel, pueblo esparcido,
Si el alto Dios no hiciera por su nombre
En levantarse contra nos el hombre.

***) Escucha, Dios supremo,
La voz de mis clamores y responde;
Pues por ser pobre, temo,
Que el bien al miserable se le esconde;
Guarda mi alma por ser tuya y mia *);
Salva á tu siervo fiel que en tí confia.

---

*) In sinniger Weise umschreibt so der Dichter die Worte des Psalmisten כי דחיד אני אני.

Da ich zum höchsten Namen flehe
Den ganzen Tag, erbarm' Dich mein!
Da ich mit Liebe auf Dich sehe,
Kehr in die Seele Freude ein.

Ich ruf' in Tagen meiner Nöthen
Dich an, erfleh' Vertrauen mir,
Er bleibt Dein Schutz ja, wenn erbeten,
Nicht aus Dem, der vertrauet Dir,
Da ja kein andrer Gott Dir gleichet
Und Alles Deinem Willen weichet.

Lass auf der Bahn der Wahrheit ziehen
Mich unter Menschensöhnen stets,
Denn nie wird aus dem Herzen fliehen
Vor Dir die Ehrfurcht des Gebets,
Und meine Lieb', die ewig hält,
Erhebt Dich, Einziger der Welt. *)

Die hohe Begabung Laguna's spricht sich besonders in den verschiedenartigen Versmaassen aus, welche in seinem Espejo zur Anwendung kommen. Silven, Redondillen, Decimen, Terzetten, Romanzen und Quintillen lässt er in der lieblichsten Weise unter einander abwechseln. Als seltenen Versuch theilen wir ein Stück des 87. Psalms mit:

Zählet alle Völker Gott,
Er in seinem Buche
Nur verzeichnet
Die Gesetzestreuen. **)

---

*) Apíadme, pues llamo
En tu nombre supremo todo el' dia :
Corona, pues te amo,
El alma de tu siervo de alegria . . . . .
De mi angustia en el dia
Te llamaré, esperando me respondas :
Que á quien en tí confia
No es posible tu gracia se la escondas,
Pues no hay Dios en los dioses que te iguale
Y á tus obras su engaño no equivale.

. . . .

**) Cuenta el Señor los pueblos
Y solo escribe
En su libro al perfecto,
Que en su ley vive.

Hochweise
Der zum Leben berufen,
Göttlicher
Glanz, der in seinen Thoren
Erleuchtet
Moralische Wissenschaften.
Alle die im Lob besingen,
Ihn in seiner hohen Sphär',
Werden an dem Thron des hohen
Weltenkönigs angehört.
Sänger, wie
Heil'ge Saitenspieler
Ruhmesvoll
In mysteriösen Hymnen
Besingen,
Erheben allesammt den Schöpfer. *)

Wir wissen nicht, ob Daniel Israel Lopez Laguna auf Jamaica seine Tage beschloss oder in der Stadt, in welcher sein » Espejo « erschien und seine beiden Söhne lebten, und welche auch der Mann als Zufluchtsstätte erwählte, dessen hier kurz gedacht werden soll:

Jacob de Castro Sarmento.

In Bragança, der Hauptstadt der nördlichsten portugiesischen Provinz Traz–os–Montes, hinter deren Bergen viele der aus Spanien vertriebenen Juden Schutz suchten, lebte vor etwa 170 Jahren Francisco de Castro Almeyda als verkappter Jude: als Christ in

---

*)

Sabido
Es que él alli ha nacido,
Divina
Goza luz que ilumina
Morales
Ciencias en sus portales
Todos estos loores
En su alta esfera
Logra el trono del alto
Dios en la tierra.
Cantores
Sacros y tañedores
Gloriosos
Con hymnos misteriosos
Le canten
Y conmigo le alaben.

Portugal, in der Kirche und auf den öffentlichen Plätzen, als Anhänger des Judenthums in seinen geheimen Gemächern und an allen Orten, wo es sich thun liess. Mit Violante, einer Dame aus der eben nicht unbekannten Familie de Mesquita, deren Glieder wir gegen Ende des 17. Jahrhunderts als Agenten der Herzöge von Braunschweig-Lüneburg in Hamburg und Amsterdam antreffen, ging er die Ehe ein und zeugte mit ihr unsern Jacob oder Henriquez, wie er, um auch selbst den Schein des Judenthums zu vermeiden, im elterlichen Hause, im katholischen Portugal getauft wurde. In der Stadt, in welcher das Stammschloss der jetzigen portugiesischen Königs-Familie sich befindet, stand die Wiege unseres Jacob, dort wurde er 1691 geboren. Aus uns unbekannten Gründen vertauschte Francisco de Castro wenige Jahre nach der Geburt seines Sohnes diesen Wohnsitz mit dem kleinen Mertola. Hier wurde Jacob erzogen, in diesem Dörfchen empfing er den ersten Unterricht. In dem jugendlichen Alter von kaum 17 Jahren bezog er, der Stolz der Eltern, die Universität Evora und studirte dort mit besonderer Vorliebe die aristotelische Philosophie; ein sonst unbekannter Jesuit Diego Martins soll sein Lehrer gewesen sein. Jacob lag seinen Studien mit solchem Fleiss ob, dass er nicht allein alle seine Mitschüler an Wissen überflügelte, sondern auch nach einem dreijährigen Aufenthalte im Jahre 1710 zum Doctor und Magister promovirt wurde. Hierauf begab sich der junge Gelehrte nach Coimbra, um auf Wunsch der Eltern oder aus eigenem Antriebe Medicin zu studiren; schon 1617 erlangte er die Würde eines Baccalaureus dieser Facultät. Nicht sollte aber seines Bleibens noch ferner in der Heimath sein; Jacob verliess das Vaterland. Es dürfte nicht schwer fallen, einen ausreichenden Grund für das plötzliche Verschwinden des jungen Doctors aus Portugal zu finden. Was anders trieb den heimlich im Judenthum erzogenen und sein Judenthum liebenden Jacob von seinen Musensitzen und dem väterlichen Heerd, als der hohe Areopag, als das Glaubensgericht, das auch im 18. Jahrhundert noch eifrig die Flammen schürte, als die Inquisition, die unersättlich im Strafen und Verbrennen war.

Eins der grossartigsten Schauspiele, ein spectaculum horrendum ac tremendum, wie der Inquisitor Pegna selbst es nennt, wurde am 10. Mai 1682 in Lissabon aufgeführt. Bei diesem Auto wurden auf dem Schlossplatze verbrannt, weil sie hartnäckig in dem mo-

saischen Gesetze verharrten, Gaspar (Abraham) Lopez Pereira, der
Sohn des Francisco Lopez Pereira aus Mogadouro, Antonio de Aguilar
aus Lamilunilla bei Madrid, der Advocat Miguel (Isaac) Henriquez
de Fonseca aus Avios, sämmtlich in Lissabon ansässig und Pedro
Serraõ, der Sohn eines Apothekers Antonio Serraõ, welcher erst
erdrosselt worden, ehe er mit seiner im Gefängniss verschiedenen
jungfräulichen Schwester Ignes Duarte und der Isabella de Valle,
aus der Nähe von Chaves, den Flammen übergeben wurde. Eine
27jährige Schwester des geopferten Serraõ, ein 72jähriges Weib,
Paula de Crasto und der zum zweiten Male dem Judenthume
verfallene königliche Domänenpächter Simon Henriquez wurden
als reuige Neue-Christen nach Brasilien exportirt, drei junge
Mädchen und eine 70jährige Judenfrau zu lebenslänglicher Ge-
fängnissstrafe und eine grosse Anzahl anderer geheimer Juden zu
mehrjährigem Galeerendienst verurtheilt [498]).

Am Weihnachtstage 1696 verbrannte man in Evora eine Frau,
weil sie keine Beweise bringen konnte, dass sie nicht Jüdin sei.

In dem ersten Jahre des 18., des philosophischen Jahrhunderts, wurden in Lissabon an zwei Augusttagen, 11. und 12.,
zwei Auto-da-Fé's abgehalten.

Lissabon hatte wieder am 6. September 1705 sein grosses
Auto mit 60 Personen, von denen nur ein Mann verbrannt wurde,
weil er bis zum letzten Momente des Lebens behauptete, der
Mosaismus sei der reinste Glaube und sein Glaube. Eben so
viele Personen führte man am 30. Juni 1709, an welchem Tage
Carl XII. durch den Russen verhindert war, einen Stiefel anziehen
zu können, auf den Richtplatz: mit 54 reuigen Sündern kehrte
man in Prozession zurück, nachdem man sechs verbrannt hatte [499]).

Die Inquisition, welche in demselben Jahre, in welchem Jacob
de Castro Sarmento, unser jugendlicher Arzt, das Heimathsland
verliess, einen armen Cleriker verbrannte, weil er Jude war, mag
auch auf ihn Jagd gemacht haben. Verwandelte sie doch bald
nach seiner Abreise einen Verwandten seiner Mutter, den Doctor
Francisco de Mesquita in Asche, 'weil er unglücklich in seinen
Curen war und viel Volk unter die Erde brachte! [500])

Jacob entzog sich dem Kerker und dem Scheiterhaufen durch
die Flucht und eilte zu seinen Verwandten nach Hamburg oder
Amsterdam. Da er aber seinen Durst nach Wissen an diesen
Orten, wo das Element des Handels vorwaltete, nicht stillen

konnte, so schlug er seinen Weg nach London ein, nach der Stadt, welche wie jetzt, so ganz besonders damals durch ihre Kranken-häuser und sonstigen medicinischen Anstalten den Aerzten vielen Vorschub leistete. Im Februar 1721 traf Jacob in der Weltstadt ein und nahm auch sofort seine medicinischen Studien wieder auf. Practisch wie der Engländer ergriff auch er den practischen Theil seiner Kunst, studirte Physik, Chemie, experimentirte, trieb che-mische Analyse und besuchte die anatomischen Anstalten. Nach einem Zeitraume von vier Jahren bestand der in seinem muster-haften Fleisse verharrende junge Mann die Prüfungen in der Ana-tomie, theoretischen und practischen Medicin und wurde sodann als Mitglied des Royal College zugelassen. 1730 trat er wegen seiner Erfindung eines Wassers, welches sich als Heilmittel der Fieber empfahl, als Fellow of the Royal Society ein und im Juli 1739 verlieh ihm die Universität Aberdeen ein sehr ehrenhaftes Doctor-Diplom. *)

Wir müssen es den Historiographen der jüdischen Aerzte überlassen, den zahlreichen medicinischen Werken Jacob de Ca-stro's ihr Augenmerk zuzuwenden und wollen hier nur von seinen specifisch jüdischen, in spanischer Sprache abgefassten Schriften Notiz nehmen.

Der Akademiker und practische Arzt eröffnete seine litera-rische Laufbahn, wenn wir seine Dissertation »über die Inocula-tion und Transplantation der Pocken« (28. Juli 1721) abrechnen, mit einer religiösen Schrift, einem Erbauungsbuch, wie wir es nennen möchten. Fast scheint es, als ob Jacob von seinem Ge-wissen getrieben wäre, sein Glaubensbekenntniss abzulegen. Drei Reden, dem grossen und mächtigen Gotte Israels, »grande e omni-potente Dios de Israel«, gewidmet, Reden »para o dia santo de Kipur« erschienen von ihm 5484 (1724) mit dem schönen Martia-lischen Epigramm: Ille dolet vere qui sine teste dolet als Motto.

---

*) Unter anderm heisst es darin: — »cumque nobis satis superque com-pertum sit D. Jacob de Castro Sarmento Medicinae in Universitate Conimbri-cens. Portugal. Bachalaurum (sic), Collegii Medicorum Londini et Regiae Socie-tatis Socium, non solum studiis medicis maxima cum laude per complures annos incubuisse et iisdem maximos progressus hactenus fecisse, sed etiam in omni Medicinae praxi magno Mortalium commodo versatum esse et fuisse. Propterea Nos Jacobus Gordon etc.

Der fühlende Jude lebt und webt in der Geschichte seines Volkes. Jacob de Castro's Liebe zu dem »pueblo escogido«, welches er mit Stolz das seine nannte, gibt sich in einer spanischen Romanze kund. Der gelehrte Jacob war auch Dichter und verherrlichte die Vergangenheit seines Volkes in Gedichten: »Die ausserordentliche Vorsehung, mit welcher der grosse Gott Israels sein erwähltes Volk beschützte, zur Zeit der grössten Betrübniss, wie er Mardochai und Esther als Mittel gebrauchte gegen die verkehrten Anschläge des Tyrannen Haman« besang er in einer 1724 zu London erschienenen Romanze.

An dem frischen Grabe eines der grössten, wirksamsten Männer, welche in der englischen Hauptstadt gelebt haben, stand Jacob 1728. R. David Neto, der Londoner Oberrabiner, der auch von natura naturans und natura naturata zu sprechen verstand, hatte der Natur den Tribut gezollt! Wie sein Sohn Isaac Neto und der Doctor Isaac de Sequeira Samuda, so hielt ihm auch Jacob de Castro Sarmento eine Leichenrede, der er den 33. Vers des 26. Cap. aus dem 2. B. Mos. als Text zu Grunde legte und welche, vielleicht auf vielseitiges Verlangen, mit den beiden anderen 1728 in London im Druck erschien[301].

Wer wohl ihm die Leichenrede hielt? Er lebte und starb als gläubiger Jude in London.

Von London aus begeben wir uns mit unseren Lesern nach der freien deutschen Inselstadt, nach Hamburg.

Als der Wüthrich Alba 1567 seine Gräuelthaten in den Niederlanden verübte und Scenen aufführen liess, welche dem unglücklichen Amsterdam den Namen Morddam verschafften, flüchteten sich mehrere niederländische Tuchfabrikanten nach Hamburg. Gleichzeitig mit ihnen siedelten sich auch einige spanisch-portugiesische Juden dort an. Aber erst zur Zeit, als der eiserne Philipp den Thron Portugals mit Spanien vereinte und für die Juden des unterjochten Landes die Epoche der Marter und des Feuertodes anbrach, begaben sich viele der Auswanderer auf directem Wege oder von Holland aus nach der deutschen Reichsstadt; als katholische oder papistische Christen siedelten sie sich an und blieben auch mehrere Jahre, ob erkannt oder unerkannt müssen wir dahin gestellt sein lassen, in ungestörter Ruhe. Während Isaac der Alte,

20*

der Jude von Salz-Uflen im Jahre 1583 bei dem hohen Senat Hamburgs die Erlaubniss nachsuchte, ihm und seinen zwölf deutsch-polnischen Genossen nur auf zwölf Jahre das Niederlassungsrecht zu bewilligen, während dieser arme Perlenhändler dem Senate geschickt die Rechnung machte, wie durch diese Erlaubniss ohne irgend welche Mühe wenigstens 25,000 Mark in die Stadtcasse flössen und dennoch abschläglich beschieden wurde, fühlten sich die portugiesischen Glaubensgenossen, ohne Schoss und bedeutende Steuern zu zahlen, recht behaglich auf der von ihnen bewohnten »Herrlichkeit« und dem »Dreckwall«. Erst 1603 warfen sie die Larve ab, sie wurde ihnen vielmehr von den sie hassenden Bürgern abgerissen, und sie traten nunmehr auch öffentlich als Bekenner des Judenthums auf. Aus den einzelnen Protocollen, welche sich aus jener Zeit erhalten haben, ergibt sich ziemlich deutlich, dass ganz besonders der Senat die eingewanderten Juden zu schützen suchte, wie auch die Bürger sie bedrücken und besteuern wollten. Auf wiederholte Vorstellung der letzteren erklärte er am 16. August 1640, dass die Portugiesen die Stadt verlassen wollten, wenn sie mit dem angebotenen jährlichen Schoss von 900 Mark nicht zufrieden wären und bemerkte zugleich, »er halte seinem geleisteten Eide und Pflicht nach dafür, dass es besser sei solchen Schoss anzunehmen, als die Juden zu vertreiben und die Commercia und die Nahrung fast vorsätzlich an andere Orte gleichsam mit Gewalt zu verweisen«. Die Bürger beruhigten sich bei dem wohlweisen Rath ihrer Väter und Vertreter nicht und da sie wohl merkten, dass Senatus es mit den Juden halte, so appellirten sie an das Gewissen ihres Magistrats. Das Gewissen wollte Senatus nun doch nicht mit religiösen Scrupeln, welche mit der Niederlassung der Juden verbunden waren, belasten, und so fragte er bei den theologischen Facultäten zu Jena und Frankfurt an: ob er die Portugiesen, »unangesehen, dass sie der jüdischen Superstition anhängig und zugethan seien, mit gutem christlichen Gewissen unter seinem Schutz als incolas behalten, mit ihnen politico conversiren und neben anderen ihren Bürgern und Einwohnern Handlung mit denselben üben können?« Die beiden Gutachten von Frankfurt und Jena brachten den Trost, dass es väterlich und christlich gewesen, die portugiesischen Juden bisher geduldet zu haben und dass es ebenso nur väterlich und christlich sei, sie ferner zu dulden. Mit diesem Gutachten ausgerüstet, trug der Senat am 7. November 1641 der Bürgerschaft noch einmal der Juden Sache vor und die Bürger fassten endlich den Beschluss: »Wofern die Portugiesen als Kaufleute eingezogen leben, ohne Aergerniss und Lästerung des Namens Gottes sich verhalten, auch öffentlicher Zusammenkünfte sich enthalten, dass sie alsdann ferner gelitten werden sollen«. Die Juden erklärten sich damit einverstanden und so erschien denn im Jahre 1612 das erste öffentliche Document, in welchem sie rechtmässig anerkannt wurden. Es ist nicht zu leugnen, dass die grösste Zahl der den Portugiesen gestellten 17 Bedingungen von politischer Seite betrachtet sehr gelinde gewesen, dennoch glauben wir fest, dass der Salz—Ufler Jude und seine Genossen nicht darauf eingegangen wären, weil ihnen von vorn herein jede religiöse Freiheit genommen war. Nicht genug, dass man ihnen untersagte eine Synagoge zu halten, man erlaubte ihnen auch nicht, »ihre Religion in dieser Stadt Botmässigkeit durch heimliche und öffentliche Zusammenkünfte zu exerciren, auch in derselben der Beschneidung zu gebrauchen«. Die Portugiesen, in jener Zeit froh einen Winkel gefunden zu haben, der ihnen Ruhe und Schutz gewährte, unterwarfen sich auch diesen harten Förderungen; hatten sie es ja im Heimathslande bis zur Meisterschaft gelernt, solche Verbote zu umgehen und sich gewöhnt, die Vorschriften ihrer Religion heimlich zu üben und jeder weltlichen Macht Trotz zu bieten. Wie dem auch sei, sie traten aus ihrer Verborgenheit hervor und erschienen überall als solche, die sie wirklich waren. Aus einem 1612 aufgenommenen Verzeichniss, einer »Rolla der portugiesischen Nation oder Nomina der sämmtlichen allhier in Hamburg residirenden und wohnenden Portugiesen« ersehen wir, dass schon 1612 125 Personen, die Kinder nicht mitgerechnet, sich als Kaufleute, Mäkler, Aerzte, Bäcker u. s. w. in der Stadt befanden und in den schönsten und frequentesten Strassen der Stadt wohnten [502]).

Zu den in dieser Rolla genannten Familien gehören ausser den Cordosas, Limas, Lopez, Gomes, Costas, Albers und dem weltberühmten Arzt Rodrigo de Castro, welcher sich schon 1594 »sammt seiner Hausfrau, zween grossen Söhnen und anderen kleinen Kindern« dort niedergelassen hatte, ein Abraham de Errera, auf dessen Namensvetter, den 1631 zu Antwerpen verstorbenen Kabbalisten, von Wolf mit Unrecht der Dichterruhm übertragen wird [503]), dessen vielleicht ein anderer dieser Familie,

Isaac de Errera[502])

theilhaftig war, so wie ein Diego Carlos, welcher ohne Zweifel zu der Familie des von uns S. 212 genannten

David Cohen Carlos

zu rechnen ist.

Hamburg wuchs bald zu einer grossen Gemeinde und ehe noch der S. 209 behandelte Pfalzgraf

Immanuel Rosales

und sein Bruder, der Dichter des Bocarro,

Josias Rosales

Hamburg begrüssten, hatten sich dort bereits Synagogen erhoben.

Die erste Hamburger Synagoge wurde durch die Bemühungen Eliahu Aboab's, welcher 1644 in Amsterdam den Psalter neu auflegte[504]), vielleicht auch in dessen Behausung unter dem Namen »Talmud Thora« auf der »Herrlichkeit«[505]) eingerichtet und zwar vor 1626, denn schon in dem Jahre 1627, wo den Juden auch ein eigener Kirchhof auf dem Gebiete der Stadt eingeräumt worden, beschwerte sich Kaiser Ferdinand II. recht bitter darüber, »dass man den Juden eine Synagoge um der Handelsschaft willen concedire«[506]). Die Juden versuchten auch in keiner Weise zu verbergen, dass sie gottesdienstliche Versammlungen hielten und ihre Vertreter erklärten dem Senat ganz offen, »dass ihre Zusammenkünfte keine jüdische Synagoge, auch keine Uebungen des jüdischen Gottesdienstes seien, zumal sie darin nicht lehrten, disputirten, predigten, noch auch die Sacramenta des alten Testaments administrirten, sondern nur das Gesetz Mosis, die Psalmen Davids, die Propheten und andere Bücher des alten Testaments lesen und beten und auch für die Obrigkeit und die Stadt bitten, daher sei solches Thun nicht allein ihren Aufnahmeartikeln nicht zuwider, sondern müsse ihnen denen gemäss sogar zugelassen werden, wo nicht, so müssten sie ausziehen[507]). Gestützt auf diese Grundsätze und sicher auch der Ueberzeugung lebend, dass ihnen ihr Recht bleiben müsse, zeigten sie bald, dass sie sogar noch zwei Synagogen besässen, deren eine »Keter Thora« durch Abraham Aboab, den Vater des grossen Venetianer Rabbiners Samuel Aboab, Verfassers der שׁ"ת דברי שׁמואל, und die andere »Neve Salom« durch David de Lima begründet wurde[508]). Mehrere Jahre lang dauerten die Verhandlungen über die Synagogen-Angelegen-

heit*), bis endlich der Senat als Vertheidiger der Juden auftrat
und nachwies, dass die Juden keine Synagogen, sondern nur
Schulen hätten, dass sie doch nicht wie das liebe Vieh ohne allen
Gottesdienst und Religion in der Welt leben könnten, dass man sie

*) Der Senior Müller, einer der eifrigsten Gegner der Juden, schreibt
in seinem theologischen Gutachten von 1649: »Es werden ihre Synagogen
allhier mit silbernen köstlichen Lampen geziert, auf etliche 1000 Rthlr. an
Werth, darin treiben sie gross Heulen, Plärren, Grunzen, blasen darin die
Tubas und die Hörner.«

Aus dem schwarzen gehässigen Bilde, welches der Herr Senior in seinem
Gutachten von den portugiesischen Juden entwirft, lässt sich ungefähr auf den
Zustand schliessen, in welchem sie damals gelebt haben müssen. Müller bemerkt,
»dass sie sich doch wirklich Rabbinen halten und durch diese die Beschneidung nicht allein verrichten lassen, sondern auch Christen feierlichst dazu
einladen und ihnen, wenn sie kommen, Geschenke zum Andenken daran
geben. Ihr Laubhüttenfest halten sie also, dass sie oben auf den Häusern
Hütten bauen und unter denselben öffentlich sitzen; das Purim begehen sie
mit Gastereien, Tanzen, Springen, Ausfahren, Spaziren und allen Fröhlich-
keiten. Wenn das Pascha gehalten wird, müssen unsere Bäcker ihnen das
süsse Brot backen, dabei sich die Juden lustig machen, wie auf dem heiligen
Geist-Kirchhof in diesem Jahre geschehen. Dahin können auch gezählet
werden ihre Komödien, die sie öffentlich agiren und Christen lassen zusehen,
wie in diesem jetzigen Jahre in der Fastenzeit mit grossem Aergerniss und
Prophanirung der heiligen Passionszeit geschehen ist. Sie beschimpfen das
Ministerium, nennen die Prediger Pfaffen, schreien ihnen auf den Gassen
nach und nennen sie ins Angesicht Teufel. Sie unterstehen sich mit Geschenken unterschiedliche Prediger zu bestechen, die sie bald des Tags, bald des
Nachts senden. Sie forderten die Ministerielen zum Disputiren heraus und
klagten, dass Niemand unter denselben sei, der sie bestehen könne. Sie ver-
achten die Ministerielen, dass sie nicht geschickt seien, die Schriften Mosis
und der Propheten zu verstehen; ja sie geben das Ministerium fälschlich an
bei vornehmen Herren dieser Stadt und bei dem ganzen Rath mit schändlichen
Calumnien. Sie halten christliche Ammen und Mägde in ihren Diensten und
schänden sie und andere Christenweiber; sie schreiben Bücher, in denen der
christlichen Religion zuwider gelehrt wird sive directe sive oblique und lassen
diese Bücher hier drucken; sie treiben an der Christen Sabbath, Fest- und
Busstagen Handel und Kaufmannschaft und fahren an denselben Tagen mit
ihren Carossen über der Christen Kirchhöfe, ja sie gehen sogar in die Kirchen,
bespeien und beschimpfen das Bild des gekreuzigten Christus und treiben
auch sonsten in der Kirche Gezänk und dergleichen Geschrei; sie begraben
ihre Todten mit öffentlichen Ceremonien, mit vielen Kutschen und grosser
Menge zu Fuss. Sie suchen solche, die in hohen Aemtern weltlichen Standes
sind, mit Geschenken zu corrumpiren. Sie gehen einher, geschmückt mit
goldenen und silbernen Stücken, mit köstlichen Perlen und Edelgesteinen;

nicht bekehren, ihr Gewissen nicht zwingen und ihnen auch nicht beweisen könne, in ihren Schulen Lästerworte auszustossen, und dass man die Juden nur aus der Stadt hinausjagen und Hamburg zu einem Dorfe machen wolle. Der Senat wusste recht wohl, dass die Juden seiner Stadt in dem nahe gelegenen Dänemark gern aufgenommen würden. That doch Christian IV., welcher 1618 die Landeshoheit über Hamburg verloren hatte, Alles, um den Handel dieser Stadt zu stürzen! Zu diesem Zwecke legte er nicht allein in Glückstadt einen Hafen an, sondern erliess auch an den Vorstand der portugiesischen Gemeinde Amsterdams und vermuthlich auch an den des nahen Hamburgs ein sehr wohlwollendes Schreiben, in welchem er allen jüdischen Colonisten freie Religionsübung einräumte, wenn sie sich in seinen Landen niederlassen wollten [508*]).

Durch ihre politische Macht, ihren Reichthum und ihren Handelsgeist, wie denn auch bei der Errichtung der Hamburger Bank 1623 sich über 40 spanisch–portugiesische Juden als Interessenten nachweisen lassen, haben die Juden ihre religiöse Freiheit errungen. Hamburg wurde mit seinem »reichen Juden«, wie Manuel Teixeira, der Resident der schwedischen Königin schlechthin genannt wurde, mit David Abensur, dem Geschlechte Curiel und anderen hochgestellten Personen ein wichtiger Platz der portugiesischen Glaubensgenossen, ein Ort, der auch in geistiger Beziehung und wissenschaftlichen Bestrebungen Amsterdam bald nacheiferte.

Isaac Athias, der Verfasser des »Tesoro de preceptos« wurde von Venedig nach der neuen Gemeinde berufen und war der erste Rabbiner der dortigen »Talmud Thora«[509]). Als sein Nachfolger im Amte und zugleich Chacham der »Keter Thora« wird der Rabbiner der kleinen in Glückstadt sich gebildeten Gemeinde, Abraham de Fonseca[510]), welcher am 23. Tammus 5435 (Juli 1675) starb und in Altona begraben wurde[511]), genannt. Der vorzüglichste und einer der frühesten der Hamburger Volkslehrer war David Cohen de Lara, der Sohn des zu Amsterdam lebenden

Isaac Cohen de Lara,

welcher an der Akademie »de los Pintos« abwechselnd mit dem

---

sie speisen auf ihren Hochzeiten aus silbernen Gefässen und setzen dabei eine grosse Menge Schüsseln und Confecte auf und endlich fahren sie in solchen Carossen, die nur hohen Standespersonen zustehen und gebrauchen bei solchen Carossen noch oben darein Vorreuter und ein grosses Comitat.«

den atheistischen Spinozismus bekämpfenden Doctor Isaac Belosinos und Isaac de Leon Crato Vorträge hielt und sich als Mitglied der »Temime Derech« auszeichnete[512]). Er soll sich im Versemachen versucht haben und wie wir nach Barrios vermuthen, gleich seinem Bruder Abraham Cohen de Lara[513]), nicht allein ein guter Prediger, sondern auch ein guter Chasan (Vorsänger) gewesen sein. David, in Lissabon oder Amsterdam[514]) geboren, empfing in der Schule Isaac Usiel's seine Ausbildung und lebte eine Zeit lang in Rotterdam und Amsterdam, bis er dem Rufe als Hamburger Rabbiner folgte[515]). Dieser sehr tolerante Mann, der Freund des Hamburger Predigers Esdras Edzardi, verwandte die von seiner amtlichen Thätigkeit freie Zeit zu seinen gelehrten Studien, als deren Frucht besonders sein 1667 zu Hamburg erschienenes rabbinisches Wörterbuch כתר כהונה, an welchem er 40 Jahre lang arbeitete, zu betrachten ist. Ausser verschiedenen Schriften des Maimonides übersetzte er das Werk ראשית חכמה unter dem Titel »Tratado del Temor Divino« ins Spanische. Die Uebersetzung dieses 1674 verstorbenen Gelehrten wurde von dem »Hamburger Camoëns«[516])

Joseph Frances

besungen[517]) *).

---

*)   Aquel reflejo o rayo cristalino
         Del sol, que os ilumina soberano,
         Con que en la noche del galut tirano,
         A luz de liberal*) abris camino.
         Aqui como (en) retrato peregrino,
         Doctas le imprimen vuestra pluma y mano,
         Mostrando facil el remedio humano
         En cognoscencia del Temor Divino.
         Este en que el mismo Amor campea tanto,
         En años moço, en ciencias dilatado,
         Gloria os haze á Israel y al mundo espanto.
         Rico de vuestro ingenio, este tratado
         Como de erario del lenguage santo,
         Si era sin precio, mas sera preciado.

Uebrigens muss Frances auch noch ein grösseres Gedicht an de Lara gerichtet haben; aus seiner »Elogio Apologico al Hahsm David Cohen de Lara« führt Barrios an folgende 53 Oct. in seiner Schrift »Mediar Estremos« (Amsterdam 1680) 22:

---

*) De los Rios l. c. 566 hat libertad statt liberal; ihm scheint der Temor Divino vorgelegen zu haben, während wir das Sonett nach Barrios mittheilen.

Joseph Frances gehört zu dem alten spanischen Geschlechte dieses Namens, dessen Glieder sich in der Mitte des 16. Jahrhunderts in Ferrara niedergelassen haben. Dort commentirte 1552 ein Joseph Frances die Prüfung der Welt des Jedaja Happenini[518]; Samuel Frances lebte in Venedig, woselbst auch 1602 seine hebräischen Schriften erschienen sind. Unser Joseph Frances, welcher sich sowohl durch seine Religiosität als auch durch seine spanischen Gedichte in Hamburg auszeichnete, war in den 80er Jahren des 17. Jahrhunderts noch am Leben. Er besang den Tod des Märtyrers Bernal's und setzte dem Hamburger Chacham Isaac Jeschurun, dem Verfasser der שלוֹת חרשוֹת מניס und des moralphilosophischen Werkes »Livro da previdencia Divina« (1663) ein poetisches Epitaphium[519].

In Hamburg, später in Amsterdam und Middelburg lebte:

Jacob Jehudah Leon[520].

Ein von Juden und Christen geachteter Mann, welcher als geschickter Chacham und Meister in den verschiedenen Wissenschaften die ihm in hohem Maasse gewordene Anerkennung verdient[521]. Seine den Tempel zu Jerusalem darstellenden und behandelnden Werke übergehen wir an diesem Orte und erwähnen nur seine wörtliche Uebersetzung und Erklärung der Psalmen, welche unter dem Titel »Alabanças de Santitad« (קרש הלולים) 1671 zu Amsterdam ans Licht trat und Isaac Senior Teixeira, dem Residenten der schwedischen Königin zu Hamburg gewidmet wurde. Die bereits früher genannten

Jacob de Pina (S. 253),
Isaac Gomez de Sosa (S. 292),
Daniel Levi de Barrios und
Isaac Orobio de Castro

haben die Uebersetzung Leon's in Gedichten gefeiert. Auch ein Verwandter des Uebersetzers

---

Amante el alto del mas baxo mundo,
Por su union y su vinculo camina :
Y en dulce liga de un Amor profundo,
De la paz symboliza la doctrina.
El ente imcomprehensible, y sin segundo,
Entre los hombres á habitar se inclina,
Siendo de su grandeza unico erario,
Un templo, un sacerdocio, un sanctuario.

Eliahu Jeduhah Leon

gab ihm in einem Gesange Beweise seiner Verehrung [522]).

Jacob Jeduhah Leon hatte einen Sohn [523]) Namens

Salomon Jeduhah Leon,

welcher ein eleganter Prediger war und als solcher mit David de Pina, David Torres an der »Abi Jethomim« wirkte [524]). Salomon commentirte in seiner Schrift »Dictamenes de la Prudencia« die heiligen Gesänge Salomo's (das hohe Lied) und wurde für diese Arbeit von Barrios mit einem »Aplauso armonico« beehrt [525]). 1703 erschien von ihm eine hebräische Grammatik in spanischer Sprache »Principio del Sciencia«. Dem 1708 verstorbenen Salomo de Oliveyra hielt er eine 1710 im Druck erschienene Leichenrede [526]) und zum Lobe seines Meisters Isaac Usiel schrieb dieser »agudo Poeta« ein spanisches Gedicht [527]) *).

Wir nennen hier noch ausser Samuel de Leon, welcher, nach dem bilderreichen Barrios, das Süsse der Studien mit dem Honig der Beredsamkeit im Munde führte [528]), ein hervorragendes Glied dieser Familie:

Immanuel de Leon.

Dieser in der Mythologie, Poesie und allen schönen Wissenschaften wohl bewanderte Mann wurde in Leiria geboren, verbrachte den grössten Theil seines Lebens in Flandern und starb in Amsterdam. Zur Feier der Vermählung des D. Pedro mit der Prinzessin Maria Sophia Isabella dichtete er einen »Triumpho Lusitano« (Brüssel 1688), einen Gesang, in welchem er nicht den spanisch-türkischen Krieg behandelt [529]), sondern von den Fest- und Feierlichkeiten berichtet, welche am Lissaboner Hof vom 11. August bis 23. October 1687 statt hatten. In einem andern im Haag am 20. Februar 1694 der Prinzessin von Savoyen gewidmeten Carmen »El Duelo de los aplausos y triumpho de los triumphos« feierte

---

*)   Isaac Cherub celeste es oy, Sol antes:
        Blandio la lança y embraço el escudo
        De la sagrada ley: á sus amantes
        Su docta compañia dar luz pudo,
        Y al Mosayco Jardin plantas fragantes:
        Lo que quiso halla en el glorioso assiento:
        Planto verdades, y cogio victorias
        De los que igualan sus mercimientos
        En la balança fiel de las memorias,
        De la ley pesos, braços de sus glorias.

Leon den Einzug Wilhelm III. von England im Haag. Moralische Reden enthält sein 1712 zu Amsterdam erschienenes Werk » Examen de obrigaçoens« und ein Räthsel moralischer Tendenz, das » Gryfo emblematico«, womit er Diego de Chaves aufwartete.

War Immanuel de Leon auch keineswegs Rabbi, wofür ihn Wolf ausgibt, so bekannte er sich doch auch nicht zum Christenthum, wie Barbosa will[530]), indem er ihm zwei Manuscripte unterschiebt, » Vida de S. Maria Magdalena em Roma« und » Colloquio do hum peccador a Christo crucificado«, welche sicherlich einen andern von den vielen in der spanisch-portugiesischen Literatur genannten Leon, Leam, Leão zum Verfasser haben. Unseres Leon's letzte Schrift war ohne Zweifel das Hochzeitsgedicht » Certamen de las Musas«, mit welchem er den jüdischen Baron D. Francisco Lopez Suasso begrüsste.

Von dem armen Fürstensänger begeben wir uns nach einer kurzen Erwähnung des

Isaac de Silva,

welcher die Weltschöpfung in einem Gedichte besungen[531]) und vielleicht auch eine spanische Buss-Predigt geschrieben hat[532]), zu dem reichen, gelehrten und talentvollen Kaufmann

Joseph de la Vega,

wie nach dem Familiennamen der Mutter, oder Joseph Penso, wie nach dem Vater er genannt wurde[533]). Joseph war der zweite Sohn des erst im reiferen Alter zum Judenthum zurückgekehrten Isaac Penso (S. 214) und wurde, wie de los Rios vermuthet[534]), in Espejo im Königreich Cordova geboren: Er lebte später in Amsterdam und Antwerpen, nachdem er sich längere Zeit in Italien aufgehalten hatte. Hierfür spricht nicht allein der Umstand, dass er seiner 1679 verstorbenen Mutter in Livorno eine Grabrede hielt, es geht dieses auch aus den Worten Orobio de Castro's hervor: Dieser berühmte Arzt und Metaphysiker gibt Joseph das Zeugniss, dass er sich von seiner frühesten Jugend auszeichnete » en elogios de altos principes de Italia, ya en celebres epitalamios, ya en funebres declamaciones« und sich in allen Arten höchst talentvoll bewies. Sollte auch Orobio mit seinem Ausspruche nicht auf das von dem jungen Mann 1673 erschienene Erstlingsschriftchen פרדס שושנים hindeuten, auf die darin enthaltenen Carmina gratulatoria und die hebräische Komödie אסירי התקוה? Der mit herrlichen Anlagen von der Natur ausgerüstete Joseph, dem ausserdem

auch die Mittel zu Gebote standen, ohne Störung den Wissenschaften leben zu können, schrieb verschiedene historische und
philosophische Werke und versuchte sich nicht ohne Glück in Novellen und Dichtungen. Eine sehr fruchtbare Zeit dieses äusserst
productiven Literators war das Jahr 1683. Ausser einer Grabrede,
welche er seinem am 28. Schewat (Januar) 1683 verschiedenen
Vater hielt, erschien von ihm zu Amsterdam »La Rosa«, ein 35
Quartseiten füllendes »Panegyrico sacro« zum Lobe des göttlichen
Gesetzes, »Triumphos del Aguila y Eclipses de la Luna« an den
König von Polen gerichtet (126 S. in 4) und das »Leben Adams«.
Für letztere Arbeit wurde er von Barrios in einem Sonett besungen. Ihm hat die Biographie des muy erudito Joseph so wohl gefallen, dass er meinte, Adam müsse in seinem Fleisse eine Welt
und Eva in seinem Wissen den Himmel schauen [535]). Wir glauben
jedoch, dass Joseph's Biographie des ersten Weltbürgers nicht von
allen Lesern mit gleichem Beifall aufgenommen wurde, weil es
schon damals für einen Uebergriff mag gehalten sein, einen biblischen Stoff zum Thema zu wählen und den Gatten der »schönsten
aller Frauen« zu behandeln. Gegen die mit Joseph's Leistungen Unzufriedenen und seine Kritiker trat freilich Barrios auf und tröstete
den Angegriffenen in einem Sonett, in welchem er sich der Hoffnung
hingab, dass die Menschen vor Joseph's Genie sich noch beugen
müssten [536]). Ob aber dennoch die Anfeindungen seiner Gegner ihn
nicht zu dem Entschluss geführt haben, Amsterdam zu verlassen?
Gegen 1684 siedelte er nach Antwerpen über und schrieb dort das
»Leben einer Faustina« und das »Leben Joseph's«. Bald nach seiner
Ankunft in seinem neuen Wohnorte übergab er seine in der Akademie de los Floridos [537]) gehaltenen Reden »Discursos academicos
morales, retoricos y sagrados (Amberes 1685, 8) dem Drucke. 1688
erschienen von ihm unter dem Titel »Confusion de Confusiones«
Dialoge zwischen einem geschickten Philosophen, einem gebildeten
Kaufmann und einem gelehrten Actienritter (accionista) über das
Actienwesen und 1693 seine »Ideas posibles«, Ideen, welche er
als ein sonderbares Bouquet wohlriechender Blumen dem Publicum
empfahl. Auch Wilhelm III. von England wurde von Joseph in
einem »Retrado de la Prudencia y Simulacro de Valor« (Amberes
1690, 4) gefeiert, ein Beweis, dass er sich auch von den politischen Wirren der damaligen Zeit nicht fern hielt.

Mit einer Sammlung Novellen bereicherte Joseph de la Vega

die spanische Literatur in seinen »gefährlichen Reisen« (Rumbos peligrosos). Sie wurden mit ungetheiltem Beifall aufgenommen und von vielen früher von uns genannten Dichtern besungen. Diese Novellen, drei an der Zahl, entstanden, wie wohl die meisten seiner Schriften, in seinen Mussestunden und nach Orobio de Castro in der Absicht, sich und Andere zu zerstreuen *). Joseph bemühte sich in diesem Novellencyclus mit einer erhabenen, in gewisser Weise neuen Schreibart aufzutreten, Niemanden nach- zuahmen, damit auch er von Niemanden nachgeahmt werden könne. Diese Neuheit der Erfindung hatte jedoch ihre Gefahren und der Dichter verliert sich zuweilen in dem Dunkeln und Schwül- stigen. In diesen Novellen, welche mit Geist und nach dem Muster der italienischen Novellisten geschrieben sind, finden sich auch einige recht schöne Romanzen. Feliberto, ein neapolitanischer Jüngling, wird in der ersten Erzählung »Freundschaft und Un- schuld« angeklagt, seiner Geliebten untreu geworden zu sein; er schleicht sich unter das Fenster seiner Freundin und singt seine Rechtfertigung in Versen ab. **)

---

*) »Dejando materias mas graves, el insigne Vega discurre en esta que da á la estampa (ó por divertir su ánimo ó los de algunos que le persuadieron, á quienes no pudo decentemente negar este honesto divertimiento) con el mayor acierto que en semejante asunto vió nuestro siglo« lautet das Urtheil Orobio de Castro's.

**)
> Una cosa es ser amante
> Y otra deudor, y es muy cierto
> Que ser amante no puede
> Quien de la deuda esta exento.
>
> Eneas huye de Elisa,
> De Fedra el falso Teseo;
> Jason de la hermosa Maga,
> De Olimpia el infiel Vireno.
>
> Con razon Elisa llora,
> Fedra suspira con celos,
> Medea con ira brama,
> Olimpia gime con ruegos, -
>
> De los cuatro se lamentan,
> Por que son de su honor deseños
> Y justamente procuran
> Venganzas de sus desprecios.
>
> Mas ¿ de que se queja triste
> Quien falta al conocimiento
> Del que le debe el honor
> Por dicha y no por desvelo?

Dieser Schriftsteller, dem Gelehrsamkeit, Talent und eine wahrhaft schöpferische Imagination nicht abzusprechen ist, vollendete drei andere bereits angefangene Novellen nicht, weil er durch den Verlust seines Vaters bestimmt wurde, »á llorar tragedias verdaderas, mas bien que á maquinar ideas fabulosas«, verfasste aber noch, wie er in dem Prolog zu seinem »Rumbos« selbst berichtet, verschiedene Busspsalmen und Schriften moral-philosophischen Inhalts und versichert über 200 Briefe an verschiedene Fürsten geschrieben zu haben.

Joseph de la Vega gehört zu den letzten spanischen Juden, welche auf fremdem Boden weilend die spanische Poesie pflegten.

Mit dem Anfange des 18. Jahrhunderts verschwand jede Cultur, jede Poesie aus dem einst so poetischen Lande: die Schlösser und Villen der dichtenden Fürsten waren Ruinen, die Troubadoure vergessen, die Dichter ausgestorben, die Leier war verklungen und der Parnass öde und leer. Die ritterliche und hochherzige Nation musste, weil sie die Scheiterhaufen anzündete, auf welchen der Fanatismus ihrer Priester die Ketzer und Juden verbrannte, das Joch geduldig hinnehmen, das die politische Gewalt auf ihren Nacken legte und es geschehen lassen, dass sie einen Schritt nach dem andern hinter den übrigen civilisirten Nationen Europas zurückblieb, dass sie eine Zeit lang ohne Sang, ohne Poesie in Verkommenheit lebte[538]). Da wandten sich auch die spanischen Juden den Literaturen der Länder zu, in welchen sie in Frieden und Ruhe weilten. Wie

E l i e s e r U r i e l C a r d o s o

1732 eine holländische Komödie »Het Huwelyk door bedrog« schrieb[539]), so dichteten andere Juden in französischer und englischer Sprache und bauten die Literaturen der Völker an, welche ihnen Rechte und Freiheit einräumten.

Schon hatte das 18. Jahrhundert bis zur Hälfte seinen Lauf vollbracht, schon war für den grössten Theil der europäischen Welt die Morgenröthe einer bessern Zeit angebrochen, schon standen die Männer des freien Denkens und der freien That: Montesquieu, Voltaire, Rousseau, Franklin, Mendelsohn, der grosse Friedrich, Lessing, Kant auf dem Welttheater — in Portugal schlugen die Flammen der Scheiterhaufen noch lichterloh gen Himmel, in diesem Lande verbrannte man noch 1745 den grössten portugiesischen Dramatiker, den gefeierten Dichter

Antonio Joseph

weil er Jude gewesen [540]).

Keiner hat im grössern Maasse zu dem reichen, mannigfaltigen Schatze der portugiesischen Literatur beigetragen, Keiner die portugiesische Bühne auch nur mit dem vierten Theile dramatischer Dichtungen, alle vom höchsten Werth, bereichert und gleichwohl ist dieser durch seine Schriften so glänzende, durch sein heroisches Sterben unsterblichen Ruhms so würdige Mann, dieser Mann, dessen Bühnen-Dichtungen noch heute so manches Auge mit Thränen füllen, ist dieser im katholischen Portugal so viel genannte Mann allen seinen Glaubensgenossen selbst dem Namen nach völlig unbekannt.

Von seinem jüngern Leben weiss man wenig mehr als das Factum, dass, nachdem er mit 30 Jahren Wittwer geworden, er für die Bühne zu schreiben begann.

Sein Genie unterwarf sich keinem Gesetze, keiner Regel und man könnte fast behaupten, dass er sie zu umgehen sich bemühte. Die vortrefflichen Rathschläge, welche sein hoher Beschützer und Bewunderer, der Graf de Eryceyra ihm ertheilte, befolgte er nicht; unablässig empfahl dieser ihm Molière zu lesen und ihm nachzuahmen, aber der einzige Dramatiker Portugals überliess sich gänzlich seiner Lust und nahm kein Musterbild an. Antonio Joseph ist ganz Original, er zeichnet mit Geschicklichkeit die Fehler seiner Zeit und verstand es, durch seine lebhafte Schilderung das Publicum für sich zu gewinnen [541]).

Mit 35 Jahren trat er in einen Mönchsorden und zwar dem Anscheine nach ganz freiwillig und aus Neigung, in Wahrheit aber, um wachgewordenen Argwohn einzuschläfern und das Gerücht seiner Hinneigung zum Judenthume Lügen zu strafen, welches nicht nur durch einige Stellen, sondern gewissermassen durch die ganze Haltung seiner Schriften wach geworden. Fast ahnte der unglückliche Joseph das Ende, welches ihm bestimmt war! Fügte er doch jedem Bande seiner Werke eine Art Glaubensbekenntniss hinzu und versicherte, dass er an alle die Gottheiten nicht glaube, welche er in seinen Dramen bearbeite. Nichts desto weniger wurde er, nachdem er acht Jahre in Brasilien gelebt hatte, bei seiner Rückkehr in den Kerker der Inquisition geworfen. Zweimal gestand er das ihm zur Last gelegte Verbrechen und kam mit einer leichten Strafe und einer strengen Busse davon. Nach einem dritten Rückfall — sein Beschützer war inzwischen gestorben — wurde er zum Flammentod auf dem Scheiterhaufen verurtheilt, nachdem er freiwillig gestanden, er sei zwar sein Lebenlang von der Wahrheit des Judenthums überzeugt gewesen, doch sei er erst in seinem 37. Jahre förmlich dazu übergetreten und habe sich in diesem vorgerückten Alter der Beschneidung unterworfen. Vor das Tribunal gefordert, redete er die Inquisitoren mit folgenden Worten an: »Ich bekenne mich zu einem Glauben, von dem Ihr selbst lehret, dass er von Gott gegeben sei. Er hat diese Religion einst geliebt. Ich glaube, er liebt sie noch, während Ihr glaubt, dass er sie nicht mehr liebe. Und weil Ihr dieses glaubt, verdammt Ihr Die zum Feuertode, die überzeugt sind, dass Gott noch liebe, was er einst geliebt. Ihr werfet den Muhamedanern vor, ihre Religion mit dem Schwerte verbreitet zu haben. Ihr habt Recht. Aber verbreitet Ihr die Eurige nicht durch Scheiterhaufen? Ihr suchet die Göttlichkeit Eurer Religion durch die Hinweisung auf die Verfolgungen und den Fall der Heiden und auf das vergossene Märtyrerblut als die Ursachen ihres Wachsthums zu begründen. Tretet Ihr aber jetzt nicht selber an die Stelle Diocletian's und räumt uns Eure Stellen ein? Ach, Ihr wollet, wir sollen Christen werden und Ihr verschmähet es selber, Christen zu sein? Wenigstens seiet Menschen und behandelt uns, als hättet Ihr gar keine Religion Euch zu leiten und gar keine Offenbarung zu Eurer Erleuchtung. Hat der Himmel Euch wirklich also geliebt und begünstigt, Euch die Wahrheit zu offenbaren, dann seid Ihr in der That seine bevorzugten Kinder. Aber ziemt es den das väterliche Erbe besitzenden Kindern, Diejenigen zu hassen, die kein Theil an diesem Erbe haben! Ueber Geister und Herzen zu siegen, ist das charakteristische Zeichen der Wahrheit, aber ihren Einfluss durch Strafen, Schaffot und Qualen zu erzwingen, heisst nur die Ohnmacht der Wahrheit gestehen. Wird Jemand in künftigen Zeiten zu behaupten wagen, dass in der Zeit, in der wir leben, die europäischen Nationen gebildet waren, so wird man Euch zum Beweise anführen, dass sie Barbaren gewesen. «

Der Biograph, welcher diese Rede mittheilt, gibt auch ein minutiöses Detail der Ceremonie, welche die Hinrichtung begleitete, der er als Augenzeuge beigewohnt zu haben scheint.

»Ich hatte mich angeschickt, sagt er, das Auto-da-Fé mit-
anzusehen, welches das Volk mit dem Vorgefühl so vieler Lust erwartete. An dem bestimmten Tage durften Frauen in ihrem besten
Schmuck und mit Juwelen bedeckt an den Fenstern erscheinen.

Der König João V. kam und die Procession nahm ihren Anfang
von dem heiligen Offiz nach der Kirche S. Dominicus. Eine grosse
Anzahl Verbrecher sollten verbrannt werden. Die Meisten, wenn nicht
Alle, waren Juden. Ich konnte nicht umhin, die Güte dieses Fürsten zu bewundern, der sich herabliess diese Sünder anzureden
und sie zur Reue zu ermahnen. Die Juden blieben hartnäckig, bis
ihre Frauen und Kinder als Zeugen gegen sie vorgebracht wurden,
welche das Verbrechen ihres Judenthums bekannt hatten; möglich, dass das Geständniss durch Androhung oder Anwendung der'
Tortur abgedrungen worden. Die Väter und Gatten ·erkannten
hierauf ihre Irrthümer und flehten die Gnade Sr. Majestät an, die
auch Vielen nicht versagt wurde. Als aber der König mit der
äussersten Milde und Güte Antonio Joseph anredete, würdigte
dieser die Majestät nicht einmal einer Antwort. Gleichwohl ver-
harrte der König in seinen Bemühungen. Er drang in ihn, er bat
ihn ernstlich, sich zu bekehren und durch seine Rückkehr an das
Herz der Kirche sich vor den schrecklichen Quálen zu retten, die
seiner in der Mitte der Flammen warteten. Die rührendsten Ausdrücke wurden angewandt, um die Hartnäckigkeit dieses abge-
fallenen Priesters zu überwinden. Der König versicherte ihn seines
Schutzes, versprach ihm für seinen Lebensunterhalt durch eine
reiche Pension zu sorgen, wenn er nur von seinen Irrthümern sich
überzeugen und in den Arm der Kirche zurückkehren möchte, die
ihn als eine liebende, vergebende und gütige Mutter empfangen
würde. Alle Anwesenden waren von der Güte tief gerührt, die
der König gegen diesen Elenden an den Tag legte, der lieber lebendig verbrannt werden, als sein Verbrechen gestehen wollte. Obgleich er bereits über 60 Jahre zurückgelegt hatte, zeigte er doch
weder Furcht noch Schwäche und behandelte die Mönche mit ver-
ächtlichem Stillschweigen, die ihm zuriefen, er solle sich bekehren.
Bevor er verbrannt wurde, riss man ihm die Haut von den Fingern
und schnitt ihm die Nägel aus, weil er mit diesen verbrecherischer
Weise die Hostie berührt und entweiht hatte. Er litt diese Marter
und die schrecklichen Qualen der Flammen ohne etwas Anderes
zu äussern, als dass es eine Schande sei, einen Mann also zu be-

handeln, der für die Behauptung des Daseins eines einzigen Gottes sterbe. Zuerst versuchte er die Flammen mit einem Tuche abzuwehren, das er in den Händen hatte. Aber dieses fing Feuer und er verlor fast alles Bewusstsein, als die Menge zu schreien anfing: »Barbeao, barbeao« (scheert ihm den Bart)! Sofort tauchte einer der Henker einen langen Besen in eine Mischung von Pech und Terpentin, rieb damit seinen ehrwürdigen Bart und zündete ihn an. Der alte Sünder verlor darauf alle Besinnung und war bald nichts mehr als ein Haufen Asche.«

Jeder fühlende Mensch war durch eine so schreckliche Hinrichtung aufs heftigste bewegt; das Geschrei des Unglücklichen tönte noch lange nachher in den Ohren aller Derjenigen, welche er durch die Lebhaftigkeit seines Geistes, durch die Laune seiner dramatischen Personen so oft ergötzt hatte. Man begnügte sich nicht, den Dichter des »Aesop«, der »Zaubereien Medea's« im Stillen zu beklagen, einige muthvolle Männer erhoben laut ihre Stimme, um sein Schicksal zu beweinen [542]).

Der schimpfliche Tod Antonio Joseph's bekundet der Welt die tolle Wuth, mit welcher noch im vergangenen Jahrhundert das vielgeprüfte Volk, dem er seiner Geburt und seinem Bekenntnisse nach angehörte, in Portugal, in Spanien verfolgt wurde [543]).

Die so zähe und lebensfähige jüdische Race gänzlich von der Halbinsel zu vertilgen, wollte trotz der massenhaften Auto-da-Fé's, welche bis vor 70 Jahren von dem jüdischen Blute sich nährten, nicht gelingen, und es ist gewiss, dass bis in die neueste Zeit in den Kirchen und Klöstern sich noch Diener fanden, welche dem jüdischen Geschlechte entsprossen und im Herzen dem Judenthume zugethan waren. Will doch George Borrow noch neuerdings einem solchen verkappten Juden begegnet sein, der dem emsigen Bibelcolporteur versicherte, sein Grossvater sei ein so vorzüglich heiliger Mann gewesen, dass ein Erzbischof in einer bestimmten Nacht des Jahres heimlich in sein Haus kam, bloss um das Vergnügen zu haben, sein ehrwürdiges Haupt zu küssen und noch jetzt befänden sich viele seiner Glaubensgenossen im Besitz hoher kirchlicher Würden [544]).

Auch diese Zeiten sind, dem Himmel sei tausend Dank! — vorüber.

Portugal, wo die Inquisition zuletzt ihre Schrecken und ihren menschenmordenden Triumph verloren, hat zuerst wieder Juden

21*

als Juden in seiner Hauptstadt aufgenommen; Spanien leidet Juden in seinem Reiche; wir schauen hoffnungs- und vertrauensvoll in die Zukunft.

Einst, ja einst werden auch jüdische Dichter und Sänger jüdischen Geschlechts in dem Lande des einstigen Glückes ihr Lied wieder erklingen und, nicht mehr der trüben Vergangenheit gedenkend, spanische Gesänge von ihren Lippen strömen lassen. Bis dahin möge das funkelnagelneue spanisch-jüdische Volkslied, welches Frankl[545]) neulich in Constantinopel im Hause einer armen Musikantenfamilie hörte, als das modernste gelten, und auch wir wollen mit den armen Kindern singen:

> Oracion hagamos Venga el Goel,
> Seamos reunidos todo Israel,
> Y veamos presto binjan Ariel,
> Tornaremos seher por grandi umma
> De todos nombrados bene ruchama.

Noten.

1) Erzbischof Julian von Toledo, in der ganzen Geschichte der Gothen einer der merkwürdigsten und einflussreichsten Männer. Dass er von jüdischer Abkunft gewesen ist, wird von den verschiedenen Chronisten berichtet. Der Erste, welcher seiner Erwähnung thut, ist Roderich von Toledo im Chronicon Fol. 23ᵇ: »In cujus (Erwig) tempore Julianus episcopus dictus Pomerius ex traduce Judaeorum ut flores rosarum de inter vepres spinarum productus omnibus mundi partibus in doctrina Christi manet praeclarus«. Dasselbe erzählt fast mit denselben Worten das Chronicon del Pacense (bei Florez, España sagrada VIII, 286). Paul de Santa María gedenkt Julians im Scrutin. Scripturar. letztes Blatt: »Fuit etiam in hispania tempore Gethorum quidam de stirpe israelitico nomine Julianus pomerii qui baptizatus a beato hillefonso cathedram Toletanae ecclesiae et primatum hispaniae obtinuit. De cujus vita gloriosa dominus Rodericus archiepiscopus Toletanus in sua compendiosa historia laudabiliter facit memoriam«. Julian wurde zu Sevilla geboren und in Toledo erzogen. Er zeichnete sich als eifriger Verfolger seiner früheren Glaubensgenossen aus und die grausamen Beschlüsse der letzten vier Toled. Concilien sind unter seinem Präsidium und auf seinen Wunsch ins Leben gerufen.

2) Die weitere Ausführung dieser Behauptung wird man in unserer »Geschichte der Juden in Spanien und Portugal« erstem Theile »Geschichte der Juden unter den Gothen« finden.

3) Munk, Notice sur Joseph ben Jehouda (Paris 1842) 62.

4) Concil. Cojacense Can. VI: Nengunt christiano non muere (more) con judios en una casa, nen coma con ellos.

5) P. Burriel, Memoires pour la vie de St. Ferdinand 416.

5*) Delitzsch, Zur Geschichte der hebr. Poesie (Leipzig 1836) 65.

6) Reineke Vos (Niedersächs. Text) 4879.

7) Moses Sephardi in Huesca 1062 geboren, liess sich in seinem 44. Jahre, 1106, in der Kirche seiner Vaterstadt taufen und nahm die Namen Petrus und Alfonsus an, letzteren, weil der König Alphons VI. von Castilien — nicht Alphons I. von Aragonien, wie Dunlop, Ge-

schichte der Prosadichtung, deutsch von Liebrecht (Berlin 1851) 198 irrthümlich angibt — Pathenstelle bei ihm vertrat. Er verfasste nach der Taufe in lateinischer Sprache die Disciplina clericalis unter dem Titel: Alphonsus de clericali disciplina, von der es eine altfranzösische Uebersetzung gibt, welche in der einen Handschrift betitelt ist: Proverbes Peres Arfonse, in einer andern aber: Le Romaunz Perez Aunfour coment il aprist et chastia son fils. Die discipl. cleric. wurde zum ersten Male herausgegeben mit Einleitung und Anmerkungen von Fr. W. Valentin Schmidt, Berlin 1827. Nach Tritemius war P. Alphonsus auch noch der Verfasser eines anderen Werkes über Philosophie und Wissenschaft. Auch als Erdbeschreiber hat er sich einen Namen gemacht. (Serapeum 1853. No. 18.) Paul de S. Maria l. c. letztes Blatt gedenkt seiner: »Idem Vincentius barnacensis in sua historia narrat, quod fuit in hispania quidam de hoc genere (judaeorum) nomine Petrus Alfonsi, qui quendam dialogum solemnem edidit ad fidei catholice declaracõez«. Fernan Perez de Guzman (Claros varones c. 35, LXXII.) besingt ihn in folgender Stanze:

> Aqui conviene que fable
> De Per Alfon un doctor
> Que contra el judaico error
> Fizo un volumen notable.
> Fué este varon loable
> De los ebreos nascido
> E despues de convertido
> Cristiano muy venerable.

8) Cerillus wurde vermuthlich erst nach dem Tode des Petrus Alphonsus zum Leibarzt des Königs ernannt; wir erfahren sonst nichts über ihn.

9) Roderig. Tolet. VI, 34: qui satis erat familiaris regi propter industriam et scientiam medicinae.

10) Zuñiga, Anales eclesiasticos y seculares (Madrid 1795) I, 47 ff. Ueber das Epitaphium siehe die Abhandlung von Florez, España sagrada, II.

11)   Duosque Senecae, unicumque Lucanum
Facunda loquitur Corduba.   Martialis.

12) Mondejar, Alonso el sabio (Madrid 1777) Fol. 453 f. Prolog zu den alphonsinischen Tabellen, mitgetheilt von A. J. de los Rios, Estudios sobre los Judios de España (Madrid 1848) 272.

13) Zuñiga, l. c. I, 297, 318.

14) Zuñiga, l. c. I, 333: Don Mair, su fisico Judio, a quien por el mes de Diciembre hize merced de una casa.

15) Zuñiga, l. c I, 350: — si los Judios compraren algunas casas . . . asi como lo solien dar por las casas los Cristianos que las avien.

16) Zuñiga, l. c.: los hijos de cristianos no fuesen lactados por mujeres judias, ni los hijos de judios por mujeres cristianas.

17) Von diesem Arzt befindet sich ein Mscr. im Escurial, »which Morejon says, is the first work in Europe on local medicine and medical topography. Piquer regrets it has not been translated from the Hebrew into Spanish« Lindo, History of the Jews of Spain and Portugal (Lond. 1848) 111.

18) Unbegreiflich ist uns, wie Herr Lindo dazu kommt, diese Maria de Molina allenthalben, wo er von ihr spricht, Maria de Padilla zu nennen (l. c. 116, 125) und sie mit der 50 Jahre später lebenden Geliebten Don Pedro's, die er übrigens gar nicht zu kennen scheint, zu verwechseln.

19) Die Erzählung im Schev. Jeb. (ed. Wiener) 30 ist hier in einzelnen Punkten ungenau. Es heisst hierin: Don Alphonso, Sohn des Königs Don Sancho, während Sancho der Grossvater Alphonso's gewesen ist. Zu Vicekönigen wurden, wie Sch. Jeh. richtig angibt, Don Sancho, der Sohn der Maria de Molina, der Onkel des Königs, und Don Juan bestimmt. Nachdem aber beide an einem Tage im Kriege (gegen die Mauren bei Granada im Jahre 1319) gefallen waren, machten sie den Don Juan, Sohn des Infanten Don Manuel zum König (Sch. Jeh.). Dieser Juan war nicht der Sohn des D. Juan Manuel, welcher ebenfalls die Vormundschaft an sich riss, sondern des D. Juan el Tuerto.

20) Schev. Jehud. 26.

21) Despues fiso muchas cantigas de danza é broteras pore Judias é Moras.

22) Man vergleiche unsere Schrift: Moses Mendelssohn's philosophische und religiöse Grundsätze (Leipzig 1856) 138.

23) Ticknor, Spanish Literature (London 1855) I, 64.

24) Ueber Alphons de Valladolid: Geiger, jüdische Dichtungen der spanischen und italienischen Schule (Leipzig 1856) 51 f. u. A. Ob Alphons 1270 geboren und 1349 im Alter von 70 Jahren gestorben sei, ist uns noch fraglich. Paul de S. Maria l. c. erwähnt seiner : — fuit etiam in hac regione tempore regis Alfonsi decimi quidam mgr. (magister) Alfonsus Burgensis, magnus biblicus ph'us et al' metaphysicus qui in Ix anno (?) etatis sui fere (!) fidem xp̄i et sacrorum baptisma suscepit. Et consequenter cum esset sacristā ecclesie balisoletane (Valladolid) pulcra opuscula ad confirmacionem fidei et confirmacionem perfidei judaice in hebraica lingua edidit, quorum translaciones in vulgari in domo predicatorum balisoletani hodie reperiri possunt. Diese Mss. existirten in dem Archiv der Benedictiner zu Valladolid noch zur Zeit Ambrosius' de Morales. Vergl. mit den Angaben Paul's de S. Maria Schalsch. Hakabb. (ed. Venedig) 56ª.

Eine kurze Charakteristik der Schriften dieses Neophyten gibt Moses Cohen Tordesillas (1375) in der Vorrede zu dem Werke עזר האמונה (Ms.), wo es heisst: קצת ספרים שחבר אבנר אחי אשכל ואחי ענר [*] שכתב בהם כפירות עד אין חקר ובכללם ספר מורה שקר וגדרו במשוכת חדק וקראו מורה צדק והסתיר והטחיר מחלמידינו הדברים הכתובים בתסארת ויוסי וכתב הגדות של דופי. Aehnliches schreibt Moses Cohen in der Vorbemerkung zu § 105, wo von einem Schüler Abner's die Rede ist. (Mittheilung Steinschneider's.)

25) de los Rios, l. c. 301.

---

*) Nach Genesis, XIV, 13 ; eine feine Anspielung auf Abner's Taufe.

26) Gil ergriff zur Vertheidigung der Juden gegen Gonzalez Martin das Wort, vgl. Schev. Jehud. 32. Auch der Schev. Jehud. 49 genannte »Erzbischof«, welcher einen unschuldigen Juden vom Tode rettete, ist nach unserm Dafürhalten kein anderer als der Erzbischof Gil.

27) Ob Carrion sein Geburts- oder nur Wohnort gewesen, lässt sich wohl schwerlich ermitteln; letzteres ist indess wahrscheinlicher, wie R. Santob im ersten Verse seines Werkes selbst angibt

.... Don Santo
Judio de Carrion.

28) In eigenthümlicher Weise will der gelehrte Sanchez den Namen des rabbinischen Troubadours erklären. Seiner Ansicht nach war der wirkliche Name desselben gar nicht bekannt; die Juden hatten, so meint Sanchez (Poesias Castillanas anteriores al siglo XV. [Madrid 1779] I, 180) ihm den Namen gegeben, »a coso por sus virtudes morales y literatura, en memoria del aquel otro Rabi Jehuda Anasi, conocido entre los Judios por Rabi Akados, esto es R. Santo«. Mögen auch die Juden seine Leistungen auf dem Gebiete der Wissenschaft und seine Moralität sehr geachtet haben — übrigens war e r mit seinen Juden gar nicht zufrieden — so haben sie ihn doch gewiss nicht den Heiligen genannt und noch viel weniger dem Rabbi Jehudah Hakkadosch gleich gestellt. R. Santob mit dem Dichter Don Moses, dem Leibarzt Juan II. (s. S. 53 ff.) identificiren zu wollen (Sanchez, l. c. nach ihm Douce, Dance of Death [London 1833] 25, welcher Sanchez' Vermuthung schon als Gewissheit ausgibt und ohne Bedenken niederschreibt: R. Santo was a jew and surgeon to Don Pedro [I]. His real name seems to have been Mose, but he calls himself Don Santo, Judio de Carrion) ist eben so falsch, wie die Vermuthung Dukes' (Literaturblatt des Orients, XII. [1851] 29) ihn unter dem Namen Ephraim ben Sancho*) (Sanci) im Schev. Jehud. 54 finden zu wollen. M. s. hierüber unsere Notiz in Hirsch, Jeschu-

---

*) Es steht meines Erachtens ziemlich fest, dass dieser E p h r a i m ein A r a g o n i e r oder C a t a l o n i e r gewesen und mit R. S a n t o b de C a r r i o n zu g l e i c h e r Z e i t gelebt hat. Was das letztere betrifft, so ergibt sich aus Schev. Jehud. 53, dass er die hohe Ehre genoss, von D. Pedro חיין nach seinem Namen gefragt zu werden. Dieser D. Pedro חיין pקן ist kein anderer als Pedro IV. von Aragonien, welcher über 50 Jahre (1336—1387) regierte, übereinstimmend mit Schev. Jeb. l. c. Kriege gegen die Ungläubigen, die Saracenen führte und zum Unterschiede von dem damals in Castilien regierenden Pedro mit dem Beinamen »der Grausame«, der »Alte« genannt sein mag. Ihn sprach Ephraim, dessen Vaterland sich nicht allein aus der Unterredung mit dem Könige, sondern und ganz besonders aus dem Namen seines Vaters שאנג בן ergibt. Als der König ihn nach seinem Namen fragte, antwortete er שאנג בן אפרים (שאנג nach der Amsterdamer Ausgabe des Schev. Jeh.; das hinzugetretene ז mag ursprünglich ז gewesen sein = שאנגז). שאנגז ist das alt-catalonische Sanz, welches in der ursprünglichen Form Sanci hiess und nur im Volksdialect corrumpirt wurde (vergl. Diez, Etymologisches Wörterbuch der romanischen Sprachen [Bonn 1853] XI), wie denn auch der Jude dem Könige erwidert: שאנגז ist mein Familienname, eigentlich Sanci אלא שנשתבש בלשון העם.

run III, 158. Vergl. auch Steinschneider. Jewish Literature (London 1857) 350, n. 54.

29) Noch der neueste Bearbeiter der spanischen Literaturgeschichte, der verdienstvolle Ticknor, sagt in seiner History of Spanish Literature (London 1855) I, 80 : »Indeed, it is little to say that few Rabbins of any country have given us such quaint and pleasant verses as are contained in several parts of these curious counsels of the Jew of Carrion«.

Dass R. Santob de Carrion nicht der erste Jude gewesen, welcher für einen König oder in dessen Auftrage sentenziöse Sprüche verfasste, erfahren wir aus der so eben erschienenen trefflichen Schrift unseres Helfferich »Raymund Lull und die Anfänge der catalonischen Literatur« (Berlin, Springer). D. Jaime I., König von Aragonien und Catalonien (1213—1276), dessen Vater sich genöthigt sah, den grössten Theil der Güter und Einkünfte der Krone den reichen Juden seines Landes zu überweisen *) (Schmidt, Geschichte Aragoniens im Mittelalter [Leipzig 1828] 141), gab einem Juden aus Barcelona, Jafuda, den Auftrag, einen entsprechenden Auszug von Sprüchwörtern aus arabischen Philosophen zu fertigen. Diese von Jafuda verfasste Sammlung befindet sich handschriftlich auf der Madrider National-Bibliothek: »Jafuda, Judio de Barcelona, Dichos y sentencias de Filosofos sacados de libros arabes por orden de D. Jaime I. de Aragon y trad°ª en lemosin a. 1385«. Jafuda (Jehudah) ist eine höchst mysteriöse Person, und dürfte es schwer fallen, den eigentlichen Namen dieses königlichen Spruchsammlers vollends zu ergründen. Zunächst liegt mit Helfferich, 59, an den gewandten Reisenden und arabisirenden Dichter Jehudah ben Salomon al-Charisi zu denken, welcher in der ersten Hälfte des 13. Jahrhunderts, also gleichzeitig mit D. Jaime blühte und Sentenzen der Philosophen »מוסרי הפילוסופים« aus dem Arabischen ins Hebräische übersetzte. Bei den von Helfferich 52 f. mitgetheilten Sprüchen lassen sich, wo nicht die Autoren selbst, denen Jafuda folgte, so doch verwandte Beziehungen nachweisen.

30) Dieser Beiname rührt von seiner im lieblichen Thale gelegenen Villa her. Dort befand sich früher ein der Santa Juliana geweihtes Kloster. Aus Santa Juliana wurde später durch Zusammenziehung Santa illana, dann Santillana. Florez, España sagrada, XXVII, 58. Der Familienname Santilhano existirt auch unter den spanisch-portugiesischen Juden noch heute.

31) Sanchez, l. c. I, 1.

32) Sanchez, l. c. I, LI. »E aun por tanto los Hebraycos ozan afirmar que nosostros no asi bien como ellos podemos sentir el gusto de la su dulceza«.

33) Sanchez, l. c. I, 38.

34) Hirsch, Jeschurun, III, 214.

*) Als Folge dieser Verpfändungen dürften die vielen Gesetze betrachtet werden, welche D. Jaime gegen den Wucher und die übergrossen Zinsen der Juden erliess.

35) Sanchez, l. c. I, LIX.

36) Pusele »en cuento de tan nobles gentes« por gran trovador. Sanchez, l. c. I, LIX.

37) Sanchez, l. c. I, 180; Rodr. de Castro, Bibl. españ. (Madrid 1781) I, 198; Ticknor, l. c. III, 422.

38) »Nous avons eu occasion«, sagt ein erst jüngst aus Spanien zurückgekehrter Forscher, »de comparer ce manuscr. avec celui qui existe à Madrid et nous avons trouvé que les idées sont bien les mémes, mais que la forme en est toute différente; il est donc probable que ces deux mss. ont été écrits sans que pour la rédaction de l'un on se soit servi de l'autre, car on ne peut guère attribuer à un erreur de copiste la différence entre les titres, dont l'un dans le mscr. de Madrid porte el libro del Rabi Santob et l'autre Consejos y documentos del Judío Rabbi Don Santo al Rey Don Pedro«. Helfferich, Aperçu de l'histoire des langues néolatines en Espagne (Madrid 1857) 50 f.

Ein von uns angestellter Vergleich zwischen dem von Ticknor nach dem Mscr. im Escurial abgedruckten Text und einer uns von unserm lieben Lehrer und Freunde Herrn Dr. Helfferich freundlichst übergebenen Abschrift des Mscr. in Madrid ergab, dass einzelne Verse des Madrider Mscr. sich in dem des Escurial gar nicht finden.

39) Schnurrer, Chronik der Seuchen (Tübingen 1823) I, 327.

40) Zunz, Synagogale Poesie des Mittelalters (Berlin 1855) 39 f. Interessante Zusammenstellungen und Notizen über diese Epidemie finden sich in der jüngst erschienenen, mit Noten bereicherten Uebersetzung des Emek Habacha von Wiener (Leipzig 1858) 186 ff.

41) Schnurrer, l. c. I, 334.

42) Zunz, l. c. 41.

43) Wolf, Jahrbuch der Literatur (Wien 1832) LIX, 28.

44) Zum ersten Male nach dem Mscr. im Escurial vollständig abgedruckt bei Ticknor, l. c. III, 422—436.

45) Berachah, hebr. Segensspruch.

45*) Der Dichter wählte R. Assa als einen der letzten und bekanntesten Amoraim.

46) Schack, Geschichte der dramatischen Literatur und Kunst in Spanien (Berlin 1845) I, 124.

47) de los Rios, l. c. 319.

48) de los Rios, l. c. 309,

49) Ad. de Castro, Judíos en España (Cadiz 1847) 65. Pero es cosa averiguada que Rabi Don Santo fue convertido à la fe de Cristo; puesto que escribio en verso una doctrina cristiana etc.

50) Sanchez, l. c. IV, XII. : Repugnabame que un Judío judaizante habl. cristianamente, son pues solamente suyas las que tienen por titulos consejos etc.

51) Sarmiento, Memorias para la historia de la Poesia y Poetas Españoles (Madrid 1775) 191.

52) Ticknor, l. c. I, 80 : In the Escurial manuscript, containing the verses of the Jew, are other poems, which were at one time attri-

buted to him, but which it seems probable belong to other, though un-
known authors.

53) Douce, l. c. 25: It may however be doubted, whether the
Jew Santo was the author of the Dance of Death, as it is by no means
improbable, that it may have been a subsequent work, added to the
manuscript.

54) Helfferich, l. c. 50: Dans tous les cas il est certain que ce
Rabbi, supposé même, qu'il eut embrassé la religion chrétienne ne
pouvait être l'auteur de la Doctrina cristiana et de la Danza de la Muerte
qui dans le Mscr. de l'Escurial etc.

55) Sanchez, l. c. IV, xii. meint, »son de uno o mas anonimos
Cristianos«.

56) Auch die Kabbalisten bedienten sich häufig dieses Symbols.
Auf einem Grabsteine in Spons, Miscellan. Erudit. Antiquitt. 7 ist ein
zur Erde niedergestreckter Körper dargestellt und über ihm ein Schmet-
terling, der eben dem Munde des Verschiedenen, oder wie Homer sich
ausdrückt, der Zähne Gehege entkommen ist.

57) Wolf, l. c. 30; Ticknor, l. c. I, 81.

58) R. Jehudah ben Ascher, nach dem Tode seines grossen Vaters
zum »maestre universal de España« ernannt, tödtete sich לקדש את השם
1349 in Toledo. Juchasin, ed. (Amsterdam) 100ᵇ, 101ᵃ; Schalsch. Hakabb. 60ᵃ; Immanuel Aboab, Nomologia (Amsterdam 1629) 284.

59) Man vergleiche unsere Abhandlung: Don Pedro und sein
Schatzmeister Samuel Lewi, in Frankel's Monatsschrift für Geschichte
u. s. w. VI, 365—381.

60) Nach de los Rios, l.c. 326 besteht der Prolog nur aus 34 Versen; anders die in Prosa verfasste, dem Gedichte vorangeschickte Einleitung, in welcher es heisst: »el prologo de sus rymas es veynte e
tres coplas fasta de quiero desir del mundo«. Dieses ist auch
dem innern Zusammenhange nach das allein Richtige.

61) Wir beziehen uns auf die von Dukes l. c. XII, 30) angeführte
Stelle aus dem צרור המור, 32 : זה שייסד הפייס הר ב דון שם טוב
למה רומסין מפט אנטים וכו'.

61*) Diese Stadt, welche unseres Wissens nur einmal und zwar
an dieser Stelle in jüdischen Schriften vorkommt — in der Abhandlung
von Zunz über hispanische Ortsnamen (Zeitschrift für die Wissenschaft des
Judenthums, 414 ff.) fehlt dieser Name — hiess ursprünglich Virouesca.
In späterer Zeit trat an die Stelle des V ein B und erst die Castilianer
veränderten den Namen in Briviesca. So wird er auch am häufigsten
gefunden. Hierher berief Juan II. 1388 eine Cortes-Versammlung.

62) R. Samuel Zarza in seinem Werke »Mekor Chajim«, im Auszuge dem Schev. Jehud. (ed. Wiener) 131 angehängt.

63) Der von Samuel Zarza l. c. genannte שר הגדול שר שר ist
nicht der Herrscher איש אשר לו עצה וגבורה (גאליש) גאליש von
Galicien, wie Wiener und vor ihm S. Weil übersetzten, sondern der
von den Chronisten oft genannte Prinz von Gales (Wales [der schwarze
Prinz]). Die Juden schreiben gewöhnlich גאליסויש für Galicien.

64) Beer, Philosophie und philosophische Schriftsteller der Juden (Leipzig 1852) 80 f.

65) Aboab, Nomologia, 290. Cardoso, Excelencias de los Hebreos (Amsterdam 1679) 371.

66) Ayala, Cronica de los Reyes de Castilla (Madrid 1770) II, 27. Paul de S. Maria, l. c.: Rex Henricus secundus . . . . ipse instituit in curiis generalibus quod judei portarent signum distinctionis in suis vestibus.

67) Paul de S. Maria, l. c.: Rex Johannes primus, felicis recordacõis, filius superdicti regis Henrici secundi instituit, quod judei nulla haberent publica officia nec jurisdictiones etiam inter se ipsos in criminalibus exercerent. Vergl. hiermit das in der Cortes-Versammlung zu Valladolid erlassene, hierauf Bezug nehmende Gesetz, que no fueran los hebreos oficiales del rey, ni sus almojarifes, ni de la reina, ni de los infantes, ni de otras personas, ni sus recandadores, ni sus contadores, ni cogedores.

68) Schev. Jehud. 88 u. a. a. St. Ayala, l. c. II, 361 f. 390 f. Zuñiga, Anales de Sevilla II, 236 ff. Paul de S. Maria, l. c.: Post quem regem Johannem regnavit rex Henricus tercius sant. memor. filius ejus in anno XI. etatis sue in cujus regni principio ulcionem sanguinis Xĩ (Christi) excitanti multitudo popularis magna et valida contra eos surrexit et quorum plurimi erant interfecti per totam hispaniam, qui quidem tumultus incepit a civitate hispanensi in cujus ecclesia metropolitana quidam archidiaconus in Irãtã simplex et laudabilis vite cepit praedicare contra errores judeorum et modos eorum vivendi enormes et contra sinagoges eorum movit cum sacrorum canonum tenore edificantes ex quo tumultus superdictus incepit in brevissimo tempore per totam hispaniam et ultra usque pereneos et in insulis majoricarum et Sardine velocissime evolavit.

69) Lozano, Reyes nuevos de Toledo bei de los Rios, l. c. 72.

70) Ibid. 76.

71) Ayala, l. c. II, 460.

72) Juchasin (ed. Amsterdam) 134; Kore Hadorot (ed. Cassel) 27ᵇ. Dass R. Mair Alguades die Beschuldigung der Vergiftung getroffen habe und er der Religionsverhöhnung schuldig befunden worden sei (Jost, Geschichte der Israeliten, VII, 56; Zunz, l. c. 47) erzählen die genannten Quellen nicht. Die von Jost citirte Historia de Segovia von Colmenares (Madrid 1640) Fol. 324ᵃ berichtet allerdings von der Tortur, welche ein Don Mayr (sic) erlitten habe, nennt ihn aber nicht Alguades, so dass dieses noch immer ein anderer Leibarzt gleichen Namens sein kann. Schalsch. Hakabb. 115ᵃ spricht auch nur von דון מאיר רופא המלך, eben so Emek Habacha (ed. Letteris) 78 דון מאיר רופא המלך דון אינריקי. Cardoso l. c. 373 erzählt ebenfalls die Geschichte der Hostienschändung, bemerkt aber dabei: Pero los que escrivieron la Coronica deste Rey, y de Don Juan el segundo su hijo no hazen mencion deste successo, ni desta muerte como son Alvar Garcia (de S. Maria) Pero Lopes de Ayala, y Fernan Perez de Guzman (diese Chronik ist nur eine Fortsetzung der

Alvar Garcia's) no la escrive Marineo Siculo, ni Vasco, ni Mariana, Autores todos tan graves, solo la ponen aquellos dos poco afficionados à la Nacion Judayca.

73) Der Herausgeber der Historia de España des P. Mariana (Valencia) VI, 265 hat bereits diese Vergiftung für erdichtet erklärt. En mi juicio, sind seine Worte, es una de aquellas c a l u m n i a s f a b u l o s a s q u e f o r j o el v u l g o p o r e l o d i o que lenian à las cesuras y pertinacia judaica.

74) Sumario de los Reyes de España 75 : E esto Don Abraham Aben Zarzal fue padre de D o n M o s e n A b e n Z a r z a l, f i s i c o que es agora de nuestro señor el R e y D o n E n r i q u e III.

75) Cancionero de Baena (Madrid 1851) 230. Die von Rodr. de Castro l. c. I, 297 und nach ihm von de los Rios l. c. 419, Ad. de Castro l. c. 74 dem mitgetheilten Gedichte noch hinzugefügten, in einem andern Metrum geschriebenen beiden Verse finden sich im Cancionero selbst nicht. Der eine Vers lautet in der Uebersetzung :

> Majestätisch bricht der Löwe furchtlos ein
> In der weiten Ebne schwache Hütte,
> Blickt da funkelnd stumm auf Garten, Feld und Stein
> Nach des stolzen Löwen stolzer Sitte.
> Mächtig öffnet er den Rachen zum Geheul,
> Alles starret, was ihm nahe weilet ;
> Ob der Stimme dröhnet selbst der Pforte Säul' —
> Auch dessen Reich hat Gott ihm zugetheilet.

76) Cancionero de Baena 668 : De Don Mossé, çurgiano o cirujano del rey D. Enrique III. nada sabemos. El nombre de Mossé no deja duda alguna de que fue judio u converso.

77) Cronica de D. Juan II. por Fernan Perez de Guzman (Logroño 1517) Fol. 35ᵇ : Estando el rey y la reyna y el infante en Ayllon vino un frayle etc.

78) Zurita, Anales de Aragon, III, 55 f.

79) Alcocer, Historia de Toledo, Fol. 70.

80) Cronica de D. Juan II, 14ᵇ.

81) Die Chronik des D. Juan II. wurde von Alvar Garcia de S. Maria begonnen und von Fernan Perez de Guzman, welcher Garcia's Mscr. in dem Monasterium des St. Juan-Ordens, wo Garcia begraben worden, selbst sah, später fortgesetzt.

82) Geffcken, Bildercatechismus des 15. Jahrhunderts (Leipzig 1855) I, 30.

83) Ein hebräisches Gedicht (Weinlied zur Purim-Feier) Schelomo Halewi's befindet sich in einer Leydener Handschrift, so wie in der Bibliothek des jüd.-theologischen Seminars zu Breslau.

84) Nach der Paul gesetzten, von Florez, España sagrada (Madrid 1771) XXVI, 387, mitgetheilten Grabschrift ist er in dem 83. Jahre seines Lebens gestorben :

> Praefectus est ad omnipotentem Deum senex et plenus dierum
> XXIX die Augusti A. D. MCDXXXV, aetatis vero suae LXXXIII.

Nach Fernan Perez de Guzman, Generaciones C. XXVI war er 85 Jahre alt, als er starb.

85) Hernando de Pulgar, Claros varones de España, 22.

86) Cronica de D. Juan II. 74[b].

87) Ibid.; Mariana, Historia general de España, l. XXI c. 6.

88) Florez, España sagrada XXVII, 550.

89) Ticknor, l. c. I, 400.

89[a]) Alcala hatte bis zu Anfang des 15. Jahrhunderts eine ziemlich ansehnliche jüdische Gemeinde. Zur Zeit Maimonides' lebte dort Mar Isaac als Rabbiner; in gleicher Stellung lebte daselbst R. Menachem ben Serach wohl über 40 Jahre. R. Isaac ben Scheschet correspondirte mit einem Abraham Alcachli aus Alcala. Vgl. Zunz, Zeitschrift für die Wissenschaft des Judenthums, 138.

90) Adonai, Gott; Aljama, Judenstadt; Barcelay wird von Pidal nach Castro mit »Teufel« erklärt, wahrscheinlich ist es der Name eines Juden, welcher 1482 irgend eines Verbrechens wegen in Vittoria gefänglich eingezogen wurde. Vgl. Lindo l. c. 259; Kohanim, Priester; Sopherim, Schreiber; Meschumad, Täufling; Schammess, Synagogendiener; Humasch, gewöhnliche Bezeichnung für die 5 Bücher Moses; Pysmon, Hymne; das spanische huynna, welches Pidal nicht zuerklären wusste, ist ohne Zweifel das hebr. תחנה, ein Gebet; Zedakah, Almosen; Tefillah, Gebet.

91) Haefele, Der Cardinal Ximenes (Tübingen 1844) 279.

92) Bernaldez, Historia de los Reyes catolicos, c. XLIII. MS. bei Prescott, History of the reign of Ferdinand and Isabella (London 1838) I, 357.

93) Llorente, Histoire critique de l'Inquisition d'Espagne (Paris 1817) I, xxiv.

94) Bernaldez, l. c. bei Prescott, l. c. I, 353.

95) Montoro Poesias Varias Ms. Al rey D. Fernando el catolico sobre el robo de Carmona:

> Si hablo con osadia
> Es por ver de cada dia
> Lo que dijo Salomon.
> Si quisiereis perdonarme
> Seguireis la via usada etc.

Vergl. Canc. de Baena, die gelehrte Einleitung Pidal's XXXIV ff.

96) Die Bruchstücke des Ezekielos abgedruckt bei Delitzsch l. c., Dübner u. A.

97) Aus einem Titel seines berühmten Dialogs, wieder gedruckt zu Medina del Campo 1569: Dialogo hecho por el famoso autor Rodrigo de Cota, el tio, natural de Toledo ergibt sich, dass Toledo sein Geburtsort gewesen ist. Vgl. Puibusque, Histoire comparée des littératures espagnole et française (Paris 1843) I, 136.

98) Cancionero de Baena, Einleitung XXXVII.

99) Ibid.   — Por vos nou querer dejar
> De ser ropero.

100) Ibid., Einleitung XXXVII.

101) Usque, Consolações, mitgetheilt in englischer Uebersetzung von Lindo, l. c. 250.

102) Mitgetheilt von Ad. de Castro, l. c. 149 ff.

103) Mitgetheilt von Ad. de Castro, l. c. 113 ff. : La entrada de estos jueces en Sevilla i la conspiracion maquinada por los judios para destruirlos se leen en un MS. de aquel tiempo i de incierto autor.

104) Bernaldez, Historia de los Reyes Católicos Fernando y Isabel, MS. c. XLIV. bei Ad. de Castro, l. c. 115.

105) Llorente, l. c. I, 160.

106) Ad. de Castro, Protestantes Españoles (Cadiz 1851) 245.

107) Llorente, l. c. I, 189 ff.

108) de los Rios, l. c. 155.

109) Dieser geistreiche Gedanke wurde unseres Wissens von unserm trefflichen Zunz (Zur Literatur und Geschichte [Berlin 1848]526) zuerst ausgesprochen. Der Wiener Dichter Ludwig August Frankl hat ihn später (wahrscheinlich nach Zunz) in einem schönen Gedicht verarbeitet (Frankl, Nach der Zerstörung [Wien 1856] 27 ff.).

110) Peter Martyr d'Angleria legatio Babyl. l. 3 p. 426, (ed. 1574) bei Zunz, Synagogale Poesie, 52.

111) Llorente, l. c. I, 261.

112) Bekanntlich finden sich über die Zahl der Ausgewanderten die verschiedensten Angaben. Die von uns angenommene Zahl gibt Jachia l. c. 115ᵃ an. Bei Abrabanel sind 300,000, bei Aboab (l. c. 290] 420,000 Seelen, bei Cardoso l. c. 383 120,000 Familien mit 400,000 Seelen, bei Luzatto (Discorso circa il stato degl' Hebrei [Venet. 1635] 87) ½ Million angegeben. Die höchste Zahl, 800,000 Seelen, hat Mariana. Vgl. Cassel, Encyklopädie von Ersch und Gruber II, XXVII, 225, Note 19.

113) Cassel, l. c. 200.

114) Aboab, l. c. 295. Gonzalo de Illescas, Historia Pontifical y Catholica (Barcelona 1606) Fol. 109ᵇ.

Illescas spricht sich über die Vertreibung der Juden und ihre Wanderungen folgendermassen aus :

Estando pues los gloriosos Principes en su nueva villa de Sancta Fe (Granada), libraron y pronunciaron, ultimo dia del mes de Março del felice año de noventa y dos, una ley y pragmatica universal, por la qual mandaron, que dentro de los quatro meses primeros siguientes Abril, Mayo, Junio, hasta el postrero dia de Julio, saliessen fuera de sus Reynos todos los Judios con sus mugeres, hijos, criados y esclavos, que no fuessen Christianos : y que no parassen ni boluiessen jamas a ellos, de vivienda ni de posada, so pena de muerte y confiscacion de todos sus bienes. Y porque no pareciesse tyrana, y que se hazia esto por tomarles lo que tenian, dioseles a los tales Judios facultad y libre poder, para que en estos quatro meses vendiessen sus haziendas a quien bien visto les fuesse. Y que pudiessen llevarlas fuera destos reynos : con tanto que guardassen las leyes, que vedan sacar

algunas mercaderias. Con esta sancta y rigurosa ley salieron de Castilla passadas de veynte y quatro mil familias y casas de
Judios. Vendieron todo lo que tenian, y si passauan la mar
pagauan dos ducados al Rey por cabeça. Fueron se muchos
dellos a Portugal, de donde despues aca tambien los han echado.
Otros se fueron a Francia, Italia, Flandes y Alemaña.
Y aun yo conoci en Roma alguno que auia sido vezino de
Toledo. Passaron se muy muchos a Constantinopla, Salonique o Tessalonica, al Cayro, y a Berberia. Lleuaron
de aea nuestra lengua, y toda via la guardan, y usan
della de buena gana, y es cierto que en las ciudades de Salonique, Constantinopla, Alexandria, y en el Cayro, y en otras ciudades
de contratacion y en Venecia, no compran, ni venden, ni ne-
gocian en otra lengua sino en Español. Y yo conosci en
Venecia judios de Salonique hartos, qui hablauan Ca-
stellano, con ser bien moços, tambien y mejor que yo.
Es grandissimo el prouecho que el gran Turco siente desta geste
por los tributos que le pagan, y ansi dizen, que Bayazetes, que
vivia quando estos Judios se fueron a sus tierras, solia dezir: yo
no se, como los Reyes de España son tan sabios, pues
tenian en su tierra tales esclauos como estos Judios, y
los echaron della. —

115) Diese nach Einigen von dem Cardinal Siliceo verfassten
Briefe finden sich bei de los Rios, l. c. 204 f, Ad. de Castro, l. c. 138 ff.
Beide Historiker bringen noch zwei andere in der Sprache verschiedene,
im Inhalt aber ganz gleiche Documente bei. Es ist lächerlich, wenn Lindo
l. c. 298 hier mit seiner sonst nur zu sehr vermissten Kenntniss der
jüdischen Literatur auftritt und die zehn Generationen der spanischen
Rabbinen aufzählt, um die Unächtheit dieser handschriftlich in dem
Archiv der Kathedrale zu Toledo aufbewahrten Briefe zu beweisen.
Diese Mühe hat Herr Lindo dem principe Chamorro zu danken!

116) Schev. Jehud. 91.

117) Bartholomäus Senarega, de rebus Genuensibus bei Muratorii
script. rer. ital. XXIV, 531. Vgl. Prescott l. c. I, 231. Wiener hat die
Stelle nach dem lateinischen Text mitgetheilt (Emek habacha, deutsche
Uebersetzung, 199 n. 233¹).

Die Leiden der aus Spanien und Portugal vertriebenen Juden können wir an diesem Orte nicht ausführlich behandeln. Sie werden ge-
schildert von Zacuto in Jucbasin, Jachia, l. c.; Samuel Usque, Consolacões, Abrabanel, »geschmacklos aber mit glühender morgenländischer
Phantasie«, wie Jost (l. c. VII, 89) sich auszudrücken beliebt, in der
Vorrede zu den Commentaren; Elia Capsali in Seder Eliahu, fragmentarisch zum ersten Male veröffentlicht als Beilage zur deutschen Uebersetzung des Emek Habacha von Wiener (16—22); Jehudah Hayut in
der Vorrede zu seinem Werke Minchath Jehudah (Kore Hadorot 30ª);
Schev. Jehud., Hieronimus Osorius, De Rebus Emanuelis lib. I und
verschiedenen Zeitgenossen.

118) Wolf, Actenstücke zur Geschichte der Juden, in Steinschneider's hebräische Bibliographie No. I, 17.

119) Ranke, Die römischen Päpste (Berlin 1854) I, 48.

120) Schev. Jehud. 92.; Schalsch. Hakabb. 116.

121) Eine genaue Angabe der Quellen und ausführliche Behandlung in unserer »Geschichte der Juden in Spanien und Portugal«.

122) Aboab, 1. c. 300. Vgl. unsere Abhandlung : Immanuel Aboab und seine Nomologie, in Hirsch, Jeschurun, IV, 566 ff.

123) Schnurrer, l. c. II, 42.

124) Emek Habacha 88 ; Schalsch. Hakabb. 115.

125) Possunt habere characterem sed non rem sacramenti . . . . Omnes litterati et ego insapientior omnibus monstravi plurimas auctoritates et jura, quod non poterant cogi ad suscipiendam christianitatem quae vult et petit libertatem et non violentiam, et licet ista non fuerit precisa, scilicet cum pugionibus in pectora, satis dum violentia fuit. Episcop. Silv. Sentent. in Symmicta Lusitana vol. 31 f. 70 ; bei Herculano, Inquisicāo em Portugal (Lisboa 1854) I, 121.

126) Schev. Jehud. 93.

127) Patrem filium adducentem, cooperto capite in signum maximae tristitiae et doloris ad pillam baptismatis, protestando et Deum in testem recipiendo, quod volebant mori in lege Moyse. Episcop. Silv. Sentent. l. c.

128) Multos vidi per capillos adductos ad pillam. Episcop. Silv. Sentent. l. c. Emek Habacha 89 u. a. m.

129) Os actos que se acabavam de practicar eram nāo só uma affronta ao christianismo, Herculano l. c. 128.

130) Von jüdischen Quellen erwähnen des Aufstandes in Lissabon Schalsch. Hakabb. 116ª, Schev. Jehud. 93 f., Emek Habacha 90.

131) Acenheiro, Chronicas dos Reis de Portugal, (Lisboa 1824) 333. Der beiden Dominicaner gedenken auch die jüdischen Quellen, ohne sie namhaft zu machen.

132) In der Klageschrift der Juden an Paul III. (Symmict. Lusit. vol. 31 f. 5) werden 4000 Todte angegeben, eben so Schalsch. Hakab. und Em. Habach., Schev. Jehud. hat 3000. Andere Geschichtschreiber aus jener Zeit nehmen nur 2000 an.

133) Der König hatte Commissarien nach der Stadt geschickt, kam aber nicht selbst, wie es im Schev. Jehud. heisst.

134) Acenheiro l. c. Figueiredo, Synops. Chronol. I, 162 f., bei Herculano l. c. 151.

135) Llorente, l. c. I, 334, 345 ff.

136) Buxtorf, Synag. Judaic. c. 21.

137) Puibusque, Histoire comparée des littératures espagnole et française, (Paris 1843) I, 14.

138) Bouterwek, Geschichte der spanischen Poesie, (Göttingen 1804) III, 13.

139) Sachs, Religiöse Poesie der Juden in Spanien, (Berlin 1845) 142.

140) Lindo, l. c. 337.

141) Ranke, l. c. II, 256 ff.

142) Lessing, Sämmtliche Schriften (in der Lachmann'schen Ausgabe) III, 366 f.

143) Ueber dieses Bibelwerk vgl. Clement, Bibliothèque curieuse historique et critique, (Göttingen 1752) III, 446—48 ; Le Long, Biblioth. sacr. 364 ff. ; Castro, l. c. 1, 401 ff. ; Wolf, Biblioth. hebraea, De Rossi, De typograph. hebraeo-ferrarensi, Cap. VI. u. A.

144) Barbosa, Bibliotheca lusitana, (Lisboa 1747) III,671 nennt ihn Salusque (sic) Lusitano, »nome affectado com que encubrio o proprio«. Wolf, l. c. III, 1025, IV, 973 und III, 300 ; Delitzsch, l. c. 70. Dieselbe Person führt Barbosa (l. c. III, 700) nochmals an unter dem Namen Seleuco Lusitano mit dem Zusatze : Esto Author que declarou a Naçaõ, e ocultou o nome, foy igualmente perito na lingua Italiana e Castelhana vertendo daquella nesta Sonetos etc. Venezia 1567. 4.

Der gelehrte Antonio Ribeiro dos Santos (Memorias de Litteratura portugueza, [Lisboa 1792] II, 360) meint, dass Salomon Usque der Vater von Abraham und Samuel Usque gewesen sei : »Salomão Usque Pai e seus filhos Abrahão e Samuel Usque«. -

145) Sachs, l. c. 142.

146) Velasquez, Geschichte der spanischen Dichtkunst, deutsch von Dieze, (Göttingen 1769) 286.

147) Prescott, History of Philipp the Second, (London 1855) I, 271.

148) Kampen, Geschichte der Niederlande, (Hamburg 1831) I,326.

149) Ranke, l. c. I, 310.

150) Llorente, l. c. II, 370.

151) Llorente, l. c. II, 150.

152) Llorente, l. c. II, 340.

153) Llorente, l. c. II, 340, 347.

154) Llorente, l. c. II, 371.

155) Hortos suos ei spectaculo Nero obtulerat. Tacitus, Annal. XV, 44.

156) Ciriense ludicrum edebat habitu aurigae permixtus plebi vel curriculo insistens ; ibid.

157) Barbosa, l. c. II, 749.

158) Unter dem Namen Juan ist er bekannter, daher auch Wolf, l. c. III, 361 : »Jochanan Pinto Delgado«. Steinschneider (Jewish Literature [London 1857] 235) führt ihn (nach De Rossi, Dizion. storic., deutsch von Hamberger [Leipzig 1839] 265) unter »Juan (not Moses, why not?) Delgado Pinto« an. Ad. de Castro nennt ihn (l. c. 193) Juan, doch einige Zeilen nachher irrthümlich José.

159) Pius V. wurde zu Bosco unfern Alessandria geboren (Emek Habacha 130, Ranke, l. c. I, 356). Schalsch. Hakabb. 117[b] nimmt fälschlich Alessandria als Beinamen ; eben so falsch ist die Jahresangabe ; Paul IV. starb 9. December 1565, Pius V. Wahl fand 8. Januar 1566 statt.

160) Ranke, l. c. I, 371.

161) Emek Habacha 132.

162) Emek Habacha 149.

163) Barbosa, l. c. II, 722.

164) Ticknor, l. c. II, 46 : Luis de Leon had a Hebrew Soul and kindles his enthousiasm almost always from the Jewish scriptures.

165) Expositio Threnarum, id est Lamentatio Hieremiae. Nic. Anton. Bibl. Hisp. II, 179.

166) de los Rios, l. c. 510.

167) Ad. de Castro, l. c. 195.

168) Ticknor, l. c. II, 46 n. 15.

169) Barrios, Relac. de los Poetas Españoles, 54.

170) So Barbosa und nach ihm Ticknor ; nicht Paris, wie de los Rios meint. Das Exemplar, welches de los Rios und wie er vermuthet auch Rodr. de Castro (l. c. I, 510) benutzte, hat weder Angabe des Druckorts noch Jahres.

171) Barbosa, l. c. II, 393.

172) Poema composto em Outava Rima de que era o argumento : A violento irrupção feita peles Inglezes no año 1596 etc. Barbosa, l. c. II, 393.

173) Koenen, Geschiedenis der Joden in Nederland, (Utrecht 1843) 128 f.

174) Kampen, l. c. I, 327.

175) Kampen, l. c. I, 328 f., 349.

176) Koenen, l. c. 132.

177) Barrios, Casa de Jacob, 5 hat en el año Judayco de 5350 que corresponde al de 1593 (muss heissen 1590) de la Christiandad, so auch Wagenaar, Beschrijving van Amsterdam, VIII, 127, bei Koenen, l. c. 142.

178) Barrios, Casa de Jacob, 6 f.

179) Barrios, Relac. de los Poetas 53. Tirado war kein Dichter, wie Wolf, l. c. III, 533 meint.

180) Barrios, Casa de Jacob, 10; Maskil el Dal, 133. Koenen, l. c. 186.

181) Barrios, Insigne Jesiba de los Pintos, 4 ; Wolf, l. c. III, 205, 177.

182) Barrios, Relac. de los Poetas, 53 :

> Infernales espiritus quebranta
> David Abenatar Melo harmonioso
> . Traductor del Psalterio misterioso.

Arbol de las Vidas 93 :

> David Abenatar Melo
> Pasma iras, hiere sobervias
> Con el harpa de su voz,
> Y el canto de su prudencia.

183) Wolf, l. c. III, 177, 1068.

184) Le Long in seiner Bibliotheca sacra thut dieser Uebersetzung keine Erwähnung, führt jedoch in den addendis ad biblioth sacr.

22*

1208, col. 1 ein Psalterium hispanice a quodam Judaeo salt. ab Hispania, anno 1628, an, welches aller Wahrscheinlichkeit nach die Uebersetzung Melo's und vielleicht eine von ihm selbst besorgte zweite Ausgabe ist.

185) Ad. de Castro, Protestantes españoles, 300.

186) Barrios, Insigne Jesiba de los Pintos, 2; Arbol de las Vidas, 82.

187) Barrios, Keter Schem Tob, 152.

188) Barrios, Triumpho del Govierno Popular, 70 f. Mit unserm Antonio Alvares Soares lebte zu gleicher Zeit ein anderer Dichter gleichen Namens, welcher ebenfalls nach Flandern auswanderte, aber erst im Jahre 1630. (Da der unserige sich bei der Einweihung der ersten Synagoge, also 1607 schon in Amsterdam befand, so kann es unmöglich derselbe sein.) Jener wurde in Lissabon geboren, verstand die meisten europäischen Sprachen und war als lyrischer Dichter von den grössten italienischen und spanischen Dichtern verehrt. 1628 erschienen von ihm in Lissabon »Rimas Varias«. Nic. Anton., l. c. I, 75. Cordeiro, Elog. dos Poet. Portug. Est. 32. Barbosa, l. c. I, 202.

189) Barrios, Casa de Jacob, 18; Relac. de los Poetas, 54:

> * Paulo de Pina a Belgas Horizontes
> Dialogo instruye de sagrados montes.

Wolf, l. c. I, 1014 (wo statt Dina »Pina« zu lesen ist); III, 909, 988. Wie Wolf macht auch Castro aus einer Person zwei: »Rohel Jeschurun« (l. c. 541), »Paulo de Pina« (l. c. 628). Nach de los Rios, l. c. 498 ist »Paulo de Dina« (Wolf, Castro) Verfasser talmudischer Tractate (!).

190) Barrios, Gemil. Chassadim, 51.

191) Barrios, Aumento de Israel, 42. Koenen, l. c. 339 f.

192) Barrios, Casa de Jacob, 24. In einem uns vorliegenden Manuscripte wird der »Dialogo de los siete Montes« fälschlich dem Saul Levi Morteira zugeschrieben.

Den Freunden der romanischen Literatur wird hoffentlich kein unangenehmer Dienst erwiesen, wenn wir den Anfang dieses Dialogs nach dem Mscr. mittheilen:

Setim.	Quão bem aventurado, e quão ditoso Mil vezes com rezão pode chamarse, O que hum sò Dio comfesa hua so essencia.
Gerisim.	Quanto ditoso e bem aventurado Pode chamarse aquele que medita Na Ley sancta d'el Dio noites e dias.
Nebo.	Quão bem aventurados Estantes em tua casa Adonay sancto Louvando o sancto nome de continuo.
Hor.	Muitas vezes benditos venturoso O povo aquem sò mente he consedido, Chamarse povo de Adonay bendito.

Carmel.	O bem aventurado e sancto povo
	Que Adonay Sebaot seo Dio se chama.
Setim.	Salem alechem Nebo, Hor e Carmel.
Carmel.	Alechem Salom Olivedo, e Gerisim.
Nebo.	A este Kahal Kados seiamos vindos
	Todos muy para bem, por par de todos.
Sinai.	Este sem falta he o lugar sagrado,
	Que a minha terra elegeo para esta junta
	Dos filhos sete que acordar deseia
	Muitos estão ia qua, não fuy primeiro,
	Adonay imachem Irmãos.
Gerisim.	Jebareheha Adonay Sinai divino.
Sinaï.	Hum falta ainda dos sete.
Carmel.	Si falta o monte sancto de Sion.
Hor.	Redemidos a Sion tão presto venha
	Como Sion anos vira.
Sion.	Tardava
	Pois iuntos ia os seis Irmãos esperão.
Gerisim.	Vieste em fim Sion e a vinda tua
	Fes entre nos o numero perfeito.

Sodann beginnt Sion :

O Irmãos caros, caros companheiros
A quem dotou el Dio omnipotente
De privilegios mil, de mil favores
Desde nosso principio e nascimento
Em principio dos dias etc.

193) Cardoso, l. c. 363 ; Barrios, Govierno Popular Judayco, 43, Casa de Jacob, 18. Gewiss lag auch Zunz diese Tamar Barrocas im Sinn, wenn er (Synagogale Poesie, 340) sagt : »In Lissabon ging man (1603) nicht so weit, man verbrannte nur eine Frau«.

194) Barrios, Triumpho del Govierno Popular, 74 ff.

195) Barrios, Triumpho etc. 76 :

En el año de mil y de seyscientos
Y tres, à tres de Agosto, la severa
Inquisicion levanta horrible hoguera etc.

196) Barrios, Triumpho etc. 77 ; Relac. de los Poetas, 54 :

Ezechiel Rosa boton Aonio
Respiro la fragancia de Latonio,
Y las semanas de Daniel declara.
De la sciencia Astrologica luz clara.

197) Barrios, Aumento de Israel, 36.

198) Barrios, Maskil el Dal, 110 :

De la mosayca ley o arbol de vidas
Se ve Samuel de Rosa (h)olor fragante.

Relac. de los Poetas, 54 :

Su hijo Samuel Rosa haze fragancia
Del Rosal de su historia á la elegancia
En la espada Narvays, por dar congoja
Con una á marte, al sol con mucha hoja.

199) Barrios, Aumento de Israel, 36.

200) Aboab, Nomologia, 300. Früher hielten wir Jacob Usiel irr-

thümlich für einen jüngern Bruder des Baruch ben Usiel. Vgl. Hirsch Jeschurun, III, 82 Note und Carmoly's Notiz III, 157.

201) Aboab, l. c. 300.

202) Barrios lieferte eine Biographie Isaac Usiel's.

203) Wolf, l. c. II, 1121. Kore Hadorot an mehreren Stellen.

204) Rodr. de Castro zeigt bei Jacob Usiel die ganze Fülle seiner Gelehrsamkeit. Hören wir seine eigenen Worte : »Jacob ben Usiel unos de los mas sabios de la Persia, floreció en el Africa y fue Maestre en Fez del R. Ishak Alphasi reparador de la Academia de Cordova como refiere Imanuel Aboab, Nomologia 273. Fue Doctor en Medicina y escribio en lengua española un Poema heroïco en alabanza de David, que se imprimio en Venecia en el año de 1624«. R. Isaac Alphasi ging von Fez, seinem Wohnorte, daher al Fasi, in seinem 45. Jahre nach Cordova und wurde später Rabbiner der »ansehnlichen, in jedem Sinne bedeutenden Gemeinde Lucena« (Sachs l. c. 257 Note), woselbst er an einem Sabbath 11 Jjar 4863 (1103) im 90. Jahre seines Alters starb und neben seinem Vorgänger, dem grossen Poeten R. Isaac ben Giat (Gajat) begraben wurde (Nomol. 273). Castro hat also denselben Jacob Usiel, welcher 1624 zu Venedig sein Heldengedicht drucken liess, zum Lehrer des Mannes gemacht, welcher 1103 c. 520 Jahre früher zu Lucena gestorben war! Das ist Jost's Autorität!

205) Ticknor, l. c. II, 442 Note.

205*) Benjamin de Tudela (ed. Asher) II, 281.

206) David, Poema Heroïco por Doctor Jacob Usiel, cum licentia Superiorum, Venet. (Barezzo Barezzi) 1624, 4.

207) Nicht Hornem, wie bei de Lara in einem Aufsatz: »Antonio Joseph, the Portuguese dramatiste (Asmonean), abgedruckt: Jewish Chronicle (London 1855) No. 29, deutsch: Hirsch, Jeschurun I, 598.

208) Zunz, Synagogale Poesie, 342.

209) Barbosa, l. c. I, 298. »Neste Auto (5. Mai 1624) se queimáraõ tres clerigos, entre elles o Doutor infeliz, Lente da Universidade, homem de muitas letras«. Bei diesem Auto wurden auch drei Körbe voll Bücher (3 canastras de livros, cubertas com samarras) den Flammen übergeben. Historia da Inquisição em Portugal, (Lisboa 1845) 265.

210) Wolf, l. c. III, 519: teste R. Jacob Aboab in literis ad B. Ungerum datis quibus etiam testatur, MSS. ejus nonnulla tum Medic. tum Philosophic. argumenti apud heredes exstare. Carmoly (Histoire des Médecins juifs, [Bruxelles 1844] I, 246) versichert: Ce poëme espagnol nous a engagé il y a quelques années à rechercher les autres ouvrages que le docteur Jacob Usiel a laissé inédits, mais nous les avons cherchés en vain dans un grand nombre de Bibliothèques. Il parait qu'ils ont été tous transportés en Orient après la mort de l'auteur.

211) Barbosa, l. c. I, 178.

212) Barbosa, l. c. III, 439 ; Nicol. Anton. l. c. II, 80.

213) Thomas de Pinedo, Stephanus de Urbibus (Amsterdam 1678),

507: vir in Hispaniae rebus doctus, sed qui Latinas, Hebraeas et Grae-
cas Literas nunquam salutaverat.

214) Cardoso, Agiolog. Lusitan., III, 72.

215) Macabeo, XV, 9 : Mira de Celorico el alta cumbre etc.

216) Barbosa, l. c. III, 486 macht Silveyra zum »maestre de cos-
mografia dos moços fidalgos que frequentavão o Palacio«. Richtiger Nic
Anton., l. c. II, 446 : In Matritensi curia per vicennium integrum prae-
cepta discipulis tradidit.

217) El Macabeo, Poema Heroïco de Miguel de Silveyra, Napoles,
(Egidio Longo) 1638. 4. Madrid, (Franc. Martins) 1731. 8. Noch ein
anderes Werk wird ihm von Barbosa l. c. zugeschrieben : Vida de Elio
Sejano, composta em Francez por Pedro Matheo, Chronisto de Luiz XIII.
Barcelona, (Sebast. de Carmillos) 1621. 4.

218) Barbosa, l. c. setzt seinen Tod 1636, aber in der Erlaubniss sein Buch drucken zu dürfen, ist von ihm noch als lebende Person
die Rede, Ticknor, l. c. II, 451, n. 5.

219) Velasquez, (Dieze) l. c. 395.

220) Ticknor, l. c. II, 451.

221) Pinedo, l. c. 532, n. 72. Ueber Pinedo selbst vergl. unsere: »Thomas de Pinedo, eine Biographie« in Frankel's Monatsschrift
VII, 191 ff.

222) Der Macabeo befindet sich in der k. k. Hofbibliothek zu *
Wien. Trotz des freundlichen Entgegenkommens des trefflichen Ferdinand Wolf konnte uns das Werk nicht zur Benutzung gestellt werden.

223) de los Rios, l. c. 537.

224) Silva, Pobl. General de España, 166 : canoro-cisne de la
Europa bien conocido por su Poema heroïco del Macabeo.

225) Velasquez, (Dieze) l. c. 396 ; Ticknor, l. c. II, 451.

226) Barrios, Relac. de los Poetas, 57 : Entre otras celebres
Poesias el Doctor Miguel de Silveyra hizo el Poema de los Machabeos,
Jacob Usiel, el de David, y Antonio Enriquez Gomez el de Sanson.

227) Barbosa, l. c. I, 2 ; Barrios, Relac. de los Poetas, 60.

228) Menasse ben Israel, Spes Israelis (ed. Amsterdam) c. 26 :
הסופר הנאמן.

229) Barrios, Relac. de los Poetas, 58. Ausführlicher in unserer
Reiseskizze »Pedro Teixeira«, als Einleitung zu Benjamin's »Acht Jahre
in Asien und Afrika« (Hannover 1858).

230) Bekanntlich standen die auf der Universität Padua Medicin
studirenden jüdischen Jünglinge unter dem Schutze des Venetianischen
Senats.

231) Fantin Desodoards, Histoire d'Italie, VII, 17.

232) Gregorio Leti, Ital. Reg. 535.

233) Nicht wie Jost (Geschichte der Israeliten, VIII, 246) mit
Basnage (Histoire des Juifs, IX, 737) meint : »Cardoso (dessen philosophische Fähigkeiten nicht glänzen, aber doch dem Zwecke genügend
waren) wohnte in Verona (richtiger l. c. VIII, 289 in Venedig und Verona), seine Schriften aber erschienen 1673 in Amsterdam«. Ausser

seinen Poesien liess er nur sein Werk Excelencias, wahrscheinlich der
Censur wegen, in Amsterdam bei David de Castro Tartas 5439 — 1679
(nicht 1673 wie Jost angibt) drucken; seine übrigen Schriften fanden
in Madrid und Venedig ihre Verleger. Vgl. Note 238.

234) Leo, Geschichte der Italienischen Staaten, (Hamburg 1830)
V, 686.

235) Nach Wolf, l. c. III, 612 lebte er noch im Jahre 1681.

236) Bàrrios, Relac. de los Poetas, 55 f.

237) Zacuti Lusitani Medicorum princip. Historia, II, 4. 4.

238) Isaac Cardoso hat häufige Verwechselung mit anderen
Aerzten gleichen Vor- und Zunamens, Fernando Cardoso, welche
auch zu gleicher Zeit mit ihm in Spanien lebten, erfahren. Diese
Verwechselung kam besonders einem Fernando Cardoso, welcher zu
Lissabon geboren (selbst de los Rios l. c. 563 verfällt noch in den
Irrthum, Lissabon als den Geburtsort unseres Cardoso anzugeben; eben
so Lindo, l. c. 367j und 1608 gestorben war (Barbosa, l. c. II, 52;
Nicol. Anton. l. c. I, 292), sehr zu Statten, denn ausser den beiden
von ihm wirklich verfassten medicinischen Schriften werden ihm von
Barbosa auch noch zwei Manuscripte über Themata zugeschrieben,
welche von unserem Cardoso behandelt worden sind. Nach dessen An-
gabe enthält das eine Manuscript eine Abhandlung über den Vesuv
(Discurso del Vesuvio), das andere das Leben des Lope de Vega Carpio
(Vida de Lope de Vega Carpio). Was nun das erste betrifft, so bezweifeln wir sehr, ob dieser 1608 verstorbene Fernando Cardoso dasselbe
Thema bearbeitete, welches 25 Jahre später unser Cardoso auf Veranlassung des 1631 stattgefundenen furchtbaren Brandes zum Gegenstand seiner Untersuchung machte, und betreff des Lebens Lope de
Vega's ist wohl nicht anzunehmen, dass schon 28 Jahre vor dem Tode
des grossen Dichters — so lange müsste es wenigstens sein — Jemand
sein Leben zu beschreiben unternommen hätte. Wir wären daher wohl
geneigt, diese beiden Manuscripte als mit den beiden im Druck erschienenen Schriften unseres Cardoso verwechselt oder gar untergeschoben
zu betrachten, letzteres um so mehr, da einerseits Barbosa den Ort nicht
nennt, wo sich diese Manuscripte befinden, was sonst in nicht wenigen
Fällen von ihm geschieht, andererseits Abr. Mercklin, welcher Fernando
Cardoso und die beiden von ihm verfassten Schriften in dem Linden. Re-
novat. (Nürnberg 1686) 274, 1 anführt, ihrer mit keiner Silbe gedenkt.
Doch sollten auch sie vielleicht unserem Cardoso gehören? Carmoly
(l. c.) spricht von traités inédits dignes d'être plus connus.

Der Vollständigkeit wegen halten wir es nicht für überflüssig, die
in spanischer und lateinischer Sprache geschriebenen Werke Cardoso's
der Reihe nach hier folgen zu lassen:

1) Discurso sobre el monte Vesuvio etc. , Madrid, Fr. Martins
1632.

2) Origen y restauracion del Mundo, Madrid 1633.

3) De Febri syncopali noviter discussa etc., Madrid 1634, 4.

4) Panegyrico y excelencias del color verde etc. , Madrid 1635.

5) Oracion funebre en la muerte de Lope de Vega Carpio, Madrid, Gonzales Wwe. 1635.

6) Utilidades del aqua y de la nieve etc., Madrid, Martins Wwe. 1637.

7) Si el parte de 13 e 14 Mezes es natural y legitimo, Madrid 1640, Fol.

8) Philosophia libera in septem libris etc., Venet. Bertani 1673, Fol.

9) Las Excelencias (y calumnias) de los Hebreos, Amsterdam, David de Castro Tartas, 1679, 4.

10) Varias Poesias, Amsterdam 1680, 8.

239) Barrios, Relac. de los Poetas, 56: Su hermano Abraham Cardoso, Medico del Rey de Tripol, formó el libro de la Escala de Jacob, y otras obras que le acreditan de gran Poeta, Jaxam y Cabalista (S. 285).

240) Ad. de Castro, l. c. 200 f.; de los Rios, l. c. 553 f.

240*) Nach Simon Hechheimer (Ueber Moses Mendelssohn's Tod [Wien und Leipzig 1786] 71) soll die Uebersetzung selbst nicht Mendelssohn, sondern seinen Freund Marcus Herz, den bekannten Schüler Kant's und Gatten der ihrer Schönheit wegen vielbesuchten Henriette Herz zum Verfasser haben. Vergl. Carmoly's Notiz in Kobak's Jeschurun II, 67.

241) Moses Mendelssohn wurde geboren 1729 und starb 4. Januar 1786. Menasse ben Israel geboren 1604, starb (nach König) 1659.

242) Phocilide, poeta grego vertido en Castelhana y illustrado con var. not.

243) Mitgetheilt von de los Rios, l. c. 549.

244) Dieser Mann verdient eine ausführliche Behandlung. Carmoly hat in seiner Histoire de Médecins juifs eine Biographie Montalto's, die des Interessanten nicht wenig bietet. Er fand unter Anderen in Bassompierre, Histoires etc., das Todesjahr M's. angegeben. Wie Carmoly dazu kommt, ist leicht erklärlich, er benutzte Basnage (l. c. XI c. xxi); aber Basnage? Bassompierre erwähnt Montalto's mit keiner Silbe, und auch Basnage hat die Notiz über den Tod des Leibarztes nur in Barrios gefunden. Bei Barrios (Vida de Isaac Usiel, 37 f.) heisst es: »Saul Levi Morte(i)ra, que »de Italia passo a Francia con Eliahu Montalto, insigne Medico de Hen- »rique Quarto, y de Maria de Medicis, Reyes de Francia y de Navarra. Ella »quedo biuda, y su hijo Luis Decimotercio en el año de 1615 casó con »Doña Ana de Austria que passo á Francia quando la Princesa Doña »Isabel de Borbon á España para ser esposa del Rey Phelipe Quarto. »Acompañola toda la Corte Franca hasta Irun: y á la buelta del »Viage en las ciudades de Tours fallecio el referido Me- »dico a 16. de Febrero de 1616. La Reyna Maria de Me- »dicis lo mando embalsamar: y en una embarcacion que partio »del Nantes trajeron su cuerpo al Bet-Ha-Hajim del Kahal Kados Amste- »lodamo acompañado de su hijo Mosseh, del Doctor Josua de Luna su »tio, y del referido Saul Levi Morteira«. Barrios gibt keine Quelle für

seine Erzählung an. Wir glauben, dass Basnage durch eine falsche
Combination auf Bassompierre geführt ist. Derselbe Barrios erzählt
nämlich wenige Seiten früher von einem reichen Manuel Pimentel,
welcher mit Heinrich IV. Schach zu spielen pflegte und schliesst mit
den Worten: »Refierelo Monsieur de Bassumpierre en el libro que
intitulo Jornal de su Vida«. Nun meinte Basnage, dass in diesem
Werke auch der Tod Montalto's müsse erwähnt sein und citirte lustig
darauf los. Uebrigens hat schon Wolf (l. c. III, 104) ehrlich bekannt:
non video. Dass HerrDr.Carmoly neben Elie Montalto auch noch
einen Elia Antalti, »savant Médecin à Vénise, dont Léon
de Modène (Ari Noham, 66) célèbre la science et les vertus«
anführt (Histoire des Médecins juifs, 170), ist menschlicher Irrthum,
wozu Carmoly nur durch die hebräischen Wörter אליה אנטלטי gekommen
ist. "An der citirten Stelle des Ari Noham heisst es: וסמך לביאתו
(ר' יהודה גאלאנטי ז'ל) היה מוטל על ערט רד י החכם המוטל א הרו ט א
ר' אליה אנטלטי *) (sic) וחלכ ו רבים מבעלי התורה לבקרו , כי
היה עכ י ו דעתו מ עורב ט עם הבריות עם כל גדולת הכמתו.
Von einem sonst unbekannten Arzte würden solche Ausdrücke gewiss
nicht gebraucht sein. Montalto lebte früher in Livorno (s. o. S. 176),
hatte sich sodann nach Venedig und erst später nach Paris begeben.

245) Ueber Morteira vergl. Barrios, Corona de Ley, 6, Tora Or, 21.
Vida de Isaac Usiel, 38 u. a St.

246) Jellinek, Orient 1847, Literaturblatt No. 17.

247) Auto-da-Fé celebrado en la ciudad de Logroño en los Dias
de 7 y 8 de Noviembre del año de 1610 (Madrid 1820, 12.) 20.

248) Llorente, l. c. III, 464.

249) Auto de la Fé celebrado en Madrid 1632 (Madrid 1632.
4. 24 Bll.). Vgl. hiermit Llorente, l. c. III, 465. Llorente scheint das
eben citirte sehr seltene Schriftchen nicht benutzt zu haben.

250) Auto etc. 14ª. Llorente, l. c., nennt sie Isabel Martinez
(statt Nuñez) Albarez.

251) Llorente, l. c. III, 466.

252) Llorente, l. c. III, 467.

253) Cardoso, l. c. 363; Barrios, Govierno Popular Judayco, 43.
D. José de Pellicier in den Avisos de 2. August 1644 (bei Ad. de Castro
l. c. 212) nennt ihn D. Francisco de Vera, hijo de D. Lope de
Vera. Nach Cardoso hiess er D. Lope und war der Sohn eines D. Fernando. Cardoso ist wahrscheinlich die eigentliche Quelle für diese Erzählung, wie wir aus seinen Worten »Tambien fué admirable en
nuestros tiempos etc.« vermuthen.

_____

*) Herr Dr. Steinschneider, welchen wir ersuchten, während seiner An-
wesenheit in Oxford in dem dort handschriftlich vorhandenen Exemplare des
Ari Noham die betreffende Stelle nachzusehen, theilte uns (14. Juli 1858) brieflich
mit . . . . In der HS. des Ari Noham (Cod. Reggio 34, geschrieben von Reggio
selbst mit Anmerkungen) C. 25. f. 27ᵇ steht deutlich ר' אליה מונמאלטו ז'ע.

254) Nicht Chimenta, wie bei Barrios l. c. zu lesen ist.

254*) Antonio Enriquez Gomez (hizo) el Romance que de-
canta el Martiro de Don Lope de Vera. Barrios, Relac. de los Poetas, 57.
Vgl. Govierno pop. Judayco, 45.

255) Wie Cardoso l. c. 324 f. auch Sal. de Oliveyra in der
Ueberschrift zu der hebräischen Elegie (Scharsch. Gabl. 52ᵇ), (statt
שבם התיל (החל), welches ungefähr dem December 1647 entspricht.
Nach Barrios, Govierno pop. Judayco, 44, endete er am 23. September 1647, daher auch bei Zunz, Synagogale Poesie, 343 : »am 13.
(müsste heissen 23.) September 1647 wurde in Lissabon Isaac de Castro Tartas verbrannt«.

Die Historia da Inquisição, 271 lässt Tartas in dem Auto vom
15. December 1647 umkommen: Morreo queimado vivo por herege,
1 Francez natural da Gascunha. Mit ihm starben noch 5 andere
Personen, 60 wurden mit Strafen belegt.

256) Cardoso, l. c. 325.

256*) אל נייעת איש האלחים חנחמד ונעים יצחק די קאסטרו תארתאס בחורי
כארזים אשר חי בלעיהי לחבות אש לוחם על יחוד קדושה חשם ויצאות נשמתו
הקדושה בטחרת קדוש יאמר לו.

אנשי אמונה נברו בארץ
המה ראות ראו וכן תמהו
איש תם לבבו מעריץ אל ערץ
עלה בלבת אש כאליהו וכו.

Sal. de Oliveyra, Scharsch. Gabl. 53ᵇ ff.

257) Barrios, Corona de Ley, 9 ; Sahare Sedek (2) IV.

258) Barrios, (J) Onem Dallim, 85.

259) Der Titel dieser Uebersetzung ist: Psalterio de David, en
Hebraico dicho Thehilim, trasladado con toda fidelidad verbo de verbo
del hebraico y repartido, como se debe leer en cada hora del mes, segun
uso de los Antiguos, por el Doctor Efraim Bueno y Jona Abrabanel ;
Amsterdam 5410 (1650).

260) Koenen, l. c. 187. Barrios, Relac. de los Poetas, 54 :

> El Doctor Joseph Bueno con la planta
> Del Sol, su frente en Helicon levanta.

261) Barrios, Relac. de los Poetas, 54.

262) Barbosa, l. c. III, 277, filho de Pays Portuguezes e nacido
em a cidade de Anveres. Nic. Anton. l. c. I, 268 ; Wolf, l. c. III, 875
bemerkt: »Judaeus Lusitanus Amstelod. pro certe mihi confirmavit
auctorem fuisse Judaeum«. Nach Lindo, l. c. 368 diente Gomez in der
Armee und erlangte zu Evora die medicinische Doctorwürde. (Nach
welcher Quelle ?)

263) De pestilenciae curatione method. traslatio, in qua causae,
signa praeambula, medicamina ante provida etc. Antwerpen 1603. 4.
Löwen 1637. 8. Antwerpen, Cnobar 1643. 4. Im letzteren Verlag erschien auch sein metrischer Commentar.

263*) Barbosa, l. c. 355. Die Ode befindet sich vermuthlich im
Werke Gomez' selbst.

264) Diess sein vollständiger Name. Barbosa (l. c. I, 691) führt ihn unter Diego de Rosales an, Wolf als Jacob Rosales, Immanuel Rosales, Immanuel Frances u. a., vgl. l. c. I, 615; III, 528, 508, 878; IV, 872, 947. Carmoly (l. c. 177) vermuthet irrthümlich, dass Immanuel der ihm in der Taufe beigelegte Name sei. Barrios, (Historia Univers. Judayca 6) nennt ihn »Doctor Emanuel Rosales, Conde Palatino por el Germano Emperador«. De Rossi, l. c. 279 unter Jacob Rosales.

265) Nicht Joseph, wie de los Rios, l. c. 568 irrthümlich angibt.

265*) Josiahu Rosales, hermano del Doctor Rosales que fue Conde Palatino, compuso en Octava rima los Anefaleucis que intituló de Bocarro. Barrios, Relac. de los Poetas, 56. Sollte Barrios hier nicht etwa an die Anacephalaeosis des Bruders gedacht haben?

266) Delitzsch, l. c. 76.

267) Barrios, Relac. de los Poetas,, 58 : El Poeta y Doctor Mordochai Barrocas etc.

268) Wolf, l. c. IV, 808.

269) Bald wird er David de Pina, bald David Zarphati, bald mit seinem vollständigen Namen David Zarphati de Pina genannt. Wolf (l. c. III, 206, 207) trennt mit Unrecht David Zarphati von David de Pina.

270) Wolf, l. c. III, 81, 236.

271) Barrios, Abi Jethomim (3).

272) Barrios, Abi Jethomim (3).

273) Barrios, Vida de Isaac Usiel, 49.

274) Barrios, Abi Jethomim (3).

275) Wolf, l. c. III, 81, 236.

276) Barrios, Temime Derech, 7.

277) Barrios, Abi Jethomim (3) ; Arbol de las Vidas 91 :

David de Pina

. . . .

De Abi Jethomim Idea.

Oracion Panegyrica de Abi Jethomim, 24.

278) Barrios, Govierno Pop. Judayco, 33.

279) Barrios, Abi Jethomim, 41.

280) Barrios, Aumento de Israel en luzes de la ley divina, 19 :

Como David alcanças la corona,
Y como Apolo curas la dolencia.

281) Barrios, Vida de Isaac Usiel, 40 f.

282) Barrios, Triumpho del Govierno Popular, 14 f.

283) Barrios, Corona de Ley, 8, 10.

284) Wolf, l. c. III, 206.

285) Schlegel, Geschichte der alten und neuen Literatur, (Berlin 1841) 319.

286) So Ad. de Castro, l. c. 188, de los Rios, l. c. 570. Nach Nic. Anton., l. c. II, 317 und Barbosa, l. c. I, 297, war er ein geborener Portugiese.

287) Sicherlich irrt Barbosa, wenn er sagt: em Franca foy

Cavalleiro da Orden de S. Miguel, da dieses nur ein spanischer Orden ist.

288) Llorente, l. c. III, 474. Ad. de Castro, l. c. 188; de los Rios, l. c. 571.

289) Wolf, (l. c. III, 129) lässt den armen Enriquez Gomez selbst in den Flammen umkommen: Scripsit in Inquisitionis carcere unde protractus deinde et flammis religionis causa datus fuit.

290) Ad. de Castro l. c. 189.

291) Academias Morales de las Musas, Bordeos (de la Court) 1642; Madrid 1660. 4. (diese beiden Ausgaben befinden sich nach freundlicher Mittheilung Ferdinand Wolf's in der k. k. Hofbibliothek zu Wien); Barcelona 1701.

291*) Antonio Enriquez Gomez ist ein verpestender Politiker »Politico contagioso« und entwickelt in seiner »politica«, welche er unüberlegter Weise noch »angelica« nennt, sehr corrupte Ideen. Das Werk wurde in Portugal verboten; Barrabas will nichtsdestoweniger die Schriften dieses portugiesischen Autors bei seinem Prinzen einführen. Eine schlechte Empfehlung! Es gibt nicht noch einmal einen Mann mit so vielen Orden und so grosser Unordnung. O welches Raisonnement, welches Geschrei um Nichts! — Kein Jahr vergeht, wo Gomez nicht mit irgend einer Schrift hervortritt und an Mängeln fehlt es in allen seinen Werken nicht. Vergl. Note 301. Francisco Man. de Mello, Apolog. Dialog., 419, bei Oliveyra, Memorias de Portugal, (la Haye 1743) I, 366.

292) Samson Nazareno, Poema heroico, Roham (Maurry) 1656. 4. Als Verfasser dieses Gedichtes erwähnt ihn Barrios Relac. de los Poetas 57. Vergl. Note 226.

293) Ticknor, l. c. II, 442.

294) La Culpa del primer Peregrino, Roham 1644. 4. Madrid 1735. pp. 176.

295) de los Rios, l. c. 587.

296) Luis dado etc. Paris (Baudry) 1645. 4. pp. 151. Gomez' Torre de Babylonia erschien Roham 1647; Madrid 1670.

296*) Mehrere Komödien unseres Gomez verschafften sich unter einem fremden Namen Eingang in Spanien und versuchten ihr Glück unter der Firma eines Geistlichen »Fernando de Zarate«. Zarate wurde nun lange Zeit für einen spanischen Theaterdichter gehalten und erst die gelehrten spanischen Uebersetzer der spanischen Literaturgeschichte Ticknor's, Gayangos und Vedia (Madrid 1854) weisen (III, 459) nach, dass ein Zarate als Dramatiker gar nicht existirt und mit Gomez ein und dieselbe Person ist. »Von einem Komödienschreiber Fernando de Zarate wissen wir nichts. Gab es auch wohl einen Schriftsteller dieses Namens — er war Augustinermönch und Doctor der Theologie an der Universität Osuna und wird von Nic. Anton. und Baena (Hijos de Madrid II, 38) citirt — so war er doch nicht allein kein Komödienschreiber, sondern blühte auch viel früher als Enriquez Gomez«.

297) Gomez eigenen Worten zufolge sollten seine Komödien in
2 Bänden erscheinen : de breve se daran á la imprenta en dos volu-
menes. 4 Stücke (No. 14—17) wurden mit den Academias Morales
1642 zusammen gedruckt.

298) Diese Komödie befindet sich mit Angabe des Verfassers in
einer Sammlung s. l. e. a. in 4. pp. 223—243. Zum Schluss sagt
D. Rodrigo:

> No ay contra el honor poder
> Es titulo verdadero. «

299) Eine Komödie (Purimspiel) unter dem Titel »Aman y Mar-
dochay« wurde ohne Angabe des Verfassers durch Isaac de Abraham
Cohen de Lara 1699 in Amsterdam neu aufgelegt und David de Souza
Brito gewidmet. Die Hauptpersonen dieser Komödie sind : Ahasveros,
Esther; Mardochay, Harbona, Aman, Supsay (אמססא), sein Sohn, Zeres,
seine Gemahlin, deren Tochter, Con Arcas (כרכס), ein vornehmer
Perser, ein singender Pastetenbäcker, Sänger u. A. Ob dieses Stück
das von Gomez versprochene ist, wagen wir nicht zu entscheiden.

300) El color verde, Madrid (Wwe. Martins) 1637. 8.

301) Der Titel der ed. princ. (Pamplona 1644. 4), welcher auch
das Bild Richelieu's mit der Unterschrift »Semper Idem«, sein Wappen und
sein Stammbaum beigegeben sind, führt den Titel Epitome Genea-
logico del Eminentissimo Cardenal Duque de Richelieu y Discursos
Politicos sobre algunas acciones de sa. vida und weicht von dem der
2. Ausgabe (Pamplona 1642, 16) so sehr ab, dass man diese für eine
besondere Schrift halten könnte. Er lautet El Politico Christianissimo o discursos etc. Villa-Real wird auf beiden Titeln Capitän genannt.

Antonio Henriquez Gomez e Manoel Fernandez Villa-
Real forao dous Portuguezes enxertados em Gallos. Forao homems de
muitos discursos e engenho posto que Arcades ambos, como disse Virgilio, porque o primeiro que he Autor da Politica Angelica sobre
ter engenho he desaproveitado e fantastico como se ve nos (em os)
mais livros que publicou, e senaõ vejase na miscellano do Siglo Pitagorico; e o segundo que he autor do Politico Christianissimo,
cerra melhor o abobedo (abobado?) dos seus discursos, não sendo como
alguns que cozem sem dar no na linha, cujos arrezoados se se pucha
por elles depois de feitos tudo fica descosido. O mesmo pouco mais ou
menos foi no Luis a Deo dato de Ant. Henriq. e qual elle por força
quiz fazer Semuel sendo não so Christão velho, mas Christianissimo.
Franc. Manuel de Mello, Apol. Dial. 443 f.

302) Barbosa, l. c. III, 264.

302*) Sabio a morrer (1. Decbr. 1652) Manoel Fernandez Villa-
Real, Capitão e Consul-geral de Portugal em Paris, homem de bom
entendimento, e que escreveo em differentes objectos. Historia da Inquisição 271. Barbosa, l. c. III, 264 setzt seinen Tod auf den 10. October.

303) Schlegel, l. c. 330 f.

304) Jahrbücher der Literatur (Wien 1822) XIX, 22.

305) Cicero de Officiis, III, 21. Jahrbücher der Literatur, XIX, 26.

306) Diese uns vorliegende Komödie (16 Bll. in 4.) wurde in Valladolid s. a. gedruckt und befindet sich nebst anderen unseres Dramatikers in einer Sammlung, welche aus dem Nachlasse Tieck's an die k. Bibliothek in Berlin übergegangen ist.

307) La prudente Abigail, Valencia 1762. 4. pp. 1—28.

308) Jahrbücher der Literatur (Wien 1822) XIX, 21 f.

309) El Siglo Pitagorico Roham, 1644. 4. Bruselas 1727. 4.

310) Ticknor, l. c. III, 68.

311) de los Rios, l. c. 607.

312) Barbosa, l. c. 659.

313) Barrios, Coro de las Musas, 609 ff.

314) Barrios, Relac. de los Poetas, 58 ; Coro de las Musas, 226.

314ª) Koenen, l. c. 450.

315) Wolf, l. c. III, 212.

316) Barrios, Sol de la Vida, 94, 95.

317) Barrios, Relac. de los Poetas, 59.

318) Barbosa, l. c. II, 925: igualmente instruida na intelligencia das linguas mais polidas da Europa, como versada em todas as Artes liberaes.

319) Barrios, Sol de la Vida, 64.

320) Ersch und Gruber, Encyclopädie 1. Sect. 19. Theil, S. 371.

321) El Pastor Fido, Poëma de Bapt. Guarini, traduzido de Italiano en metro Español y illustrado con reflexiones por Doña Isab. Correa, Amsterdam (Ravenstein) 1694. 8. Diese Ausgabe führt Barbosa l. c. II, 925 an. Dieze — Vellasquez l. c. 491 hatte eine andere Ausgabe vor sich, Antwerpen (Verdussen) 1694. 8, der auch die Widmung an Belmonte vorgedruckt ist, so dass diese als die ed. princ. betrachtet werden kann. Ticknor, l. c. III, 46, n. 23, kennt eine 3. Ausgabe, Antwerpen 1694. 12. Drei Auflagen in einem Jahre!

322) de los Rios, l. c. 638.

323) Dieze bei Vellasquez, l. c. 491.

324) Ticknor, l. c. III, 46, n. 23.

325) Barrios, Relac. de los Poetas, 59 : D. Isabel Correa tiene hecho un libro de varias Poesias.

326) Barrios, Relac. de los Poetas, 56.

327) Barrios, Sol de la Vida, 63.

328) Barrios, Sol de la Vida, 64.

329) Barrios, Relac. de los Poetas, 56, 57.

330) de los Rios, l. c. 629.

331) Barrios, Relac. de los Poetas, 58 : . . . . Su (Fullana) Teniente Capitan D. Joseph Semah (Arias) que despues tuvo el puesto de Capitan.

332) de los Rios, l. c. 513.

333) Barrios, Flor de Apolo, 165.

334) Repuesta de Josepho contra Apion Alexandrino traduzid. por Joseph Semah Arias. Amsterdam 1687. 4.

335) Barrios, Relac. de los Poetas, 54 :

> Por David Huziel de Avelar luze
> Lo que en Hispano de Philon traduze.

336) Wolf, l. c. II.

337) Barrios, Relac. de los Poetas, 57 ; Keter Schem Tob, 150.

338) Barrios, Coro de las Musas, 226.

339) Barrios, Coro de las Musas, 612.

340) Barrios, Relac. de los Poetas, 58.

341) Barrios, Relac. de los Poetas, 60. Ilustrola con sus raros enigmas Jacob Castelo muy perito en las artes liberales; Coro de las Musas: D. Antonio de Castillo perito en las artes liberales y sublime en el tocar la bihuela.

342) Barrios, Coro de las Musas, 336.

343) Barrios, Relac. de los Poetas, 54 :

> Jacob de Pina en quanto verso imprime
> Realsa lo agudo, lo yocoso exprime.
> Con el nombre de Manuel de Pina . . . .

344) Nicht Hispanus, wie Wolf, l. c. III, 521 angibt.

345) Barbosa, l. c. III, 341.

346) Ibid. : não sendo menos est imav. por la suavidadeda voz com que cantava. Vergl. auch Barrios, Coro de las Musas, 505 , wo er ihn in der Ueberschrift den Poeta y musico excelente nennt.

347) Wolf, l. c. IV, 870. Auch de los Rios, l. c. 568 nennt die Poesien Jacob de Pina's wie Wolf.

348) Irrthümlich gibt Barbosa, l. c. Olando (l) als Druckort an; richtig Wolf Ulyssipon. Im Jahre des Druckes und Format des Werkes stimmen Wolf und Barbosa überein, 1656. 8. Auf diese Poesien deutet auch Barrios hin (Relac. de los Poetas, 54) : Con el nombre de Manuel de Pina imprimio un libro de varias Poesias . . .

349) Barrios, Relac. de los Poetas, 55 : . . . y despues entre otras hizo una rara cancion en la muerte del Jaxan (sic) Saul Levi Morteira.

350) Barrios , Govierno Popular Judayco, 45. (Das Gedicht befindet sich in dem Exemplar der Hamburger Stadt-Bibliothek).

351) Wolf, l. c. III, 521.

352) Barrios, Luzes de la ley divina, 32.

353) Barrios, Relac. de los Poetas, 59, 54.

354) Barrios, Luzes de la ley divina, 2.

355) Barrios, Lamentacion Funebre im Coro de las Musas, 266 ff., abgedruckt mit verschiedenen Zusätzen im Sammelwerk , Maskil el Dal, 151 : Mi insigne Aguelo Abraham Levi Caniso.

355*) Nach Barbosa (l. c. III, 464) war Simon de Barrios in Villa-Flor geboren.

356) Barrios nennt seinen Vater bald Simon, bald Jacob Levi, Lamentacion etc. 152 :

> Fuiste ò Simon de voz, y fama oida
> Y como Yacob tienes oy reposo . . .

357) Barrios, Coro de las Musas, 334 ff.
358) Ibid. 354 f. :

> No pudo el Portugues que horrores vierte
> Rendir tu brio en militar campaña :
> No pudo el mar con horrida guadaña
> Cortar ò hermano el hilo de tu suerte.
> No pudo el Catalan con mano fuerte,
> Triumphar de tu valor . . . .

359) Barrios, Sol de la Vida, 61.
360) Barrios in einem poetischen Briefe vom 10. Elul 5442 —
August 1682 hinter Arbol de las Vidas (2) :

> Murio . . . . . en mi patria rigurosa
> Mis hermanos Francisco, Antonio y Clara.

361) Ibid.
362) Ibid. (2) :

> Tambien mi hermana Blanca en Lisia biuda
> De su Ambrosio, con hijos peregrina,
> De una à otra vida en Amsterdam se muda.

363) Barrios in einem Sonett an seine Schwester Judith, dessen Anfang ist :

> En el año de mil y de seiscientos
> Y ochenta-y quatro, à dies de Março trista
> Hasta tu coraçon el luto viste,
> Y lastiman al ayre tus lamentos.

364) Barrios, poetischer Brief (s. Note 360) (2) :

> Elieu Vaez mi cuñado de preclara
> Fama : biuda mi hermana Ester lo llora
> De cinco flores enlutada Aurora.

Vergl. ein Sonett von Barrios : A mi sobrino Abraham Vaez huerfano de mi buen cuñado Eliahu Vaez.

364*) Coro de las Musas 196, 138 das Akrostichon, 141 (vgl. Note 370).

365) Das Leben Barrios' ist bis jetzt noch nie bearbeitet. Was Barbosa, Nic. Anton., Wolf u. A. darüber haben, ist sehr unbedeutend und die späteren Bearbeiter de los Rios, Castro haben nur aus diesen Quellen geschöpft. Mit wenigen Worten gedenkt seiner : Basnage, l. c. l. IX, c. 36 ; Hartmann in der Encyklopädie von Ersch und Gruber, 7. Theil ; Jost, l. c. VIII, 261 ; Koenen, I. c. 340 f. Eine noch kürzere Mittheilung gibt Lindo, l. c. 370. Ihn nennen auch Zunz in Benjamin de Tudela (ed. Asher) II, 287 ; Steinschneider, Jewisch literature 252, Delitzsch u. A. Heinemann führt ihn in der Zeitschrift Jedidja einmal unter dem Namen Burrios, wenn uns unser Gedächtniss nicht trügt, als — Feldmarschall an.

366) Llorente, l. c. III, 471.
367) Llorente, l. c. III, 472 f.
368) Llorente, l. c. III, 473.
369) Nic. Anton., l. c. I, 493.
370) Barrios, Govierno Popular Judayco, 46 : Mi deudo Marcos

de Almeyda alias Ishac de Almeyda Bernal, natural de mi patria Montilla.

371) Barrios, Govierno Popular Judayco, 46. Diese Märtyrer erwähnt auch Zunz, Synagogale Poesie, 345. Zunz irrt aber, wenn er aus diesen beiden Personen drei macht|: »Abraham Nuñez Bernal, sein Vetter Isaac de Almeida Bernal und ein Jüngling von 20 Jahren, Namens Almeida«. Es waren in der Wirklichkeit nur zwei. Zunz, welcher das alias übersehen hat (s. Note 370), wurde in seiner Annahme durch Barrios' Worte »y de estos tres Martires etc.« bestärkt; als dritten rechnet Barrios den früher genannten Isaac de Castro Tartas. Vgl. auch Relac. de los Poetas, 57: ». . . . celebran los martirios de Ishac Tartas, de Abraham Nuñez Bernal y de mi deudo Ishac de Almeyda«. Auch war letzterer nicht ein Vetter, wie Zunz meint, Abraham Bernal's, sondern ein Vetter, Verwandter »deudo« Barrios'.

372) Barrios, Triumpho del Govierno Popular, 50.

373) Barrios, Abi Jethomim (3):
    Al gran Benjamin Patto, cuya vida,
    Obscureció violencia luminosa,
    Su ciencia con virtudes aplaudida.

374) Oliveyra, Scharsch. Gabl. 64.

375) Barrios, Gemilut Chassadim 53, 70.

376) Barrios, Luzes de la ley divina, 44.

377) Barrios, Arbol de las Vidas, 200. Maskil el Dal 444:
    Abraham Henriquez Pharo
    Docto, elegante y jarifo.
    Conceptua en lo que arguye
    Con labios de silogismos.

378) Barrios, Relac. de los Poetas, 57; vgl. Note 336 (Wolf, l. c. II, 800).

379) Ibid.

380) Ibid.

381) Wolf, l. c. III, 212.

382) Wolf, l. c. III, 179.

382ª) Barrios, Coro de las Musas, 355 ff. 588 ff.

383) Wolf, l. c. III, 63.

384) Wolf, l. c. III, 1126.

385) Barrios, Relac. de los Poetas, 57; Koenen, l. c. 433.

386) Wolf, l. c. III, 117.

387) Wolf, l. c. III, 213.

388) Wolf, l. c. III, 763.

389) Ibid.

390) Barrios, Relac. de los Poetas, 56: Custodio Lobo (alias Moses Jesurun Ribero) hizo conceptuosas Poesias.

391) Barrios, Tora Or, 47.

392) Wolf, l. c. III, 615. de los Rios, l. c. 550. (De Vittoria nannten sich die Nachkommen des S. 168 erwähnten Uri Levi.)

393) de los Rios, l. c. 628 Note.

394) Barrios, Aumento de Israel, 20.

395) Barrios, Govierno Popular·Judayco, 46.

396) Barrios, Coro de las Musas, 225: Diese Komödie ist in der Bibl. Hulsiana (Haag 1730) IV, 391 mit dem Druckorte Amsterdam aufgeführt.

397) Barrios, Triumphal Carro (8).

398) Barrios, Flor de Apolo, 249, 250.

399) Barrios, Govierno popular Judayco, 45 ([b]).

400) Ibid. ; Llorente redet (l. c. IV, 3 f.) von 8 Juden, welche bei diesem Auto umkamen.

401) Barrios in dem »Triumphal Carro« überschriebenen Briefe :

(1) 1.　　Yo
　　　　Busque en Liorne, de mi patria auseate,
　　　　Que compré con mi sangre ser su amante,
　　　　Y oy con su luz no hay sombra que me espante.

(2) 6.　　A mi tia Raquel Cohen de Sosa,
　　　　Devo la primer luz de la ley pura.

402) Koenen, l. c. 283 ; Barrios in einem Gedichte gegen Ende der Opuscula. Irrthümlich gibt Koenen die Zahl der von Livorno ausgewanderten Juden auf 112 statt 152 an.

403) Barrios, Maskil el Dal 116 :

　　　　A Debora hija atenta
　　　　Del serio Abraham Vaez
　　　　Y de Daniel Levi
　　　　De Barrios luz nupcial. '

Seine Schwiegermutter Catalina nennt er Aumento de Israel 20 :
　　　　Mi suegra Catalina espiro . . . .

404) Barrios in dem Triumphal Carro überschriebenen Brief:

(2) 4.　　Murio en Tabago Debora mi esposa.

405) Ibid. :

(2) 5.　　Raquel con mi Señor Isaac de Pina

in einer Note setzt der Dichter erklärend hinzu Suegro y suegra. Isaac de Pina war 1683 schon verstorben (Maskil el Dal 126). Eben so gibt er den Namen seiner zweiten Frau hier an :

. Con mis dos hijos y consorte (Simon, Rebeca; Abigail).

406) Barrios, Vida de Isaac Usiel, 52 . . . . à Simxa, esposa de Manuel de Campos, escrivi este Soneto con la memoria de ser mi hijo Simon el primer Judio Español que nacio en sus manos Martes à 17 Março, à los ocho de la Noche en el año de 1665.

407) Ibid. La feliz nueva de su nacimiento me fue à Bruselas.

408) Barrios, Lament. Funebre (hinter Maskil el Dal 252) :

　　　　Sara Levi mi madre à Dios se ausenta
　　　A la dos de la tarde en Jueves triste,
　　　Que fue à treynta de Octubre, en luz que viste
　　　Año de mil seyscientos y setenta :
　　　Tu (el padre) en la Jovial Aurora que se cuenta
　　　Veynte y dos del siguiente Henero . . . . .

Triumphal Carro:

(2) 4.　　Murio : . . . .
　　　　En Argel mi querida Madre Sara
　　　　Y mi padre.

23*

409) Barrios, Meirat Henajim, 68.

410) Ibid. 67 f. Vgl. Prolog zum Coro de las Musas.

411) Flor de Apolo por el Capitan Don Miguel de Barrios, Bruselas. (Baltazar Vivien) 1665. 4. Eine nähere Inhaltsangabe dieses Werkes in Steinschneider's hebr. Bibliographie No. I. 23. (Statt 82 Sonette muss es 62 heissen).

412) Barrios, Flor de Apolo, 6; Coro de las Musas, 222.

412*) Befremdend ist, wenn selbst de Rossi l. c. 53 schreibt: »Sein Coro de las Musas, in Amsterdam (muss heissen Brüssel) 1672 gedruckt, enthält Dichtungen in verschiedenem Versmaass und mannigfachen Inhalts, und war schon 1665 in Brüssel im Flor de Apolo erschienen, in welchem (?) ausserdem Lobreden, Gesänge und Lustspiele gesammelt sind«. Barrios nahm den Flor de Apolo zum Theil in seinem Coro als »Musica de Apolo« auf; die Dichtungen des Coro waren bis 1672 noch nirgends erschienen. Sicherlich hat de Rossi weder das eine noch das andere Werk Barrios in Händen gehabt.

413) Barrios, Coro de las Musas, 223.

414) Barrios, Sol de la Vida, (99). Vgl. Panegyrico harm. etc. (2).

415) Historia y Descripcion de la Celebre y Ducal Ciudad de Florencia, por el Capitan D. Miguel de Barrios; diese erst 1674 gedruckte Epopöe befindet sich mit Sol de la Vida (Bruselas 1673) in einem Bande.

416) Harmonia del Mundo, von Barrios genannt im Prolog zum Coro (10), Coro de las Musas 209, 210, 215. Einige Verse aus dem ersten Gesange 216 f.; Sol de la Vida 72 f. Der Dichter verweist auch sonst häufig auf dieses uns unbekannte Werk, welches Wolf l. c. III, 214 Imperio de Dios en la Harmonia del Mundo betitelt und weder ihm noch Barbosa l. c. III, 464 vorgelegen zu haben scheint. Uebrigens bestand die Harmonia del Mundo nicht aus 4 Gesängen, wie Barbosa angibt, sondern aus 5; der 5. Coro wurde unter dem Titel Elisio dem Marquis von Frontera gewidmet. Vgl. Sol de la Vida 66.

417) Barrios, Sol de la Vida, 50 ff.

418) Barrios, Coro de las Musas, 205.

419) Barrios, Aumento de Israel, (s. p.) : »Al excelentissimo Conde de Monterrey«.

420) Sol de la Vida, dirigido a la sacra y real Magestad de Doña Catalina de Portugal, Reyna de la Gran Bretaña por el Capitan D. Miguel de Barrios. Bruselas (Jacob van Velsen) 1673. 8.

420*) Lindo, l. c. 348.

421) Barrios, Sol de la Vida, 1.

422) Ibid. 55. Vergl. auch 58, ein Traumbild »una noche antes que me hirieran«.

423) Ibid: 66.

424) Ibid. 89.

425) Ibid. 83, 91.

426) Soledad funebre, 55—92 (das Gedicht selbst von 67 an) befindet sich mit Sol de la Vida in einem Bande.

427) Corte Real Genealogica y Panegyrica etc. por el Capitan
D. Miguel de Barrios, 1—16 (Fin.) mit Sol de la Vida in einem Bande.
428) Mediar Estremos 1.
429) Carça de Mosseh, dirigela al S. Dios de Israel su humilde
siervo Daniel Levi de Barrios.
430) Historia Universal Judayca por D. Miguel de Barrios 1—26.
431) Historia del pueblo Hebreo Amstelodamo, Triumpho del Govierno Popular 58.
432) Ausser in verschiedenen Gedichten auch iu einer besonderen
Schrift: Luna opulenta de Holanda, en nubes que el Amor manda,
Amsterdam (D. Tartas) 1680. 8. 32 Seiten.
433) Del libro Alvedrio in Sol de la Vida 1—25. Wolf führt sie
(l. c. III, 214) irrthümlich als besondere Schrift an.
434) Eternidad de la ley de Mosseh, in den Opuscul. 2. Hälfte
pag. 39—88. Metros Nobles, Amsterdam s. a., in welcher Schrift
sich eine alabança und eine alabança jocosa à la eternidad de la ley
santissima, so wie ein Triumpho à la immortalidad del pueblo de Israel
befindet.
435) Triumphal Carro de la mayor perfeccion in einem kleinen
und einem grössern aus 92 Octaven bestehenden Gesang (im Druck
vollendet 4. Tischri 5443). Zu seinen kabbalistischen Schriften sind
zu rechnen: Zodiaco del Sol divino, ein Gedicht in 5 Octaven, in welchem die 12 Engel mit den 12 Stämmen und den 12 Himmelszeichen
correspondiren; Estatua de Nabuchodonosor (Poesie und Prosa); Mediar Estremos, Amsterdam (Jacob van Velsen) 5437 = 1677 und das
Manuscript, welches Barbosa (l. c. III, 464) unter dem Titel Atlas
Celeste aufführt und aus folgenden Discursos bestehen soll: Conoci-
miento de Dios. Claridad de la divina Presciencia. Verdadera Theologia.
Sonora alabança del maravilloso prototypo. Camino del Evo en los
passos de la Eternidad. Tridente de los Mundos Angelico, Esferico y
Elemental en la divina mano. Caroza de Ezechiel en Zodiaco intellectual
con el Emperio y glorioso Sol. Vision serafica en el principio de la
Creacion. Amor Angelico y Animastico etc.
436) Sagt Delitzsch l. c, 77: »Barrios schrieb mehrere national-
jüdische Dramen«, so hat er sicher nur seine von uns religiös genannten Autos oder Komödien im Auge.
437) Barrios' Komödien: Pedir Favor al Contrario (1—55), El
Canto junto al Elcanto (1—42) und El Español de Oran (49—107) sind
seinem Flor de Apolo angehängt, nicht aber dem Coro de las Musas,
wie Ticknor l. c. II, 355 n. 18 irrthümlich angibt. In derselben Note
redet er von 2 Ausgaben des Coro 1665 und 1672, welches gewiss
auf Verwechselung mit dem Flor de Apolo beruht. Auch Ticknor fand
die Komödien nur in dem letztgenannten Werke, wie wir aus seinem Zusatze sehen: »In my copy, which is of the first edition—1665«, in
welchem Jahre der Coro de las Musas noch nicht gedruckt worden war.
In dem von Ticknor benutzten Exemplar befinden sich von der Hand
des früheren Besitzers, des englischen Dichters und spanischen Reisen-

den Southey, folgende Worte : »Among the Landsowne MSS. is a volume
of poems by this author, who being a New Christian was happy enough
to get into a country where he could profess himself a Jew«. Ueber
seine Komödie »Contra la verdad no hay fuerça« siehe S. 263. Einer
seiner Komödien »El despertador del Mundo« gedenkt er Sol de la Vida
96 ; ibid. 49 seines »Theatro Universal«. Wolf nennt »Nubes no ofen-
den el sol«.

438) Vgl. Coro de las Musas, 3—42; 297—312 : 313—329.

439) Tora Or, Auto Mosayco 29—52 ; Meirat Henaïm 72—96 ;
Maskil el Dal 125 ff.

440) Barrios, Tora Or, 39.

441) Ibid. 40.

442) Wolf, l. c. IV, 925; III, 806 ; IV, 873.

443) Barrios, Tora Or, 42.

444) Barrios Gedichte, Casa de los Vivos und al virtuoso David
Salom Mareno gegen Ende der Opuscula. In dem letztangeführten Ge-
dichte nennt er David »honor del Talmud«. Vgl. Arbol de las Vidas, 99 :
David Salem Moreno es blanco de la sapientia.

445) Barrios, Abi Jethomim 35.

446) Barrios, Aumento de Israel, s. p. ; Arbol de las Vidas, 84.

447) Wolf, l. c. IV, 812. Der vollständige Titel ist : Theologia
Natural contra los Athios, Epicureos y Sectarios de tiempo por D. Is.
Barrientos. Hagae 1725.

448) Ticknor, l. c. II, 385 ; III, 471 im Index s. v.

449) Lipowsky, Peter der Zweite, (München 1818) 68 ff.

450) Barbosa, l. c. 464 : Epithalamio regio à la feliz union del
invicto D. Pedro II. de Portugal con la inclita Maria Sofia etc. Amsterdam s. a. 4. Dios con nos otros. Representase en el nombre del Ex-
cellentissimo Señor Manuel Telles da Silva etc. à la inclita Maria Sofia
Isabel, digna esposa del invencible D. Pedro II., Rey de Portugal. Amsterdam s. a. 8.

Barbosa führt noch ausserdem als von Barrios · verfasste Schriften an :

Palacio de la Sabiduria, Panegyrico a o Conde de Villa-Flor
D. Sancho sobre a Victoria do Amexial. Amsterd. (Jacob van
Velsen) 1673. 4.

Poesias famosas y Comedias. Anveres (Verdussen) 1674. 4.

Arbol florido de noche. Amsterd. (Tartas) 1686.8. Prosa u. Poesien.

Discurso politico sobre los adversios y prosperos sucessos de
las Provincias unidas, desde 23 de Marco de 1672 hasta 12
de Setiembre de 1673 s. a. e. l.

Aplauso metrico por las dos celebres vitorias que tuve a 7 y
14 de Junio deste año de 1673 la armada de los altos y po-
derosos Estados de las Provincias por su dignissimo y vigi-
lante Estador y Capitan General · de mar y tierra el serenissimo
Señor Guilhelmo Henrique de Nassau, Principe de Orange.
Amsterdam s. a. 8.

In der bibliotheca Hulsiana (382, 389) finden sich noch folgende von Barbosa nicht verzeichnete Schriften:

> Atlas Angelico de la Gran Bretaña, declaracion à el Rey Jacobo II., Prosas y versos.
>
> Historia Real de la Gran Bretaña. Amsterdam.

451) Barrios, Maskil el Dal, 110. Keter Schem Tob, 152. Jesiba de los Pintos (4).

452) Barrios, Govierno Popular Judayco, 26. Vgl. Tora Or, 43.

453) de los Rios, l. c. 634 n. 3.

454) Barrios, Triumpho del Govierno Popular, 61, 62, 63:

> La isla de Madera fue tu Oriente,
> O Jacob Israel! O gran Belmonte!

Gemilut Chassadim, 51; Bikur Cholim, 83.

455) Barrios, Relac. de los Poetas, 53:

> Contra la Inquisicion Jacob Belmonte
> Un canto tira del Castalio Monte,
> Y comico la Historia de Job canta.

Triumpho del Govierno Popular, 63:

> La Comedia de Job sonoro hazes.

Ibid. 76: Con semejante consideracion Jacob Israel Belmonte dixo en la Octava 97. del Canto que hizo al origen de la Inquisicion y destierros de la Gente Hebrea.

456) Barrios, Triumphal Carro: Glosa de la Octava que hizo Jacob Israel Belmonte.

457) Barrios, Triumpho del Govierno popular, 63:

> — Ocho prisiones tienes de tu esposa,
> En ocho hijos que en la ley rehazes.

458) Barrios, Resit Jokma, 159:

> La primer Yesiba fundo Morteira
> Quando* Jacob Belmonte sepultura
> Tiene . . . . *5390.

459) Barrios, Triumpho del Govierno Popular, 64; Gemilut Chassadim 71.

460) Barrios, Arbol de las Vidas, 61, 97.

461) Ibid. 82.

461*) Koenen, l. c. 208: Der eigentliche Name des ersten Herrn von Schoonenberg war Jacob de Abraham Belmonte.

462) Barrios, Gemilut Chassadim, 64.

463) Ibid. 51.

464) Ibid. 58. Vgl. Arbol de las Vidas, 82.

465) Barrios, Relac. de los Poetas, 56.

466) Wolf, l. c. IV, 906.

467) Barrios, Historia Universal Judayca, 21. Koenen, l. c. 184. (Barrios sagt nicht, dass Andreas der Bruder Manuel's gewesen sei.)

468) Koenen, l. c. 207.

469) de Vries, Geschiedenis der Nederduitsche Dichtkunde, (Amsterdam 1810) II, 8.

470) Barrios, Relac. de los Poetas, 60.

471) Wolf, l. c. III, 606.

472) Barrios, Relac. de los Poetas, 60; Aumento de Israel, 37 ff.

473) Barrios, Maskil el Dal, 140:

Salomoh de Rocamora
Sobresale entre Doctores.

474) Barrios, Oracion Panegyrico de Abi Jethomim, 31; Maskil el Dal 106, 108.

475) Barrios in einem Gedichte gegen Ende der Opuscula (Hamburger Exemplar), überschrieben: Fallecimiento del famoso Doctor Isaac de Rocamora a 24 de Nisan do 5444.

476) Barrios, Sol de la Vida, 49: Solo tu con poética energia etc.

477) Barrios, Luzes de la ley divina, 4.

478) Wolf, l. c. III, 559.

479) Barrios, Relac. de los Poetas, 60.

480) Ibid.: Sosa . . . sobrino del Doctor Samuel Serra que imitó à Virgilio en la Poësia Latina, welches Wolf l. c. III, 559 übersetzt: Eum (Sosam) ut nepotem D. Samuelis Serra, qui Virgilium latino carmine imitatus est, laudat etc. Hieraus macht Fürst, Bibliotheca Judaica, I, 339: Er war Enkel (muss heissen Neffe) des Samuel Serra und grosser lateinischer Dichter, Nachahmer Virgil's. Hätte Fürst sich die Mühe gegeben, Wolf l. c. III, 1120 nachzuschlagen: »Eum ut imitatorem Virgilis in carmine latino laudat«, so würde er richtig übersetzt haben.

481) Barrios, Relac. de los Poetas, 60; Temime Derech, VI, (8).

Es Abraham Gomez de Araujo (Arauxo), atento
Aritmetico, docto y tan agudo,
Que del Enigma cala el pensamiento,
. Y es de la Jesiba precioso escudo.

482) Barrios, Relac. de los Poetas, 60.

483) Wolf, l. c. III, 749.

484) de los Rios, l. c. 634, n. 3.

485) Barrios, Relac. de los Poetas, 60.

486) Paramus, De origine et progressu Inquisitionis, Fol. 242.

487) Llorente, l. c. III, 469.

488) Cardoso, l. c. 323 f.

489) Barrios, Govierno Popular Judayco, 43; Barrios nennt ihn fremiño und lässt ihn in Lima umkommen; nach Cardoso, l. c. 323, hiess er Trebiño und starb in Mexico. Barrios scheint überhaupt Trebiño und Silva verwechselt zu haben.

490) Barrios, Arbol de las Vidas, 87.

491) Nicht Menchorro, wie bei de los Rios, l. c. 568; Barrios, Relac. de los Poetas, 58:

Eliahu Machorro de apolinea cumbre,
A Holanda y à Brasil dio clara lumbre

492) Barrios in einem Sonett (Ende der Opuscula [Hamburg]):

Con la flauta de Thalia
Machorro eleva al Parnasso
En el poetica passo,
Que da vozes de energie.

493) Barrios, Arbol de las Vidas, 82.

494) Mestre Prophiat Duran, der unter dem Namen Efodi bekannte Autor, führte nach seinem Wohn- oder Geburtsorte auch den Namen Laguna. Vgl. Zunz, Zur Geschichte und Literatur, 462 und besonders Note m.

495) Gedruckt zu London 5480 (ם״ל״ה 'w) 1720, nicht 1742, wie de Rossi u. A. angeben. Dieses Dichters gedenkt auch Puiyblanch, Die entlarvte Inquisition, deutsch von Walton (Weimar 1817) 153 f.

496) de los Rios, l. c. 628.

497) Barrios, Triumpho del Govierno Popular, 71; Maskil el Dal, 133.

498) Geddes, View of the Court of Inquisition of Portugal, in dessen Miscellaneous Tracts (London 1702) 447—448. Geddes wohnte diesem Auto als Augenzeuge bei. Hiernach ist zu berichtigen Zunz, Synagogale Poesie, 347. Vgl. auch Barrios, Govierno Popular Judayco, 47.

499) Historia da Inquisição en Portugal, 276, 278, 304.

500) Ibid. 280.

501) Barbosa, l. c. II, 469 ff. A. Ribeiro dos Santos war im Besitz eines Exemplars der Leichenrede und wusste von noch zwei anderen, welche sich bei seinen Freunden, dem Bischof von Beja und einem Professor Correa da Silva befanden. Vgl. Memorias de Litteratura Portugueza, IV, 330 Note.

502) Reils, Beiträge zur ältesten Geschichte der Juden in Hamburg in der »Zeitschrift des Hamburger Geschichts-Vereins«, II, 367 ff.

503) Wolf, l. c. III, 43. Erera, Lusitanus (I, 66, Hispanus) de quo lege rhythmos aliquot Hispanicos in Barrios Histor. Univ. Judaic. 20 — auch im 2. Theil zählt er Abraham Cohen Herera unter die spanischen Dichter auf —. Man sucht jedoch vergebens nach des Kabbalisten spanischen Versen. Herera's Poesie liegt in Wolf's Unkenntniss der spanischen Grammatik. Bei Barrios heisst es nämlich an der von Wolf citirten Stelle: . . . . »Herrera, cuya vida canta este Soneto«; nun hat W. canta auf Herera bezogen, während es zu Soneto gehört, »dessen Leben dieses Sonett besingt«.

503*) Barrios, Relac. de los Poetas, 54:

Isaac de Herrera canta en su corriente.

504) Wolf, l. c. I, 148.

505) Barrios, Vida de Isaac Usiel, 44.

506) Zeitschrift des Hamburger Geschichts-Vereins, II, 394.

507) Ibid. II, 396.

508) Barrios, Vida de Isaac Usiel, 44: »Neve Salom« con Lima se adulçava. David de Lima ohne Zweifel dem Gründer der Synagoge widmete Isaac Cohen de Lara, Prediger an derselben, sein Werk »Temor Divino«.

508*) Koenen, l. c. 430.

509) Barrios, Vida de Isaac Usiel, 13.

510) Ibid. 44 ; Maskil el Dal 110 :

> De Abraham de Fonseca Jaxam raro
> En la corte que el Albis (Elbe) riega undoso, etc.

511) Wolf, l. c. I, 96 : obiit a. 435. 23 Tammus die Jovis i. e. A. C. 1671 (muss heissen 1675) 27. Julii , quod ex monumento ejus sepulchrali apud Altonavienses apparet.

512) Barrios, Jesiba de los Pintos (3). Temime Derech VII. Arbol de las Vidas 94.

513) Barrios, Arbol de las Vidas, 94. Maskil el Dal 110 :

> Abraham Cohen de Lara del sagrado
> Pueblo, Jazan en Amsterdam se ostenta.

514) Keineswegs aber in Hamburg, wie bei Reils, Zeitschrift etc. II, 394 Note zu lesen ist. Auch glauben wir nicht, dass de Lara's Vater Hamburger Kaufmann gewesen , sonst würde er wohl in der Rolle der portugiesischen Juden verzeichnet sein , da er ja vor 1603 dort gewohnt haben soll.

515) Barrios , Vida de Isaac Usiel, 45 ; Wolf, l. c. I, 316 ff., III, 198 f.

516) Barrios, Mediar Estremos, 22.

517) Ibid. Vgl. de los Rios, l. c. 566.

518) Kore Ha–Dorot 22* ; Wolf, l. c. I, 555.

519) Barrios, Relac. de los Poetas, 57 :

> Joseph Frances armado de conceptos
> Guardo del Pindo harmonicos preceptos.

Ilustro al Pueblo Hebreo Hamburgues con su exemplar observancia mosayca y con sus poeticas expresiones.

520) De los Rios verwechselt Jacob Jehudah Leon mit »Leon Hebreo« — wie er Jacob Jehudah auch einige Male nennt — dem Sohne Isaac Abravanel's, dem Verfasser der Dialoghi del amore.

521) Barrios, Jesiba de los Pintos (2). Vida de Isaac Usiel 18. Vgl. auch Wolf, l. c. I, 593 ; III, 459 ff. Koenen, l. c. 337. Memor. de Litteratura Portugueza, III, 250 f., 279 ff., Basnage u. A.

522) Wolf, l. c. III, 96.

523) Barrios, Aumento de Israel (s. p.) :

> Del sabio Rey tu insigne Padre espejo,
> Al templo pinta.

Surenhus, Praefat. ad Mischnam, 2.

524) Barrios, Maskil el Dal, 144 :

> Salomo Jehudah Leon,
> Pedricador aplaudido,
> En la justa literaria
> Se arma de agudos caprichos.

Arbol de las Vidas, 93 :

> Con pavilo de elegancia
> Da lumbre de su agudeza.

525) Barrios, Aumento de Israel (s. p.) :

> Los cantares mas celebres declaras
> De tal concepto, y tal inteligencia,
> Que nueve Salomon te ve la ciencia
> Y Juda, Leon clara de sus aras.

526) Wolf, l. c. III, 1041.
527) Barrios, Vida de Isaac Usiel, 40 f.
528) Barrios, Arbol de las Vidas, 92 :

> Samuel de Leon perece
> Leon, que en su boca enseña
> El panal de los estudios
> Con la miel de la eloquencia.

529) Wolf, l. c. III, 877 : Triumpho etc. Carmen hispanicum in bella inter Hispanos et Turcos gesta.
530) Barbosa, l. c. III, 293.
531) Barrios, Relac. de los Poetas, 57 :

> Isaac de Silva con primor facundo
> Canto en el Pindo la creacion del Mundo.

532) Wolf, l. c. III, 608.
533) Ibid. IV, 451, 458 ; III, 395, 417 f.
534) de los Rios, l. c. 636.
535) Barrios, Aumento de Israel en luzes de la ley divina, 17 : Digno elogio al muy erudito Sr. Josseph (sic) Penso, en su ponderada y descripta Vida de Adam:

> Fabrica el Architecto sin segundo
> A su imagen el hombre con tal buelo (vuelo),
> Que al hombre la muger es breve cielo
> Y el hombre á la mager pequeño mundo.
>
> Tu lo imitas con genio tan fecundo,
> Que escrito de tu pluma, y de tu zelo
> Adam goza su mundo en tu desvelo,
> Y Eva su cielo en tu saber facundo.
> . . . .

536) Ibid. 18 : Soneto contra la envidia y en favor de la templada prudencia del peritissimo Sr. Joseph Penso, Escritor acertado de la Historia de Adam.
537) Wir vermuthen, dass »de los Floridos« der Name der von Belmonte gestifteten Akademie (s. S. 291) und Joseph Penso ihr Mitglied gewesen ist. Barrios sagt von Penso (Arbol de las Vidas, 90) :

> Elegante Joseph Penso
> Pasmo de las Academias,
> Libra sus libros de Zoylos,
> Dando en forma sus materias.
> Con fragrancia de conceptos
> Flor de la elegancia seria,
> En la planta de la ley
> Tiene su mejor carrera.

538) Helfferich, Der Protestantismus in Spanien zur Zeit der Reformation, in Gelzer's Protest. Monatsbl. 1856, VIII, 133.

539) Witsen-Geysbeek, Woordenboek der Nederduitsche Dichters, (Amsterdam 1822) II, 28.

240) Nach einem Aufsatze: »Antonio Joseph« (Note 207). Es ist zu bedauern, dass de Lara durchaus keine Quellen angegeben hat.

541) Dénis, Résumé de l'histoire littéraire du Portugal (Paris 1826) 432 ff.

542) Ibid. 433.

543) Portugal Pittoresco (Lisboa 1847) III, 270.

544) Borrow, Bible in Spain (London 1843), I, 232 ff.

545) Frankl, Nach Jerusalem! (Leipzig 1858) I, 234 ff.

Register der Personennamen.

(Die Namen der Dichter sind mit Cursiv-, die der Märtyrer mit fetter Schrift gedruckt.)

24

Z.

Berichtigungen.

Seite	Zeile	statt:	zu lesen:
2	7 v. o.	den	der
7	21 v. o.	ein nothwendiges Uebel	eines nothwendigen Uebels
40	3 v. u.	nyn	syn
52	18 v. o.	es	er
76	32 v. o.	Diejo	Diego
107	2 v. o.	Alah und dem	Allah und den
110	19 v. o.	bedeckt	beladen
119	13 v. o.	missbeliebige	missliebige
119	24 v. o.	nach überschritten ist einzuschalten: »gegen eine Steuer von acht Crusaden«	
119	26 v. o.	sind die Worte: »gegen eine Steuer von acht Crusaden« zu streichen	
141	4 v. o.	Es	Er
152	14 v. o.	nach Leon ist ein Punkt zu setzen und nach Sanchez »und« einzuschalten	
161	7 v. o.	gestürzest	gestürzet
165	5 v. o.	ins	in
173	3 v. u.	vido	oido
178	14 v. o.	portugiesischen	fremdartigen
251	17 v. u.	Fullano	Fullana
255	4 v. o.	Jeduhah	Jehudah
261	21 v. o.	nach Sohn ist einzuschalten »oder Bruder«	
264	5 v. o.	Sasedo	Salsedo
280	2 v. u.	des Landes	des gelobten Landes
299	3 v. u.	Sumada	Samuda
299	4 v. u.	Sumada	Samuda
315	1 v. o.	Jeduhah	Jehudah
315	4 v. o.	Jeduhah	Jehudah

Das Buch der Weltweisheit, oder die Lehren der bedeutendsten Philosophen aller Zeiten. Dargestellt für die Gebildeten des deutschen
Volkes. 2 Theile. 1851. 3 Thlr. 15 Ngr.; cart. 3 Thlr. 22½ Ngr.

Elegant Extracts from the most celebrated British Poets.
By Dr. Gleim. 1856. In Leinwandband mit Goldschn. 1 Thlr.

Kayserling, Dr. M., **Moses Mendelssohn's philosophische und religiöse Grundsätze** mit Hinblick auf Lessing dargestellt. Nebst e. An-
hang, einige bis jetzt ungedruckte Briefe Moses Mendelssohn's ent-
haltend. 1856.   22½ Ngr.

Mirabeau, sur Moses Mendelssohn et sur la réforme politique
des juifs. Nouv. édit. 1853.   18 Ngr.

Baerst, Baron Eug., **Gastrosophie oder die Lehre von den Freuden
der Tafel.** 2 Theile. 3 Thlr. 20 Ngr.; in Leinwandband 4 Thlr.

Die Zerstörung der Stadt Jerusalem unter Titus. Für Leser aller Stände
dargestellt nach Flavius Josephus. 1851.   25 Ngr.
